標準言語聴覚障害学

言語発達障害学 第3版

シリーズ監修

藤田郁代　国際医療福祉大学大学院教授・医療福祉学研究科　言語聴覚分野

編集

深浦順一　国際医療福祉大学大学院教授・医療福祉学研究科　言語聴覚分野

藤野　博　東京学芸大学大学院教授・教育学研究科

石坂郁代　北里大学非常勤講師・医療衛生学部リハビリテーション学科言語聴覚療法学専攻

執筆〔執筆順〕

大伴　潔	東京学芸大学教授・特別支援教育・教育臨床サポートセンター	石川亜紀	港区立児童発達支援センター
原　惠子	上智大学特任准教授・言語科学研究科言語学専攻言語聴覚研究コース	水戸陽子	北里大学医療衛生学部リハビリテーション学科言語聴覚療法学専攻
石坂郁代	北里大学非常勤講師・医療衛生学部リハビリテーション学科言語聴覚療法学専攻	高見葉津	東京都立北療育医療センター
稲垣真澄	鳥取県立鳥取療育園・園長	虫明千恵子	東京都立北療育医療センター
深浦順一	国際医療福祉大学大学院教授・医療福祉学研究科言語聴覚分野	藤吉昭江	医療法人さくら会 KIDS FIRST
畦上恭彦	国際医療福祉大学教授・保健医療学部言語聴覚学科	久保山茂樹	独立行政法人国立特別支援教育総合研究所・上席総括研究員／インクルーシブ教育システム推進センター長
熊田広樹	旭川大学短期大学部准教授・幼児教育学科	重森知奈	帝京平成大学健康メディカル学部言語聴覚学科
田中裕美子	大阪芸術大学教授・初等芸術教育学科	森脇愛子	青山学院大学准教授・教育人間科学部心理学科
春原則子	目白大学教授・保健医療学部言語聴覚学科	平林ルミ	学びプラネット合同会社・代表社員／東京大学大学院教育学研究科附属バリアフリー教育開発研究センター・教育学研究員
下嶋哲也	国立障害者リハビリテーションセンター学院言語聴覚学科	松井智子	中央大学大学院教授・文学研究科
藤野　博	東京学芸大学大学院教授・教育学研究科	井﨑基博	熊本保健科学大学准教授・保健科学部リハビリテーション学科

医学書院

標準言語聴覚障害学
言語発達障害学

発　　　行	2010年 3月15日　第1版第1刷
	2013年 9月 1日　第1版第4刷
	2015年 2月15日　第2版第1刷
	2019年 9月15日　第2版第7刷
	2021年 3月 1日　第3版第1刷©
	2023年12月 1日　第3版第4刷

シリーズ監修　藤田郁代
編　　　集　深浦順一・藤野　博・石坂郁代
発　行　者　株式会社　医学書院
　　　　　　代表取締役　金原　俊
　　　　　　〒113-8719　東京都文京区本郷1-28-23
　　　　　　電話 03-3817-5600（社内案内）
組　　　版　ビーコム
印刷・製本　三報社印刷

本書の複製権・翻訳権・上映権・譲渡権・貸与権・公衆送信権（送信可能化権を含む）は株式会社医学書院が保有します．

ISBN978-4-260-04342-7

本書を無断で複製する行為（複写，スキャン，デジタルデータ化など）は，「私的使用のための複製」など著作権法上の限られた例外を除き禁じられています．大学，病院，診療所，企業などにおいて，業務上使用する目的（診療，研究活動を含む）で上記の行為を行うことは，その使用範囲が内部的であっても，私的使用には該当せず，違法です．また私的使用に該当する場合であっても，代行業者等の第三者に依頼して上記の行為を行うことは違法となります．

JCOPY 〈出版者著作権管理機構　委託出版物〉
本書の無断複製は著作権法上での例外を除き禁じられています．複製される場合は，そのつど事前に，出版者著作権管理機構（電話 03-5244-5088，FAX 03-5244-5089，info@jcopy.or.jp）の許諾を得てください．

＊「標準言語聴覚障害学」は株式会社医学書院の登録商標です．

刊行のことば

　ことばによるコミュニケーションは，人間の進化の証しであり，他者と共存し社会を構成して生きる私たちの生活の基盤をなしている．人間にとってかけがえのないこのような機能が何らかの原因によって支障をきたした人々に対し，機能の回復と獲得，能力向上，社会参加を専門的に支援する職種として言語聴覚士が誕生し，その学問分野が言語聴覚障害学（言語病理学・聴能学）としてかたちをなすようになってからまだ100年に満たない．米国では1925年にASHA（American Speech-Language-Hearing Association：米国言語聴覚協会）が発足し，専門職の養成が大学・大学院で行われるようになった．一方，わが国で言語聴覚障害がある者に専門的に対応する職種がみられるようになったのは1960年代であり，それが言語聴覚士として国家資格になったのは1997年である．

　言語聴覚障害学は，コミュニケーション科学と障害学を含み，健常なコミュニケーション過程を究明し，その発達と変化，各種障害の病態と障害像，原因と発現メカニズム，評価法および訓練・指導法などの解明を目指す学問領域である．言語聴覚障害の種類は多彩であり，失語症，言語発達障害，聴覚障害，発声障害，構音障害，口蓋裂言語，脳性麻痺言語，吃音などが含まれる．また，摂食・嚥下障害や高次脳機能障害は発声発語機能や言語機能に密接に関係し，言語聴覚士はこのような障害にも専門的に対応する．

　言語聴覚士の養成教育がわが国で本格化してから10年余りであるが，この間，養成校が急増し，教育の質の充実が大きな課題となってきた．この課題に取り組む方法のひとつは，教育において標準となりうる良質のテキストを作成することである．本シリーズはこのような意図のもとに企画され，各種障害領域の臨床と研究に第一線で取り組んでこられた多数の専門家の理解と協力を得て刊行された．

　本シリーズは，すべての障害領域を網羅し，言語聴覚障害学全体をカバーするよう構成されている．具体的には，言語聴覚障害学概論，失語症学，高次脳機能障害学，聴覚障害学，言語発達障害学，発声発語障

学，摂食・嚥下障害学の7巻からなる．[注1]執筆に際しては，基本概念から最先端の理論・技法までを体系化し，初学者にもよくわかるように解説することを心がけた．また，言語聴覚臨床の核となる，評価・診断から治療に至るプロセス，および治療に関する理論と技法については特にていねいに解説し，具体的にイメージできるよう多数の事例を提示した．

　本書の読者は，言語聴覚士を志す学生，関連分野の学生，臨床家，研究者を想定している．また，新しい知識を得たいと願っている言語聴覚士にも，本書は役立つことと思われる．

　本シリーズでは，最新の理論・技術を「Topics」で紹介し，専門用語を説明するため「Side Memo」を設けるなどの工夫をしている．また，章ごとに知識を整理する手がかりとして「Key Point」が設けてあるので，利用されたい．[注2]

　本分野は日進月歩の勢いで進んでおり，10年後にどのような地平が拓かれているか楽しみである．本シリーズが言語聴覚障害学の過去，現在を，未来につなげることに寄与できれば，幸いである．

　最後に，ご執筆いただいた方々に心から感謝申しあげたい．併せて，刊行に関してご尽力いただいた医学書院編集部に深謝申しあげる．

　2009年3月

シリーズ監修
藤田郁代

〔注1〕現在は『地域言語聴覚療法学』『言語聴覚療法 評価・診断学』が加わり，全9巻となっている．
　　　（2020年12月）
〔注2〕本シリーズでは全体の構成を見直した結果，「Topics」「Side Memo」欄を「Note」欄に統一．また章末の「Key Point」を廃止し新たに言語聴覚士養成教育ガイドラインに沿った「学修の到達目標」を章頭に設けることとした．
　　　（2020年10月）

第3版の序

　本書の初版は2010年に，第2版は2015年に刊行された．本シリーズは言語聴覚士の標準的なテキストとして広く使用されており，質の維持とさらなる発展をはかるため，内容の更新が定期的に行われてきた．そして，初版の創刊から10年を節目として，第3版では全面的な改訂が行われることとなった．今回の改訂の大きなポイントとして，「言語聴覚士養成教育ガイドライン」に内容を対応させたことが挙げられる．また，解説された理論や技法が実際の臨床でどのように活用されるかを具体的に示すため，事例の項目が加えられたことも新たな特徴である．

　そのようなシリーズ全体の改訂方針をふまえ，本書も構成と内容を一新し，以下のような構成となった．

　第1章「言語とコミュニケーションの発達」
　第2章「言語発達障害とは」
　第3章「評価（アセスメント）・診断」
　第4章「指導と支援」
　第5章「保健，福祉，教育との連携」
　第6章「言語発達障害支援の最前線」

　第3版の編集にあたっては情報の構造化を図り，内容が重複していた部分を整理して，シンプルでわかりやすい構成にすることを方針とした．そのため，それまでいくつかの章に分散していた各障害の特徴や指導・支援法に関する記述を第4章にまとめるなどの工夫を行った．

　また，保健，福祉，教育などの関連領域との連携を独立した章として設けた点も新たな特徴といえる．多職種連携はチーム医療における今日の重要な課題である．就学前に医療機関などで言語聴覚士の指導を受け，就学後は小学校のことばの教室で指導を受ける子どもは少なくない．一貫した支援を行うためには，言語発達の状態や経過，課題などについての情報の共有と，適切な引き継ぎや連携が欠かせない．そして，近年の障害者支援の重要な視点の1つに「合理的配慮」が挙げられるが，福祉や教育の分野におけるその取り組みを理解することも重要である．さらに，

グローバル化に伴う外国籍の家族の増加や情報通信技術の発展など，ことばの発達や支援に関係する近年の趨勢は，言語聴覚士の仕事の質を高めるために持つべき知識といえる．第6章ではそのような最先端の情報を提供している．

　今回の改訂では，次世代への継承という観点から，編者とともにいくつかの項目の執筆者にご交代いただき，若手の先生方に新たに加わっていただいた．これまで編集と執筆の労をお取りいただき，本書の基盤を築いてくださった先生方には心より感謝を申し上げる．

2021年1月

編集
深浦順一
藤野　博
石坂郁代

初版の序

　私たちは，いつの間にかことばを身につけ，ことばを使って他者とコミュニケーションをとったり，考えたりしている．しかし，いつ，どのようにして言語を獲得するのかはいまだ十分には解明されていない．ゆっくりしたペースで発達する子どもたちやコミュニケーションがうまくいかない子どもたちとのかかわりを通して，言語発達とは何か，コミュニケーションとは何かについて考える手がかりを与えられることも多い．

　子どもが自分の思いを表現して周りの人たちとのコミュニケーションを楽しめるように，1人ひとりの状況とニーズを知り，その子に合った支援を行うことが，子どもにかかわる言語聴覚士の仕事である．しかし，何の手がかりもなく，試行錯誤的に支援するのでは，子どもたちにとって迷惑千万である．典型的な言語発達の順序や獲得過程を理解し，言語発達に関連する障害の特徴を学ぶことで，子どもの全体像を正確に理解し，適切な支援のありかたを考えることができる．本書には，このような視点から，科学的に検証され系統だった知識の枠組みと，豊かな臨床経験に基づく知見に裏付けられた考えるヒントがちりばめられている．

　第1章は，言語発達障害の初学者が全体を俯瞰するための，いわば道案内の章となっている．第2章では，評価・診断，情報収集とそのまとめ方を解説し，続く第3章では典型的な言語発達について解説するとともに，各段階における発達指標に基づいた評価と支援のポイントを概説した．第4章では関連する主要な障害を取り上げ，障害特性とそれに応じた支援方法を解説した．正確な評価に基づいて子どもを理解することが適切な支援に結びつくという考えに重きを置き，第3章と第4章において評価と支援を関連付けて解説している点が，本書の大きな特徴の1つとなっている．第5章では，代表的な支援方法について，理論的背景とその実際を解説した．さらに，障害の発見から成人期に至るまでの長期的な視点に立ち，第6章において各ライフステージにおける支援の方法と言語聴覚士の役割を解説した．全体を通読することで，言語発達障害

に関する基礎知識を学べるよう構成されているが，さらに，言語聴覚士が臨床の現場においてどのような支援を行えばよいかについて考える際の手引きとしても活用できるようになっている．

「言語発達障害学」は，医学，言語学，発達心理学，教育学，行動科学，特に最近の脳科学の発展とともに，学際的な研究・臨床領域として今後発展が期待される分野である．本書が，この分野の一層の発展と，子どもたちが生き生きと充実した生活を送ることに寄与することを願うものである．

執筆は，各領域で臨床・研究の第一人者として活躍している言語聴覚士の方々である．言語発達障害に関する基礎的な知識から最新の知見までわかりやすく解説していただいた．言語聴覚士を志して学ぶ学生をはじめとして，医療，保健，福祉，保育，教育などの分野で子どもにかかわる方々に言語発達障害学の入門書として活用していただければ幸いである．

最後に，熱意をこめてご執筆くださった方々に心から感謝します．また，本書の出版にあたり，忍耐強い励ましとご尽力いただいた医学書院の皆様に深謝申しあげます．

2010年2月

編集
玉井ふみ
深浦順一

目次

第1章 言語とコミュニケーションの発達 ……… 1

1 発達の全体像 ……………………（大伴　潔）2
- Ⓐ 前言語期 ……………………………… 2
- Ⓑ 幼児前期 ……………………………… 2
- Ⓒ 幼児後期 ……………………………… 3
- Ⓓ 学童期 ………………………………… 4

2 前言語期 ………………………（大伴　潔）4
- Ⓐ 前言語期とは ………………………… 4
  1. 人や物とのかかわり ……………… 4
  2. 共同注意の成立 …………………… 5
  3. その他の情緒・社会性の発達 …… 5
- Ⓑ コミュニケーションと音声言語の発達 … 5
  1. 非言語的コミュニケーション …… 5
  2. 語音認知から聴覚的理解へ ……… 6
  3. 言語表出の前段階 ………………… 7

3 幼児前期 ………………………（大伴　潔）8
- Ⓐ 幼児前期とは ………………………… 8
  1. 象徴機能の発達 …………………… 8
  2. 遊びの発達 ………………………… 9
  3. その他の情動・社会性および認知の発達 … 9
  4. 母親からの言語入力の特徴 ……… 10
- Ⓑ 語彙と構文の発達 …………………… 10
  1. 前言語期から言語期への移行 …… 10
  2. 初期に獲得されやすい語彙 ……… 10
  3. 初期の名詞の意味的範囲 ………… 11
  4. 語彙の増加 ………………………… 11
  5. 語連鎖の産出 ……………………… 13
  6. 文の聴覚的理解 …………………… 13
  7. 助詞の出現と文の複雑化 ………… 14

4 幼児後期 ………………………（大伴　潔）15
- Ⓐ 幼児後期とは ………………………… 15
  1. 遊びの発達 ………………………… 15
  2. 「心の理論」の獲得 ………………… 15
  3. 学童期への準備段階 ……………… 16
- Ⓑ 語彙と構文の発達 …………………… 16
  1. 語彙の拡充 ………………………… 16
  2. 語彙習得にかかわる要因 ………… 17
  3. 構文の理解・産生 ………………… 18
- Ⓒ 会話とナラティブ …………………… 19
  1. 会話の発達 ………………………… 19
  2. 接続助詞・接続詞 ………………… 19
  3. 説明や推論 ………………………… 20
  4. ナラティブ（語り） ………………… 20

5 学童期 …………………………（原　惠子）21
- Ⓐ 学習言語の発達 ……………………… 21
  1. 学童期の言語活動 ………………… 21
  2. 学童期における言語の各側面の発達 … 22
  3. 学童期の言語発達を支えるもの … 25
- Ⓑ 読み書きの発達 ……………………… 26
  1. 低次レベルの読み書き …………… 26
  2. 高次レベルの読み書き …………… 29
- Ⓒ 学童期におけるその他の言語の問題 … 31
  1. 多言語環境にある児童の言語の問題 … 31
  2. 小学校での英語学習 ……………… 32

第2章 言語発達障害とは ... 33

1 言語発達障害とは ...(石坂郁代) 34
Ⓐ 言語発達障害とは ... 34
1. 言語障害と言語発達障害 ... 34
2. DSM-5とICD-10の言語発達障害の分類と定義 ... 34
3. 言語学的諸側面からみた言語発達障害 ... 34

Ⓑ 言語発達の阻害要因と言語発達障害 ... 36

2 言語発達障害の医学的背景 ...(稲垣真澄) 38
Ⓐ 発達の生理学(脳機能の発達を含む) ... 38
1. 神経系の発生 ... 38
2. シナプスの形成と髄鞘(ミエリン)化 ... 38
3. 神経系の成長 ... 40
4. 視・聴覚と社会性の発達 ... 40

Ⓑ 発達の病理学(発生異常,周産期障害など) ... 42
1. 遺伝子病 ... 42
2. 染色体異常症 ... 45
3. 胎児病 ... 46
4. 周生期障害 ... 46
5. 出生後障害(後天的神経障害) ... 47

3 言語発達障害の臨床 ...(石坂郁代) 49
Ⓐ 言語発達障害の臨床の過程 ... 49
Ⓑ 評価・言語病理学的診断 ... 49
Ⓒ 指導・支援 ... 50
Ⓓ 子どもの未来を育てる専門家 ... 51

第3章 評価(アセスメント)・診断 ... 53

1 情報収集 ...(深浦順一) 54
Ⓐ 主訴 ... 54
Ⓑ 生育歴 ... 54
1. 現病歴 ... 54
2. 発達歴 ... 54
3. 既往歴 ... 55
4. 治療(訓練・指導)・教育歴 ... 55
5. 家族歴 ... 55
6. 環境 ... 55

Ⓒ 現症 ... 55
Ⓓ 関連領域からの情報 ... 56
Ⓔ 情報収集の方法 ... 56
1. 面接 ... 56
2. 質問紙 ... 56
3. 行動観察 ... 56
4. 紹介状(情報提供書) ... 58

Ⓕ 情報収集の実際(面接) ... 58

2 検査 ...(畦上恭彦) 59
Ⓐ 検査の位置づけと目的 ... 59
Ⓑ 検査の対象領域 ... 59
Ⓒ 検査の種類 ... 60
Ⓓ 診療報酬点数と発達検査・知能検査 ... 60
Ⓔ 標準的な検査の流れ ... 60
Ⓕ 代表的な各種検査 ... 61
1. 発達検査 ... 61
2. 知能検査 ... 62
3. 学習認知の検査 ... 63
4. 言語検査 ... 64
5. 自閉症スペクトラム障害/注意欠如・多動性障害の診断・評価のために用いられる検査 ... 67
6. 視知覚認知および視覚記憶に関する検査 ... 68

Ⓖ 個別検査を実施する際の留意点 ... 68

3 評価のまとめ ...(畦上恭彦) 70
Ⓐ 評価のまとめの位置づけ ... 70
Ⓑ 評価・診断過程の留意点 ... 70
Ⓒ 包括的な評価・診断に向けて ... 71

Ⓓ 包括的な評価・支援につなげるための ICF の活用……………………………………………… 71

Ⓔ 収集した情報のまとめと報告書の作成…… 71

第4章　指導と支援……………………………………………………………………………………… 75

1 発達段階に応じた指導…………（大伴　潔）76
　Ⓐ 指導の基本的背景……………………………… 76
　　1. 指導領域・指導目標の設定………………… 76
　　2. 目標水準の設定：発達の最近接領域の配慮
　　　 ………………………………………………… 76
　　3. 指導アプローチの多様性…………………… 76
　Ⓑ 前言語期における指導………………………… 78
　　1. 子どもに期待されること…………………… 78
　　2. 指導者が留意すること……………………… 79
　Ⓒ 幼児前期における指導………………………… 81
　　1. 子どもに期待されること…………………… 81
　　2. 指導者が留意すること……………………… 82
　Ⓓ 幼児後期における指導………………………… 84
　　1. 子どもに期待されること…………………… 84
　　2. 指導者が留意すること……………………… 85
　Ⓔ 学童期における指導…………………………… 86
　　1. 子どもに期待されること…………………… 87
　　2. 指導者が留意すること……………………… 87

2 環境調整………………………（熊田広樹）89
　Ⓐ 保護者支援……………………………………… 90
　　1. 保護者支援における心構え………………… 90
　　2. 助言…………………………………………… 90
　　3. 説明…………………………………………… 92
　　4. 情報提供……………………………………… 93
　　5. 保護者同士の支援…………………………… 93
　　6. その他の支援………………………………… 94
　Ⓑ 関係諸機関との連携…………………………… 94
　　1. 連携の重要性とその意義…………………… 94
　　2. 関係諸機関の概要…………………………… 96
　Ⓒ カウンセリングマインド……………………… 97
　　1. カウンセリングマインドの重要性とその意義
　　　 ………………………………………………… 97
　　2. 共感と臨床の実際…………………………… 98
　　3. カウンセリングマインドと長期的視点…… 98

3 特異的言語発達障害………（田中裕美子）101
　Ⓐ 特異的言語発達障害とは…………………… 101
　　1. 医学的診断とことばの遅れとの区別…… 101
　　2. 日本語では………………………………… 102
　Ⓑ 言語・コミュニケーション障害の特徴…… 102
　　1. 幼児期……………………………………… 102
　　2. 年長～学童期……………………………… 104
　Ⓒ 評価…………………………………………… 106
　　1. SLIと判定するための評価……………… 106
　　2. 幼児期におけるSLIの判定……………… 106
　　3. 年長以降におけるSLIの評価…………… 108
　Ⓓ 近年のSLI児の言語指導や支援…………… 109
　　1. 明白な言語情報：トイトーク(toy talk)…… 110
　　2. 文の要である動詞の指導を目指した
　　　 ことばかけとは…………………………… 111
　　3. ナラティブを用いた言語指導…………… 112
　　4. 学童期のSLI/LLD児への言語指導：
　　　 カリキュラムに沿った言語指導………… 113
　Ⓔ 事例紹介……………………………………… 113
　　1. 対象児……………………………………… 113
　　2. 初診評価（アセスメント）……………… 114
　　3. 指導目標と指導内容……………………… 115
　　4. 指導結果…………………………………… 116

4 限局性学習障害……………（春原則子）118
　Ⓐ 限局性学習障害とは………………………… 118
　　1. 定義………………………………………… 118
　　2. 学習障害の各タイプ……………………… 119
　Ⓑ 評価…………………………………………… 121
　　1. 全般的な知的機能………………………… 121
　　2. 読解………………………………………… 121
　　3. 書字表出…………………………………… 121

4. 数字の概念，数値，計算，数学的推論 ……122
Ⓒ 支援 ……………………………………122
　　1. 支援・指導における基本原則 ……………122
Ⓓ 発達性読み書き障害（発達性ディスレクシア）
　　　……………………………………………123
　　1. 発達性読み書き障害
　　　（発達性ディスレクシア）とは ……………123
　　2. 症状 …………………………………………125
　　3. 原因 …………………………………………129
　　4. 評価 …………………………………………131
　　5. 支援・指導 …………………………………134
Ⓔ 事例紹介 ………………………………138
　　1. 対象児 ………………………………………138
　　2. 評価 …………………………………………139
　　3. 指導目標と指導内容 ………………………139
　　4. まとめ ………………………………………141

5　知的能力障害 ……………（下嶋哲也）141
Ⓐ 知的能力と知的能力障害 ……………142
　　1. 知的能力 ……………………………………142
　　2. 適応行動 ……………………………………143
　　3. 知的能力障害 ………………………………144
　　4. 疫学と原因論 ………………………………145
　　5. 合併症について ……………………………146
　　6. 知的能力障害の臨床像 ……………………146
Ⓑ 言語・コミュニケーション障害の特徴 …146
　　1. コミュニケーションと関係性（対人関係）…146
　　2. 言語の特徴 …………………………………147
Ⓒ 評価の前提：言語聴覚士と子ども・養育
　　者の関係性 …………………………………148
Ⓓ 評価 ……………………………………149
　　1. 類型判断 ……………………………………150
Ⓔ 支援 ……………………………………155
　　1. 支援の適応判断 ……………………………155
　　2. 支援の基本的な考え方 ……………………156
Ⓕ 事例紹介 ………………………………166
　　1. 概要 …………………………………………166
　　2. 初診時評価（3歳）…………………………166
　　3. 経過 …………………………………………167

6　自閉症スペクトラム障害 ……………171
Ⓐ 自閉症スペクトラム障害とは…（藤野　博）171
　　1. 定義 …………………………………………171
　　2. 有病率 ………………………………………171
　　3. 原因 …………………………………………171
Ⓑ 言語・コミュニケーション障害の特徴
　　 ……………………………………（藤野　博）172
　　1. エコラリア（反響言語）……………………172
　　2. 語用論の問題 ………………………………173
　　3. 語用性言語障害と社会的（語用論的）
　　　コミュニケーション障害 …………………173
　　4. ナラティブの問題 …………………………174
　　5. ASDの認知特性 ……………………………174
Ⓒ 評価 …………………………（藤野　博）176
　　1. 診断検査 ……………………………………176
　　2. スクリーニング検査 ………………………177
　　3. 関連する検査 ………………………………177
Ⓓ 支援 …………………………（藤野　博）178
　　1. ASDの支援の原則 …………………………178
　　2. 支援の目標と方法 …………………………180
Ⓔ 事例紹介 ……………………（石川亜紀）191
　　1. 対象児 ………………………………………191
　　2. 初期評価とまとめ …………………………191
　　3. 指導目標と指導内容 ………………………192
　　4. 指導のまとめ ………………………………193
　　5. まとめ ………………………………………193

7　注意欠如・多動性障害 …………（水戸陽子）194
Ⓐ 定義 ……………………………………195
Ⓑ 発達経過 ………………………………195
Ⓒ 病態 ……………………………………195
Ⓓ 言語・コミュニケーション障害の特徴 …197
Ⓔ 医学的診断 ……………………………198
Ⓕ 神経心理学的評価 ……………………198
Ⓖ 支援 ……………………………………199
　　1. 環境調整 ……………………………………199
　　2. 行動療法 ……………………………………200
　　3. 薬物療法 ……………………………………201

- Ⓗ 言語聴覚士による支援 ················ 201
- Ⓘ 事例紹介 ···································· 201
  1. 対象児 ·································· 201
  2. 初診時評価 ·························· 201
  3. 所見・方針 ·························· 202
  4. 指導目標 ······························ 202
  5. 指導内容 ······························ 202
  6. 指導結果・まとめ ················ 202

8 脳性麻痺・重複障害 ················ 203
- Ⓐ 脳性麻痺・重複障害とは
  ············（高見葉津・虫明千恵子）203
  1. 定義 ···································· 203
  2. 病型とその症状 ···················· 204
  3. 原因 ···································· 204
  4. 脳性麻痺における重複障害 ······ 204
- Ⓑ 言語・コミュニケーション障害の特徴
  ············（高見葉津・虫明千恵子）205
  1. 発達症状の多様性 ················ 205
  2. 言語・コミュニケーション発達の遅れと偏り
     ·· 205
  3. 話しことばの発達の遅れと障害 ······ 207
  4. 高次脳機能障害・神経発達症群 ······ 207
- Ⓒ 評価 ············（高見葉津・虫明千恵子）208
  1. 運動機能の発達評価 ·············· 208
  2. 言語発達の評価 ···················· 208
  3. 発語器官の機能および発声発語評価 ······· 209
  4. 聴力評価 ······························ 209
  5. 学習面の評価 ························ 209
- Ⓓ 支援 ············（高見葉津・虫明千恵子）209
  1. ライフステージと言語・コミュニケーション支援 ······················ 209
  2. 言語・コミュニケーション発達の臨床像と支援内容 ···················· 213
  3. 生活の質を向上させる支援のための連携 ·· 215
  4. 指導・支援方法 ···················· 215
- Ⓔ 課題と展望 ········（高見葉津・虫明千恵子）219
- Ⓕ 事例紹介 ····················（虫明千恵子）219
  1. 事例1 ·································· 219
  2. 事例2 ·································· 220

9 小児失語症と後天性高次脳機能障害
·· 223
- Ⓐ 小児失語症と後天性高次脳機能障害とは
  ··································（藤野 博）223
  1. 小児失語症 ·························· 223
  2. 小児の後天性高次脳機能障害 ······ 223
- Ⓑ 言語・コミュニケーション障害の特徴
  ··································（藤野 博）224
  1. 言語症状 ······························ 224
  2. 経過と予後 ·························· 225
  3. 非言語面の症状 ···················· 226
- Ⓒ 評価 ····························（藤野 博）226
  1. 検査 ···································· 226
  2. 鑑別診断 ······························ 228
- Ⓓ 支援 ····························（藤野 博）228
  1. 言語訓練 ······························ 229
  2. コミュニケーションの補助・代替 ······· 229
  3. 特別支援教育 ························ 229
- Ⓔ 事例紹介 ····················（藤吉昭江）230
  1. カタカナのみに読み書き障害を呈した後天性脳損傷小児例 ·················· 230
  2. 評価（アセスメント） ·············· 230
  3. 指導の概要 ·························· 232
  4. 指導結果 ······························ 233
  5. まとめ ································ 233

第5章 保健，福祉，教育との連携 ······· 235

1 特別支援教育における言語発達障害児の支援
······························（久保山茂樹）236
- Ⓐ 特別支援教育の歴史 ·················· 236
  1. 特殊教育から特別支援教育へ ········ 236

2. 共生社会の形成に向けたインクルーシブ教育システムの構築 ……………………… 237
3. 学習指導要領等における特別な支援が必要な子どもへの支援 ……………………… 237
Ⓑ 教育における言語障害 …………………… 239
　1. 教育における言語障害の定義 ………… 239
　2. 言語発達障害のある子どもの教育の場 … 240
Ⓒ 言語障害教育の歴史 ……………………… 240
Ⓓ 言語障害教育の現状と課題 ……………… 242
　1. 指導対象児の実態 ……………………… 242
　2. 言語障害教育における連携 …………… 243
　3. 言語障害教育の課題 …………………… 244
Ⓔ 言語障害教育における専門性の向上 …… 245

2 地域支援における連携 ………（重森知奈）246
Ⓐ 乳幼児期における言語聴覚士 …………… 246
　1. 健診システムについて ………………… 246
　2. 健診の内容 ……………………………… 247
　3. 言語聴覚士に求められること ………… 247
Ⓑ 保育所などとの連携・支援における言語聴覚士の役割 ……………………… 248
　1. 保育所・幼稚園における状況 ………… 248
　2. 訪問支援 ………………………………… 248
　3. 障害児通所支援 ………………………… 249
　4. 就学移行支援 …………………………… 250
Ⓒ 学童期の支援における言語聴覚士の役割 …………………………………………… 250

　1. 学校における状況 ……………………… 250
　2. 学童期における支援 …………………… 251

3 高等教育における支援（就労支援を含む）
…………………………………（森脇愛子）253
Ⓐ 言語発達障害のある大学生の実態 ……… 253
　1. 障害のある大学生の状況 ……………… 253
　2. 言語発達に障害のある学生の困難さ … 254
Ⓑ 大学等高等教育機関における障害のある学生への支援 ……………………………… 255
　1. 障害のある学生への支援の推進 ……… 255
　2. 学修上の合理的配慮 …………………… 255
　3. 学生生活上の合理的配慮 ……………… 256
　4. 高等教育機関の入口・出口の支援 …… 256
　5. 学内の支援体制整備 …………………… 258
　6. 障害のある学生への支援の課題 ……… 259
Ⓒ 職場での支援状況 ………………………… 259
　1. 障害者雇用と職場での支援 …………… 259
　2. 就労移行支援・就労定着支援 ………… 260
　3. 障害者就労の課題と展望 ……………… 261
Ⓓ 高等教育や就労場面での専門職の役割と連携 ……………………………………… 262
　1. 青年期・成人期の目標と支援のあり方 … 262
　2. 高等教育・就労場面で支援者に求められる役割と専門性 ……………………… 262

第6章 言語発達障害支援の最前線 ……………………………………………………… 265

1 言語聴覚士のかかわりと位置づけ
…………………………………（藤野　博）266
Ⓐ ICT 支援 …………………………………… 266
Ⓑ 多言語児童生徒の学習支援 ……………… 266
Ⓒ 低出生体重児における言語発達の問題 … 266

2 ICT 支援 ……………………（平林ルミ）267
Ⓐ 障害のある人の生活・学習を助ける支援技術 ……………………………………… 267

Ⓑ 障害者の権利としての合理的配慮とICT機器 ……………………………………… 268
Ⓒ 障害の個人モデルから社会モデルへの移行 …………………………………………… 269
Ⓓ ICT 利用が発達にもたらす影響 ………… 270
Ⓔ 身近な ICT 機器・あるテクが言語発達障害支援を変える ………………………… 271
Ⓕ 心理検査を用いた情報共有による権利擁護 …………………………………………… 272

3 多言語児童生徒の学習支援 ……（松井智子）273
Ⓐ 多言語環境で育つ子どもたち…………… 273
1. 国内の多言語児童生徒の就学とサポート体制
  ……………………………………… 273
Ⓑ 多言語児童生徒の学習支援の実情と課題
  ……………………………………… 277
1. 日本語指導に関する実情と課題………… 277
2. 特別支援学級に在籍する児童生徒の問題… 279
3. 不就学の問題………………………… 280
Ⓒ 支援の方法―岐阜県可児市の例 ……… 281
Ⓓ 今後の展望と課題…………………… 282

4 低出生体重児における言語発達の問題
  ……………………………（井﨑基博）282
Ⓐ 低出生体重児とは…………………… 282
1. 定義…………………………………… 282
2. 発達予後……………………………… 283
3. 知的能力障害………………………… 284
4. 中枢神経系の障害…………………… 284
5. 成人病胎児期発症起源説…………… 284
Ⓑ 言語発達の特徴……………………… 284
1. 発達段階における言語の特徴………… 285
2. 学習言語の特徴……………………… 285
3. 高次脳機能の特徴…………………… 286
4. 能力のキャッチアップ現象…………… 286
Ⓒ ディベロップメンタルケア …………… 287
1. カンガルーケア………………………… 287
2. 環境整備……………………………… 288
3. リハビリテーション…………………… 288
4. 家族支援……………………………… 289
5. 退院後フォローアップ………………… 289

参考図書　291
索引　295

Note 一覧

1. 記号としての語彙　4
2. 理解語彙と表出語彙　7
3. 象徴遊び　8
4. オノマトペの象徴性　9
5. 新生児期の模倣　9
6. 物の永続性　9
7. 言語発達の個人差　10
8. 形態素　12
9. 言語学の対象領域　12
10. 語用論的意味の表され方　12
11. 日本語におけるMLU　14
12. 仮名文字と音韻意識　16
13. 評価方法による結果の違い　17
14. 記憶の種類　19
15. メタ言語　36
16. 言語発達障害に関する小児神経学の最新知見：Landau-Kleffner症候群の評価と支援　48
17. ICF-CY　50
18. ジェノグラム　73
19. 包括的アプローチ　77
20. インリアルアプローチと<S-S法>　77
21. 足場かけ　80
22. ルーティンの活用　80
23. 平行遊びや子どもの行為の模倣からの展開　82
24. 実行機能（遂行機能）　87
25. レスパイト支援　95
26. 合理的配慮　123
27. LARCエラー　127
28. 視覚的記号　151
29. マカトン法　154
30. インリアル（INREAL）アプローチ①　159
31. SOUL　159
32. 定型発達と神経多様性　172
33. 心の理論課題　175
34. カットオフ値　176
35. インリアル（INREAL）アプローチ②　181
36. SCERTSモデル　182
37. プロンプト　184
38. 行動分析と強化　189
39. 姿勢緊張　204
40. 脳室周囲白質軟化症　204
41. オーラルコントロール　217
42. 自立活動　230
43. 教員資格認定試験による特別支援学校自立活動教諭免許状の取得　245
44. 精神障害者保健福祉手帳　253
45. 療育手帳　253
46. アクセシビリティ　254
47. 社会的障壁　255
48. 障害者差別解消法　255
49. AT（assistive technology）　258
50. 学びのユニバーサルデザイン（universal design for learning：UDL）　258
51. 事前的改善措置　258
52. 法定雇用率制度　260
53. 障害者雇用納付金制度　260
54. 障害者総合支援法　260
55. 条約への署名　268
56. 早産児行動表現型　283

第 1 章

言語とコミュニケーションの発達

学修の到達目標
- 言語発達の各領域の発達について説明できる.
- 言語発達の各期の概要について説明できる.

発達の全体像

　本章では，定型発達児において言語・コミュニケーションがどのように発達するのかを理解することを目的とする．典型的な言語・コミュニケーションの発達過程を理解することは，言語発達の遅れを評価し，指導の目標を設定するための基盤となる．ただし，子どもの発達にはさまざまな側面がある．人は出生直後から，**情動**(怒り，恐れ，喜び，悲しみなどの感情の動き)，**社会性**(人とのかかわり方に関する特性)，**認知**(外界を理解するための知覚や推理，判断，記憶など)，**運動**(身体全体の**粗大運動**と手先の**微細運動**)，**身辺自立**(食事，排泄，着替えなどの生活習慣)などの領域においても変化し続けていく．このような広い視野から発達を理解することによって，子どもの発達を全体的なものとして捉えることができる．また，発達の多面的な理解は，言語聴覚士として家族と視点を共有し，他職種と連携を取るためにも必須である．

　乳児期から小学校卒業までの期間は，前言語期，幼児前期，幼児後期，学童期の4つの発達段階に分けることができる．各段階における発達の主な特徴を表1-1に示す．言語・コミュニケーション領域は，さらに**コミュニケーション**，**語彙**，**統語(文法)**，**談話**，**書記言語**の5つの下位領域を設定して発達過程を整理することができる．

前言語期

　前言語期は出生から有意味語の獲得までの期間であり，泣きや発声，表情，視線，身振りといったノンバーバル(非言語的)な方法でコミュニケーションを取っている段階である．乳児は生後早くから人の顔を注視し，次第に人に向けて微笑も示すようになる(**社会的微笑**)．このような情動・社会性領域の支えとともに，手にした物を口に入れて形や感触を確かめたり，興味のある物に手を伸ばしたりするといった認知領域の発達も見られる．9か月頃になると他者の視線の先にある物に自分の注意を向ける**共同注意**が成立するようになる．両手を上に差し出して「抱っこ」を求めたり，「バイバイ」の身振りを示したりするというように，定型的な表現形式(例：手を振る)と意味(例：人が去るときのあいさつ)が連合し始め，意図が相手に伝わりやすくなる．

幼児前期

　幼児前期は，12か月前後に初語を獲得した時点から，2歳末頃までを指す．言語面は語彙領域の発達から始まり，1歳後半から急速に語彙が増加していく．身近な物の名称を表す名詞だけでなく，動詞(あった)，形容詞(ない)，代名詞(これ)なども徐々に獲得されていく．1歳後半から2歳にかけて，2〜3語が連鎖するようになり，格助詞も出現する．親子の発話のやり取りは，はじめは一方向的だが，次第にやり取り(**ターンテイキング**；turn-taking)も成立しはじめる．情動・社会性領域では，他児を意識し，お互いに近くで遊ぶ場面も増えていく．認知領域では，積み木を車に見立てて走らせる**象徴遊び**が始まる．象徴遊びは，物に別の意味づけをする**象徴機能**の発達を示している．

表 1-1 発達領域と各領域における発達の過程

発達領域	前言語期	幼児前期	幼児後期	学童期
情動・社会性	・顔への注視 ・社会的微笑 ・人見知り ・いないいないばあ	・自己主張 ・一人遊びから平行遊びへ	・連合遊び，協同遊び ・「心の理論」の獲得 ・協調的行為 ・ルール理解	・社会的ルールの遵守 ・集団における役割の意識
認知	・物の感覚運動的操作 ・身近な物品の機能的使用への移行	・機能的探索操作へ ・ふり遊び，象徴機能 ・マッチング	・同異判断・分類 ・数概念の発達・数唱・形の描画	・保存の概念 ・メタ認知 ・数の操作(計算)
言語・コミュニケーション	前言語レベル	単語・語連鎖レベル	統語・談話レベル	学習レベル
コミュニケーション	・共同注意 ・身振り・指さし ・発声行動(複数音節の連続)	・機能的な言語表出(要求，叙述，拒否等) ・簡単な質問への言語的応答	・自発的質問と質問への応答 ・気持ちの説明	・発表・報告活動 ・感想，判断の表明 ・ディスカッション ・丁寧・尊敬表現
語彙		・社会的語彙 ・基本的な名詞・動詞・形容詞 ・疑問詞「なに」	・語彙の拡充(疑問詞，心的語彙，位置表現，時間を表す語) ・授受動詞，往来動詞	・学習語彙 ・心的語彙の拡充 ・順接・逆説の接続詞
統語		・2～3語文 ・格助詞の出現 ・動詞語尾形態素のレパートリーの拡大	・格助詞・助動詞の拡充，受け身・使役文 ・連体修飾節・連用修飾節	・主語－述語対応の明確化 ・格助詞の正確な使用
談話			・語り表現の芽生え ・ストーリーの理解 ・推論と理由・因果関係の表現	・比喩・皮肉・ユーモアの理解 ・時系列的表現 ・5W1Hを含む表現
書記言語			・音韻意識 ・運筆の基礎 ・プレリテラシー	・仮名・漢字 ・音読・読解 ・作文

C 幼児後期

幼児後期は，3歳頃から小学校入学までを指す．語彙がさらに拡大し，認知発達に支えられて意味の抽象度が高い形容詞や位置を表す名詞(上，下)，疑問詞(いつ，どうして)なども獲得していく．統語領域での高次化が進み，格助詞や助動詞のレパートリーが増え，受け身文，使役文などの理解・表出も正確になっていく．子どもは一度に2つ以上の文をつなげて話すようにもなる．複数の文がひとまとまりに連続する**談話**(ディスコース discourse)の領域での発達も著しい．自分と相手との双方向の会話がスムーズに進むようになり，仲間関係において言語が一層の役割を果たすようになる．情動・社会性領域では，他者の意図を理解するようになり，相手の意図や集団のルールに沿った協調的な行動も徐々に増えてくる．認知領域では，空間認知や因果関係の理解も育ち，認知発達が意味的抽象度の高い語彙の習得を支えている．数の概念や，しりとり遊びのような音韻意識の芽生えが，続く学童期での学習活動へとつながる．

D 学童期

　学童期は，小学校入学から卒業までの6年間を指す．学童期の大きな特徴の1つは，文字の読み書きが本格的に始まり，文字を介して新たな語彙が習得されていくことである．また，抽象的な意味の語彙を学ぶ際に，語の意味について言葉で考えたり，言葉で説明したりする**メタ言語**が活用されるようになる．文章の音読や読解，作文も行われる．さらに，学級の集団において発表したり，話し合ったりする活動や，相手に応じた丁寧・尊敬表現，比喩・皮肉・ユーモアの理解など，理解や表現の幅が広がる．集団における社会性や，計算のような認知的能力も高まっていく．

2 前言語期

A 前言語期とは

　音声言語における「言語」とは，音節や音節のつながりと意味とが結びつくことによって記号となり（→ Note 1），1つひとつの単位がルール（文法）に沿って規則的に並ぶ記号のシステムである．手話も言語であり，手指の構えや動きの単位が意味を表し，文法規則がある．したがって，話し言葉における「前言語期」とは，まだ音と意味とが対応していない段階，つまり有意味語が獲得されていない時期を指す．有意味語は，生後12か月前後で出現することが多いことから，前言語期は生後約1年間続く期間である．話し言葉はなくても，前言語期はその後の言語・コミュニケーションの発達にとって基礎を築く重要な時期である．

　なお，発達には個人差が大きい．本章であげる月齢や年齢は平均的なものであり，発達の遅れを判断する基準ではない．

1 人や物とのかかわり

　乳児は早期から人の顔への関心が高く，特に目を注視する．新生児期の視覚は，焦点が20 cm程度に合っていると言われ，抱いている大人を見るには適した視力である．生後3か月前後に人に微笑みかける社会的微笑が見られるようになる．その一方で，乳児は身近な物にも興味を示す．生後4か月になると，奥行きに対する知覚が育ち，さらに目で捉えたものに向けて手を伸ばす協調運動が発達してくる．物に手を伸ばし，さまざまな物の感触や力を加えたときの反応を確かめる**探索行動**を通して外界について知識を得ようとする（図1-1左）．物を口に持っていって形を口唇や舌で探ったり，手に握った物を振ってみたり，机に打ちつけて音や操作から得られる感覚的反応を楽しんだりと，**感覚運動的**な操作が中心である．このように，0歳半ば過ぎまでは，「乳児と親」あるいは「乳児と物」という2者間のかかわりがあり，これは**二項関係**と呼ばれる．

> **Note 1. 記号としての語彙**
> 　スイスの言語学者ソシュールの用語をもとに，音節や音節の連鎖といった表現形式は**能記**，意味する内容は**所記**と呼ばれる．能記と所記が結びついたものが記号である．乳児が単に手を振っても意味をもたないが，1歳近くになり，乳児の手を振る動作（能記）が別れる際の挨拶「バイバイ」（所記）という意味と結びつけば，記号的な身振りとなる．

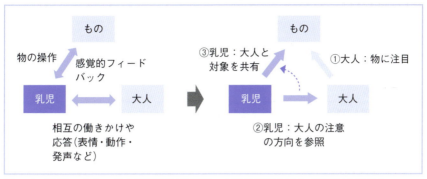

図1-1 乳児・大人・物の間の関係の展開：0歳台後半(右)に共同注意が成立

2 共同注意の成立

生後9か月前後に，親の顔や視線の方向，あるいは指さしの方向の意味に気づき，親が注意を向けている事物に自分も注目するようになる．同じ物に対して注意を向ける，**共同注意**が成立する（図1-1右）．乳児，親，物の間の**三項関係**とも言われる．共同注意には，言語発達上の利点がある．親が近くにある物について話をしたとしよう．乳児が親の視線の方向をたどって話題の対象物を見つけることができれば，有意味語を理解していない乳児にとっても，発話の意味を推測しやすい．このように，聴覚的入力（言葉）と視覚的情報（注目している事物）が結びつくという点で，言語発達が促進されやすい．事実，0歳後半の子どもで，親の顔の向きに沿って自分の視線を移動させることができる子どもほど，その後の理解語彙や表出語彙は豊富であることが報告されている[1]．

3 その他の情緒・社会性の発達

生後半年以降には，親が離れると恐れや不安を示すようになる．見知らぬ人を避ける**人見知り**も生じる．これは安心できる養育者を認識できるようになったという成長を反映している．特定の他者に対する情緒的な絆を**愛着**と呼び，愛着対象が心理的な安全基地として働く．また，先に述べた共同注意と同じころにみられる発達的特徴として，**社会的参照**がある．危険で避けるべきなのか，あるいは安全で近づいてよいのかなど，乳児には判断が難しい状況が多々ある．このような判断に迷う状況において，乳児は母親の表情を参照して，母親が微笑んでいれば安心して近づき，険しい表情であれば危険を感じ避ける．このように，他者を参照して自分の行動を決定することができるようになる．

B コミュニケーションと音声言語の発達

1 非言語的コミュニケーション

まだ有意味語はないものの，身近な大人とは，視線や表情，動き，発声などで頻繁にコミュニケーションを取っている．0歳後半から「いないいないばあ」遊びを楽しんだり，バイバイの手を振る動作をしたりするなど，次第に様式化された対人的コミュニケーションのレパートリーが増えていく．物を介したやり取りもできるようになり，0歳後半には乳児は物を手に持って大人に差し出すことがある．しかし，初期は大人が手を出しても物を握ったままで**提示**(showing)にとどまり，1歳半前後に相手の手のひらで握った物を放す**手渡し**(giving)へと移行する．

表 1-2　前言語期段階における伝達手段と伝達機能の組合せの例

		伝達機能				
		要求	叙述	拒否	あいさつ・返事	誘い
伝達手段	視線	欲しい物を見る・相手を見る	興味のある物を見る・相手を見る	険しい表情で相手を見る	相手のあいさつに視線を返す	かかわってもらいたい時に相手を見る
	接近	一緒に遊んでもらいたい遊具まで這っていき相手を見る	興味のある物まで這っていき相手を見る	―	呼名に対して相手に這っていく	かかわってもらいたい時に四つ這いで近づく
	手さし・指さし	欲しい物に手や指を指す・相手を見る	興味のある物に手や指を指す・相手を見る	代わりにかかわりたい物に手を伸ばす・指さす	―	一緒に遊んでもらいたい遊具を指さす・相手を見る
	身ぶり	両手を上にあげ「だっこ」を求める	（手さし・指さし）	いらない物を押しやる	呼名に手を挙げる	一緒に遊んでもらいたい玩具をたたく・相手を見る
	発声	相手を見て声を出す	声を出して興味のある物と相手を見る	不快な声を出す	相手を見て声を出す	相手を見て声を出す

　非言語的コミュニケーションの**伝達手段**としては，視線，表情，手の動作，相手への接近，発声などがある．これらが意味する**伝達機能**としては，**要求**(「取って」「やって」の意味)，**拒否**，**叙述**(身の回りの出来事へのコメント)，**あいさつ**などがある(表1-2)．前言語期は，伝達の手段と機能の結びつきが曖昧であり，乳児の表出を上手に解釈する相手の存在があってはじめてコミュニケーションは成立する．高い感受性で乳児の内面を推測することができれば，乳児の豊かな表現に気づくであろう．表1-2に示すような伝達手段と伝達機能との組み合わせを理解することは，表出に大きな制約のある重度・重複障害の子どもの表出を読み取ることにもつながる．

　子どもは次第に慣用的な身振りを身につけていき，意図が理解されやすい表現へと変わっていく．つまり「大人の読み取りが中心である段階(**聞き手効果段階**)」から「慣用表現の獲得により意図伝達が効率化していく段階(**意図的伝達段階**)」へと移行する．1歳以降に有意味語を獲得すると，意思や思いの表現がさらに明確化するようになる(**命題伝達段階**)．これらの見方は，重度重複障害を有する子どもにも当てはまる．

2　語音認知から聴覚的理解へ

a　語音認知

　音声言語の習得には，聴覚的な入力が欠かせない．乳児には異なる語音(/p-b/ や /l-r/ など)を聞き分ける**語音弁別**の能力が生まれながらに備わっており，出生時は世界中のあらゆる言語の音韻体系に対応できる．しかし，徐々に自分の身近な言語で用いられる音の対立の弁別能力は残しながら，その言語にとって重要でない音の差異(日本語にとっての /l-r/ など)への敏感さは低下していく．こういった語音認知の発達的変化は，弁別する能力が低下するという負のイメージだけで捉えられるべきではない．母語にとって重要な音の対立にのみ聴覚的処理が働くようになる．このため，母語となる言語をより効率的に習得することにもつながる．母語にない対立の知覚が失われることを**音韻知覚の再構成化**と呼ぶ．再構成化は生後1年以内に起こり，母音のほうが子音よりも早く生じる．

b 分節化

乳児が耳にするほとんどの話し言葉は，意味のないひと続きの母音や子音の連続である．乳児はその中から語の区切りを見出していかなければならない．語や音節といった単位を切り出すことを**分節化**（segmentation）と呼ぶ．日本語において語の分節化の助けになるのは，ピッチの高低によるアクセントや，イントネーションといった**韻律的特徴**（または**超分節的特徴**）である．また，特定の音節の連続（例えば身近な物の名称）が繰り返し現れる場合も，そのパターンは切り出されて記憶に残りやすい．つまり，乳児の神経学的メカニズムは，さりげなく聞いている音声を処理しながら，韻律や，子音や母音が連鎖するパターン，一定のパターンが聞こえる頻度から，音の連続に潜む規則性を分析しつつある．語彙に相当する音節のまとまりを切り出し，それが適切な意味と結びつけば，乳児は理解語彙を獲得したことになる（➡ Note 2）．

c 音節の連鎖と意味との連合

音の連続と意味とが適切に対応するには，音のまとまりとその対象が結びつくような経験を繰り返す必要がある．0歳の後半に，次第に自分の名前の呼びかけに気づく様子も見られるようになる．呼びかけにおいては，名前が単独で聞こえるため，分節化の必要がない．また，視線が自分に向けられているので，自分にかかわる言葉である

Note 2. 理解語彙と表出語彙

語彙は，聞いて理解できる**理解語彙**と，理解に加えて産生することもできる**表出語彙**に分けることができる．発達的には，理解が先行し，その後表出するようになる．成人でも，文学的な表現に使われる語彙や，学術的な専門用語など，聞いて意味はわかるが，自分からは使用しない語彙は多い．幼児の言語発達では，語の理解や発語の模倣ができることではなく，表出語彙として自発的に産生できるようになることが一般的に「語彙の獲得」と見なされる．

表 1-3　乳児期の発声行動の変化

0〜2か月	鼻音化した曖昧な母音
3か月	クーイング
4〜6か月	レパートリーの拡張期 過渡的喃語
7〜10か月	規準喃語・反復喃語
11〜12か月	多様的喃語・ジャーゴン

と理解されやすい．同じく0歳後半に「だめ！」に反応して手が止まるようになるが，話者の険しい表情や，制止する行動という社会的な手がかりをともなうため，理解が早いと考えられる．一方，事物名称については，コップ，ボールなど，子どもにとって日常生活で頻繁に目にするとともに，その名称を親が言う機会が豊富であるほど，その物の名称は早く獲得されやすい[2]．見たり触れたりする視覚・運動的経験と聞く聴覚的な情報が連合して，前言語期から語彙知識が育っていく．

3 言語表出の前段階

a 発声行動の変化

産出できる音節のレパートリーにも生後の1年間で大きな変化がある（表 1-3）．新生児期は声帯から口唇までの声の通り道（声道）が短く，空間のほとんどを舌が占めるために狭い．また，軟口蓋は喉頭蓋（喉頭の上部に位置する組織）に接近しているため，呼気は鼻腔に流れる．そのため，生後1〜2か月までの乳児は鼻音化した曖昧な母音となる．その後，穏やかな発声とともに，奥舌が軟口蓋に接触する[k]や[g]をともなう**クーイング**（cooing）が3か月頃から聞かれるようになる．

次第に首が座って安定し，狭かった声道も広がる．また，喉頭が徐々に下がって声道が長くなる．母音が共鳴する空間が容量を増すことによって，生後6か月頃にかけて母音の音色の幅が広がっていく．低い声や金切り声のようなピッチの

高低，ささやき声や大声など声の大きさの変化を試しているような発声が聞かれることもある（**ボーカルプレイ**）．声道の構造の変化に加えて，舌の特定の部位を動かす筋肉のコントロールも育ち，母音や子音のレパートリーが増えていく．しかし，構音運動に熟達していないため，子音と母音との間の移行はスムーズではなく，音節構造が明確でない．この段階の産出は**過渡的喃語**と呼ばれる．

明確な音節構造があり，複数の音節から成る発声を**規準喃語**と呼ぶ．7～10か月には，規準喃語の中でも同じ音節が連続する**反復喃語**が聞かれ，さらには「ダグジュ」のように，異なる音節をひと続きに言う**多様的喃語**へと広がっていく．意味不明のおしゃべりのような発話を**ジャーゴン**と呼ぶ．このように成人言語の音節構造に近づいていく．

b 聴覚障害児における初期の発声行動

重度の聴覚障害のある乳児にも喃語のような発話が観察される．しかし，健聴児では子音のレパートリーが増加していくのに対し，聴覚障害児では子音の種類は広がらず，発声の頻度も低下していく[3]．このことから，喃語期に起こる発声行動が持続し，発展して多様化するには，自分の発声・構音運動の効果を確認するフィードバックが必要であると考えられる．同時に，子どもにとって喃語期は，構音運動と聴覚的な効果との関連性を学習している期間であるといえる．

幼児前期

A 幼児前期とは

本書における幼児前期は，12か月前後に初語を獲得した時点から，2歳末頃までを指す．ただし，研究領域によっては前期と後期の境を3歳末と4歳はじめとの間に設けることもある．

1歳前後にひとりで歩けるようになり（**始歩**），この運動面の変化によって生活空間が広がり，経験が豊富になる．言語面では，語彙の獲得から急速な増加という語彙領域の発達が見られる．また，1歳後半から2歳にかけて語の連鎖が出現し，語が規則的に並ぶ統語的発達の初期段階であるという特徴もある．

1 象徴機能の発達

乳児期は，感覚運動的な物とのかかわりが中心であった．認知領域の発達として，1歳頃になると，空のコップを口にあてて飲むふりをしたり，おもちゃの果物を口に入れて食べる真似をしたりするといった，「ふり遊び」を行うようになる．さらに2歳頃になると，積み木を車に見立てて走らせたりする**象徴遊び**が始まる（→ Note 3）．車は

> **Note 3. 象徴遊び**
> ここでは，手がかりとなる物を使って，現実の行為のまねをすることを「ふり遊び」，ある物を別の物として意味づけた遊びを「象徴遊び」と呼んでいる．しかし，これらを合わせて「ふり遊び」や「見立て遊び」と呼ぶこともあり，研究者間で一致していない．呼び方はさまざまあるが，いずれの研究でも，幼児前期の遊びは象徴機能の発達を推測する手がかりとして重要視されている．

おおむね直方体であるということ以外には，車と積み木との共通点はない．このように，ある物を別の物に見立てる認知の働きを**象徴機能**と呼ぶ．手などの動き（例：両手ではばたくような動作）が実際の対象（鳥）を意味するといった，物を使わない**身振り**も，幼児前期に現れる．話し言葉も，音節のつながりが意味と結びついているという点で，象徴機能が関わっている（➡ Note 4）．事実，象徴遊びをする時期が早い子どもほど，有意味語の出現が早かったり，身振りのレパートリーが多いほど，表出語彙が豊富であったりすることが報告されている[4,5]．

> **Note 4. オノマトペの象徴性**
> 擬音語（例：雷を表す「ゴロゴロ」）や擬態語（例：クッションの触り心地を表す「ふわふわ」）といった**オノマトペ**は音と意味とが結びつきやすい．前言語期にある 11 か月児でも，［kipi］は尖った形，［moma］は丸みを帯びた形と結びつける[6]．しかし，同じ動物を日本語では［inu］，英語では［dog］と呼ぶように，音形と意味との間には必然的なつながりはない（これを「**恣意性がある**」と言う）．一般的に語彙は恣意性が高いため，習得には象徴機能，意味の学習，音形の記憶が求められる．
>
> **Note 5. 新生児期の模倣**
> 新生児でも，大人が口を大きく開閉したり舌を出し入れしたりする顔の動きを真似ることがある[7]．この行動は**新生児模倣**と呼ばれている．しかし，これは真の模倣ではなく，他者の動きを見て誘発された反射的な行動であるという考えがある．また，自分の口の動き方を探る行動であるという解釈もある．事実，この顔の動きの模倣は数か月後には見られなくなっていく．
>
> **Note 6. 物の永続性**
> 0 歳前半の乳児でも，見えなくても物は存在し続けることを理解している可能性を示す実験もある[8]．乳児に，つい立ての向こう側にある物が見えたり隠れたりする状況をアニメーションで見せる．その後，つい立ての裏にあるはずの物がなくなったかのように，つい立てが向こう側に完全に倒れては起き上がるアニメーションを提示する．これを見た乳児は驚く表情を示したことから，0 歳前半の乳児でも，見えなくても物がそこに存在し続けることを認識していることが示唆された．

2 遊びの発達

象徴遊びが始まるあたりの時期から，さらに遊びの変化をみていこう．2 歳台から，ぬいぐるみを寝かしつけるなど，誰かを演じることを通して，現実のイメージを再現する**ごっこ遊び**の芽生えが見られる．これは認知機能の発達を反映している．

一方で，仲間との関係性の変化という，情動・社会性領域の観点から遊びを捉えることもできる．2 歳台は，ほかの子どもとは無関係に単独で遊ぶひとり遊びや，他児と同じ場所で同じような遊びをしていても，お互いにかかわり合うことがなく自分の遊びに没頭する**平行遊び**が多い．お互いに近くで遊んでいても，声をかけ合ったり，物の貸し借りをしたりするような交流はまだみられない．

3 その他の情動・社会性および認知の発達

情動・社会性領域では，2 歳頃から言われたことをやりたがらず，「いや！」と自己主張する姿が見られるようになる．4 歳頃までの間に見られるこの様子は**第一次反抗期**と呼ばれるが，子どもに自我が芽生え，自立心が生まれる成長のひとつの過程として捉えられる．一方，2 歳頃から遊びのなかで大人の真似をしようとする姿もしばしばみられる．心理学者のピアジェによると，8～12 か月頃に新奇な手の動きの模倣ができるようになり，1 歳台にその正確さを増していく（➡ Note 5）．

前言語期の乳児は，物が見えなくなると，その物の存在を忘れたかのように振舞う．しかし，1 歳頃から隠れたものを見つけることができるようになる．このことから，1 歳に近づくと，物は隠されてもそこに存在し続けるという，**物（対象）の永続性**が理解されると考えられている（➡ Note 6）．これは認知領域の発達である．同じく 1 歳頃にかけて，電話は耳にあてる，コップは口に運

表1-4　対幼児発話の特徴

韻律面	・ゆっくりした速度 ・強調された抑揚，高いピッチ
語彙面	・基本的な語彙，幼児語
構文面	・語彙の繰り返し ・単純な文型
内容面	・「今・ここ」で起こっていること

ぶ，ブラシは頭に持っていくといった，物の機能に沿った使い方を見せるようになる．

4　母親からの言語入力の特徴

　大人，特に母親は，大人同士の会話とは異なる話し方で乳児や低年齢の幼児とかかわる．この独特の話し方は**対幼児発話**（child directed speech：CDS）と呼ばれる．育児語，マザリーズ（motherese：母親語），ベビートーク（baby talk）と呼ばれることもある．これらは表1-4に示すような特徴をもつ発話スタイルである．

　韻律面の特徴は子どもの注意を話者に引きつける効果がある．幼児にわかりやすい語彙の選択や，「ワンワンいるね．おおきいワンワンだね」という語彙の繰り返しや単純な文型は，子どもの言語発達水準に近いため，幼児にとって理解されやすく，子どもが習得すべき発話のモデルともなる．また，前言語期の節で述べた共同注意を基盤にした，「今・ここ」で聞き手と話者が見ている事物についての語りかけは，子どもの出来事への注意を促す．さらに，目の前の状況を支えとして，言葉の意味理解を促進する．これは，子どもは，文脈のなかで言葉を聞き，使用することを通して，パターンとなる言語の構造を抽出し，一般的な規則を学んでいくという，**用法基盤モデル**（usage-based model）と呼ばれる言語獲得の考え方に通じる．

B　語彙と構文の発達

1　前言語期から言語期への移行

　最初の有意味語（初語）を獲得する前に，子どもによっては一定の期間，独特な音形で特定の意味を表現することがある（例：食事場面になると「アッジ」と言う）．**原言語**（**プロトワード** protowords）とも呼ばれるこの表出は，子どもが創造した独自の表現である可能性がある．別の可能性として，有意味語に由来するものの，音韻的記憶や構音運動が未熟であるため，元の語とはかけ離れた音形として定着するということも考えられる（先の例では，「おいしい」が「アッジ」として定着）．

　なお，初語を獲得して言語期に入ったとしても，すぐに喃語様の発語がなくなるわけではない．しばらくは有意味語と無意味な発声が混在する移行期となる．また，1歳の誕生日を迎えたときに全員に有意味語があるわけではなく，言語発達の速度や進み方には個人差が大きいことにも留意する必要がある（→ Note 7）．

2　初期に獲得されやすい語彙

　最初に獲得される20語程度の語彙には「ママ」「ブーブ」「ワンワン」「あった」「ない」「いや」な

> **Note 7.　言語発達の個人差**
> 　一般的には初期の語彙には名詞が多く，1語文から徐々に長くなるという発達過程をたどる．しかし，ほかの子どもに比べて社会的語彙（例：もっと，どうぞ）が多く，発話の明瞭度は低いが，複数の語から成るパターン化した文を産出する傾向を示す子どももいることが報告されている．このような子どもはしばしば兄・姉がいる第2子以降であることが示されている[9]．しかし，このような発達の個人差が言語環境によるのか，ほかの要因によるのかははっきりしていない．

ど，子どもに共通して獲得されやすい語が含まれることが多い．親がこれらの語を選んで教えてはいないにもかかわらず，個人差を超えて早期に獲得されやすい語があるのはなぜだろうか．初期に表出される語には，以下のような特徴があると考えられる．

① 助けが必要な時に呼ぶ「ママ」や，拒否する「いや」は，相手の行動をコントロールし，自分の要求を満たすために役立つ言葉である．「バイバイ」「いや」「ちょうだい」といった**社会的語彙**は初期の語彙に含まれることが多く，このような対人場面で**有用性の高い語**は習得されやすい．

② 乗り物や動物に対する子どもの興味は，「ブーブ」や「ワンワン」が早期に獲得されることにつながる．物を見つけたときの「あった」や，その反対の「ない」も**興味・関心の対象**であると考えられる．

③ 日常生活において親が頻繁に使う**高頻度語**は，子どもが頻繁に耳にするために，習得の機会が豊富に提供される．

④ 「ママ」「ブーブ」「ワンワン」など，初期の有意味語は音節の繰り返しから成る語が多い．反復喃語に音節構造が近く，**発音の容易さ**が特徴である．乳児期に育った発音のレパートリーに意味が結びつくという点で，獲得されやすい．

⑤ 日本語の幼児語にはオノマトペに由来する語が多い．オノマトペは意味と結びつきやすく（➡ Note 4 参照），**意味の自明さ**から獲得が容易である．

3　初期の名詞の意味的範囲

犬の絵を見て「ワンワン」と呼称したり，「ワンワンはどれ？」という質問に正しく**応答の指さし**で答えたりできたとしても，語の意味範囲が成人と同じとは限らない．ネコも「ワンワン」と呼称するかもしれない．このように，語の意味が広がり過ぎている状態を**意味の過大範囲（語意拡張，過**

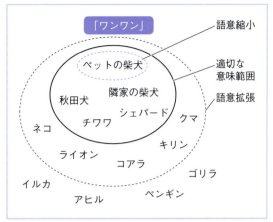

図1-2　「ワンワン」に対する適切な意味範囲，意味の過小範囲（語意縮小），意味の過大範囲（語意拡張）の例

大汎用：over-extension）と呼ぶ．また反対に，意味が限定され過ぎて，自宅のペットは「ワンワン」と呼ぶものの，他の犬には当てはめないような現象を**意味の過小範囲（語意縮小**：under-extension）と言う（図1-2）．ミカンを「リンゴ」と呼ぶような語意拡張の場合には，親は子どもの呼称の誤りにすぐ気づく．親は修正のフィードバックを与えるかもしれないし（「ミカンよ」），修正が与えられなくても，子どもが「ミカン」という語を獲得したときには，「リンゴ」の意味範囲は自然に修正される．一方，特定の対象にのみ当てはめる語意縮小では，呼称はいつも正しいため，意味範囲の誤りに気づかれない．周囲から修正されなくても，隣接する意味に対応する語を学んでいくうちに，意味範囲は自然に修正されていく．幼児は柔軟に語の意味範囲を自然に調整し，意味の地図を作り上げていく．

4　語彙の増加

初語を獲得してしばらくの間，語彙はゆっくり増加する．しかし，1歳台の終わり頃から2歳台にかけて語彙は急速に増えていく（**語彙の加速度的増加，語彙爆発**）．事物は身の回りに豊富にあ

るため，1歳後半以降はそれらを表す名詞の割合がほかの品詞よりも高くなっていく．個人差はあるが，24か月頃の平均的な表出語彙は，すべての品詞を合わせて200語近くにまで増える[10]．名詞以外の品詞の傾向は以下の通りである．

a 指示詞

1歳頃までには共同注意が育っており，指さしや言葉で相手の注意を特定の事物に向けようとする．物に手を伸ばしたり（リーチング），身近な物に言及したりする際に，「こっち」などの指示詞がしばしば発せられる．指示詞は，自分の近くの場所・方向・物を指すコ系（ここ・こっち・これ），自分からも相手からも遠くを指すア系（あそこ・あっち・あれ），自分からやや離れているソ系（そこ・そっち・それ）の3種類に分けられる．全般的には，コ系の指示詞が早く出現し，続いてア系，さらにソ系と続く傾向がある．ただし，「あっち」の獲得は比較的早いなど，個別の指示詞ごとの違いもある．

b 形容詞

小椋ら[10]の研究によると，24か月児の半数以上が表出する形容詞は，自分に強く訴えかける感覚「痛い・暑い／熱い・冷たい・からい・くさい」や感情「こわい」，他者と共感する「おいしい・大きい・かわいい」，発見の動詞「あった」に対する「ない」などである．ここからも，早くから出現する形容詞は，日常生活における幼児の経験を反映する語であることがわかる．2歳後半ごろに，大小の円から「大きい」を選ぶことができるようになり，3歳前後には「長い」の理解を示すようになる．

c 動詞

動詞の語彙も子どもの日常生活を反映する．「寝る・起きる・食べる・飲む・行く・歩く・脱ぐ」は比較的早期から表出する．また，2歳前半頃から「遊ぶ・作る・座る・歩く」といった基本的な動詞に対応する絵を指さすことができるようになる．

上記の動詞は終止形を挙げているが，実際に使われる場面では，動詞の語幹に続く語尾は多様に変化する．例えば，「ある」という動詞は，一般的に物を見つけたときに言う「あった」という過去形で獲得される．動詞は語尾に助動詞や助詞という**形態素**（→ Note 8）が付くことで，人とのかかわりの中で**語用論的機能**（→ Note 9）を果たす．例えば，「やって」と要求し，「やりたい」と自己主張し，「やろう」と誘い，「やってる」と状況を叙述する．このように，動詞は語幹の意味と，語尾による語用論的な意味が重ねられやすい（→ Note 10）．

発達の順序性は，表1-5に示す通り，動詞の語尾の形にもみられる[11]．最も早くから使われる形には「たべた（過去）」「たべる（非過去）」「たべて（命令）」「たべちゃう（完成相）」「たべない（否定）」

Note 8. 形態素

形態素とは，言語において意味を表す最小の単位である．「たべた」の場合，語幹「たべ」が行為を表し，「た」が過去であることを示す．「おはなし」も愛着を表す接頭語「お」と名詞「はなし」の2つの形態素に分けられる．格助詞「が」「を」なども統語的機能を示す形態素である．英語では，単独で使われる名詞などや，過去形の -ed や現在進行形の -ing などがそれぞれ形態素である．

Note 9. 言語学の対象領域

語用論とは，話者が相手に伝えようとする意図が，どのように言語で理解・表現されるかなどを扱う研究領域である．日本語や英語といった各言語の音韻体系にかかわる**音韻論**，形態素レベルの語の構造を扱う**形態論**，文法規則に関する**統語論**，意味を分析する**意味論**などに並ぶ，言語学の領域である．

Note 10. 語用論的意味の表され方

名詞の1語文でも，他者とのかかわりの場面で一言「雨」と言って天候を叙述したり，「ごはん」と要求したり，「ごはん？」と尋ねたりする．これらは，状況と発話との組み合わせや，イントネーションや表現などによって意図を伝えている．一方，動詞の場合は，語尾に付く形態素自体の意味だけでも語用論的機能が与えられる．

表1-5 2歳末頃までに出現する動詞語尾形態素

獲得の時期	語尾形態素
最初期	過去(みーた)，非過去(みーる)，命令：て(みーて) 完成相(たべーちゃう)，否定(たべーない)，継続相(たべーてる)
準初期	連接：て(あけーて)，提案(あけーよう)，仮定(あけーたら) 可能性(はしーれる)，願望：たい(はしりーたい)，ていく(でーていく)，てくる(でーてくる)，丁寧：ます(でーます) てある(しめーてある)，てみる(しめーてみる)

「たべてる(継続相)」などがある．発達的な個人差があるため，出現の時期を月齢で示すことはできないが，これらに続いて3歳の誕生日頃までに「たべよう(提案)」「たべたら(仮定)」「たべられる(可能性)」「たべます(丁寧)」「たべたい(願望)」などが出現する．

このような順序性は何に由来するのであろうか．子どもの獲得が早い語尾形態素ほど，親も高頻度で使っていることが示されている．親と子どもは遊びや生活の場面を共有する**共同行為**のなかで，会話をする．子どもは自分の意図を表現するのに有効であり，親の語りかけのなかで頻繁に現れる語尾形をモデルとして習得していると推測される．

d 疑問詞

自分が知らないことについて情報を得ようと，子どもは2歳台になると「なに」と大人に尋ねるようになる．このほかに「どこ・だれ」も比較的早期に獲得される．疑問詞は単に好奇心を反映するだけでなく，尋ねれば親は答えてくれるという会話のやり取り(ターンテイキング)のパターンに子どもが気づき，コミュニケーションを楽しむ手段として用いるという側面もある．

5 語連鎖の産出

2語文や3語文とは，名詞，動詞，形容詞など単独で1つの文節を作ることができる**自立語**がつながった形である．「名詞＋名詞」の形は文になりにくいことからも，2語以上の語連鎖を自由に構成するには，さまざまな種類や意味を表す語彙の蓄積が必要ある．事実，子どもの半数以上が，表出語彙が50語を超えて100語に至るまでの間に2語文を表出するようになる[10]．平均的な年齢としては，18か月を少し過ぎたころであることが多い．表出語彙が100を超えて200語になるまでに8割以上の子どもが2語文を話すようになる．

初期の2語文は「これ＋○○」(例：「これブーブ」)，「○○＋あった」(例：ボールあった)などパターン化された語の組み合わせであったり，あるいは「行為主＋行為」(「○ちゃん＋たべる」)，「対象＋行為」(「ジュースのむ」)など2つの語の単純な意味的関係性を表したりする．しかし，2語文の段階では，まだ文法と呼べる明確な規則は見られない．有している表出語彙を組み合わせて，創造的に文を構成する．

6 文の聴覚的理解

1歳後半にみられる語の連鎖の産出に先立って，文を理解して行動する様子がみられる．ぬいぐるみとスプーンを前にして「クマさんに食べさせてあげて」と指示をすると，1歳前半でも応じる子どもがいる．このような文の理解には，遊びの文脈や，視覚的に提示される物品が支えになっている．また，「お外行くよ」という母親の言葉かけで，玄関のほうを見ることもある．これは，文の意味を正確に理解しているというよりも，一定の言葉かけをともなう生活の流れを繰り返し経験してきたことが基盤になっている．パターン化した出来事の流れを**ルーティン**(routine)と呼ぶ．言語発達の初期段階は，このような物理的な環境やルーティンが支えとなって言葉を理解する．手

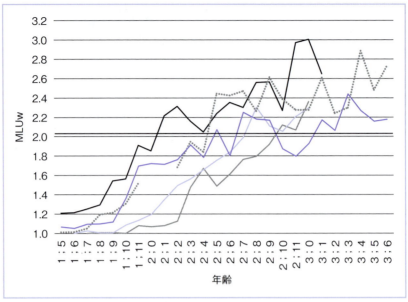

図 1-3　5名の子どもの自立語付属語 MLU（MLUw）の推移
言語発達の個人差が読み取れる．発話サンプルごとに計算をしているため，上下の変動がある．
〔宮田 Susanne，他：平均発話長（MLU）から捉えた日本語の初期文法発達—自立語付属語 MLU を指標として．言語聴覚研究 17：87-95，2020 より〕

がかりがあることで理解できた文が，次第に，なじみのない新奇な場面でも理解して応じることができるようになっていく．これを**脱文脈化**（de-contextualization）と呼ぶ．

大人の問いかけに応じて，具体物だけでなく絵として示された物に対しても1歳後半ごろから指さしで反応する．他者の問いかけに応じた指さしを**応答の指さし**と呼ぶ．応答の指さしで理解の程度を測ると，「白いネコ」「座っている男の子」などの2語文は，2歳台から理解できるようになる．

7　助詞の出現と文の複雑化

助詞にはいくつかの種類があるが，「あったね」のような**終助詞**は語の連鎖を前提としないため，他者との共感を表す文脈で早くから使われることが多い．一方，語をつなぐ**格助詞**（「が」「を」「に」など）や**係助詞**「は」などは，発達初期の自立語の連鎖では省略されている．次第に，「ママの」におけ

る「の」や，「こっちは」の「は」のように名詞の1語文に付いたり，「くまさんもねんね」「○ちゃんがやる」といった複数の自立語の連鎖で使われたりするようになる．格助詞・係助詞のなかでは，このような「の・は・が・も」が比較的早期に出現する[10, 12]．

自立語に対して，助詞や助動詞は**付属語**と呼ばれる．発達とともに，ひとつの文を構成する自立

> **Note 11.　日本語における MLU**
>
> MLU は英語を対象に提唱された指標であるが，日本語にあてはめるのは単純ではない．日本語の動詞には「たべ／る」「あっ／た」のように必ず活用語尾が付く．そのため，形態素ごとに分けると，名詞1語は1単位であるのに対して，動詞は2単位となってしまう．また，「～てる」を「～て／(い)る」と2つに分けるか，「～てる」の1単位として扱うかなどについても議論がある．最近の研究[12]では，動詞や形容詞の活用形と助動詞の組合せは分割せず，それに続く助詞を分けてカウントする「自立語付属語 MLU」（犬／が／食べちゃった／から／ね＝5）が，文法発達初期の指標として適切であることが示されている．

語や付属語が増えていく．したがって，文の長さを数値化すれば言語発達の指標となる．そのような指標が**平均発話長**(mean length of utterance：**MLU**)である．MLU は文を形態素などの単位に分け，50〜100 発話程度の発話サンプルから算出した，1 発話あたりの平均単位数である(➡ Note 11)(図 1-3)．

4 幼児後期

A 幼児後期とは

幼児後期は，3 歳頃から小学校入学までを指す．語彙がさらに拡大し，統語領域での高次化が進む．複数の文がひとまとまりに連続する談話あるいはディスコースの領域での発達が著しい．言葉による説明で新しい知識を学ぶ学童期に向けて，学習の基盤が形成される時期でもある．

1 遊びの発達

幼児前期に始まるようになる**ごっこ遊び**は幼児後期にも盛んである．特定の家族を演じるなど，仲間との役割分担もみられる．また，3 歳頃から積み木やブロックなどを組み合わせる**構成遊び**を楽しむようになる．構成遊びは，形を創造的に構成する認知の発達を反映している．このような物を扱う遊びの観察は，指で物をどのように操作することができるかという，**手先の巧緻性**を評価する機会でもある．

一方で，情動・社会性領域の観点では，幼児前期の**平行遊び**が変化し，3 歳頃からは仲間と物の貸し借りをしたり，会話を交わしたりする**連合遊び**が見られるようになる．また，自分勝手に振る舞うのではなく，仲間と協調的な行動が取れるようになり，その場のルールも理解し始める．それにしたがって，役割分担や同じルールで遊ぶ**協同遊び**も見られるようになる．ピアジェやパーテンらの遊びの分類を参考にして，幼児前期からの遊びの発達をまとめると図 1-4 のようになる．

このように，遊び場面の観察を通して，子どもの認知や情動・社会性，手先の巧緻性，コミュニケーションの発達を知ることができる．子どもの遊びをみる目を養うことが大切である．

2 「心の理論」の獲得

人はそれぞれ自分の観点から世界をみている．自分が欲しい物は，相手の好みとは異なるかもしれない．大人はそのことを知っているが，3 歳頃までの幼児は，相手も自分と同じように考えているものと思って行動する．4 歳頃になると，次第に人はそれぞれ異なる信念や欲求，情動，意図な

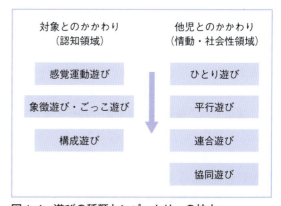

図 1-4　遊びの種類とレパートリーの拡大
遊びの種類が増えていくが，前段階の遊びがなくなるわけではない．

どをもっていることに気づくようになる．そして，その理解にもとづいて他者の行動を予測することができるようになる．他者の心的状態を推測して判断できるようになることを「**心の理論**」を獲得すると言う．この変化によって，子どもは相手の内面を踏まえて関係を調整できるようになったり，反対に，相手を欺こうとする行動もみられたりするようになる．自閉症スペクトラム障害の子どもは他者とのコミュニケーションに特異的なスタイルを示すが，その背景の1つに「心の理論」の獲得の困難が挙げられている（➡ 6章参照）．

3 学童期への準備段階

　幼児後期には，認知領域における発達も進展し，学童期における学習に向けた基盤が形成される．例えば，2つの物が同じか違うかという同異判断にもとづいて，複数の物を類似性に基づいて**分類**することができるようになる．例えば，色や大きさは異なっていても，同じ形の物同士を集めたり，同じ用途の物（形の違うコップなど）を集めたりすることが可能となる．また，3歳頃に2つや3つを数えることができた段階から，4歳前後に1から10以上まで順に唱える数唱や，適切な数の物を選び出す**数概念**も育ってくる．

　学童期の特徴は，文字の読み書きを通して行う学習活動である．学童期になって突然読み書きができるようになるのではない．幼児期に筆記用具で線や形を書くというスキルが育つ．幼児前期の2歳台で縦線や横線，さらに円の模写が徐々に描けるようになり，4歳台以降に人物をイメージした描画や，三角の模写もできるようになっていく．運筆や形の構成の発達をより細かく見ると，手先の巧緻性や，目と手の協応運動，形のイメージの育ちが関与している．また，音と文字とを対応づける基盤となる**音韻意識**（➡ Note 12）が発達してくる．さらに，文字への興味を育む絵本の経験が積み重ねられる．絵本などを通して文字への関心が芽生えた段階から，文字を読んでいるつ

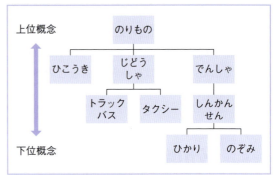

図 1-5 上位概念と下位概念に対応する名詞の例

もりで発語したり，文字のつもりで形を書き連ねたりすることまでを**萌芽的リテラシー**（emergent literacy）と呼ぶ．

B 語彙と構文の発達

1 語彙の拡充

　文法的な働きをする助詞や助動詞などの**機能語**は，数に限りがある．一方，名詞，動詞，形容詞などの**実質語**（または**内容語**）は膨大であり，幼児後期は実質語を中心に語彙が拡大していく．

a 名詞

　幼児前期に，「ひこうき」や「でんしゃ」などの名称と並行して「のりもの」という包括的な語も習得していく．図 1-5 に示すような，**上位概念**と**下**

Note 12. 仮名文字と音韻意識

　仮名文字は，一文字が1つの**拍（モーラ）**という単位に概ね対応している．「おかあさん」は，〔o/ka:/san〕と3音節から成るが，拍は5つである．そのため，話し言葉が拍のリズム単位に分解されるということに気づかなくてはならない．語を構成する音の単位について考える能力のことを音韻意識と呼ぶ．しりとり遊びは，単語の語頭や語尾の拍を特定する音韻意識を活用した遊びである．

位概念のそれぞれに対応する語を学び，次第に「電車と飛行機は乗り物の仲間」という関係性の理解が進んでいく．上位と下位のいずれのレベルから語を学ぶかは，子どもの興味や言語環境による．「でんしゃ」を学ぶ前に，お気に入りのおもちゃである「しんかんせん」を表出する子どももいる．一方で，「のりものの絵本」という言葉を頻繁に親から聞く子どもは，表紙に描かれたバスを見て「のりもの」と早くから表出するかもしれない（この場合はバスだけを「のりもの」と呼ぶ語意縮小であり，徐々に「のりもの」の意味が広がっていく）．上位概念を表す語には，ほかにも「動物」「おもちゃ」「虫」「楽器」「文房具」などがある．幼児後期から学童期にかけて上位と下位の関係性が整い，相互の包含関係を意識できるようになっていく．

b 形容詞

形容詞には，「大きい－小さい」など，対になるものがある．絵図版を見せて「こっちはこっちより？」と尋ねたり，「○○の反対は？」と質問したりすることで，対義語の知識を調べることができる．このような表出課題を4歳後半から6歳前半の幼児に行った際の正答率[13]からは，図1-6に示すような獲得の時期の違いが認められる．なお，同じ系列のなかでも，「長い」のあとに「短い」，「高い」のあとに「低い」を学ぶというように，より顕著な意味を表す語を先に習得する傾向がある．このような情報は，指導において目標語を設定する際に有用である．

c 位置を表す語彙

空間的な位置関係を示す語彙は，「冷蔵庫のなか」「机の上」など日常的な会話にもしばしば用いられる．「上」「下」「よこ」は3歳前半頃から表出され始め，3歳後半に「上」「下」，4歳台に「よこ」も含めた使い分けが上達する（LCスケールの開発基礎データ）．4歳後半から6歳前半の幼児で，「前－うしろ」「右－左」を習得する[13]．空間認知の

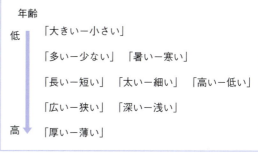

図1-6 主な形容詞の系列が習得される相対的な時期

発達とも関連すると推測され，学童期には方角を表す「東西南北」へと広がっていく．

d 疑問詞

2歳前半に「なに」が獲得され，その後，「どこ」「どれ」「どっち」「だれ」を使用するようになる．さらに，「なんで・どうして」「いつ」を表出するようになるが，これは因果関係の理解や，時間の概念といった認知発達を反映していると考えられる．疑問文の理解については，「なに」「どこ」「だれ」「いつ」を含む質問への応答は3歳から5歳にかけて徐々に正確さを増す（→ Note 13）．

2 語彙習得にかかわる要因

上述のような語彙の獲得順序にかかわる背景を整理すると，少なくとも入力頻度，語用論的必要性，認知的基盤の3つの要因があげられる．

①**入力頻度**：日常会話で頻繁に耳にする語ほど獲

> **Note 13.** 評価方法による結果の違い
> 語の表出や理解を測る方法は，研究によって異なる．子どもの表出・理解について保護者に尋ねる質問紙，絵図版の指さしで理解度を調べる理解課題，発語を子どもに求める表出課題などがある．方法によって結果に若干の違いが生じるため，順序性は大まかな目安であり，子どもごとの個人差もある．言語知識や能力を正確に評価する方法について検討することも言語聴覚障害学の課題である．

得しやすいと考えられる．聞く機会(学童期の場合，聞く・読む機会)が多いほど，その語の**親密度**は高まる．

②**語用論的必要性**：子どもが特定の意味を表現したい場面を経験し，使う機会が多い語ほど，獲得されやすい．

③**認知的基盤**：適用範囲が広い意味をもつ語(例：大きい，小さい)であるほど，誤りなく使用されやすい．反対に，抽象度が高い語や，限定的な意味の語(例：厚い，薄い)ほど，その属性を理解する認知的基盤が求められる．「どうして」は因果関係の理解，「いつ」は時間の概念の発達が前提となる．

このように入力頻度や語用論的必要性という言語環境の違い，認知的基盤の個人差は，言語発達の速度に影響を与える．

幼児後期から学童期にかけて，語や文の意味について考え，言葉による定義づけで意味を理解したり，言葉で説明したりする**メタ言語**も育ってくる．大人から「『大きい』の反対は？」と尋ねられて答えることができたり，子ども自身が「○○ってどういうこと？」と語の意味について質問したりすることは，子どものメタ言語の力を反映している．言葉の意味の説明を聞くことは，メタ言語ルートを介した語彙学習である．なお，幼児期は生活や遊びのなかでの語彙習得が中心であるが，学童期は，文字で新しい語に接する経験や，文章を読んで文脈から語の意味を推測するという，文字を介したルートの比重が増していく．

3 構文の理解・産生

統語領域でも高次化が進み，格助詞や助動詞のレパートリーが増え，受け身文，使役文などの理解や表出も正確になっていく．

a 格助詞・係助詞

格助詞などは幼児前期から獲得され始めるが，幼児後期にかけて，助詞を含む文の理解や表出が

表1-6 構文「名詞＋名詞＋動詞」を理解するようになる過程

方略	内容
①意味方略	「おかあさんがリンゴを食べる」という「名詞(人)＋名詞(物)＋動詞」では「リンゴ」が「おかあさん」を食べることは起こりえない．このような意味を手がかりに，「おかあさん」が行為主で「リンゴ」が対象物として文を理解する．
②語順方略	「名詞(人)＋名詞(人)＋動詞」の場合，はじめは格助詞にかかわらず，最初の人を行為主としてとらえ，「行為主＋対象＋行為」として理解する．したがって，「お母さんが女の子を追いかける」は正しく理解するが，「女の子をお母さんが追いかける」では行為主と対象を逆に理解してしまう．
③助詞方略	最終段階では，語順にかかわらず，助詞を手がかりにして文を正確に理解する．「ネコをリスが追いかけました」のように通常の順序と逆の文が理解できはじめるのは概ね5歳以降と考えられる．

より的確になっていく．英語では，"The dog chased the cat(犬がネコを追いかけた)"のように，主語や目的語は語順で表される．一方，日本語では格助詞「が」が主格，「を」が目的格の指標となるため，「犬<u>が</u>ネコ<u>を</u>」「ネコ<u>を</u>犬<u>が</u>」と語順を変えても同じ意味となる．このように，格助詞(「が」「を」「に」「で」など)や係助詞(「は」「も」など)は意味の正確な理解や表現には欠かせない．

「犬<u>が</u>追いかけている」「女の子<u>を</u>追いかけている」などの「名詞＋が／を＋動詞」の文を用いた理解課題では，3歳後半以降に格助詞を手がかりに応答できるようになっていく．一方，名詞が2つ含まれる「名詞＋が(を)＋名詞＋を(が)＋動詞」では，はじめは格助詞に頼らず語順のみに注目し，徐々に格助詞に基づく理解へと進む[14]．具体的には，**表1-6**のような順序で理解が正確になっていく．

b 能動態・受動態

文法的な主語が文頭に置かれる「○が○に引っ

ぱられました」のような受動態は4歳頃から正しく理解できるようになる．しかし，順序の異なる「○に○は引っぱられました」はより難しい．このような文を正しく理解するには，文法的な知識以外の条件もある．複雑な文の理解には，文を構成する名詞や動詞，格助詞，助動詞を聞き逃さない**注意力**と，文に含まれる語を一時的に記憶し，誰が誰を引っぱるのかという，語と語の間の意味関係を頭のなかで再構成する**聴覚的ワーキングメモリ**も必要である（➡ Note 14）．これは受動態文だけに限定されず，「紙とクレヨンを持ってきてください」という複数の対象が含まれる指示や，「紙を切る前に色を塗ってください」といった順序（特に逆の順序）を理解する際にも同様である．文理解に困難のある子どもの場合，言語面の要因だけでなく，注意力やワーキングメモリについても検討する必要がある．

C 会話とナラティブ

1 会話の発達

複数の文がひとまとまりに連続し，文脈が成立する発話を**談話**（ディスコース discourse）と呼ぶ．談話には，会話や，後述するナラティブがある．会話では，相手の発話に応じて自分の発言を重ねていく．発話のやり取り（ターンテイキング）によって，1つの文脈ができあがる．表情や身体の動き，発声などを介した，非言語的なターンテイキングは，前言語期から始まっている．幼児前期は，子どもの発話に親が言葉で答えたり，親の問いかけに子どもが言葉で答えたりするような，短いやり取りである．幼児後期から，お互いの発話の内容を踏まえた，一貫性のある相互の受け答えが徐々に上手になっていく．次第に話題が逸れずに会話が続くようになり，自分と相手との双方向の会話がスムーズに進むようになっていく．この背景には，情動・社会性領域における，他者との協調性の高まりもある．共通する興味のある事がらについて会話をして楽しんだり，遊びのルールを決めたり，友達とのトラブルを解決しようとしたりするなど，仲間関係において言語が一層の役割を果たすようになる．

2 接続助詞・接続詞

幼児前期から，子どもは発話を連続させて言うことがある（例：「トラックきた．おっきいの．」）．この段階では，2つの文は時間的に連続するものの，子どもは必ずしも出来事の連続性を伝えようとしているわけではない．しかし，次第に，複数の文をつなげてひとまとまりの出来事を表現しようとする（例：「トラックきた．ぶつかった．」）．2歳台で獲得される接続助詞の「て」によって，「トラックきて，ぶつかった」のように複数の動詞が連続するようになる．幼児後期にかけて接続助詞のレパートリーが増えて，「晴れたら行く」（仮定），「お腹すいたから食べる」（理由），「雨降ってるけど行く」（逆接）など，表現の幅が広がっていく．接続詞は，複数の独立した文を論理的につなぐことができる．3歳以降，接続詞「だから・でも・だって・それで・じゃあ」も習得し，「そして・そしたら」へと展開する．

> **Note 14. 記憶の種類**
> 記憶には，**長期記憶**と**短期記憶**がある．長期記憶は自分の名前や住所，日本の首都の知識など，長期間にわたって保持される記憶である．一方，短期記憶は，相手の電話番号を書き留めている間だけ覚えているような，一時的に保持している記憶である．聞いた数字の列を逆から言う「逆唱」では，数字の列を覚えるだけでなく，覚えた数字の順序を変える操作を頭のなかで行っている．聞いた数字をもとにした暗算も同様である．このように情報の操作もかかわる短期的な記憶を**ワーキングメモリ（作業記憶）**と呼ぶ．

3 説明や推論

　言語は文法的な能力を獲得した時点で完成するわけではない．言語を活用して思考したり説明したりする応用も期待されている．「ここまでどうやって来たの？」という質問に対して相手に伝わるように説明するには，出発点と現在の場所との位置関係を想起し，「まっすぐ」「曲がる」などの方向や動きを表す語を用いて，順序立てて文をつなげていく必要がある．「おさいふをどこかに落としたらどうする？」といった架空の状況についての説明は，関連する過去の経験を思い出しながら，問題解決のための推論を行うことが求められる．自分が欲しいものについて理由をあげて親を説得するにも，言語力だけでなく，理由づけや相手の気持ちを推察する力がかかわる．ただし，このような説明力は幼児後期ではまだ初期の段階であり，十分な説明は難しい．説明力，推論力ともに，学童期以降にかけて徐々に高まっていく．

4 ナラティブ（語り）

　4歳頃になると，出来事について複数の文で話すことができるようになっていく．出来事の流れについて，時間の連続性や，意味の一貫性のある表現を行うことを，**ナラティブ**（narrative，**語り**）と呼ぶ．複数の文から成り，文脈が構成されるため，語りは談話の一型式である．語りは，形式面と内容面に分けて捉えることができる．

a 語りの形式的特徴

　語りは2つ以上の発話から成り，文同士のつながり（**結束性**）を示す接続詞や接続助詞などが使われることが多い．それによって，出来事の時間的な経過や，なぜある出来事が起こったのかという因果関係など，論理的な関係が示される．したがって，適切に語るには，出来事の流れや状況を正しく理解する能力も必要となる．語りは適切な語彙を選択し（**語想起**），文法的な文を構築し（**文法性**），文同士を適切につないでいく（**談話構造**）といった複数の言語的側面を統合させているため，高度な表出の形であると言える．また語りは，物語のように「起・承・転・結」という，語や文のレベルより大きな構造（**マクロ構造**）をもつこともある．

b 語りの内容的特徴

　語りには，自分の経験について語る**パーソナルナラティブ**（体験談）がある．パーソナルナラティブに至る前段階として，公園から帰ってきた子どもが「犬と追いかけっこした」などと母親に報告する姿がある．事実を述べているのであるが，親に聞いてもらいたいほど，自分にとって印象に残る出来事であったという点が重要である．聞き手には，その思いを汲み取ることが期待されている．このように，パーソナルナラティブには，単なる事実経過の報告以上の内容が含まれる．出来事を経験してどう感じたかという感情や，出来事を自分がどのように受け止めたかという評価など，語り手の内面が反映される．パーソナルナラティブには，聞き手に自分の経験への共感を求める側面があるとともに，自分の中で経験を言葉で整理して，振り返る機能もある．

　語りのもう1つのタイプに，物語のように，架空の内容を語る**フィクショナルナラティブ**がある．フィクショナルナラティブに至る前段階の非言語的活動には，幼児前期のふり遊びやごっこ遊びがある．このような遊びでは，過去に実際に起こった出来事の再現だけでなく，空想のなかで自分や自分以外の人が主人公になって活動が展開する．フィクショナルナラティブではそれが言葉で表現される．登場人物をほめたり批判したり，出来事を歓迎したり残念がったりと，語り手の判断も反映される．なお，フィクショナルナラティブの産出は，親から絵本を読み聞かせてもらうなど，子ども自身がストーリーを聞いて楽しむ経験も反映されると考えられる．

　幼児後期のこのような言語活動は，学童期にお

ける文章の理解や，作文による表現へと展開していく．

引用文献（①〜④）

1) Morales M, et al：Following the direction of gaze and language development in 6-month-olds. Infant Behav Dev 21：373-377, 1998
2) Bergelson E, et al：Nature and origins of the lexicon in 6-mo-olds. Proc Natl Acad Sci U S A 114：12916-12921, 2017
3) Stoel-Gammon C, et al：Babbling development of hearing-impaired and normally hearing subjects. J Speech Hear Disord 51：33-41, 1986
4) Acredolo L, et al：Symbolic gesturing in normal infants. Child Dev 59：450-466, 1988
5) Orr E, et al：Symbolic play and language development. Infant Behav Dev 38：147-161, 2015
6) Asano M, et al：Sound symbolism scaffolds language development in preverbal infants. Cortex 63：196-205, 2015
7) Meltzoff AN, et al：Imitation of facial and manual gestures by human neonates. Science 198：74-78, 1977
8) Baillargeon R：Object permanence in 3.5- and 4.5-month-old infants. Developmental Psychology 23：655-664, 1987
9) Bates E, et al：From first words to grammar：Individual differences and dissociation mechanisms. Cambridge, U.K., Cambridge University Press, 1988
10) 小椋たみ子，他：日本語マッカーサー乳幼児言語発達質問紙の開発と研究．ナカニシヤ出版，2016
11) 大伴 潔，他：動詞の語尾形態素の獲得過程：獲得の順序性と母親からの言語的入力との関連性．発達心理学研究 26：197-209，2015
12) 宮田 Susanne，他：平均発話長（MLU）から捉えた日本語の初期文法発達―自立語付属語 MLU を指標として．言語聴覚研究 17：87-95，2020
13) 国立国語研究所：幼児の語彙能力．東京書籍，1980
14) Hayashibe H：Word order and particles：A developmental study in Japanese. Descriptive and Applied Linguistics 8：1-18, 1975

学童期

A 学習言語の発達

1 学童期の言語活動

　幼児期と学童期の言語の世界には大きな質的な異なりがある．本項での学童期とは，主として小学1〜6年を意味する．

　幼児期のことばの中心的な機能は，生活の場での周囲の人々と交流し，コミュニケーションすることである．それは，主に話しことばを用い，子どもの表現が拙くとも場面や状況の文脈に支えられ，また相手が子どもに対してもっている知識や情報などに基づいて調整することで成立する．子どもは就学を迎えるころまでに，日本語母語話者としての基本的能力を獲得する．その能力とは，母語を構成する音を聞き分け・言い分けることができること，生活の中で用いられる基本的な語彙をもつこと（就学前の語彙は約3,000語といわれている），誰が何をどうする（主語＋目的語＋動詞）といった日本語の基本的構造（文法・統語）の知識をもつこと，まだ萌芽的な段階ではあるが，場面・状況に応じてことばを使うことである．

　幼児期に培われたコミュニケーション言語を土台として，学童期には，質の異なる高次の言語の発達が始まる．学童期の言語発達の重要な側面は，学習言語の習得である．学習言語とは，学習の手段としての，思考を深めるための，また，知識を得るための言語である．学童期は，子どもの経験のなかで，学校での生活が大きな部分をしめ，知識の習得はもとより，運動，社会性などさまざまな面で子どもの発達に大きな影響を与える．国語をはじめとする教科の学習だけでなく，学級会活動，学校行事，委員会や部活動などの多彩な活動のなかで言語を用いた経験が広がる．幼児期よりも一層広がった多彩な言語活動を通して，言語の形式，内容，使用のすべての面での発

達がみられる．また，幼児期に芽生えた文字・書きことばへの興味・関心から，書きことばの世界が本格的に展開し，音声言語と相互に関連しながら発達する．

2 学童期における言語の各側面の発達

a 学童期における言語の形式面の発達1：音韻面の発達・音韻意識の発達

就学を迎えるころまでに，大半の子どもは日本語母語話者として日本語を構成している語音を識別し，産生する能力を獲得する．学童期の音韻面の発達は，音韻意識の側面でみられるが，それについては次項(B. 読み書きの発達➡26頁)で述べる．

b 学童期における言語の形式面の発達2：文法・統語の発達

就学までに子どもは，主語-述語（例：馬が走る）や主語-目的語-述語（例：馬が草を食べる）のような基本的な日本語の構造を理解し，使う力を獲得する．より複雑な受動文や埋込構造を含んだ統語構造を処理する能力は学童期以降に発達する．

小学1年の国語の教科書には「くまさんが，ふくろを　あけました．なにも　ありません」[1]という単純な文の連続がみられるが，小学2年では「おきゃくさまのそうぞうしだいで　どんなぼうしにもなる，すばらしいぼうしです」[2]のような埋込構造を含んだ，文節数の多い文が記されており，統語・文法面の発達がうかがわれる．

J.COSS日本語理解テスト[3]は統語と意味の理解検査で，日本語独自の助詞関連項目や授受関係項目を含んだ20項目で構成されている．3〜12歳(390名)のデータに基づいた機能別，項目別の平均獲得時期が示され，幼児期から学童期の文法面の発達を読み取ることができる（正答が50%以上を通過としている）(表1-7)．

学童期以降，小学1〜2年で4要素以上の多語文，受動文，埋込文，および格助詞の正確な理解の発達が進むが，中央埋込型の主部修飾のような複雑な構造の埋込文(表1-7の「例」を参照)の理解が確立するのはかなり遅れ，中学以降と推測される．これらの複雑な構造の文は，日常の会話ではあまり使わることがなく，書きことばの中で触れることがほとんどである．書きことばの読み書き経験が高次の文法・統語の発達を支えている．

c 学童期の内容（意味）の発達：語彙，語句の意味

幼児期，子どもは，生活の中で経験したモノ・事柄を表す語（例えば，交流場面で頻繁に交わされる挨拶のことばや身の回りにあるものを示す語など）の意味を学ぶ．幼児の「バナナ」ということばの理解の背景には，その子どもなりの個人的経験──保育園のおやつに出た，おもちゃのバナナでお店屋さんごっこをしたなど──が密接に結びついている．こうした幼児期の経験に基づいた具象的な意味理解は，発達に伴い，より抽象的な意味理解へと広がる．

田中ビネー知能検査V[4]の7歳級の問題に，太陽と月の共通性を問う課題がある．5歳児は，まだ，モノ・事柄について具体的な意味理解レベルにあるので，「おひさまは，昼，明るくて，温かいもの」「お月様は，夜の空にあって，太ったり痩せたり形がかわる」など，対象物それぞれの個別的な特性の理解にとどまり，両者の共通性を抽出して理解することは難しい．7歳になると，個別性を超えて，空にあって輝くという共通性が理解できるようになる．このように，物事を自己の経験から離れて客観的に，多面的，多角的にとらえることが，抽象性の理解への第一歩である．そうした発達は就学前後から徐々に始まり，学童期，特に学童中期以降に本格的に展開する．

「LCSA 学齢版 言語・コミュニケーション発達スケール」[5]は，学齢児（小学1〜4年）を対象とする日本語の包括的言語能力検査で，5つの領域の言語スキルを評価するものである．5領域の1つ

表 1-7　J.COSS にみる統語能力の発達(聴覚版)

文法機能	項目名	例	通過年齢
構成要素数	1 要素(名詞, 形容詞, 動詞)	くつ, 大きい, 走っています	年中
	2 語文[*1]	男の子は走っています, 大きなカップ	年中
	否定文	男の子は走っていません	年中
	3 語文[*2]	男の人はりんごを食べています	年中
	多語文[*3]	猫がテーブルの下でくつを見ています	小学 1〜2 年
授受関係	可逆文[*4]	女の子は馬を押しています	年長
	受動文	馬は女の子に追いかけられています	小学 1〜2 年
接続助詞	X だけでなく Y も	とりだけでなく花も青い	年中
	X だが Y はちがう	猫は大きいが黒くはありません	小学 1〜2 年
	X も Y もちがう	男の子も馬も走ってはいません	小学 1〜2 年
視点の置き方	位置詞	四角は丸の中にあります	小学 1〜2 年
	比較表現	箱はカップより小さい	小学 1〜2 年
	格助詞	えんぴつは花の上にあります 馬を牛が押しています	小学 1〜2 年
文構造	主部修飾(左分枝型)	猫を追いかけている牛は茶色い	小学 1〜2 年
	述部修飾	えんぴつは黄色い本の上にあります	小学 1〜2 年
	主部修飾(中央埋込型)	いぬは男の子が追いかけていて大きい	小学 3〜6 年でも 40.8%

[*1]: J.COSS での用語は 2 要素結合文, [*2]: J.COSS での用語は 3 要素結合文, [*3]: J.COSS での用語は多要素結合文, [*4]: J.COSS での用語は置換可能文
〔中川佳子, 他:幼児期から児童期にかけての日本語理解の機能別発達過程〈聴覚版〉. J.COSS 研究会(編):J.COSS 日本語理解テスト. p27, 風間書房, 2010 より改変〕

に「語彙や定型句の知識」があり, 下位検査に「語彙知識」と「慣用句・心的語彙」がある.「語彙知識」課題では,「ちょうわ」「すいちょく」「しつぼうする」などの抽象的な意味をもつ語が用いられている. これら 2 字熟語は, 書きことばを通して学習される語彙である.

学童期には, 抽象的な語彙の習得と並んで, すでに獲得した語の意味を拡大して, 本来とは異なる意味で用いる学習も進む. その萌芽は幼児期後期にみられるが, 本格的に進展するのは学童期, 特に中学年以降である. 小学 4 年の国語の教科書では「火花を散らす」「頭をひねる」「ねこのひたい」などの慣用句,「犬も歩けば棒に当たる」などのことわざ,「蛇足」「五十歩百歩」などの故事成語が扱われている. 先に紹介した LCSA では,「かさの海」「雪のようなウサギ」などの比喩表現,「耳が痛い」「頭が柔らかい」などの慣用句が理解の課題として用いられている. 本来の意味から飛躍させた語の理解は, 詩歌の凝縮された表現(例:閑かさや 岩にしみ入る 蝉の声)の鑑賞にも必要とされる. これらの芸術的な表現理解は, 成人期まで長い時間をかけて深まる.

このような学童期以降に目覚ましく進む意味理解の広がりや深化の背景には, 認知発達, 言語的・非言語的知識の広がり, 書きことばの経験が大きく影響している. 幼児期のコミュニケーション言語はほとんど意識することなく自然に獲得されるが, 学習言語の多彩な語彙の習得には, 意識的な努力が必要である. 高次の意味の理解は, 国語だけでなくすべての教科で必要とされ, それが

うまく機能しないと学業全般へ影響する．また，日常会話においても，冗談や皮肉が通じないなどによって，社会的対人交流を阻害する可能性も生じる．

d 言語の使用の発達　語用能力

語用能力とは，時・場所・相手・文脈に応じて適切に言葉を使用する能力をさす．就学前に萌芽的に発達が始まるが，本格的な発達は学童期以降であり，成人期まで発達が続く．語用能力の発達を，会話，ナラティブ（語り），教室言語に焦点をあてて考える．

1）会話の発達

学童期の語用能力の発達は以下のような会話のスキルの向上・洗練にみられる．

(1) 会話の持続，話題の維持

幼児は，相手の視点に立つことができないため，相手の様子に頓着せず，自分の話したいことを一方的に話すことが多い．また頻繁に話題を変え，会話が持続しにくい．そのため話題を維持するためには，大人が子どもにあわせて，調整しなければならない．学童期になると，相手の反応へ注意を向けられるようになる（理解の程度，興味関心の強さなど）とともに，自分の話し方や内容にも目が向き，相手の様子によって伝える内容・伝え方を調整しようとするので，話題が維持される割合が増加する．8歳では，1つの話題をめぐって持続した会話が可能になるが，話題は具体的内容のものに限定される．11歳になると，抽象的な内容の話題について持続した会話が成立するようになる[6]．

(2) 会話の修復

会話の修復方法にも，就学前後で変化がみられる．メッセージを相手にうまく伝達できなかったとき，3～5歳児は同じことを繰り返すだけだが，6歳ではより詳しい情報を追加して説明するようになる．9歳になると，うまく伝わらなかった原因を考え，言い換えたり背景文脈の説明を加えたりして，修正を試みようとする．

(3) 要求表現

要求の伝え方も洗練される．5歳児は「ケーキちょうだい」のように，要求を直接的に表現するが，7歳になると「早く食べないとまずくなるんじゃない」のような間接的表現がみられ，年齢の上昇とともに表現のバリエーションが増える．

(4) 会話相手による調整

学童期になると，相手（自分の仲間／自分より年下の幼児／家族以外の大人／家族など）によって異なる話し方の使い分けができるようになる（幼児には，短めでシンプルな表現を用いる，家族外の大人には丁寧な言い方をする）．

相手との心理的距離を表す尊敬語・謙譲語を正しく理解・使用することは小学校低学年では難しい．敬語は，小学5・6年生の国語の学習指導要領[7]のなかで「日常よく使われる敬語を理解し使い慣れること」と記され，学習目標として扱われている．成人でも，尊敬語や謙譲語の誤用は少なくない．尊敬語・謙譲語を正しく使いこなすことは，小学校高学年以降，成人期にいたるまでの言語発達の課題の1つである．

2）ナラティブ（語り）の発達

ナラティブとは経験を時間的・空間的に位置づけて，一定の流れに沿って再現することである．

子どもは幼児期に，絵本の読み聞かせによって物語に触れ，ストーリーの流れを理解する．また，自ら休日の出来事や経験を語ったり，自分が聞いたお話を人に伝えようとする．幼児期には，全体の構成や組織化は未熟で十分ではないが，こうした語る経験は，学童期の口頭発表や作文，読解の基盤となる．ナラティブの発達は，言語発達，認知発達，社会的認識に支えられ，小学校中学年ころには，全体の構造を考え，個々の情報を時間的・空間的に順序づけて組織化して語ることができるようになる．

3）教室言語

学校生活で必要とされる言語スキルは，場面・状況の文脈や大人側の調整で支えられる幼児期のコミュニケーションで求められるスキルとは異なる．

教室内での言語活動の特徴の1つは，1対多数のコミュニケーションの機会が多いことである．例えば，①教師はクラス全体に向けて教科の学習内容の説明や指示を行い，生徒は多数の中の1人として聞いて理解し，質問に答える，②話し合い活動では，他児の意見を聞いて考え，クラス全員に対して，自分の考えをまとめて意見として述べる，③社会や理科で，調べたものをまとめて発表する，などである．こうした場合は，親しい者同士のくだけた会話の形式ではなく，ややあらたまった言語表現が用いられ，内容を相手にわかりやすく伝えるために構成を考え，文脈の支えなしで（脱文脈化），明確に表現できる言語力が求められる．

3 学童期の言語発達を支えるもの

これまで言語の形式（音韻，文法・統語），内容（意味），使用（語用）の各側面について，幼児期と質的に異なる学習言語の発達について概観した．言語の各側面は相互に関連して発達するが，それらはまた，言語以外のさまざまな認知的・社会的発達とも密接に関連している．ここでは，脱中心化・自己中心性からの脱却，ワーキングメモリについて触れる．また，学童期の言語発達における書きことばの影響について述べる．

a 脱中心化と自己中心性からの脱却

中心化，自己中心性はいずれも，幼児期（2～7歳）の認知発達の特徴である．

中心化とは，対象の最も目立つ側面だけに注意を集中して，それ以外の部分には注意を向けないことをいう．水を口径の大きなビーカーから口径の小さなビーカーに移し替えると，水面が高くなる．3歳児は，水面の高さだけに注目して口径の小さなビーカーのほうが水量が多いと考えてしまうが，それは中心化によるものである．中心化の注意が自分自身に向けられた場合，自己中心性が生じる．自己中心性とは，世界を自分の主観的な視点からしかみることができず，相手の立場で考えることができないことをいう．

7歳頃から，水を形状の異なる容器に移し替えて見た目が変わっても，量は変わらないと理解できるようになる（保存性の習得）．そのことは，見た目だけでなく，物事を多面的にとらえ始めたこと（脱中心化）を意味する．こうした認知的発達が，抽象的な意味理解，多義語，比喩などの習得を支えている．

脱中心化による物事の多面的な理解が人について進むと，他者と自分は異なる存在であるとわかり，他者の視点から考えられるようになる．この変化は，語用の発達を支える．自己中心性から脱却することで，相手の反応に注意を向け，話題に対する相手の知識，関心，理解の程度をモニターし，それに合わせて自己の発話を調整できるようになるのである．このスキルは，学童期から青年期をへて成人期まで，長期にわたって継続して発達が進む．

b ワーキングメモリ

ワーキングメモリは，課題を行っているときに，情報を一時的に記憶・処理する能力をいう．いわば，脳内のメモ帳で，インプットされた情報を，書き留めて，用事が済んだら消し，次の新しい情報に書き換えて使うものである．授業中に教師の話を聞き，その内容をいったんこのメモ帳に記し，その中から重要と判断したことをノートに記す．教師が黒板に書いた情報を一時的に脳にメモし，それをノートに書きうつす．話し合いで，他児の発言をメモ帳に書きとめ，それについて考えてから，自分の意見をいうなど，日常のいろいろな活動に，メモ帳としてのワーキングメモリが

関わっている．メモ帳に書き込める情報量（ワーキングメモリの容量）は限られているので，処理され不要になった情報は消去され，新たな情報に更新される．

ワーキングメモリの容量は発達に伴い増えはするが[8, 9]，限りがある．そのためワーキングメモリを使う活動では，ワーキングメモリ内の処理が効率よく行われれば成果が上がるし，その反対なら，達成は難しくなる．読むことにもワーキングメモリが関わる（B-2-a ➡ 29 頁参照）．

c 学童期の言語発達における書きことばの果たす役割

読み書きの発達については次節で述べるが，ここでは学習言語の発達に書きことばが重要な役割を果たすことについてのべる．

統語・文法の発達，および，内容（意味）の発達の項でも触れたが，学童期に習得される抽象的な語彙や広がりをもった語句の意味，複雑な構造の文は，話しことばではあまり使われず，書きことばでよく使われる．これらの知識の習得には書きことばを読み書きする経験が重要な意味をもつ．

学童期の読書の影響について，仙台市の7万人を対象とした調査から，読書習慣が学力，特に国語，算数・数学の文章題などの記述式問題を含む「応用問題」の成績に大きな影響を与えることが報告されている．また，読書をたくさんする子どもほど神経線維ネットワークの結束力が強く，3年後の神経回路の発達度合いも大きいなど，読書が言語に関する脳の神経回路を発達・成長させることが，神経学的にも明らかにされている[10]．

B 読み書きの発達

日本語で「読み」「書き」は，文字の読み書きから読解・作文まで幅広い行為を意味する．本項では読み書きを大きく以下の2つのレベルに分けて考える．すなわち，低次の読み書き（単文字，単語レベルの処理）と高次の読み書き（談話レベルの処理：読解，作文）である．

1 低次レベルの読み書き

低次レベルの読み書きは，単文字，単語レベルの処理をいう．文字と音を対応づけること，すなわち，文字で表記された文字・単語を音に変換すること（decoding）と音を文字に変換すること（encoding）である．

a 音韻意識の発達

我々が日常のコミュニケーションで用いている音声は，切れ目のない連続した音波である．その連続した音波で構成される単語の中に，単語を構成する音の粒を感じ取ること，そして，その音の粒を操作することができる能力を音韻意識（音韻認識）という．

音韻意識は，文字習得と深く関連することが知られている．どの大きさの音の粒を鋭敏に感じるかには，母語の音韻特性がかかわる．日本語はモーラが優位なので，単語の中にモーラの単位が見出せることが文字（仮名）習得の基盤として重要であると考えられている．1モーラが仮名一文字に対応するからである．就学前には，4歳後半で音韻分解（「うさぎ」が「う」「さ」「ぎ」の3つの音から構成されているとわかること）ができ，6歳前半では3モーラ語の逆唱（単語の語尾音から前に辿って言うこと；「うさぎ」を「ぎさう」と言うこと）と削除（単語の中から指定された音を抜いて言うこと；「'うさぎ'から'さ'をとって」に対して「うぎ」と言うこと）が可能になると報告されている[11]．

学童期には，音韻意識は2つの側面で発達がみられる．1つは，音韻操作（語の逆唱や音列から1モーラ削除するようなこと）が，より多くのモーラ数を対象に，より速く行えるようになることである．就学前年長児は3モーラ語から1モーラ削

除する課題に6秒かかるが，小学2年では4モーラ・5モーラ語を対象としても4秒ほどでできるし，年長児では8秒かかった3モーラ語の逆唱は，小学3年では3秒ほどでできるようになる（表1-8）．

学童期の音韻意識の発達のもう1つの側面は，特殊モーラの音韻意識が確立することである．モーラには基本モーラと特殊モーラがある．基本モーラでは，モーラと音節は一致する（/a/，/ka/など）．特殊モーラは，モーラとしては1単位をなすが，音節としては単独の単位を構成できないもので，撥音，二重母音の後半，長音，促音が該当する（パン /pan/ は1音節2モーラ，貝 /kai/ は1音節2モーラ，コート /ko:to/ は2音節3モーラ，切手 /kitte/ は2音節3モーラ）．特殊モーラを1つのモーラとしてとらえる意識の確立は，基本モーラより遅れる．また特殊モーラ間でも，種類によりモーラ意識の確立の時期が異なり，撥音⇒二重母音⇒長音⇒促音の順で確立が進む．通常，長音・促音のモーラ意識が確立するのは，小学1年3学期以降である[12]．「どうしようとおもった」を「どしよとおもた」のように記す長音や促音の表記の誤りは小学1年には多くみられるが，小学1年後半から小学校2年にかけて，少なくなる．その背景には，こうした特殊モーラ意識の確立がある．

発達性読み書き障害は，音韻意識の未熟さが関係する．読み書き障害があると，高学年でも作文で促音の「っ」を抜かしてしまうことがみられるのは，音韻意識が未熟なため，促音を1モーラとしてとらえるまでには発達していないことによる．

音韻意識は，単語の構成音一つひとつの明確な把握のうえに成り立つ．その発達は，ワーキングメモリと関連しており，初めて耳にする新規語彙，特に，音列の長い四字熟語や慣用句，故事成語などの学習とも関連する（'シュンカシュウトウ'という音列を正確にとらえることができないと，この単語を学習することができない．また，シュン／カ／シュウ／トウと区切れることがわからないと，それぞれが，春，夏，秋，冬に対応することが学習できない）．

b 音・文字対応（decoding, encoding）

日本語には，平仮名，カタカナ，漢字の3種の文字がある．

読み書きの習得は，音と文字の対応を学ぶことから始まる．低次レベルの読みとは，文字や語を音声に変換すること（decoding）で，書きとは，ことばの音を文字に変換すること（encoding）である．

文字は，話しことばを目に見える形で記録するために，話された単語を何らかの単位で分節化し，それに対応させる記号として考え出された．日本語はモーラが優位で，1モーラに仮名一文字が対応する．漢字は，一文字が一語を表し，一文字に1あるいは複数のモーラが対応する．

高次レベルの読み（読解）に，単語認識の正確性と流暢性（単語を流暢に，正確に音に換えて，意味と結びつけること）が関わることが明らかにされている．流暢性と正確性については，次の2つの節で扱う．本節では，文字・音の対応を学習する能力の発達について述べる．

文字と音の対応関係を学習するということは，文字の正しい読み方を学習することであり，音に対する正しい文字がわかるということである．文字・音の対応関係の習得時期について，『改訂版標準読み書きスクリーニング検査（STRAW-R）』[13]（平仮名，カタカナ，漢字単語の音読と書き取り課題），および，『特異的発達障害診断・治療のための実践ガイドライン』（平仮名単文字・単語の音読課題）に示された基準データから考える．いずれの検査においても，平仮名単語音読課題には，拗音，撥音，長音，促音を含む単語が用いられている．

それらのデータから，平仮名の読みは小学1年，書きは小学2年（女子は小学1年），カタカナの読みは小学2年，書きは小学3年（女子は小学2年）で習得されると考えることができる．

表1-8 学童期の音韻操作能力に関するデータ

		モーラ削除課題					
		3モーラ		4モーラ		5モーラ	
		有意味語(4語)	非語(6語)	有意味語(4語)	非語(6語)	有意味語(4語)	非語(6語)
課題語 ◯が削除対象モーラ		あ**し**た せ**な**か みど**り** た**い**こ	**れ**くの く**せ**かて にど **い**でり けみ**ろ** **が**もせ	ね**く**たい **た**まねぎ あさが**お** ひま**わ**り	**な**おのし いそ**れ**す よ**で**すち なゆ**か**た ぶと**わ**り の**せ**くめ	ゆき**だ**るま あまのが**わ** はな**し**あい **め**だまやき	いさみき**れ** そ**と**ゆこて めち**た**にこ **わ**くれみし ねぼ**か**らま きど**こ**めす
小1	正答数 反応時間	3.66(0.61) 2.47(1.71)	4.77(1.37) 2.82(1.97)	3.45(0.68) 4.21(1.94)	4.24(1.24) 5.40(2.59)	3.11(1.14) 5.45(2.75)	3.16(1.42) 5.98(3.63)
小2	正答数 反応時間	3.89(0.32) 1.62(1.17)	5.51(0.65) 1.96(0.98)	3.66(0.63) 3.33(2.22)	5.03(1.08) 4.42(2.68)	3.69(0.71) 3.98(2.28)	3.77(1.53) 4.03(1.94)
小3	正答数 反応時間	3.89(0.38) 1.11(0.54)	5.45(0.84) 1.41(0.68)	3.77(0.56) 2.57(1.73)	4.91(1.26) 2.92(1.65)	3.57(0.72) 3.27(1.96)	4.48(1.44) 3.38(2.04)
小4	正答数 反応時間	3.86(0.41) 1.05(0.51)	5.55(0.84) 1.44(0.85)	3.83(0.53) 1.96(1.16)	5.22(0.95) 2.58(1.30)	3.71(0.50) 2.51(1.37)	4.71(1.09) 2.86(1.17)
小5	正答数 反応時間	3.94(0.68) 0.80(0.38)	5.73(0.44) 0.87(0.40)	3.89(0.31) 1.48(0.78)	5.35(0.88) 2.01(1.14)	3.78(0.47) 2.09(0.93)	4.81(1.04) 2.57(1.44)
小6	正答数 反応時間	3.97(0.17) 0.91(0.25)	5.73(0.51) 0.86(0.25)	3.97(0.17) 1.37(0.50)	5.55(0.61) 1.57(0.60)	3.88(0.33) 1.81(0.63)	5.18(0.83) 1.92(0.55)

		逆唱課題					
		2モーラ		3モーラ		4モーラ	
		有意味語(4語)	非語(6語)	有意味語(4語)	非語(6語)	有意味語(4語)	非語(6語)
課題語		うま あり がむ つき	かの すせ ねど にけ ばみ なさ	あたま かめら たまご つくえ	みしけ たぐめ かこき まかた たちの せとく	かいもの くつした なわとび にわとり	おりのし そよこも たとてつ さごめす ねびぐの るはたの
小1	正答数 反応時間	3.87(0.34) 1.85(0.84)	5.66(0.47) 2.13(0.72)	3.08(1.06) 5.78(3.07)	4.05(1.57) 6.21(2.97)	2.16(1.55) 12.01(6.87)	1.55(1.50) 12.88(7.87)
小2	正答数 反応時間	3.89(0.32) 1.73(0.78)	5.80(0.40) 1.97(0.76)	3.69(0.71) 5.54(4.00)	4.71(1.30) 6.95(4.16)	2.80(1.33) 9.42(5.37)	2.46(1.75) 9.85(4.38)
小3	正答数 反応時間		5.64(0.53) 1.58(0.53)	3.32(0.92) 3.43(1.67)	4.60(1.30) 3.98(1.98)	2.95(1.13) 7.03(4.04)	2.57(1.53) 7.11(3.59)
小4	正答数 反応時間		5.69(0.56) 1.58(0.44)	3.50(0.76) 3.69(2.01)	4.95(1.43) 4.44(2.40)	3.05(1.25) 7.05(4.19)	2.98(2.02) 6.86(2.77)
小5	正答数 反応時間		5.86(0.41) 1.30(0.34)	3.57(0.64) 2.77(1.07)	5.03(1.10) 3.52(1.30)	3.51(0.98) 5.56(2.27)	3.41(1.67) 6.79(2.77)
小6	正答数 反応時間		5.91(0.29) 1.35(0.30)	3.79(0.48) 2.49(0.94)	5.06(0.98) 2.91(1.36)	3.27(0.83) 4.12(1.69)	3.45(1.62) 5.52(3.59)

( )内は,1SD

モーラ削除とは,刺激語から指定された特定のモーラを削除して残りの部分をいう課題(例えば,「'あした'から'あ'をとって」に対して,「した」と答える).反応時間は,正答したものについて,課題のいい終わりから,回答を終えるまでの時間を計測したもの.

逆唱とは,単語を後ろから,前にさかのぼっていう課題(例えば,「'うま'をさかさまから言うと」に対して,「まう」と答える).反応時間は,正答したものについて,課題のいい終わりから,回答を終えるまでの時間を計測したもの.

STRAW-Rでは，漢字課題は2学年下の学年配当の漢字について，読み書きのデータを示している．それによると，どの学年でも2学年下（小学2年は1学年下）の漢字の読み成績は9割以上で，ほぼ習得されているが，書きの成績はやや低い（小学4年以上では，約7〜8割）．小学1〜6年を対象として，各学年の配当漢字の書字がその次の学年でどのくらい習得されているかを調査した報告[14]では，漢字テストの正答率はどの学年でもほぼ約6割で，特に漢字を読み替えた場合（低学年で田んぼと学習したものを田園という熟語の中では別な音に読み替える）と生活になじみのうすい語の書字の正答率が低いことが報告されている．この調査では，漢字の「読み」「書き」に対する意識や，読書や日記など子どものふだんの生活における「読み」「書き」の実態についても尋ねている．その結果から，読書習慣が少ない子どものほうが漢字力が低いことが見出されており，読書経験と漢字力との間の関連が指摘されている．

　上記の調査で正答率が低かった読み替えた漢字や生活になじみのうすい語は，A-2-c（22頁）で述べた学童期の意味学習の中核をなす抽象性の高い漢字熟語に相当する．漢字学習では，形を正確に書く，正しく読むことが重視されがちであるが，漢字熟語を文字の学習でなく語彙の学習としてとらえ，語の音韻表象（音の形，音のイメージ），意味，漢字表記の3者を一体化して学習することにもっと注意が払われることが必要である．

c 流暢性

　流暢性とは，単語を素早く，正確に，適切な表現で読むことをいう．文字・音変換が自動的といえるほどに素早くでき，努力を要さないで読めることである．

　単に素早く音に変換するだけでなく，なめらかに，その語にふさわしい抑揚をつけて読むことが重視されている．そうした読み方ができると，その語に対する認識（単語のまとまりがとらえられていて，意味がわかる）ができていると考えられるからである．

　文字・音変換は，文字列を目にしてから読解にいたる過程の最初のプロセスである．読解はワーキングメモリその他，多くの処理が関わる複雑なプロセスである．その初期段階で，文字・音変換がたいした労力を使わず迅速に行えること，すなわち，単語を流暢に読んで認識できれば，他のより高次の処理に心的資源を割くことができる．したがって，流暢性は読解にとって必須の要素であり，熟達化した読みに不可欠なものである．

　読みの流暢性は文字・音変換の経験を重ねることによって獲得される．高橋[15]は，平仮名を習得（清音・濁音・半濁音60文字以上，かつ特殊音節が半分以上読めること）した時期の異なりは，小学1年の間の単語の読みの速度に影響する（早くに習得した児のほうが単語の読みが速い）が，小学3年生までには総じて音韻符号化（文字・語を音に換えること，デコーディング）が速くなり，習得時期の影響はなくなることを報告している．読みはじめの時期に関わらず，通常は小学3年までに音韻符号化がある程度熟達したレベルに達し，流暢性が獲得される．

d 正確性

　正確性とは，文字・単語を正確に音に変換できる（読める）ことをいう．

　平仮名単語の音読において，音読時間は小学1年が他の学年より長いが，誤りは他の学年との差がほとんどないことが見出されている[16]．

　正確性は，文字・音の対応関係の学習の定着を示すものである．平仮名，カタカナ，漢字の読みの習得の様子については，B-1-b（27頁）を参照されたい．

2 高次レベルの読み書き

a 読解を支えるもの

　読むことの最終的な目的は，読んで理解するこ

と(読解)であり，知識を得ることである．読解は，文字列の認識から始まって，テキストの意味理解に至るまで，さまざまな要素が関わり，複数の処理が行われる複雑なプロセスである．

高橋のモデルをもとに，読解の過程を考える．高橋は，読解に3つの処理レベルを想定している．文字や単語の処理レベル，文の処理のレベル，談話の処理のレベルである(図1-7)[17]．

文字や単語の処理レベルでは，文字列を識別して文字を音に変換し，単語の音韻表象(音の形)が形成される(デコーディング，音韻符号化)．単語の音韻表象は，心的辞書(各人の脳内の長期記憶の中にある語彙)と照らし合わせて単語として認識され，意味と結びつけられる．

文の処理のレベルでは，次々に送られてくる意味処理された単語間の関係を，文法知識を用いて確定する．

談話のレベルの処理では，テキスト全体の表象(状況モデル)が生成される．テキスト全体の表象とは，語彙知識，文法知識から導きだされる意味だけではなく，テキストの背景，テキストと関係する一般的な知識と照合し，推論することによって形成されるものである．したがって，同じテキストを読んでも，知識の量や推論能力などによって，異なる表象が生成されることになる．

これらの処理はすべてワーキングメモリ内で，時系列に沿ってなされるが，次々とインプットされる単語を処理するので，常に，異なるレベルでの処理が並行して行われていることになる．ワーキングメモリの容量は限られており，各処理の効率性，特に，最初の文・単語の処理のレベルでの効率性(デコーディングの流暢性と正確性)が重要視されるのである．

このように読解は，デコーディング，語彙知識，文法知識，一般知識，推論能力，ワーキングメモリなど多くの要素によって支えられている．

b 語彙

高橋[15]は，縦断研究により読解能力の発達過程

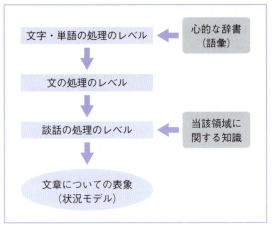

図1-7 読解過程で働く三つの処理レベル
〔高橋登：学童期の子どもの読み能力の規定因について―componential approachによる分析的研究―．心理学研究 67：186-194，1996より〕

を分析し，平仮名単語音読速度，語彙力，読解力の関係について以下のように報告している．それによると，小学1年では，平仮名単語を速く読めるものほど読解力に優れており，単語の読み速度と読解能力には強い関係があるが，学年が上がるにつれ，両者の関係性は弱くなる．それに変わって，読解力に影響するのは語彙力で，特に中学年以降，読解力に対する語彙力の重要性は極めて大きい．また，1年前の読解力が現在の語彙力のレベルを，現在の語彙力は1年後の読解力を規定し，読みの経験が語彙を豊かにし，語彙力の高まりが読解力の向上につながるという，読解と語彙が正の循環関係になることを示した．

c 推論

推論とは，テキストや談話で明らかに述べられていないこと，示されていないことを推し量ることである．

小学1年の教科書(下)には「それぞれの　じどう車は，どんな　しごとを　して　いますか．そのために，どんな　つくりに　なって　いますか」[18]という文があり，「その」が指し示すものを理解するために，推論の力が求められている．

話しことばであれ書きことばであれ，単語や文

の意味は，前後の単語・文，他の情報を考え併せて導き出される．推論は，言語理解に不可欠ともいえる機能である．会話では，聞き手は言語・非言語情報を統合して推論し，話し手の意図を正確に読み取ろうとする．書きことばには非言語的な支えや文脈の支えがなく(脱文脈化)，言語が唯一の表現手段である．しかし，延々とすべてを書き尽くすことはできない．書き手は読者が推論することを想定して，理解には十分と思われる表現を記し，読者は書かれていない情報を推論して，書き手の意図を再構成して理解することが必要になる．

推論能力は，先述した脱中心化，脱自己中心性，ワーキングメモリ，言語の理解力と関連しつつ学童期に発達する．

d 作文

談話とは，言語構造において，文あるいは節の上の単位となる一続きの文・発話をいう．会話，ナラティブ，学級での意見発表や学習内容の発表などが含まれる．ここでは，談話のなかで高次の読み書きの言語活動の1つである作文に焦点を当てて考える．

学童期には書いて表現すること(作文)は，夏休みの絵日記，読書感想文，社会科見学の感想，社会や理科での新聞作りなど，国語に限らずいろいろな教科で行われる学習活動である．

文章の構成については，低学年は事柄を羅列的に記し，学年が上昇するにつれ，事柄を時間的，空間的，因果関係などの関係のなかに位置づけて，構成することができるようになる．それとともに，中学年後半から接続詞の使用が増えるが，高学年でも誤用がみられる．

書く表現は，対面してのやりとりで意味を明確化するコミュニケーション言語と異なり，読者を想定して，読者との直接的なやりとりなしに，伝えたい内容をすべて言語で伝えなくてはならない．そのためには，読者が理解しやすいように全体の構成を考える必要がある．適切な語彙を選択し，文法規則を正確に適用し，言語の形式的側面を整えることが求められる．

C 学童期におけるその他の言語の問題

近年話題になっている学童期の言語の問題として，多言語環境にある児童生徒の言語の問題と小学校での英語学習を取り上げる．

1 多言語環境にある児童の言語の問題

1990年以降の「出入国管理及び難民認定法」(以下「入管法」)の相次ぐ改正により，在留外国人が増加し，日本の学校に学ぶ外国人児童生徒も急速に増加している．2019年の調査では，国内の外国人の子どもは124,049名(小学校在籍年齢で87,164名，中学校在籍年齢で36,885名)であると報告されている．

これらの児童生徒の日本語能力はさまざまである．外国籍であっても日本での生活が長く，日本語指導を必要としない児童生徒もいるが，多くはコミュニケーション言語の力が不十分で日常生活の会話に不自由がある，あるいは日常生活の会話はこなせても，学習言語に困難があり，学習活動に参加できず，日本語指導を必要とする．日本国籍の帰国子女や，国際結婚家庭の子どもに対して日本語指導が必要な場合もある．

彼らへの支援は，1人ひとりの背景と言語力に応じて異なる．来日目的，国籍，母語，母文化，宗教，生活習慣など，多様な生活背景を考慮して支援を考える．支援のために，まず彼らの日本語力と母語の能力を評価する必要がある．多様な言語背景にある子どもの母語を評価することは容易ではないが，日本語力の評価として，『外国人児童生徒のためのJSL対話型アセスメントDLA (dialogic language assessment for Japanese as a second language)』(文部科学省初等中等教育局

国際教育課，2014）が開発されており，日本語の話す，聞く，読む，書くの4技能に関する評価診断と，指導方針，指導のための教材を提供している．

2 小学校での英語学習

2011年度より小学校高学年で英語学習が取り入れられてきたが，2020年度からは全小学校の3・4年生で体験型の英語学習「外国語活動」が始まり，5・6年では教科として，英語の「聞く」「話す」「読む」「書く」の4技能の学習が開始されることになった．

近年，若年層の読解力の低下が問題となっている．経済協力開発機構（OECD）が3年に一度，加盟国の15歳を対象に行っている数学応用力，科学応用力，読解力の調査で，2000年には8位だった読解力が，2003年に15位と低下し，社会的に衝撃を与えた「PISAショック」が起こった．その後，さまざまな読解力育成の試みがなされ，回復するかにみえたが，2018年に再び15位に低下し，再び衝撃を与えた[19]．

これと同時に行われた質問調査では，日本の学生はチャットをしている割合が高いこと，読書時間の減少が明らかになり，読解力低下の背景にSNSやツイッターなどの短い文にしか触れていないこと，長文（新聞，ノンフィクション，フィクション）を読む機会が少ないことが関係している可能性が示唆された．

思考，判断，表現するための学習言語の習得は，学童期の言語発達の中心課題の1つであり，読み書きの経験と密接に結びついている．読解力は学習言語に支えられており，学習の基盤でもある．第二言語の学習指導は，このような学童期の母語である言語発達の重要性を認識したうえで，取り組まれることが望まれる．

日本語の習得，とりわけ日本語の読み書き習得に困難を示す発達性読み書き障害の子どもは，音韻体系，文字・音対応の異なる英語学習には一層の困難をもつことが知られており，特段の配慮が必要である．

引用文献⑤

1) 甲斐睦朗，他：こくご 一上．p36，光村図書，2019
2) 甲斐睦朗，他：こくご 二上．p101，光村図書，2019
3) 中川佳子，他：幼児期から児童期にかけての日本語理解の機能別発達過程〈聴覚版〉．J.COSS研究会（編）：J.COSS日本語理解テスト．p27，風間書房，2010
4) 田中教育研究所（編）：田中ビネー知能検査V．田研出版，2003
5) 大伴潔，他（編著）：LCSA学齢版 言語・コミュニケーション発達スケール．学苑社，2012
6) Owens, R：Language development：An introduction (3rd. ed.), Columbus, OH, Merrill/Macmillan, 1992
7) 文部科学省：小学校学習指導要領（平成29年告示）解説 国語編，2017
(https://www.mext.go.jp/component/a_menu/education/micro_detail/__icsFiles/afieldfile/2019/03/18/1387017_002.pdf)
8) Case R：Intellectual development. Orland, FL, Academic press, 1985
9) Pascual-Leone J：Organismic processes for neo-Piagetian theories：A dialectical causal account of cognitive development. In A., Demetriou.(ed.) The neo-Piagetian theories of cognitive development：Toward an integration. Amsterdam：North Holland, 1988
10) 川島隆太（監）：最新脳科学でついに出た結論「本の読み方」で学力は決まる．青春出版社，2018
11) 原惠子：健常児における音韻意識の発達．聴能言語学研究 18：10-18, 2001
12) 加藤麻美：モーラ意識の発達過程—かな文字読み・促音のカテゴリ知覚との関連から—．上智大学言語科学研究科修士論文，2014
13) 宇野彰，他：改訂版 標準 読み書きスクリーニング検査—正確性と流暢性の評価．インテルナ出版，2017
14) ベネッセ教育総合研究所：小学生の漢字力に関する実態調査 2013．
(https://berd.benesse.jp/up_images/research/kanjiryoku_chosa_all.pdf)
15) 高橋登：学童期における読解力の発達過程．教育心理学研究 49(1)：1-10, 2001
16) 小林朋佳，他：学童におけるひらがな音読の発達的変化—ひらがな単音，単語，単文速読課題を用いて．脳と発達 42：15-21, 2010
17) 高橋登：学童期の子どもの読み能力の規定因について—componential approachによる分析的研究—．心理学研究 67：186-194, 1996
18) 樺島忠夫，他：こくご 一下．p22，光村図書，2010
19) 文部科学省・国立教育政策研究所「OECD生徒の学習到達度調査 2018年調査（PISA2018）のポイント」(www.nier.go.jp)

第 2 章

言語発達障害とは

学修の到達目標

- 言語発達障害の種類を述べることができる.
- 言語発達障害の医学的背景要因(原因)を列挙できる.
- 言語発達障害の臨床の過程(プロセス)と方法を説明できる.

1 言語発達障害とは

A 言語発達障害とは

1 言語障害と言語発達障害

　人はお互いの意思を伝えあうためにコミュニケーションをとる．第1章でみてきたように，その手段であることばの発達には，定型発達児では「○歳で○○ができる」というマイルストーンと呼ばれる重要な節目があって，順番に段階を踏んで発達していく．ことばは最初はコミュニケーションの手段であったものが，思考や行動調整の機能をもつようになってやがて学習言語へと発達していく．

　通常自然に獲得されることばは，何らかの理由によりその発達が遅れることがある．このような「言語発達の遅れ」とは，一般的には，その子どもの生活年齢で期待される言語発達水準に達していない状態を指し，発達の速度がゆっくりであったり，質が異なったりするなど様相はさまざまである．ただし，発達には個人差があるので，「遅れがある」のか「個人差」なのかの判断は容易ではない．例えば，標準化された言語検査で平均から2 SD以上の隔たりがある場合を指して，「明らかに遅れがある」と恣意的かつ操作的に定義することもあるが，必ずしもその基準は明確ではない．

　近年，小児の領域では，発達途上でみられる言語障害を，量的および質的に成長し複雑な要因がからんで変化しうるという発達の観点を加味して，**言語発達障害**と呼ぶことが一般的になっている．さらに，（言語発達）「障害」と呼ぶ場合は，WHO（世界保健機関）の**ICF**(International Classification of Functioning, Disability and Health；国際生活機能分類，2001)の概念に基づき，言語発達の遅れた状態が日常生活上何らかの困難をきたし，活動が制限されたり社会参加が制約されたりして，当事者が支援を求める場合に使用される．

2 DSM-5とICD-10の言語発達障害の分類と定義

　表2-1に**DSM-5**(Diagnostic and Statistical Manual of Mental Disorders, Fifth Edition)のコミュニケーション障害群の分類と各障害の**診断基準**を示す[1]．このDSM-5の「言語障害」では，「言語理解または言語産出の欠陥」の診断基準Aとして，「①少ない語彙，②限定された構文，③話題や出来事の説明や会話で語彙を使用し文をつなげる能力の障害」の3点があげられている．この定義は図2-1でいえば，コミュニケーションを構成する言語，発話，言語外的な要因のうちの，言語に限定された定義と言えよう．WHOの**ICD-10**(International Classification of Diseases；国際疾病分類, 1993)では，会話および言語の特異的発達障害(specific developmental disorders of speech and language)という診断名のもとに，表出性言語障害(expressive language disorder)，受容性言語障害(receptive language disorder)の2つの言語障害の分類がある[2]．

3 言語学的諸側面からみた言語発達障害

　言語(language)を，図2-1に示す①形式，②内容，③使用(語用)の3つの側面に分けてみてみよう．①の「形式」は，喃語から初語・有意味語，語連鎖・文へと発達する**音韻**や**形態**および**統語**，②の「内容」はことばの**意味**や**語彙**，③の「使用(語用)」は文脈や場面あるいは相手に合わせて，ことばを適切に使えているか，などをさす．これらの

表 2-1　DSM-5 のコミュニケーション障害群（コミュニケーション症群：communication disorders）の分類

障害名		障害の診断基準
言語症 / 言語障害 Language Disorder	A	複数の様式の（すなわち，話す，書く，手話，あるいはその他）言語の習得および使用における持続的な困難さで，以下のような言語理解または言語産出の欠陥によるもの． ①少ない語彙（単語の知識および使用） ②限定された構文（文法および語形論の規則に基づいた文章を形成するために，単語と語の末尾を配置する能力） ③話法（1 つの話題や一連の出来事を説明または表現したり，会話をしたりするために，語彙を使用し文章をつなげる能力）における障害
	B	言語能力は年齢において期待されるものより本質的かつ量的に低く，効果的なコミュニケーション，社会参加，学業成績，または職業的能力の 1 つまたは複数において，機能的な制限をもたらしている．
	C	症状の始まりは発達期早期である．
	D	その困難さは，聴力またはその他の感覚障害，運動機能障害，または他の身体的または神経学的疾患によるものではなく，知的能力障害（知的発達症）または全般的発達遅延によってはうまく説明されない．
語音症 / 語音障害 Speech Sound Disorder	A.	会話のわかりやすさを妨げ，または言語的コミュニケーションによる意思伝達を阻むような，語音の産出に持続的な困難さがある（B，C，D は省略）．
小児期発症流暢症（吃音）/ 小児期発症流暢障害（吃音） Childhood-Onset Fluency Disorder (Stuttering)	A.	会話の正常な流暢性と時間的構成における困難，その人の年齢や言語技能に不相応で，長期間にわたって続き，以下の 1 つ（またはそれ以上）のことがしばしば明らかに起こることにより特徴づけられる． （1）音声と音節の繰り返し （2）子音と母音の音声の延長 （3）単語が途切れること（例：1 つの単語の中での休止） （4）聴き取れる，または無言状態での停止（発声を伴ったまたは伴わない会話の休止） （5）遠回しの言い方（問題の言葉を避けて他の単語を使う） （6）過剰な身体的緊張とともに発せられる言葉 （7）単音節の単語の反復（例：「I-I-I-I see him」） （B，C，D は省略）
社会的（語用論的）コミュニケーション症 / 社会的（語用論的）コミュニケーション障害 Social (Pragmatic) Communication Disorder	A.	言語的および非言語的なコミュニケーションの社会的使用における持続的な困難さで，以下のうちすべてによって明らかになる*． （1）社会的状況に適切な様式で，挨拶や情報を共有するといった社会的な目的でコミュニケーションを用いることの欠陥 （2）遊び場と教室とで喋り方を変える，相手が大人か子どもかで話し方を変える，過度に堅苦しい言葉を避けるなど，状況や聞き手の要求に合わせてコミュニケーションを変える能力の障害 （3）話す順番をとる，誤解されたときに言い換える，相互関係を調整するための言語的および非言語的な合図の使い方を理解するなど，会話や話術のルールに従うことの困難さ （4）明確に示されていないこと（例：推測すること）や，字義どおりでなかったりあいまいであったりする言葉の意味（例：慣用句，ユーモア，隠喩，解釈の状況によっては複数の意味をもつ語）を理解することの困難さ （B，C，D は省略）
特定不能のコミュニケーション症 / 特定不能のコミュニケーション障害 Unspecified Communication Disorder		このカテゴリーは，臨床的に意味のある苦痛，または社会的，職業的，または他の重要な領域における機能の障害を引き起こすコミュニケーション症に特徴的な症状が優勢であるが，コミュニケーション症，あるいは神経発達症群のいずれかの疾患の診断基準も完全には満たさない場合に適用される．

*自閉症スペクトラム障害の明らかな症状はない（筆者注）．
〔日本精神神経学会（日本語版用語監修），髙橋三郎・大野裕（監訳）：DSM-5 精神疾患の診断・統計マニュアル．p40, 41, 43, 44, 45, 46, 47, 48，医学書院，2014 より作成〕

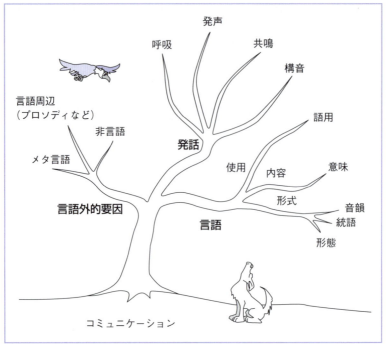

図 2-1　コミュニケーションの構成要素
〔Reed V：An introduction to children with language disorders 5th ed. p7, Pearson, 2018 より改変〕

いずれかあるいは複数の問題が，言語発達障害につながると考えられる．

そして，発話意図をコミュニケーションとして実現するためには，言語のほかにも，**発話**（speech）の一連の過程（呼吸-発声-共鳴-構音）が適切に機能する必要がある．**言語外的要因**（extralinguistic）とされる**プロソディ**や**非言語**（身振り・表情），**メタ言語**（➡ Note 15）も重要である．

B 言語発達の阻害要因と言語発達障害

言語発達が阻害される要因として，①生物学的基盤，②認知的基盤，③社会的基盤の3つがあげられる．

①の生物学的基盤は，ヒトが動物としてもっている感覚・運動面，呼吸や発声の仕組みなどから大脳の言語野などの高次な神経系の働きまでを含む．②の認知的基盤は，胎児の時から外界を認識する準備を始めて，0歳台で**象徴機能**が芽生えることに始まる．象徴機能は言語の記号性（意味するものと意味されるもの＝音と事物・概念の恣意的な結びつき）の根源であり，その後の意味の獲得も認知と密接な関係があることが知られている．しかし，言語を獲得する前に認知能力が発達するのか，言語は認知能力に影響を与えるのか，言語と認知は別々に発達してある時点で融合するのかなど，その関係性の在り方についてはさまざまな議論がある．③の社会的基盤は対人コミュニケーションの能力を指し，ヒトには生まれたときから好んで人に向く力が備わっている．例えば新

> **Note 15.　メタ言語**
> 「メタ」は，ある事象に対しての高次の視点や立場を意味する．メタ言語とは，ことばでことばを定義する，ことばの意味を別のことばで説明する，などである．

表 2-2　言語発達に関連する阻害要因

阻害要因	言語発達障害と関連する障害名	言語発達障害名
生物学的基盤	聴覚障害 運動機能障害 大脳の高次脳機能障害	聴覚障害に伴う言語発達障害 脳性麻痺・重複障害に伴う言語発達障害 特異的言語発達障害 限局性学習障害（発達性ディスレクシアを含む） 小児失語症
認知的基盤	知的能力障害	知的能力障害に伴う言語発達障害
社会的基盤	自閉症スペクトラム障害	自閉症スペクトラム障害に伴う言語発達障害

■は「聴覚障害学」の教科書を参照のこと．

生児のころから，人の声のするほうを探索したり，知っている顔に視線を向けたり大人の表情を模倣したりする．言語の発達には子どもと養育者の関係（愛着）や模倣，共同注意，他者の意図の理解などが重要である．

なお，言語発達に関連する環境要因は，近年は遺伝的要因との相対的寄与・相互作用という点から論じられることが多く，各国の研究の見解からは，環境だけが言語発達を規定する決定的要因ではないとされる（言語を育む環境を剥奪された場合を除く）．また，日本と欧米では母子相互作用やコミュニケーションスタイルが異なり，学校教育においても言語教育に文化的差異があることなども研究されている．

表 2-2 に示すこれらの阻害要因と関連づけた言語発達障害の分類は，言語聴覚士が臨床を行ううえで，障害の原因と症状を理解して根拠のある指導するために有用である．本書では，表中の特異的言語発達障害，限局性学習障害（発達性ディスレクシア），小児失語症，知的能力障害に伴う言語発達障害，自閉症スペクトラム障害に伴う言語発達障害，脳性麻痺・重複障害に伴う言語発達障害をとりあげる．発達障害の1つである注意欠如・多動性障害は，言語の3つの基盤の視点から分類することは難しいが，学習面の苦手さを呈することが多いので，本書でとりあげることとした．なお，これらの障害は併存する場合も多いことに注意する必要がある．生物学的基盤に分類される聴覚障害に伴う言語発達障害は，本シリーズの「聴覚障害学」を参照されたい．

引用文献

1) 日本精神神経学会（日本語版用語監修），髙橋三郎，大野裕（監訳）：DSM-5 精神疾患の診断・統計マニュアル．p40, 41, 43, 44, 45, 46, 47, 48, 医学書院, 2014
2) WHO：International Statistical Classification of Diseases and Related Health Problems. 1993

2 言語発達障害の医学的背景

A 発達の生理学（脳機能の発達を含む）

1 神経系の発生

　ヒトの個体発生は精子と卵子の受精から始まり、最初の8週までを**胎芽期**、それ以降を**胎児期**という。受精は卵管内で生じ、線毛運動により受精卵は子宮内に運ばれ子宮壁に着床する。胎芽は迅速な細胞分裂を開始し、3つの胚葉、中胚葉、内胚葉、外胚葉を形成する。外胚葉の一部が**神経板**となり、4週頃に神経系の起源である**神経管**が中空のある膨らみ構造を作り、神経系が芽生え始める（図 2-2）。この腔の構造を脳胞と呼ぶ。すなわち神経管内皮細胞が増殖して厚みを増し、一方の端の増殖が特に顕著となり脳の構造を示すのである。

a 脳構造の形成

　胎生期最初の8週までは形の変化が主で、4か月頃に20〜30gになる。胎生20週以降に脳構造が概ね形成される。5か月を過ぎると脳は急速に大きくなり、出生間際の重量は350〜400gである。この脳重量増加は、主に神経細胞（ニューロン）の分裂、増加によるものである。なお神経管の閉鎖不全による中枢神経系奇形として、全神経管開存や二分脊椎が知られる。
　中枢神経系の神経幹細胞は脳室側に存在し、細胞分裂を繰り返し増殖する。大脳皮質の神経細胞は分裂した後に、脳表に向かって放射状に細胞移動する錐体細胞と脳表に対して接線方向に移動する非錐体細胞に分けられる。ヒト大脳の発生ではこの「**細胞移動**」の現象が重要であり、遊走と呼ばれる。誕生時期の遅い細胞ほど表層近くに局在するというパターンを示す。重度知的障害の原因となる無脳回症などは細胞遊走の時期のさまざまな異常により生じるものである。

b 大脳白質と灰白質

　大脳皮質と脳室帯の間にはニューロンから伸びた軸索が走行し、**白質**を形成する。白質はこのように細胞体に乏しく神経線維が集積し走行している領域のことで、脂質含有量が高いため白く輝いて見えるため名付けられている。一方、**灰白質**は神経細胞が集まる領域を指し、脳の断面を肉眼的に観察したとき白質よりも色が濃く灰色がかって見えることに基づく。
　神経系、皮膚、歯、髪と汗腺など多くの外分泌腺などは**外胚葉**に由来する。言語発達遅滞や言語的・非言語的コミュニケーションの異常を示す自閉症スペクトラム障害（ASD）の中に結節性硬化症やレックリングハウゼン病などの神経皮膚症候群をもつケースが時にみられるが、病変がその名の通り神経や皮膚にみられるのはその起源が共通（外胚葉）であるからである。

2 シナプスの形成と髄鞘（ミエリン）化

a 神経系のミクロの発達

　細胞レベルで脳は神経細胞（**ニューロン**）と**グリア細胞**からなる。ニューロンは脳の働きの重要な要素で、言語獲得やコミュニケーションなど精神神経活動に直接関わる。グリア細胞はニューロンへ栄養を供給したり老廃物を分解したりする機能をもつ。オリゴデンドログリアは軸索に巻きつく髄鞘（**ミエリン**）を作る働きをする。ニューロンは細胞体、樹状突起、軸索の3つからなり、軸索はほかの神経細胞と情報をつなぐ働きをする。ほか

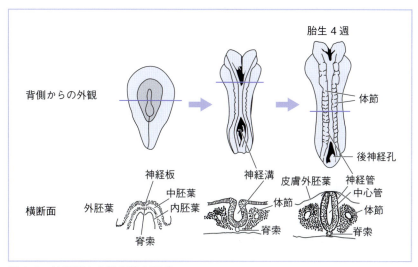

図 2-2 神経板から神経管の形成
〔日本神経病理学会：脳・神経系の主な病気—9．脳・脊髄の発生異常．日本神経病理学会 web サイト（http://www.jsnp.jp/cerebral_9.htm）より改変〕

の細胞と軸索終末部との結合部をシナプスと呼ぶ．シナプスは狭い間隙を挟んで対峙し，電気的信号を渡す側にはシナプス小胞と呼ばれる神経伝達物質を含む構造，受け取る側には受容体などの構造がある．軸索末端から神経伝達物質を放出する神経細胞をシナプス前ニューロン，受容体を配置して受け取る側の神経細胞をシナプス後ニューロンと呼ぶ．

b 神経伝達物質の働き

神経伝達物質は百種類以上あるとされる．このうち，機能が比較的判明しているのは少なく，ドパミン，ノルアドレナリン，セロトニン，アセチルコリン，グルタミン酸，γ-アミノ酪酸（GABA）などである．このうち GABA は幼若神経細胞に対しては興奮性に働き，成熟神経細胞に対しては抑制性に働くことが知られている．幼若期の興奮性 GABA シグナリングはてんかん発症との関連でも注目されている．またモノアミン類（ノルアドレナリン，ドパミン，セロトニン）神経伝達物質は注意欠如・多動性障害（ADHD）や ASD などの発達障害と深く関わることが知られてきた．抗 ADHD 薬として現在使用されている薬剤の多くは脳内のモノアミン伝達を調整するものである．

発生初期では興奮性シナプスが形成されて，続いて抑制性シナプスが形成される．ヒト大脳皮質前頭前野のシナプス密度は生後増加し，7 歳頃にピークを迎える．その後，減少に転じ 15 歳頃に成人の密度と同じレベルに達する．一方，神経細胞は出生前から生後 1〜2 年のあいだに急激に減少する．これは**アポトーシス**の機序による自然細胞死とされる．小児期前半において，必要な神経結合（シナプス）が強められる一方，不要な結合が除去されて神経回路は成熟していくことがわかってきた．この神経回路の成熟に言語聴覚士などによる言語やコミュニケーションの発達指導がどのように関わりうるのかは今後の重要なテーマといえる．

c 髄鞘の働き

髄鞘はオリゴデンドログリアの細胞膜からなり，神経伝導の際の絶縁体の役割を果たす．出生時には，髄鞘化された軸索をもつ神経細胞は一部にしかすぎず，その後急速に発達する．脊髄前根，後根は出生時あるいは出生後まもなく髄鞘化が完成する．脳幹神経系の髄鞘化も生後 1 年目ま

でに早急に完成する．視覚，聴覚，体性感覚系神経および錐体路神経は生後およそ1年かけて髄鞘化が完成する．一方，脳梁や皮質内線維は生後4〜5か月から髄鞘化が始まり，後者は10歳すぎから20歳頃にかけて髄鞘化が完成に近づく．

3 神経系の成長

a 神経系のマクロの発達

通常，成長という言葉は，サイズの増大を示す（図2-3）．前項では神経系の発達にかかわるミクロの構造と機能変化について述べたが，ここでは脳のサイズ（脳容積）の増加について述べる．

脳の大きさには個人差があり，健常成人では1,200〜1,500g前後とされている．この正常範囲内では脳容積とその機能（知能など）の間に相関はない．MRIなどによって脳容積を推定することが可能であるが，水頭症などの特別な場合を除いて脳容積を反映している頭蓋のサイズをその周囲径（頭囲）を計測して評価する．

脳容積が3パーセンタイル以下の場合を小頭症，逆に97パーセンタイル以上の場合を**大頭症**と呼んでいる．小頭症はその程度に比例した知的障害を合併する．しかし大頭症は，その程度に比例した脳機能の増加（高い知能）を示すわけではなく，小頭症同様に知的障害を合併することがある．先天異常であるソトス症候群がその例である．

脳は成長のスピードが最も速い臓器である．新生児の**脳重量**は約400gであるが，5歳で成人のほぼ8割の大きさにまで達する．小児の頭部の比率が大きい理由は，神経系の発達が早期に完成することにある．脳容積が増加する理由は，神経細胞数やシナプス数が増えることではなく，1つにミエリン化が進むことと，神経細胞の突起（樹状突起）数が増加することにある．脳の大きさが成人並みになる4〜5歳にはミエリン化による神経伝達のスピードも速まり，成人並みの秒速50〜

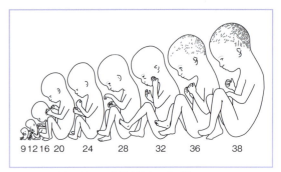

図2-3 胎児外観の成長（数字は週齢）

70mで情報が伝わる．

4 視・聴覚と社会性の発達

a 視覚系の発達

胎生3週頃，原始眼胞が前脳胞の一部から形成される．胎生6週に神経節細胞や神経線維が現われ，胎生3か月に錐体細胞，7か月に桿体細胞が出現し，網膜は胎生8か月にはほぼ完成する．**視覚路**は，網膜神経節細胞の軸索が視神経となり，視交叉以降視索を形成し，視床の外側膝状体，視放線を経て，後頭葉内側面の鳥距溝周囲の一次視覚野に至る．

眼球構造は新生児でほぼ完成している．出生時の直径は約17.5mmで成人の直径24.0mmより小さい．形態は1歳までに急速に増大する．視覚認知において眼球運動は重要である．固視が確実になり，そばを歩く人を目で追うなど，追視が観察される生後4か月頃には眼球の共同運動が確立される．視力とは，2点を識別する眼の能力である．1.0の視力は3歳児で67％，5歳児で86％を占めて，両眼視機能も5〜6歳で完成する．一方，4か月以内の乳児の視力は0.04，6か月では0.1〜0.2程度であるとされ，乳児期早期は，母親の顔の各パーツがぼんやりとしか見えていないとされる．

通常，3歳過ぎにランドルト環を用いた自覚的

視力測定が可能となる．ランドルト環の切れ目の方向を指示することが難しい場合，単独絵視標（蝶・鳥・犬・魚）を使用する方法がある．絵視標を用いた視力検査は2歳半頃から可能とされ，3歳児健診などで一般的に使用されている．提示された絵の名称を答える，あるいは，被検者の前に見本のカードを2枚置いて，検査者が提示した視標と同じカードを子どもが選択する見本合わせ法を用いて視力を測定することが可能である．

b 聴覚系の発達

聴覚系では，胎生4週頃に耳胞が形成され，膜迷路の原基となる．胎生7週に蝸牛管が形成され，2.5回転して蝸牛になる．コルチ器が聴覚受容器官として分化し，胎生16週にほぼ完成する．内耳は胎生20〜23週に完成する．**聴覚路**のうち聴神経線維は橋延髄結合部の蝸牛神経核に達し，その後脳幹を上行し，上オリーブ核，外側毛体核，下丘，内側膝状体，聴放線を経て，横側頭回の皮質聴覚領に至る．聴放線の髄鞘化は幼児期に完成する．

乳児の音への反応は月齢を経るにつれて質的，発達的に変化していく．音声に対する反応は言語発達の様式と重なることも多い．定型発達の子どもの9割は，生後6か月では近くの声かけに振り向く．反応が乏しい場合は難聴を積極的に疑い，他覚的聴力検査・耳鼻咽喉科へのコンサルトを考慮すべきと考える．その際，**聴性脳幹反応(ABR)**は記録が簡便であり，臨床現場で頻用される．

耳鼻咽喉科による乳幼児の**難聴**判定のポイントは以下のようである．①条件詮索反応聴力検査を1〜2か月おきに複数回施行，②全般的な発達の評価，③難聴の原因検索（頭部画像，遺伝子精査），④聴力の変動の可能性を検討し，補聴器装着など治療介入法を考慮する．高度難聴は耳元での大きな声が聞こえるレベルである．小児期早期に治療されないと音声言語の習得が困難である．軽度・中等度難聴の場合，音への反応があるため，難聴に気づかれにくい．そのため，言葉の遅れにより初めて難聴が診断されることが少なくない．

c 社会性の発達

社会性の発達は当初視覚反応として，その後は聴覚言語反応として捉えられる．乳児期にみられる人見知りは情緒的な人間関係を形づくる上で重要な意味をもつといわれている．通常，生後5か月には知らない人が来るとじっと顔を見つめて，表情が変わる．そして6か月では母親と他の人の区別がつく．母親の姿が見えなくなるとのぞきこんでさがす行動がみられる．9〜12か月頃までの乳児期後半に**共同注視**が発達する．この時期になると，自分が見ているものを同時に大人（母親）がみていることに気がつく．このような指さし行動は，相手との注意の共有を図ることを目的とし，自分ではない他者の視点，他者理解の始まりと考えられる．

1歳6か月頃になると「お耳はどこ？」といった言葉の問いかけに視線を合わせて，反応するようになる．親の顔をうかがいながら，いたずらをしたり，幼い子どもをみかけると，近づいていき，衣類などに触れたり，時に玩具を取り合う．2歳頃は，同年代の子どもと一緒に遊ぶのはまだ難しい時期であり，自己主張が目立つ．一方，お友達のうしろをくっついて歩き，子どもどうしで手をつなげるようになる．遊び友達の名前が言えるようになり，玩具や洋服をみせびらかして得意になることが観察される．3歳過ぎには同年代の子どもと対人関係を築いて遊ぶようになる．容易に母子分離ができ，年下の子どもの世話をやきたがる．ままごとや電話ごっこで，互いにやりとりが可能になる．

就学を迎えるころになると，仲間の数人で内緒話をするようになり，とりっこをした時，子ども同士だけでじゃんけんで解決する．収集物（小石，どんぐり，色や絵のある小さい紙など）を友達と交換する．鬼ごっこをして，わざとつかまりそうになってスリルを楽しむなど人間関係を形成し，

社会生活を円滑に維持するために必要な社会性を獲得してくる．

B 発達の病理学（発生異常，周産期障害など）

子どもの発達や疾病に深く関わる**小児科**は内科から分科してきた歴史をもち，対象とする領域は著しく広い範囲となり，多くの他診療科と深い関係をもつ．その中で小児神経疾患はその原因が①遺伝子の異常によるもの（遺伝子病），②染色体の異常によるもの（染色体異常，配偶子病），③胎芽期すなわち器官形成が完了する妊娠3か月までの時期の異常によるもの（胎芽病，胎児病）など，出生する前にすでに病気が始まっているものがあり，産婦人科領域とも関係が深い．出産前後の母子の健康や疾病については，④周生期疾患としてまとめられる．さらに⑤急性脳症，髄膜炎・脳炎，脳腫瘍など後天性疾患があげられる．これらの中には言語発達障害をきたすさまざまな神経障害や疾患が知られており，その病態像は多様である．このように発生時期から障害・疾患を分類することで理解しやすくなる（表2-3）．

1 遺伝子病

遺伝子（ゲノム）は，4種類の塩基の連なった長い**デオキシリボ核酸（DNA）**分子すべての遺伝情報をさす．そのうち，エクソンとはアミノ酸分子への翻訳が起こる部位のことである．DNA分子のすべてが翻訳されるわけではなく，遺伝子情報として翻訳されるのは全DNA分子の1〜2％に過ぎない．3つの塩基列が1つのアミノ酸に転写されるが，3つの塩基の1つ以上が別の塩基に置き換わると，1つアミノ酸が別のアミノ酸に置き換わったアミノ酸列（**ペプチド**あるいは**タンパク**）が作られる．タンパク質にもよるが，1つだけアミノ酸が置き換わっただけでも，産生タンパク質

表2-3 言語発達障害と関わる中枢神経系障害・疾患の分類

発生時期	障害・疾患の分類名	疾患例
受精以前	遺伝子病・発達障害	アミノ酸代謝異常症 リソゾーム病 ミトコンドリア病 ムコ多糖症 ペルオキシゾーム病 脆弱X症候群 皮質形成異常（滑脳症） 皮質下帯状異所性灰白質（二重皮質）など 先天性ミオパチー 筋ジストロフィー 脊髄性筋萎縮症 自閉症スペクトラム障害（ASD） 注意欠如・多動性障害（ADHD） 限局性学習障害（SLD）
受精時	染色体異常症	ダウン（Down）症候群 ターナー（Turner）症候群 18トリソミー 13トリソミー プラダー・ウィリー症候群 ウィリアムズ症候群 猫鳴き（5p欠失）症候群
胎芽・胎児期	胎芽病 胎児病	先天性風疹症候群 胎児性アルコール症候群 先天性梅毒 先天性サイトメガロウイルス感染症 クレチン症 脳性麻痺（一部）
周生期	周生期疾患	脳性麻痺 分娩麻痺
出生後	後天性疾患	脳腫瘍 急性脳症 てんかん 髄膜炎・脳炎 頭蓋内出血 ポリオ

の立体構造が変わり，本来の機能を失ってしまうことがある．生体内でのタンパク質の機能は多岐にわたるが，酵素タンパク質（細胞内の代謝に関与），構造タンパク（コラーゲンなどの生体組織を構造），血清タンパク（アルブミン，グロブリンなどの血清中に存在し生体内のさまざまな作用に関

与)などに分類される．遺伝子異常による神経疾患は，中枢神経系や末梢神経系あるいは筋などの構造タンパクや神経細胞内の酵素タンパク，血清タンパクの異常などさまざまなタンパク質の機能低下や喪失が原因で起こる．

a アミノ酸代謝異常症

アミノ酸代謝異常症は，アミノ酸の合成や分解にかかわる酵素や輸送体タンパクの異常のため，毒性物質の蓄積あるいは必要なアミノ酸の欠乏から種々の臓器障害をきたす疾患である．神経系の機能異常を引き起こすアミノ酸代謝異常症の代表例として**フェニルケトン尿症**(PKU)はよく知られている．フェニルケトン尿症は，アミノ酸の1つであるフェニルアラニン水酸化酵素の遺伝子に異常が起こり，そのために体内のフェニルアラニンが分解されず，高濃度のフェニルアラニンが脳細胞機能を低下させるため生じる．本疾患の子どもは出生直後には無症状であるが，母乳やミルクを摂取するようになると食事中のフェニルアラニンが徐々に体内に蓄積される．その結果，重度の発達遅滞やけいれん発作(てんかん)が起こるようになる．無治療で放置すると重度の知的障害をきたすが，フェニルアラニンを含まない特殊ミルクで育てることによって発症を防止することができる．治療可能な遺伝子疾患である．現在，PKUなどの治療可能な先天性代謝異常症(アミノ酸代謝異常症，有機酸代謝異常症，脂肪酸代謝異常症)はタンデム・マス試験により，糖質代謝異常症，内分泌異常症はガスリー試験により新生児マススクリーニングが行われている．

b リソゾーム病

リソゾーム病は，細胞内の糖蛋白やグリコーゲンなどを分解する**リソゾーム**中の分解酵素が遺伝子異常によって機能を発揮できないため生じる．細胞内老廃物がリソゾーム内に大量に蓄積することによって主に神経症状が現れる疾患である．現在およそ50種類のリソゾーム病が知られているが，各疾患の発症率は低くまれである．症状は乳児期から始まる精神運動発達の遅れやてんかん発作などであり，フェニルケトン尿症と同様に重度の知的障害を示す．一度獲得した能力が低下・消失する機能退行という症状を示す場合もある．代表的なリソゾーム病としては，ゴーシェ病，ニーマン・ピック病，クラッベ病，異染性白質ジストロフィー，GM1ガングリオシドーシス病，GM2ガングリオシドーシス(テイサックス病など)が知られており，それぞれの疾患の酵素異常や遺伝子異常が明らかになっている．多くは対症療法となるが，研究の進展により，幼少時に不足した酵素を補充する治療法(酵素補充療法)や骨髄移植によって治療可能となってきている疾患もある．

c ミトコンドリア病

遺伝子の大部分は細胞の核内にあるが，一部は細胞内小器官である**ミトコンドリア**に存在する．ミトコンドリアの主な機能はエネルギー産生であるが，ミトコンドリア遺伝子に異常があると細胞の必要エネルギーの供給が低下する．神経細胞は身体を構成する細胞の中で最もエネルギー需要が高いためミトコンドリア遺伝子の変異によるミトコンドリア病の多くは神経機能の障害につながる．神経同様にエネルギー需要の高い筋細胞の機能障害もよくみられるために，ミトコンドリア脳筋症と称される．けいれん，脳卒中発作や低身長，難聴，筋力低下などを主徴とするMELAS，そして筋緊張低下，ジストニアや嚥下・呼吸障害を呈すリー脳症，精神運動発達遅滞を示すピルビン酸代謝異常症などがある．

d ペルオキシゾーム病

ペルオキシゾーム病もまれな疾患であるが，多数の疾患が含まれる．**ペルオキシゾーム**はライソゾーム同様，細胞内にある小器官の名称であるが，細胞膜などを構成している脂肪酸などの合成に関与する重要な酵素群が存在する部位である．ペルオキシゾームの酵素異常も神経機能障害につ

ながり，重度知的障害やけいれん（てんかん）などの重篤な障害をきたすことが多い．視力障害，聴力障害，行動異常をきたす副腎白質ジストロフィー，出生直後から多彩な症状を示すツェルベーガー症候群などが代表的な疾患である．

e 皮質形成異常

大脳形成異常は，大脳皮質の発生過程（胎生3週以降20週頃まで）における障害により発生する．障害発生時期により特徴的な形態異常を呈する．その原因は遺伝性と外因性に分けられる．前者は発生にかかわる遺伝子の変異に基づく．外因はさまざまであるが，低酸素虚血性脳症，感染，化学物質曝露，放射線などがあげられる．

感染症には新生児期のサイトメガロウイルス感染の頻度が高い．胎児期の脳血流障害のために多小脳回をきたすことがある．化学物質曝露では**小頭症**となる．診断には頭部MRI検査が必須となる．大脳全体の奇形を示す例から，局所性の脳回肥厚を示す限局性皮質異形成までその所見は幅が広い．知的障害，てんかん発作，運動障害など障害部位や皮質形成異常の程度により臨床症状が変わってくる．ほぼ無症状で推移して検査で偶然気づかれる脳梁欠損単独例もある．

無脳回と厚脳回を古典型**滑脳症**と呼ぶ．無脳回症は脳のしわ（脳溝）の形成が不十分な脳形成異常症であり，最重度の知的障害，筋緊張低下，てんかんをきたす．ヒト大脳灰白質は通常6層構造であるが，滑脳症では4層構造になっている．ほかには層形成過程の異常である皮質下の帯状異所性灰白質（**二重皮質**）などが代表的な疾患である．二重皮質例は知的に正常のことも知的障害を示すこともあり，バリエーションが認められる．

最近，脳形成にかかわる遺伝子が続々と判明しており，それらの遺伝子異常が原因であると考えられてきている．先天性小脳低形成は遺伝子異常やウイルス感染などのため生じるが，筋緊張低下による構音器官の異常，異常眼球運動がみられることがある．

f 先天性ミオパチー

先天性ミオパチーは，乳児期に筋力低下や筋緊張低下を呈する筋疾患である．主病変は筋疾患であり，脳機能障害は通常みられないが，咽頭・喉頭や顔面のさまざまな筋力低下による咀嚼嚥下困難や言語表出の問題が出現しうる．筋細胞内の病理組織に特徴がある疾患が多く，病名も病理特徴に従っているものが多い．ネマリンミオパチー，中心核病，筋線維タイプ不均等症などが代表的な疾患である．次に述べる筋ジストロフィーのような急激な筋力低下の進行は通常，みられない．

g 筋ジストロフィー

筋ジストロフィーは筋細胞の破壊が進行する疾患の総称である．代表的なものとして，**デュシェンヌ(Duchenne)型筋ジストロフィー(DMD)**，軽症である**ベッカー型筋ジストロフィー(BMD)**，**福山型先天性筋ジストロフィー(FCMD)**，**筋強直性ジストロフィー(MyD)** などがある．

DMDはX染色体上のジストロフィン遺伝子と呼ばれる筋細胞の構造を支えるタンパク質を決定する遺伝子の異常によって発症する．女性はX染色体が2本あるために通常発症することはないが，筋力低下を示すDMD女性をマニフェスティングキャリアということがある．母親の2本の染色体のうち1本にジストロフィン遺伝子の異常を有すると，男児の50％に発症する．症状は幼児期から進行する近位筋を主とする筋力低下，筋萎縮である．下腿筋は仮性肥大を示す．患者は進行する呼吸筋の筋力低下や心筋障害による心不全により，成人期早期に不帰の転帰をとることがある．ステロイド治療は進行抑制効果が認められている．最近は遺伝子治療としてエクソンスキップ治療という最先端の手法が徐々に応用されつつある．

FCMDは日本人に多い筋ジストロフィーであり，9番染色体上にある原因遺伝子が日本人研究者により発見され，フクチンと命名された．

FCMDは乳児期からの精神運動発達遅滞を示すが、有意語獲得や座位獲得例が多い。筋力低下、筋萎縮だけでなく、てんかん発作を生じることもある。

MyDは、ゲノムではなく、タンパク質合成に関与しないイントロンと呼ばれるDNAの一部が異常に伸長するために発する。臨床特徴は、筋力低下と筋緊張の亢進という一見矛盾した症状と、知的障害、糖尿病などの合併がみられる。発声筋の筋力低下による鼻声もよくみられる症状である。

h 脊髄性筋萎縮症

脊髄性筋萎縮症は、SMA遺伝子と呼ばれる遺伝子の異常による筋力低下、筋緊張低下を主症状とする疾患である。SMA遺伝子の異常は末梢神経の神経細胞体である脊髄前角細胞の変性をきたし、筋緊張低下と重度の筋力低下を示す。遺伝子異常の程度によって、疾患内で重症度が異なり、最も重度のⅠ型(**ウェルドニッヒ・ホフマン病**)では、生後1年くらいで呼吸筋の麻痺のために人工換気を行わないと呼吸不全で死亡するとされてきたが、最新の研究により脊髄性筋萎縮症の遺伝子治療薬としてオナセムノゲン アベパルボベックが開発された。本治療薬の効果について大きく期待されている。なおⅡ型、Ⅲ型では言語表出能力は獲得可能とされる。

i 神経皮膚症候群

神経線維腫症Ⅰ型は皮膚にカフェオレ斑というコーヒー牛乳の色をしたシミのような斑を認める。形は長円形のものが多く、丸みを帯びたなめらかな輪郭をもつ。出生直後から存在し、斑点の数は2歳までに増えていく。それ以降はそれぞれの斑点が次第に大きくなり目立つようになる。

思春期前に直径5 mm以上、思春期以降では直径15 mm以上のものがそれぞれ6つ以上あれば神経線維腫症Ⅰ型を疑う。ほかには皮膚の神経線維腫、目、骨の病変などがある。神経線維腫は皮膚や皮下組織由来の良性腫瘍で、思春期頃から少しずつ発生する。目の虹彩や視神経に良性の腫瘍が小児期にできることもある。骨は先天的にその一部が欠損していたり、側弯を生じたりすることもある。悪性腫瘍や血液腫瘍などを合併に注意が要る。また、学習障害や発達障害を伴う場合はその症状に応じた対応が必要となる。

j 神経発達症

限局性学習障害(specific learning disorder：SLD ➡ 118頁)、自閉症スペクトラム障害(autism spectrum disorder：ASD ➡ 171頁)、注意欠如・多動性障害(attention-deficit hyperactivity disorder：ADHD ➡ 194頁)はそれぞれの項目を参照されたい。

2 染色体異常症

染色体は、DNA分子が重合してできた核内の構造物である。通常は、染色体を構造するDNA鎖は核内に重合が解けた状態で存在するが、細胞分裂時に重合し、22対の常染色体と1対の性染色体の46本のリボン状の構造物を形成する。染色体異常症は、生殖細胞(卵子、精子)が減数分裂によって二分されるときに、23本ずつに等分されず、染色体の一部が欠損あるいは付加されることが原因となる。常染色体にはそのサイズが大きい方から番号がつけられており、1から22番まで番号がつけられている。また、短腕(pと表記)と長腕(qと表記)と呼ばれる部分に分かれている。

染色体異常症には、数の異常と、一部の欠損、あるいは一部の余剰によるものが知られている。大きな染色体の数の異常がある場合に、その受精細胞は生存できずに致死的となる。ある特定の染色体が1本多い状態を**トリソミー**(3本という意味)、逆に1本少ない状態を**モノソミー**(1本という意味)と呼ぶ。生存可能なトリソミーは比較的小さくかつ生存に不可欠な遺伝子の含まれていな

い21トリソミー(**ダウン症候群**)，18トリソミー，13トリソミーや，X染色体のトリソミー(XXY：クラインフェルター症候群)が知られている．逆に一本不足するモノソミーとしてはX性染色体が1本のみである**ターナー症候群**が知られている．これらの症候群の多くは，さまざまな程度の知的障害を合併する．

染色体の一部が欠損したり，余剰な部分があったりする症例は多数報告されている．第5番染色体の短腕の1つが欠損すると猫鳴き(5p欠失)症候群と呼ばれる．重度の知的障害と乳児期に猫のような独特の泣き声を呈する症候群である．15番染色体の微小な欠損が原因となるプラダー・ウィリー症候群は，乳児期の低緊張，知的障害，性腺低形成，幼児期以降の肥満といった独特の症状を呈する．

7番染色体の微小欠損によって生じるのが**ウィリアムズ症候群**である．知的障害，先天性心疾患(動脈弁狭窄症)，高カルシウム血症，独特の顔貌(妖精様)という特徴を有する．本症候群は視空間認知の異常を伴う軽度知的障害があるにもかかわらず豊富な語彙を有するという言語学的にも注目されている疾患である．

染色体異常症が生じる原因は正確にはわかっていないが，21トリソミーは高年齢の出産でその頻度が高くなることが知られており，卵子が長期間女性の体内にある(排卵される卵子は，女児の体内に出生時から存在する)ことによって，自然放射線や薬品などに長時間さらされることが関連していると推測されている．

3 胎児病

胎児は，母親の体内にいるときに血液を通じて母親と環境を共有している．感染症は血液を介して胎児体内に取り込まれ，胎児感染を起こす．多数の化学物質(アルコール，ニコチン)や薬品(抗てんかん薬，睡眠薬，ホルモン)が，胎児発達に悪影響を与えることが知られている．

胎児アルコール症候群は母親が多量のアルコールを一時期に消費することによって，胎児に知的障害や小頭症を起こす原因として知られている．先天性風疹症候群は，妊娠初期に妊婦が風疹に罹患することが原因で起こり，小頭症，難聴や知的障害を高頻度で生じる．風疹ウイルス以外では，サイトメガロウイルス，トキソプラズマ，梅毒なども胎児のさまざまな障害の原因となる．

クレチン病は脳発達の盛んな胎児～小児期に，脳発達に必須のホルモンである甲状腺ホルモンが不足することによって発症する．飲み水中に甲状腺ホルモン合成に必要なヨードが含まれていない多くの地域で，妊婦のヨード不足が胎児性クレチン症の原因となることが知られている．日本では極めてまれであるが，世界全体では子どもの知的障害の大きな原因の1つになっている．

4 周生期障害

脳性麻痺は，胎児期あるいは周生期(出生直前～出生直後)に脳の神経細胞に加わったさまざまな侵襲によって，脳の運動機能に生じた後遺症である．運動障害の進行は通常みられないが，生涯を通じて存続する．脊髄性筋萎縮症のように，筋緊張低下と筋力低下の両方がある弛緩性麻痺だけでなく，筋緊張が異常に亢進するために随意的な運動が困難になる**痙性麻痺**や，協調運動の障害と不随意運動主徴とする**アテトーゼ型麻痺**もある．ニューロンの障害を起こす侵襲としては，低酸素，脳出血，高ビリルビン血症，低血糖，感染症など多彩である．運動麻痺だけの場合もあるが，広範な脳部位の障害が背景にあるために，知的障害やてんかんを合併する場合も多い．また麻痺の部位は全身(四肢麻痺)，半身(片麻痺)あるいは下肢(対麻痺)などのタイプがある．

脳の神経細胞障害の病理もさまざまである．低酸素による場合には，低酸素そのものによる障害よりも，低酸素によって，ニューロンが神経伝達物質であるグルタミン酸を多量に分泌し，それが

ニューロン内へのカルシウムの過剰な流入をもたらし細胞障害を起こすことが明らかになっている．また，低出生体重児の**痙性両麻痺**では，ニューロンではなく神経細胞の軸索の周囲にミエリン鞘を形成するグリア細胞（オリゴデンドログリア）の障害による伝達障害が病態の主役となる．近年では新生児医療の進歩によりその発生率が低下しているが，新生児黄疸の高ビリルビン血症が協調性運動を調節する大脳基底核の神経細胞に特異的な障害を及ぼす核黄疸も脳性麻痺の病理像の1つである．

かつては，低酸素と核黄疸など周生期の障害が脳性麻痺の原因として一番多かった．近年は子宮内での感染や脳血管障害による脳性麻痺の比率が高くなってきている．なお脳性麻痺の詳細な臨床像については第4章-8（➡203頁）を参照されたい．

5 出生後障害（後天的神経障害）

出生後の脳機能障害の原因としては，脳腫瘍，脳炎，髄膜炎などの感染症，脳外傷，溺水などによる低酸素性脳症，てんかんがあげられる．**髄膜炎**，**脳炎**の主たる原因はウイルス感染によるもので，小児ウイルス感染症の原因となるウイルスはほぼすべて脳炎の原因となる．病原体は破綻した脳血流関門を通過して侵入，外傷，手術による侵入，あるいは副鼻腔・中耳の炎症の波及から侵入し，広範囲の炎症をきたす．2020年当初から世界へ爆発的に広がりパンデミックをきたした**新型コロナウイルス感染症**（COVID-19）による髄膜脳炎の臨床像などについての研究が現在進行している．後天性の神経障害はこのように多岐にわたるものであるが，損傷された脳部位，そして損傷を免れた脳部位の機能評価を併せて行うことがリハビリテーションのうえで重要である．

a 脳腫瘍

中枢神経系に発生する新生物を脳腫瘍と呼ぶ．組織学的に同じものであっても発症年齢や発生部位により，病態生理は大きく異なる．脳腫瘍の症状は，腫瘍の浸潤圧迫による周囲の正常脳神経機能の障害，脳脊髄液の流通障害による**水頭症**や**頭蓋内圧亢進**症状，内分泌学的症状に分けられて，複数症状を呈することも少なくない．

臨床症状は多彩で見逃されることもあり，注意が要る．非特異的症状である，頭痛，嘔気，嘔吐，歩行時のふらつきがみられ，それらが進行している場合には，脳腫瘍による水頭症発生を考慮するべきである．内分泌学的症状では，**思春期早発**，食欲不振，多飲多尿の頻度が高い．大脳皮質に腫瘍が発生した場合はてんかん発作（けいれん発作）を生じることがある．発生部位が基底核など深部構造の場合は，チック，運動障害，学習障害が起こることがある．

頭部MRI検査などの画像診断が必須で，疑わしい場合専門医による詳細な検討が必要である．適切な治療法決定のためには病理学的診断，腫瘍マーカーの検討，遺伝学的診断が重要である．小児の場合は，グリオーマ，胎児性腫瘍，上衣腫などの分類がされている．腫瘍や治療に伴う脳，感覚器，内分泌器官の障害に注意しながら経過を追う必要がある．脳神経外科や小児科など多くの診療科が関わる必要がある．

b 急性脳症

急性脳症は，感染症の経過中に生じる**意識障害**で**けいれん**を伴い，重症な時間経過をとる後天性脳障害の一つである．運動系，感覚系そして高次脳機能の神経学的後遺症をきたすことで，言語学的にも注目される．インフルエンザ関連脳症では死亡率，後遺症率が高い．さまざまなタイプがあり，急性壊死性脳症，痙攣重積型二相性急性脳症，脳梁膨大部脳症，分類不能型などが知られる．脳症のメカニズムには，代謝異常（ミトコンドリア機能障害），全身性炎症反応（サイトカインストーム），興奮毒性（神経細胞死）の病態が独立して，あるいは重なって複雑に関与することが判

明してきた．

痙攣重積型二相性急性脳症は日本の小児急性脳症のなかで最も頻度が高い（約30％）．突発疹，インフルエンザに伴って発症し，興奮毒性による遅発性神経細胞死が想定されている．本脳症は有熱時けいれん（重積）が早期（発熱当日）と後期（3～7病日）の二度生じる点が特徴で，いったん改善した意識障害が後期に悪化する．後期には自発性低下や失語を示すことがある．慢性期には運動機能障害に比べて知的障害が強く残存することがある．難治性のてんかん発作を数か月後に示すことがある．

> **Note 16. 言語発達障害に関する小児神経学の最新知見：Landau-Kleffner症候群の評価と支援**
>
> てんかんの中で，言語発達が良好である子どもに両側側頭葉の持続性てんかん性放電が生じ，けいれん発作とヒト声や非言語音（環境音）の聴覚失認をきたす特殊な病態に**Landau-Kleffner（ランドー－クレフナー）症候群**（以下LKS）がある．LKSでは聴力は保たれるものの病期により聴覚失認症状が変化する点が特徴である．治療には抗てんかん薬，ステロイド剤の投与などがあるが，言語発達障害学の観点からは長期経過を追うべき疾患と考えられる．
>
> Riccioら[1]は最近，6～13歳のLKS14例の臨床特徴をまとめている．最長10年の経過を示す彼らの主徴は失語であり，ほぼ全例にてんかん発作が持続したという．全般知能はIQ値が59～101に分布し，9割近くが運動失語様で，半数に感覚失語パターンの特徴を有していた．また半数以上は聴覚ワーキングメモリや言葉の記銘力に支障があったという．読字や計数の困難性を伴う点から学業における配慮が求められていた．
>
> 加我[2]も成人期に至ったLKSで重度の音声・言語理解障害のケースの存在を指摘している．経過とともに改善する小児例がある一方で，LKS長期経過例では純音聴力が正常のため言語学的障害があるとの理解がなされにくく，青年期以降では言語機能を踏まえた就労支援，生活支援の視点も重要と考えられる．
>
> 1) Riccio CA, et al：Neurocognitive and behavioral profiles of children with Landau-Kleffner syndrome, Applied Neuropsychology：Child 6(4)：345-354, 2017 DOI：10.1080/21622965.2016.1197127
> 2) 加我牧子：小児聴覚失認の臨床．認知神経科学 21(3, 4)：172-178, 2019

C てんかん

てんかんは慢性疾患の病名で，反復する**てんかん発作**を症状とする．てんかん発作は通常，「中枢神経系の同期した過剰な異常神経活動に基づいて生じる一過性の徴候・症状である」と定義される．急性の脳障害，例えば脳血管障害，頭部外傷，脳炎に伴って生じるてんかん発作を急性誘発性発作と呼ぶ．大部分のてんかん発作は大脳皮質ニューロンを起源としており，臨床診断には**発作症状**の問診（意識の有無，呼吸状態，眼球位置，運動けいれんか感覚発作か，発作持続時間，発作後の状態など）と脳波検査（発作間欠期，可能なら発作時）が必須となる．側頭葉など言語に関わる領野に電気的な放電を生じるてんかん例では，障害の広がり，程度により失語，聴覚失認などの言語処理や聴覚系高次機能の低下を示すことがある．小児の場合，言語獲得前か後かによっても症状は異なる（→ Note 16）．

てんかん発作が持続すると神経生物学的，認知的，心理的，および社会的な影響をきたす．てんかんに関連した精神症状として，意識障害，感情障害，性格変化，幻覚などの精神病様状態がある．なお1995年以降，てんかんの病因に遺伝子の関与が深く関わることが注目されている．主にニューロンの細胞膜にある受容体や**イオンチャネル**の遺伝子が重要とされている．しかしながら，すべてのゲノムのうちエクソン配列のみを網羅的に解析する手法（全エクソーム解析）の進歩により，それ以外の遺伝子の関与も示されつつある．遺伝子の解明が進むと新しい治療薬の開発につながる可能性がある．

引用文献

1) 大野耕策：脳の発達の基礎 2. 脳の働きの発現．有馬正高, 他（編）：発達障害医学の進歩 9. pp44-51, 診断と治療社, 1997
2) 加藤光広：神経細胞移動障害の分子機構．日本小児科学会雑誌 111(11)：1361-1374, 2007
3) 常石秀市：視力・聴力の発達．大関武彦, 他（総編集）：小児科学．第3版, pp41-43, 医学書院, 2008

4）加我君孝（編）：新生児・幼小児の耳音響放射とABR―新生児聴覚スクリーニング，精密聴力検査，小児聴覚医学，小児神経学への応用―．診断と治療社，2012
5）福岡地区小児科医会 乳幼児保健委員会（編）：乳幼児健診マニュアル．第6版，医学書院，2019
6）Schafer DS, 他（編），高松鶴吉（監訳）：乳幼児の発達指導法．医歯薬出版，1979
7）有馬正高（監）：小児神経学．診断と治療社，2008
8）青木吉嗣：エクソンスキップ治療．https://www.ncnp.go.jp/nin/guide/r_dna2/research01.html （2020年7月22日アクセス）

3 言語発達障害の臨床

言語発達障害の臨床では，1人ひとりの子どもたちが，その子どもなりの発達が促進され，将来的に安定して自立した生活を営み，各自が自分にふさわしい**自己実現**ができることを目的に，ことばやコミュニケーションの面から援助を行う．子どもたちが自分は価値ある大切な存在であるという**自尊感情**を育み，社会の一員として何らかの責任が果たせるように，生活の質（quality of life：QOL）の向上と健やかな育ちを支援することも重要である．言語聴覚療法の理念である**全人的アプローチ**という点からみれば，ICFのモデルに示される機能，活動，参加，背景因子など，**子どもや家族を中心**としたすべてに対する働きかけが臨床活動である．

A 言語発達障害の臨床の過程

言語発達障害の臨床の過程は，子どもや家族が直面している機能，活動，参加などの問題を専門的知識，技術によって解決していく「**問題解決の過程**」である[1]．子どもの相談があった場合は，言語やコミュニケーションに問題があるか，あるとすればどのような障害か，どのような指導・支援方法が考えられるか，指導・支援の効果はどの程度であると予想されるか，について考えるが，このような一連の思考を「臨床的問いを立てる」という．そして，その問いに対する答えを導き出すために，指導・支援の仮説を設定して実際に指導・支援を行い，仮説を検証する．予想通りの効果が得られなかった場合は，仮説に誤りがあったことを振り返り，修正していくことも必要である（図2-4）．この過程は対象が小児であっても成人であっても同様である（第3章 ➡ 70頁参照）．

またこの一連の過程において，他職種（多職種）と連携する**チームアプローチ**は重要である．

B 評価・言語病理学的診断

評価の目的は，子どもの状態を正しく理解して，指導方針や指導目標を決め，指導方法を選択して予後を推定することにある．子ども（保護者）の主訴を受けて，言語発達の遅れの有無，遅れがあるとしたらどの程度の遅れなのか，言語発達はどの段階なのか，などの判断のために，まずは**系統的な情報収集**を行う．収集後は各情報を分析してカテゴリーごとに統合し，言語の3つの基盤の発達の状態や，医学的疾患に関する正確かつ最新の知識も援用して，言語病理学的に診断する．「**言語病理学的診断**」は，医師が行う医学的診断とは異なり，言語聴覚士が言語発達障害の臨床を行ううえで最善の指導・支援を提供するために，問題の特徴，原因と発現機序，関連要因や特性などを明らかにすることである．言語発達の遅れの種類を同定しつつ，問題点や遅れのみならず，強み

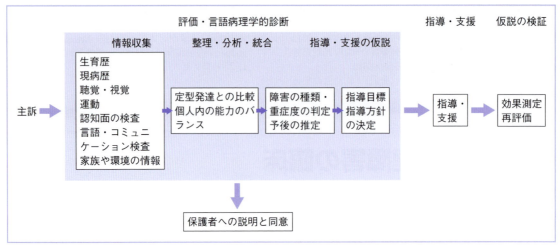

図2-4 臨床の過程

や得意な点を見出していくことも大切である.

評価と言語病理学的診断に基づき，**指導・支援の仮説**を立てて，それぞれの障害の特徴に合わせた指導・支援方法を選んで方針を決定する．これらの点について，保護者に説明して同意を得る**インフォームドコンセント**も忘れてはならない．

C 指導・支援

指導・支援においては，1人ひとりのニーズに合った**科学的根拠（エビデンス）に基づく指導・支援**が求められる．言語発達障害の領域は，現時点では指導・支援のエビデンスが十分蓄積されているとは言い難い領域ではあるが，今後の発展性に期待できると言い換えることもできる．指導・支援の方法を選ぶ原則としては，子どもの発達レベルに沿いつつ興味・関心がもてる内容と方法であること，良好な側面に働きかけることで苦手な側面を引き上げることなどがあげられる．子ども本人に直接働きかけるだけではなく，保護者や家族などの環境への働きかけは特に重要である．

指導・支援にはさまざまな方法論や流派がある．それらはある観点に立って分類すると理解しやすいかもしれない．例えば**ICFモデル**（➡ Note 17）の機能・活動・参加の各側面から，働きかけの対象について分類してみよう．機能障害に対しては認知や語彙・統語に働きかける指導・支援が行われ，活動制限に対しては生活の場で実用的に言語・コミュニケーションを活用するための指導・支援が実施され，参加制約に対しては保育所や学校などの所属する環境で社会参加ができるように働きかける支援が行われる．

あるいは，言語発達をどの理論に基づいて捉えるかによって，指導・支援のアプローチ方法を分類することもできる．アプローチの種類は，発達論的アプローチ，言語課題設定型アプローチ，行動論的アプローチおよびその他に分類され，相互に併用される[2]．**発達論的アプローチ**では，子どもと親の自然な相互交渉の中に言語発達を促進する関わりがあるとされる．**行動論的アプローチ**で

> **Note 17. ICF-CY**
> ICF-CY（International Classification of Functioning, Disability and Health for Children and Youth）は，ICFの児童版として2007年にWHOから公表された．対象は18歳未満の新生児・乳幼児・児童・青年で，その成長や発達期の特徴を記録するために開発された．分類構造やカテゴリーは，ICFと同様である．

は,応用行動分析の技法を用いて言語行動の形成を強化する.**課題設定型アプローチ**では,取り組むべき課題を限定して言語面の特定のスキルの習得を目指す.言語発達理論によらないその他のアプローチとしては,保護者支援,拡大(補助)・代替コミュニケーション(AAC),小集団活動などがある(第4章 ➡ 76頁参照).

近年,高齢社会の地域包括ケアシステムを構築する政策の中で,**地域リハビリテーション**と呼ばれるコミュニティーベースの支援とその枠組みに注目が集まっている[3].子どもの言語発達障害も地域における支援という枠組みの中に位置づけられることを認識しておきたい.

D 子どもの未来を育てる専門家

子どもと保護者が言語聴覚士のところに相談に訪れた時には,わざわざ足を運んでくれたことへの感謝と保護者の子育てに共感することばで迎えたい.**早期発見・早期支援**から指導・支援につながったとしても,定型発達児と同レベルまで完全に改善することは難しいということは,さまざまな機会に伝えていかなければならない.子どもの実態に徐々に直面する保護者に共感をもって寄り添い,不安や悲しみなどを理解しようと努める**カウンセリングマインド**をもって相談にあたることも,指導・支援の専門家としての重要な役割である.自分の専門性を越えた部分で指導・支援が必要であれば,他機関の専門家を紹介するなど,謙虚さをもって臨床にあたる心構えも必要である.

言語発達障害の臨床はエンパワメント,つまり「その人の中にもともとある力を上手に見つけ,引き出し,育てていく」仕事である[4].子どもの未来を育む臨床を担う専門家として,どのような障害であれ,言語やコミュニケーションの大切さと,伝え合うことができたときの喜びを共有する場を,子どもや保護者,そして関係するすべての職種の専門家と協働して作りあげる力をつけていくことが大切である.

引用文献

1) 藤田郁代:言語聴覚療法の過程.藤田郁代(監):標準言語聴覚障害学 言語聴覚障害学概論,第2版.pp195-198,医学書院,2019
2) 大伴 潔:言語発達障害.藤田郁代(監):標準言語聴覚障害学 言語聴覚障害学概論,第2版.pp98-108,医学書院,2019
3) 藤田郁代:地域リハビリテーションの概念.藤田郁代(監):標準言語聴覚障害学 地域言語聴覚療法学.pp2-3,医学書院,2019
4) 中川信子:発達障害と言葉の相談―子どもの育ちを支える言語聴覚士のアプローチ(小学館101新書).p238,小学館,2009

第 3 章

評価（アセスメント）・診断

学修の到達目標
- 評価・診断の手順を説明できる．
- 収集する情報（面接，検査）の種類，目的，方法について説明できる．
- 評価・診断のまとめの書き方を説明できる．

情報収集

　言語発達障害の評価・診断は，①ことばやコミュニケーションとそれに関連する諸側面の状態を明らかにし，②障害の原因を推定し，③具体的目標の設定や適切な支援を決定し，④長期的展望を提起するために行われる．子どもの全体像は，面接，観察，検査などを通した情報収集によって明らかになる．

　子どもの情報は，親や家族，幼稚園・保育所・学校などの保育・教育関係者から得ることが多い．子どものもつ問題点を明らかにし，その原因の究明と問題解決のための方法を見出すために，言語聴覚士は子どもとその子を取り巻くあらゆる情報源から，自らが明らかにしようとしている問題の本質に迫る必要かつ十分な情報を集める能力が必要とされる．そのためには，言語発達障害の原因や特徴についての幅広い知識，正確な情報を得るための面接技術を身につけておくことが必要である．親や家族，関係者との信頼関係の構築も重要な要素である．

　2005年4月に施行された**個人情報保護法**では，個人データが漏洩しないように安全管理措置をとることが強く求められている．収集した患者，利用者の個人情報の取り扱いについては，各病院，施設で対応が決められたものに従うとともに，言語聴覚士には守秘義務が課せられていることも忘れてはならない．

A 主訴

　主訴とは，相談者が気になっている問題点(症状)や相談目的のことである．相談者の訴えを忠実に表記する．小児の場合，多くは親，家族が子どものことばやコミュニケーションに問題を感じて受診する．したがって，主訴も本人の訴えというよりは，親，家族の訴えと言ってよいかもしれない．

　言語発達障害の主訴は，「ことばが出ない」，「ことばが遅れている」，「ことばの数が少ない」，「ことばが不明瞭である」などのことばの表出面を中心とした症状であることが多い．これらの訴えには「原因を明らかにしてほしい」，「治療や訓練でことばの問題を解決してほしい」などという相談目的も含まれている．相談目的には，さらに手帳交付や手当支給のための書類作成依頼のような場合もある．

B 生育歴

　生育歴としては，現病歴，発達歴，既往歴，治療(訓練・指導)・教育歴，家族歴，環境などの情報を収集する．

現病歴

　主訴である問題点に，いつ頃気づき，どのように対処し，どのように変化してきたか，そして今回は何の目的で受診したかを聴取する．言語発達障害の場合は，発達歴のなかの言語発達に関する経過はこの現病歴で記述されることが多い．

2 発達歴

　運動(粗大運動と微細運動)，生活習慣，対人関係，遊び，言語理解と表出などの領域ごとの発達の経過，気になったできごと(異常行動など)を聴取する．言語発達障害では，運動発達の遅れの既

往や特異な発達経過や行動を示す例があり，それらの事実の集積が背景となる障害を示唆することがある．主な発達の指標としては，**運動**では定頸，定座，ハイハイ，つかまり立ち，始歩，**生活習慣**では排泄，食事，衣服の着脱，睡眠，**対人関係**では人見知り，母子関係，**遊び**ではその種類，おもちゃへの興味，遊び方（1人遊び，平行遊び，集団遊び，ルール遊び），**言語**では大きな音にびっくりする，母親の声を捜す，音のするほうを見る，「ダメ」が理解できる，喃語の表出，初語，2語文の表出などがある（発達検査 ➡ 61頁を参照）．言語発達障害の場合，言語面の経過は現病歴に記述する場合もあるが，情報シートを作成している場合には，発達歴に言語発達も含めた発達の指標を印刷し，通過月齢のみを記入するようにしておくと漏れが少ない．

3 既往歴

現在までに罹患した疾患を時系列で聴取する．出生前，周産期の主な既往については，妊娠中の母親の生活習慣（喫煙，飲酒），服薬，感染症（風疹，サイトメガロウイルスなど）や妊娠高血圧症候群の有無，出産時（分娩）の状況，在胎週数，出生時体重，直後の治療などについて尋ねる．出生後については，けいれん，耳疾患，脳炎，髄膜炎，頭部外傷など言語発達障害の直接的原因になるものだけでなく，ほかの疾患についても記録する．

4 治療（訓練・指導）・教育歴

治療（訓練・指導）歴は現病歴のなかに記述することが多い．今までに訓練・指導を受けたことがあるか，どこで，どのような訓練・指導を受けたかという情報は，今後施行する訓練・指導内容や予後を考えるうえで参考となる．また，何歳から保育所や幼稚園に通ったか，そのときの様子はどうだったか，就学年齢を過ぎていればどのような学級，学校で教育を受けてきたか，学校での様子はどうだったかなどの教育に関する情報も同様の観点から重要である．

5 家族歴

家族構成とともに家族，親族が罹患した疾患（特に言語発達障害を引き起こす疾患）や障害について聴取する．遺伝形式などを類推するうえで重要な情報である．

6 環境

主たる養育者，住居環境などについて聴取する．主たる養育者はだれか，その養育者がどのような状況で子どもを育てているかなどを質問する．小児言語聴覚障害に対する訓練・指導は，直接的訓練と同時に家庭での日常的な指導が大きな意味をもつ場合が多い．原因検索のみならず，主たる養育者に子どもの問題を解決する訓練・指導のチームの一員としての働きをしてもらうためにも重要な情報である．また，子ども同士のつながりをもてる場の情報として，居住環境に関する情報は重要である．近くに子ども同士で遊べる場があるのか，どのような年齢の子が集まってくるかなどは，子どもの養育環境整備の助言を行う際に参考となる．

C 現症

適切な訓練・指導，さまざまな援助を立案するためには，子どもの現在の状態を正確に把握しなければならない．現症とは障害の現状であるが，問題点だけでなく，できていることについても**面接，行動観察，検査**などを通じて記録する．

生育歴で聴取した各項目における現在の状態が現症となる．現在のことばの状況（語彙レベル，

文レベルの理解と表出),非言語的コミュニケーションの状況,運動,生活,遊びなどの諸側面について具体的に聴取する.また,保育所,幼稚園,学校などでの様子についても調査する.

自由場面,遊び場面,課題場面で子どもの言語行動(発話の内容,言語理解,非言語的コミュニケーションの内容),対人関係(子ども同士の関係,大人との関係,母子関係など)を観察する.また,興味の持続時間,興味の対象,道具の使用,遊び方なども重要な情報である.観察を通して,面接や関連領域から得られた情報を確認することができる.

検査結果は,現在の能力を標準化された検査の結果として記録したものである.発達検査は,面接や観察で得られた情報と照合することができるので,親や家族への説明にも有用である.知能検査のように指数や評価点が算出される検査は,定量的な情報を提供し,個人間差や個人内差を示してくれるので,訓練方針の立案,訓練効果の判定に有用である.

D 関連領域からの情報

医療,保健,福祉,保育・教育の各領域から情報を得る.対象機関は,それぞれ病院,保健所,児童相談所,障害児療育機関,保育所,幼稚園,学校などがあり,医師,歯科医師,看護師,理学療法士,作業療法士,保健師,心理職,保育士,教師など多くの職種から情報を得なければならない.

医療機関からは,医学的検査と診断結果,治療内容などの情報を提供してもらう.療育機関からは,療育の内容と経過,今後の訓練・指導に関する参考意見も提供してもらう.保育・教育機関からは,集団の中での行動,活動内容とその状況について情報を得るが,子どもの指導について長期にわたり継続的に情報交換を行う場合が多い.情報の提供を受けた場合,評価・診断の結果,今後の方針について必ず報告書を出さねばならない.

E 情報収集の方法

1 面接

情報収集の基本となる.初回時にほとんどの情報は聴取できるが,不確かなものなどは次回までに調べてきてもらう.**母子健康手帳**も持参してもらうと確かな情報を得ることができる.特に,親以外が付き添って相談に来た場合は,十分な情報が得られない場合が多い.質問紙を手渡し家で記入してもらうが,親から直接聞き取るほうが望ましい.

面接においては,質問の内容が子どものもつ問題点を明らかにするうえで重要であることをよく理解してもらって答えてもらう.内容によっては,相談者がその必要性に疑問を感じるような質問もあるかもしれない.あるいは答えにくい質問もあるかもしれない.その質問の必要性を説明できることと,相談者に信頼される関係作りに努めなければならない.

2 質問紙

面接を行う前に,あらかじめ作成している質問紙に記入してもらい,それを確認しながら細かな情報を得たほうが効率的である.病院では問診表として渡されるものもあるが,言語発達障害に特化した質問内容のものを作成しておくと便利である.

3 行動観察

時系列で観察した行動を記録する.主要な観察項目についてチェックリストを作成して記録す

表3-1 面接例〈3歳0か月男子の相談〉

主訴	Q：今日はどのようなことが心配で相談に来られましたか． A：この子のことばが遅れていて心配で，○○小児科から紹介されてきました．
現病歴	Q：ことばが遅れていることには，いつ頃気づきましたか． A：1歳半頃，意味のあることばが出ていませんでしたので気になりましたが，男の子なので少し遅いのかなくらいに思っていました．その後健診で相談しましたが，「もう少し様子を見ましょう」と言われ，様子を見ていました． Q：様子を見ていて，その後変化はありましたか． A：健診の後2か月くらい過ぎて「わんわん」と言うようになり，ことばも少しずつ増えてきたので安心していました．3歳の誕生日を過ぎても単語だけでしか言わないので心配になり，10日に○○小児科で相談しました．大きい病院に行って調べてもらったほうがよいと言われたので，今日来ました．
現症	Q：現在お話できることばは，どのようなものがありますか． A：わんわん，にゃー（猫），ねー（姉のこと），おとーたん（父），まま（母），いく，にゅーにゅー（牛乳），それと，あとはすぐに思い出せません． Q：次回までにおしゃべりしたそのままの形でノートに記録して持ってきてください．それでは，2つ以上のことばをつなげた表現はありませんか． A：ありません． Q：ことばによる指示で理解できるものはどのようなものがありますか． A：おいで，だめ，ごはんよ，手を洗っておいで，パンツはいて，ぬいで，……は，わかっています．ほかにもあると思いますが． Q：「パンツはいて」は理解できるということですが，「ズボンはいて」とか，「洋服やシャツを着て」と言って，ズボンとか洋服，シャツなどがわかっていますか．また，指示通り行動できますか．ほかに「なになに，持ってきて」と言って持ってくることができるものにはどのようなものがありますか． A：ズボン，洋服，シャツなどは理解しています．ほかにもティッシュとか，スプーンとかも持ってきます．
（遊びや行動の現在の状態についても同様に質問する）	
発達歴、既往歴	Q：それでは，これまでのことについていくつかお話を伺います．生まれたときのことですが，何週で生まれ，分娩は正常でしたか．出生時の体重はどのくらいでしたか．生まれたときに仮死などの問題はありましたか．また，妊娠中に，お母さんが病気になられたりしましたか． A：予定日より2日早く生まれました．体重は3,500gで元気に生まれました．おなかのなかにいるときも問題ありませんでした．
発達歴	Q：頸はいつ頃すわりましたか．……，歩き始めはいつでしたか． A：頸は3か月ですわり，お座りは……でした．ひとりで歩き始めたのは1歳6か月頃でした． Q：意味のあることばをしゃべり始めたのは1歳8か月頃で，2つ以上のことばをつなげたおしゃべりはまだ出ていないということでよろしいですか． A：はい．
既往歴	Q：これまで何か病気になり，治療を受けたことはありますか．高熱を出したりしたことはありませんか． A：大きな病気をしたことはありません．
既往歴、発達歴	Q：これまで，ほかに気になったことはありましたか． A：赤ちゃんのころはよく寝ていて手がかかりませんでした．
治療歴	Q：ことばや発達について相談に行ったことは，先ほどお聞きした以外にはないですね． A：はい．
教育歴	Q：今，保育所に行ってますか． A：いいえ，行ってません．
環境	Q：日中はどなたが○○君を見ておられますか． A：母です．私の母です． Q：お母さんもお仕事に行かれているのですか． A：はい． Q：何時頃帰ってこられますか． A：6時頃になります． Q：○○君は普段はどんなことをして過ごしていますか．まわりに同年齢の子と遊ぶような環境はありますか． A：母が見ているので，詳しくはわかりません． Q：そうですか，次回までに大体どのように過ごしているか，様子を聞いていただけますか．できたら，ご一緒に来ていただければ助かります． A：わかりました．
家族歴	Q：それでは，一緒に住んでいるご家族は何人ですか． A：5人家族で，母，主人，私，この子の姉です． Q：お姉ちゃんは何歳ですか．また，家族にことばや聞こえに問題がある方，問題があった方はいらっしゃいますか．親戚の方ではどうですか． A：7歳です．ことばは順調でした．親戚にことばが遅れている者はいません． Q：どうもありがとうございました．それでは，これから簡単な検査をします．

表3-2　インテークシート記載例

氏名：		㊚・女	生年月日：	2017 年　4 月　11 日生

面接年月日：　2020 年　4 月　20 日　　　年齢：　3 歳　0 か月
情報提供者：母親

Ⅰ．主訴
　　ことばの遅れ
Ⅱ．生育歴
　1．現病歴：1歳半頃，有意味語の表出なく気になったが，男の子なのであまり心配していなかった．1歳半健診で相談したが，「もう少し様子を見ましょう」と言われ，そのままにしていた．1歳8か月頃「わんわん」と言うようになり，ことばも少しずつ増えてきたので，安心していた．しかし，3歳になっても単語だけでしか言わないので心配になり，4月10日○○小児科に相談．大きい病院に行って調べてもらったほうがよいと言われ，4月20日精査目的で紹介受診した．
　2．発達歴：定頸　3か月，定座　8か月，ハイハイ　9か月，つかまり立ち　12か月，始歩　18か月，初語　20か月，2語文表出　　　か月
　　　特記事項（　おとなしく手がかからなかった　　　　　　　　　　　　　　　　　　　　）
　3．既往歴：妊娠中の特記事項（　喫煙5本／日　　　　　　　　　　　　　　　　　　　　　）
　　　出産時（　正常　）分娩，在胎週数（　40　）週，出生時体重（　3,500　）g
　　　出産時，出産直後の特記事項（　特記事項なし　　　　　　　　　　　　　　　　　　　）
　　　生後特記事項（　なし　　　　　　　　　　　　　　　　　　　　　　　　　　　　　　）
　4．治療（訓練・指導）・教育歴
　　　特記事項なし
　5．家族歴（構成）
　　　祖母（母方），父（41歳），母（38歳），姉（7歳，小学2年生），本人（3歳0か月）
　　　言語発達障害，難聴などは，家族，親戚にはみられない．
　6．養育環境
　　　祖母が養育．両親は勤めで，夕方帰宅．姉も下校後は祖母がみている．
　　　マンション3階に居住．そばに公園あり．
Ⅲ．現症
　　言語：（発語）わんわん，にゃー（猫），ねー（姉のこと），おとーたん（父），……
　　　　　（理解）ズボン，洋服，シャツ，ティッシュ，スプーン，……
　　　　　　　　　おいで，だめ，ごはんよ，手を洗っておいで，パンツはいて，ぬいで，……
　　　その他，運動，遊び，生活習慣などについて記載

る，ビデオで記録するなどの方法がある．その場で記録するためには，子どもに働きかける役割の者と記録者が組になって対応するほうがよい．ビデオは客観的な情報を得ることができるので，節目となる時点（初回評価時，再評価時，終了時など）で記録しておくことが望ましい．言語サンプルだけであれば，ボイスレコーダなどで録音する．

4　紹介状（情報提供書）

　他の機関から紹介されて来院，来所した場合は，情報提供書が添えられているので，その内容からも転記できるものがある．

F　情報収集の実際（面接）

　表3-1に相談者との面接の実際を示す．あくまでも仮想の例であり，質問の順序，内容は個々の例で異なる．この面接の結果は，病院，施設で作成されているフォーマット（インテークシート）に従って表3-2のように記入する．他機関からの情報，行動観察結果，検査結果は，別のシートに記載する．

2 検査

A 検査の位置づけと目的

　評価は，言語発達障害の有無や程度の判定だけでなく，子どもへの支援の目標や手段の決定のためにも行われる．評価を通して，子どもの今後の発達についての見通しをもち，子どもの特性に配慮した適切な支援を行わなければならない．以下，評価を行う際の視点について述べる[1]．
①子どもの言語発達の遅れを明らかにする．

　定型の言語発達と比較することで，ことばの遅れの有無と程度が明らかになり，子どもの発達のレベルをある程度予測することができる．このことは予後の判断や支援の手がかりとなる．
②言語機能のどの側面に問題があるかについて評価する．

　言語発達初期は全体的な発達の遅れはとらえられるものの，言語機能の質的分析はやや困難である．ある程度言語が発達した幼児期後期や学童期になると，言語の3領域（形式・内容・使用）について分析的に評価することが可能となる．
③全体発達に問題がないかを明らかにする．

　言語発達は，認知発達，社会的相互交渉などと互いに関連しながら発達する．例えば，象徴機能の発達が遅れるとき，言語の獲得も遅れる．また，社会的相互交渉の発達に問題があれば，ことばは獲得しても語用論的な側面のコミュニケーションの発達が影響を受ける．このように，言語発達と関係する他の領域の発達（運動，知能，社会的相互交渉）を，定型発達と照らして遅れの有無を明らかにする．
④言語発達の遅れの背景にある障害を把握する．

　言語発達の遅れの要因として知的能力障害，自閉症スペクトラム障害（ASD），注意欠如・多動性障害（ADHD），限局性学習障害（SLD）などの障害が存在することが多い．これらの障害は子どもの言語発達に影響を与え指導の方法および予後に関係してくる．これらの要因が子どもの言語発達にどのように影響しているかを観察することが大切である．このためにはこれらの障害についての正確な知識やその特徴を理解しておく必要がある．
⑤子どもの発達の良好な面（strength）を明らかにする．

　このことは，指導方略や対象児への関わり方への有用な示唆となる．例えば，音声言語の聴覚的処理に比べて，非言語的な視覚情報の処理に優れている場合，指導場面や家庭・幼稚園・保育所・学校場面で絵や写真などの視覚的手がかりを使うことで，聴覚的理解を助けることができる．

　上記①〜⑤の視点をもって，子どもの言語発達の遅れの程度を総合的に判断することが望まれる．

B 検査の対象領域

　言語聴覚士は言語発達の遅れやコミュニケーション，学習の遅れを主訴に来所する幼児・学童について，聴力面や言語面の評価を行うだけでなく，視野を広げて多面的にアセスメントを行い，子どもの発達の全体像を把握することが重要である．そうすることによって始めて適切な支援が可能となる．

C 検査の種類

検査には，現在の症状を客観的に把握するためのものと，原因を査定する目的がある．発達検査や知能検査は発達の水準をとらえるもので，言語検査は理解能力，発語能力，統語能力，構音発達，および言語能力のプロフィールを捉えるために行われる．

想定される原因に応じて，必要な検査や，詳しく調べるための検査〈特定(掘り下げ)検査〉を選んで施行し情報を収集する．どの検査が必要であるかは，言語障害をどう捉えるかという枠組みに関わってくる．保護者の主訴と子どもの行動観察を通して，可能性のある原因を推定する力が専門家には常に求められる．

D 診療報酬点数と発達検査・知能検査

診療報酬点数は2年に1回改定される[2]．「D 283 発達および知能検査」，「D 285 認知機能検査その他の心理検査」に言語聴覚士が実施する検査が含まれている．

「D 283 発達および知能検査」の「1 操作が容易なもの」は，検査及び結果処理に概ね40分以上を要するものとして80点が算定される．これには，乳幼児精神発達質問紙，遠城寺式 乳幼児分析的発達検査法，グッドイナフ人物画知能検査 新版(DAM)，DTVP フロスティッグ視知覚発達検査などが該当する．「2 操作が複雑なもの」は，検査及び結果処理に概ね1時間以上を要するものとして280点が算定される．新版K式発達検査2020，田中ビネー知能検査Ⅴが該当する．「3 操作と処理が極めて複雑なもの」は，検査及び結果処理に1時間30分以上要するものとして450点が算定される．この中には，WISC-Ⅳ知能検査などが含まれる．

「D 285 認知機能検査その他の心理検査」の「1 操作が容易なもの」は，主に疾患（疑いを含無）の早期発見を目的とするものとして80点が算定される．自閉症スペクトラム障害の診断やスクリーニングで用いる AQ 日本語版 自閉症スペクトラム指数や M-CHAT が該当する．

「2 操作が複雑なもの」は280点が算定される．視覚性注意や視覚記憶などを調べる BVRT ベントン視覚記銘検査，Rey-Osterrieth 複雑図形テスト(ROCFT)などが該当する．

「3 操作と処理が極めて複雑なもの」は450点が算定される．ここには，日本版 KABC-Ⅱ，DN-CAS 認知評価システムなどが該当する．

E 標準的な検査の流れ

言語発達評価のための検査は図3-1のように，①聴力・視力の確認，②発達検査や知能検査，③言語の理解面と表出面の評価を含む基本的な言語発達検査，④特定(掘り下げ)検査の順に実施するのが基本的な流れである．

検査は，子どもの生活年齢，発達状況によって組み合わせて実施されることが多い．言語発達の遅れが疑われる際には，まず，聴力の確認のために子どもの年齢，発達レベルに応じて，検査方法を選択して実施する．正確な聴力を測定することが大切である（「聴覚障害学」の教科書を参照）．

視力検査については，3歳児健康診査で実施されているスクリーニング検査などが参考になる．乳幼児期には目は軽度の遠視であり，眼球の成長に応じて正視となり，学童期以降に近視が発症するのが一般的である．視力などの問題があり物を見分けることが困難な場合，言語発達や文字習得にも問題を生じる．このような問題が疑われる場合は，眼科への受診を薦めることが大切である．

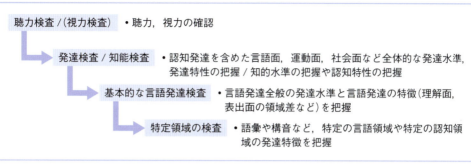

図 3-1　基本的検査の流れ

F 代表的な各種検査

1 発達検査

　乳幼児期の子どもの全体発達の状況を捉えるための検査は、質問紙による間接検査と、実際に子どもに実施する直接検査に分かれる。どちらの検査にしても、運動発達、認知発達、社会性、言語などの諸領域の発達を評価するものである。できるだけ直接検査を行うことが望ましいが、子どもの体調や状態により実施が困難な場合に質問紙検査を用いることも多い。子どもをよく知る保護者や担当保育士・教諭に回答してもらうことで子どもの発達の評価が可能である。

『KIDS 乳幼児発達スケール』(KINDER INFANT DEVELOPMENT SCALE)[3]
目的：子どもの発達状況を評価する。
対象：0歳1か月～6歳11か月。
作成経過：1989年に標準化された。
構成：質問項目は、運動領域、操作領域、理解言語領域、表出言語領域、概念領域、対成人社会性領域、対子ども社会性領域、しつけ領域、食事領域の9領域によって構成されている。
　検査用紙は、年齢により3タイプに分かれ(Aタイプ：0歳1か月～0歳11か月児用、Bタイプ：1歳0か月～2歳11か月児用、Cタイプ：3歳0か月～6歳11か月児用)、さらに発達障害児向きのTタイプ：0～6歳児がある。
概要：用紙を保護者に手渡し記入してもらう。Tタイプは0～6歳の質問内容が1冊に網羅されているため、質問内容は粗くなっている。しかし、例えば生活年齢が5歳で発達年齢が2歳である子どもをもつ保護者に、「1歳0か月～2歳11か月児用」と表紙に記入されているBタイプの用紙を手渡して記入してもらうことに躊躇する場合や、領域別の発達レベルにバラツキがある場合は、Tタイプが便利である。結果については、領域別に発達プロフィール、発達年齢、発達指数を求めることができる。
所要時間：約15分

『乳幼児精神発達診断法』[4,5]
目的：乳幼児および児童の精神発達の診断をする。
対象：0～7歳。
作成経過：0～3歳児用は1961年に、3～7歳用は1965年に発行されている。
概要：検査者が養育者に対して質問し、回答を得ながら実施する質問紙検査である。0～7歳を通し、運動97項目、探索・操作101項目、社会90項目、食事・排泄・生活習慣77項目、理解・言語73項目、合計438項目が選定されている。
　乳幼児の発達の状況を明らかにする場合、検査が実施できない場合がしばしばある。子どもの状

態にかかわらず，検査のための設備や用具を必要とせず発達の概況を知ることができる．養育者との自由な会話のなかから，子どもの日常行動の全般的な姿を知ることができ，被面接者とのラポートをつけるのにも役立つ．
所要時間：約20分

『新版K式発達検査2020』[6]
目的：検査項目に対する子どもの反応を観察し，子どもの発達が全体として到達している年齢段階を測定する．
対象：0か月〜成人．
作成過程：1951年に「K式発達検査」原案が作成され，1980年に「新版K式発達検査」(Kyoto Scale of Psychological Development)として公表された．2001年に「新版K式発達検査2001」が発行された．
概要：検査実施は，子どもに対する直接的観察・検査と養育者への一部聴取による．0か月〜成人のべ238項目の検査項目があり，検査用紙は第1葉から第5葉まである．検査用紙最上段には年齢が書かれてあり，その年齢での検査項目が下方に書かれている（各項目はその年齢での通過率50％）．検査項目は実施手続きが同一のものまたは同じ発達の側面を測定しようとする項目は同じ行に並んでいる．検査項目の領域は「姿勢・運動領域」，「認知・適応領域」，「言語・社会領域」の3領域である．
所要時間：約30分

　上記以外に，障害のある乳幼児を対象に，健診・専門機関などで発達を測定する『遠城寺式乳幼児分析的発達検査法（九州大学小児科改訂新装版）』[7]や『日本版デンバー式発達スクリーニング検査』[8]などがある．

2 知能検査

　知能検査は知能を測定するための心理検査である．検査結果より知能指数(IQ)が求められる．ことばの遅れや学習の問題の原因が知的発達に起因するものであるかを明らかにするために実施される．

『田中ビネー知能検査V』[9]
目的：年齢別知的発達水準を設定して，知的発達の状態を把握する．
対象：2歳〜成人．
作成経過：スタンフォード・ビネー改訂版をもとにして田中寛一氏が1947年に「田中ビネー式知能検査法」を出版．その後，改訂を重ね，2003年に「田中ビネー知能検査V」が出版された．
構成：1〜13歳は各年齢に応じた問題が与えられ，13歳以降は，結晶性問題，流動性問題，記憶問題，論理推理問題を行う．発達年齢が1歳に満たないと予測される子どもには発達の目安を知るための発達チェック(11項目)が用意されている．
概要：子どもの生活年齢と等しい年齢級から開始する．全問題を合格する年齢級から，全問題が不合格となる年齢級まで順次行っていく．全問合格した年齢級に1を加えたものを基底年齢とする．合格した問題数に加算月数（1〜3歳級は1か月，4〜13歳は2か月）をかけたものを基底年齢にプラスしたものが精神年齢となり，それを生活年齢で割り100をかけて比率知能指数を求める．生活年齢が14歳0か月以上の被検者は成人級の問題を全問実施し，換算表を用いて，評価点と偏差知能指数を求める．
所要時間：60〜90分

『WPPSI-Ⅲ知能検査』(Wechsler Preschool and Primary Scale of Intelligence-Third Edition)[10]
目的：知的発達の程度や認知的な特性を把握する．
対象：2歳6か月〜7歳3か月．
作成過程：ウェクスラー知能検査の幼児用で，1969年発行のWPPSI知能診断検査の改訂版として2017年に発行された．

構成：年齢別に2歳6か月～3歳11か月用と4歳0か月～7歳3か月用に分かれている．前者では，4つの基本検査から全検査IQ(FSIQ)，言語理解指標(VCI)，知覚推理指標(PRI)を算出し，「絵の名前」の検査で語い総合得点(GLC)を算出する．後者では，7つの基本検査からFSIQ，VCI，PRI，処理速度指標(PSI)を，「ことばの理解」と「絵の名前」でGLCを算出する．基本検査の他に5つの補助検査がある．

概要：子どもが興味をもって取り組めるよう，図版などは見やすく大きい．指標の評価点から算出される合成得点は，同年齢集団における対象児の発達レベルを示す．検査結果は，指標間や下位検査間のディスクレパンシー比較，および下位検査レベルでの強み(S)と弱み(W)の判定によって，子どものプロフィールをより詳細に分析することができる．5歳0か月～7歳3か月で発達の遅れが疑われる子どもには，WPPSI-Ⅲを選択することが多い．

所要時間：2～3歳：40分程度，4～7歳：60分程度

『WISC-Ⅳ知能検査』(Wechsler Intelligence Scale for Children-Fourth Edition)[11]

目的：知的発達の程度や認知的な特性を把握する．

対象：5歳0か月～16歳11か月．

作成過程：ウェクスラー知能検査の児童用として開発された．1949年に米国版WISC，1974年にWISC-R，1991年にWISC-Ⅲが作成された．現在の最新版はWISC-Ⅴである(日本未発刊)．

構成：全体的な認知能力を表す全検査IQ(FSIQ)に加え，個々の認知機能の能力を表す，言語理解指標(VCI)，知覚推理指標(PRI：WISC-Ⅲでは「知覚統合」)，ワーキングメモリ指標(WMI：WISC-Ⅲでは「注意記憶」)，および処理速度指標(PSI)の4つの合成得点が求められる．

概要：WISC-Ⅳは15の下位検査で構成され，10の基本検査と5つの補助検査からなる．原則的に基本検査を実施することで5つの合成得点が算出できる．状況によっては，基本検査の代わりに補助検査を用いることや，基本検査に加えて補助検査を実施することで，子どもの知的能力に関する非常に多くの情報が得られる．下位検査評価点プロフィール，合成得点プロフィールを図示することで，項目間のバランスを視覚的に捉えることができる．WPPSI-Ⅲ同様，指標間や下位検査間のディスクレパンシー比較，および下位検査レベルでの強み(S)と弱み(W)の判定ができる．

所要時間：60～90分

3　学習認知の検査

『DN-CAS認知評価システム』(Das-Naglieri Cognitive Assessment System)[12,13]

目的：PASS理論(プランニング，注意，同時処理，継次処理)に基づき，PASS尺度を測定する．

対象：5歳0か月～17歳11か月．

作成経過：原版はJack A. NaglieriとJ. P. Dasによって1997年に発行され，日本版は2007年に発行された．

構成：Luriaの神経心理学モデルから導き出されたPASS理論に基づき，プランニング：Planning(数の対探し，文字の変換，系列つなぎ)，注意：Attention(表出の制御，数字探し，形と名前)，同時処理(図形の推理，関係の理解，図形の記憶)，継次処理(単語の記憶，文の記憶，発語の速さ，統語の理解)の12の下位検査からなる．

概要：PASS尺度の標準得点を算出し，各評価点合計を求め，子どもの認知処理過程の特徴を理解し，支援について情報を得る．8種類で行う簡易実施も可能である．

所要時間：40～60分

『日本版KABC-Ⅱ』(Kaufman Assessment Battery for Children Second Edition)[14]

目的：認知尺度のみならず，基礎学力を測定できる個別式習得尺度を備えており，子どもの指導・教育に活かす．

対象：2歳6か月～18歳11か月．

作成経過：1983年にK-ABCが開発され，改訂版のKABC-Ⅱが2004年に刊行された．日本版K-ABCは1993年に標準化され，2013年に日本版KABC-Ⅱが刊行された．
構成：ルリア理論およびキャッテル-ホーン-キャロル理論（CHC理論）という2つの理論モデルに基づいて作成されており，検査結果を異なった相補う観点から解釈することができる．就学前から高校までのすべての年齢段階が対象．認知処理過程（心理学的観点からのアセスメント）と知識・技能の習得度（教育的観点からのアセスメント）の両方面から詳しく分析することで，教育的働きかけの方向性が提示できる．
概要：カウフマンモデルに基づき，大きく「認知尺度」と「習得尺度」で構成されており，認知尺度はさらに「継次尺度」「同時尺度」「計画尺度」「学習尺度」に分けられる．また，習得尺度は，「語彙尺度」「読み尺度」「書き尺度」「算数尺度」から構成されている．
所要時間：30〜120分

『グッドイナフ人物画知能検査 新版（DAM）』（Draw a Man test）[15]
目的：幼児，小学校低学年ならびに心身障害児を対象に，動作性の知的発達水準を測定する．
対象：3歳〜8歳6か月．
作成経過：1997年に刊行され，2017年再標準化された．男女別のMA換算表がついた．
構成：採点対象となるものとして，頭・眼・顔・胴・足・指などの50項目が採点の対象であり，①人物像の部分，②人物像の部分の比率，③人物像や部分の明細化などの採点基準に照合して，得点化される．総計点より，MA換算表を用いて精神年齢が求められる．これをもとにDAM-IQが算出できる．
概要：本検査は人物像を描出するだけで容易であり，短時間で実施できるということが特色である．また，人物像の描出は幼児にとって自発的に好んで行われるもので，他の検査のウォーミングアップとして用いることもできる．
所要時間：5分

4 言語検査

　言語検査は，言語の諸側面について明らかにする検査である．先に紹介した発達検査や知能検査においても言語面についてある程度は把握することはできる．しかし，言語に特化した検査を実施することにより，詳細に言語の諸側面を把握することができる．

『絵画語い発達検査（PVT-R）』（Picture Vocabulary Test-Revised）[16]
目的：語いの理解力の発達水準を測定する．
対象：3歳0か月〜12歳3か月．
作成経過：1978年に初版が発行され，1991年に修正版が出された．2008年語いや図版を改め，再標準化された．
構成：練習項目と実際の検査として用いる図版が1〜15まであり，各頁に4枚の絵が描かれている．
概要：検査者が聴覚提示した単語に最もふさわしい絵を各頁の4枚の絵の中から選択させる．まず練習項目を行う．「○○はどれですか？指さしてごらんなさい」とたずねる．子どもが間違えた場合には正答を指さして教え，再度同じ単語を教示する．正しく答えた場合には，それを肯定してから次の単語を実施する．**語い年齢**（VA），**評価点**（SS）が求められる．
所要時間：約20分

『言語・コミュニケーション発達スケール 増補版（LCスケール）』（Language Communication Developmental Scale）[17]
目的：語彙，語連鎖，談話，語操作，音韻意識といった言語領域を言語表出，言語理解の観点から幅広く捉えるとともに，コミュニケーションにかかわる課題も設定し，子どもの言語・コミュニケーション能力を総合的に評価する．

対象：乳児期～学齢前.
作成経過：2005年に大伴らによって発行された.
構成：64の課題で構成されている．表出的側面と，言語の理解的側面，ことばの使用の基礎となるコミュニケーション的側面を評価する．「言語表出」領域は22課題，「言語理解」領域は21課題，「コミュニケーション」領域は28課題から構成されている（重複あり）．表出と理解は交互に絡み合いながら発達していく．乳幼児から学齢期まで5つの発達段階を設定し，「ことば芽生え期」「1語文期」「語連鎖移行期」「語操作期」「発展期」に分かれる（表3-3）.
概要：手ごたえ課題A，B，C，Dの順で実施する．A：「表出語彙1語」→「1語文期」，B：「2語連鎖」→「語連鎖移行期」，C：「事物の定義」→「語操作期」，D：「推論」「位置の表現」→「発展期」．最も高いレベルの手ごたえ課題から子どもの大まかな「発達レベル」を見出し，発達レベルに対応する課題を行う．単に1課題1得点ではなく，1つの課題について複数の通過基準を設定している．

「言語表出」「言語理解」「コミュニケーション」のそれぞれの領域のLC年齢，LC指数を求めることができる．
所要時間：約60分

『学齢版 言語・コミュニケーション発達スケール（LCSA）』[18]

目的：小学校の通常の学級に在籍する児童で言語・コミュニケーションに支援ニーズがあると考えられる児童や，特別支援学級などに在籍する児童のなかで，比較的高い知的水準にあると思われる児童の言語スキルの特徴を明らかにすることを目的とする．
対象：小学校1～4年生.
作成経過：2012年に大伴らによって発行された．学童期の言語スキルの全体像を捉える包括的なアセスメントである．
構成：「文や文章の聴覚的理解」，「語彙や定型句の知識」，「発話表現」，「柔軟性」，「リテラシー」

表3-3 LCスケールにおける言語発達の5段階

段階	内容
ことばの芽生え期	表出語彙をもたないが，コミュニケーションの基礎が築かれている時期
1語文期	有意味語は獲得されており，語連鎖の形成に向かっている時期
語連鎖移行期	2語連鎖の表現が可能であり，そのスキルを使った表現・理解を広げつつある時期．言語発達の程度により，語連鎖移行・前期と語連鎖移行・後期に分ける
語操作期	ことばを説明や論理的思考・表現の道具として使うことがいっそう可能になりつつある時期
発展期	より抽象的な語彙を獲得し，助詞・助動詞による複雑な表現へと展開しつつある時期．言語発達の程度により，発展・前期と発展・後期に分ける

の5つの領域を評価する課題から構成されている．
概要：本スケールは，10の下位検査で構成されている．Ⅰ．口頭指示の理解，Ⅱ．聴き取りによる文脈の理解，Ⅲ．音読，Ⅳ．文章の読解，Ⅴ．語彙知識，Ⅵ．慣用句，心的語彙，Ⅶ．文表現，Ⅷ．対人文脈，Ⅸ．柔軟性，Ⅹ．音韻意識，の各課題を実施する．各下位検査ごとに粗点を算出し，「得点換算表」から評価点に換算する．評価点の合計からLCSA指数とリテラシー指数を求め，LCSAプロフィールにグラフ化する．
所要時間：約60分

『国リハ式＜S-S法＞言語発達遅滞検査』[19]

目的：S-S法は意味するものと意味されるものとの関係，すなわち記号形式-指示内容関係（Sign-Significate Relations）のことである．この検査は，言語行動を3側面（記号形式-指示内容関係，基礎的プロセス，コミュニケーション態度）から捉え，言語発達障害児の包括的な評価・訓練プログラムである．
対象：0～6歳.
作成経過：1980年に言語発達遅滞検査法〈試案1〉

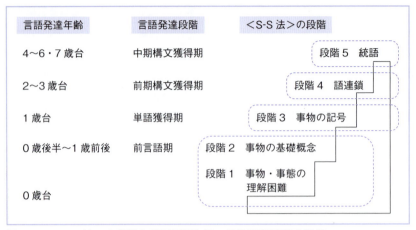

図3-2 ＜S-S法＞の段階と言語発達年齢・言語発達段階の関係

が完成し，1989年に言語未習得段階の評価・指導を拡充した言語発達遅滞検査法〈試案2〉が完成した．1991年〈試案2〉が日本音声言語医学会編「国リハ式〈S-S法〉言語発達遅滞検査」と改名された．その後も検査マニュアル改訂などが行われている．

構成：検査は，(1)記号と事物・事態の対応などの記号形式-指示内容関係，(2)弁別能力・記銘能力・模倣産生能力などの基礎的能力(プロセス)，(3)情緒的交流・伝達意図などのコミュニケーション態度の3側面から構成されている．

概要：言語の構造的側面としての「記号形式-指示内容関係」は5段階に段階づけされている(図3-2)．記号形式-指示内容関係を支えると仮定されている基礎的プロセスについては，有意味語獲得前の能力を，①動作性課題，②聴覚的記銘力，③身振り・音声模倣という3課題によって評価する．言語の機能的側面としてのコミュニケーション態度は，検査場面でのやりとりを中心に①コミュニケーション行動の相互性，②他者への注目，③感情表現，④特徴的な言語使用という観点から評価する．

所要時間：60〜90分

『質問-応答関係検査』[20]

目的：〈S-S法〉の包括的な評価のために臨床的な検査場面における子どもの会話能力を評価するために作成された．

対象：2歳台〜就学前の幼児(言語発達レベルが2〜6歳の子ども)．

作成経過：1990年から調査が行われ，1997年に発行された．

構成：1.日常的質問，2.なぞなぞ，3.仮定，4.類概念，5.語義説明，6.理由，7.説明，8.系列絵，9.物語の説明，10.文章の聴理解といった10課題があり，合計57項目からなる．

概要：「1.日常的質問」では，名前や年齢など，子どもが日ごろ触れる定型的な問いに答える課題である．「2.なぞなぞ」では，「雨の日にさすものは何？」→「傘」のように，ことばでことばを想起する課題となる．採点基準に従い，課題ごとに得点を出す．総得点を算出し，質問-応答関係検査サマリープロフィールに総得点，課題ごとの得点をプロットし，線で結びプロフィールを出す．これにより，課題ごとあるいは検査全体での発達年齢を求めることができる．

所要時間：10〜30分

『新版 構文検査—小児版—』〔Syntactic Processing Test for Children-Revised(STC)〕[21]
目的：小児の構文機能を客観的に評価し，訓練・指導の手掛かりを得る．
対象：言語聴覚障害がある幼児・児童または言語獲得期にある定型発達児（幼児～小学校低学年）
作成経過：1982年に失語症構文検査（試案Ⅰ），1983年に失語症構文検査（試案Ⅱ），1985年に失語症構文検査（試案ⅡA）が発表された．2016年失語症構文検査と構文検査—小児版—が分離され，検査項目の再編成と標準化が行われた．
構成：聴覚的理解検査と産生検査．下位検査は，聴覚的理解検査（40問），産生検査（15問）である．
概要：聴覚的理解検査，産生検査の順に実施される．聴覚的理解検査では，レベルⅠ（語の意味），レベルⅡ（語順），Ⅲ（助詞，補文－），Ⅳ（助詞，補文＋），関係節文について評価する．産生検査では自由発話と対照文を与えてからの発話である．

『改訂版 標準 読み書きスクリーニング検査(STRAW-R)』〔Standardized Test for Assessing the Reading and Writing(Spelling) Attainment of Japanese Children and Adolescents〕[22]
目的：発達性読み書き障害(developmental dyslexia)を検出することを目的に作成された検査である．
対象：小学校1年生～高校3年生．
作成経過：初版(STRAW)は2006年に発行されたが，流暢性の評価が含まれない点や相対的な評価ができないなどの指摘があったため，改訂版のSTRAW-Rが2017年に発行された．
構成：本検査の構成は音読，書取，計算，RANの4種類である．今回の改訂で，主に読みに関して改定がなされており，文章の音読を用いた流暢性の評価や，漢字音読の正確性の相対的評価として小学校1年生から高校生まで共通して126単語の音読を実施し，漢字音読年齢の算出を可能としている．また，文字習得に必要と考えられる認知検査であるRAN課題と計算課題が追加されたこ とで，簡易的な発達性読み書き障害（発達性ディスレクシア）のスクリーニングが可能となった．
概要：1. 単語・非語・文章についての音読の流暢性（速読），2. 漢字・ひらがな・カタカナの1文字，単語の音読と書取（聴写）の正確性，3. RAN(rapid automatized naming)，4. 加減乗除の計算の側面について評価を行う．
所要時間：10～40分

上記以外の言語検査としては，乳幼児健康診査の場で言語とコミュニケーション発達の評価を行うための『日本語マッカーサー乳幼児言語発達質問紙』[23]などがある．

5 自閉症スペクトラム障害／注意欠如・多動性障害の診断・評価のために用いられる検査

ここでは代表的な検査を紹介する．
「CARS2日本語版」（小児自閉症評定尺度 第2版）[24]は，これまでの「CARS」を「標準版」とし，IQ 80以上の流暢な言語水準の6歳～成人のASDに対応する「高機能版」と親や養育者が記入する質問紙が加わった．「対人関係と感情理解」「変化の適応」などの15分野についてT得点とパーセンタイルが算出でき，対象者の特徴はASD全体の中のどこに位置づけられるかが把握できる．
「親面接式自閉スペクトラム症評定尺度 テキスト改訂版(PARS®-TR)」[25]は，スクリーニング・診断で用いられる．対象年齢は，幼児期以降である．評定項目は1)対人，2)コミュニケーション，3)こだわり，4)常同行動，5)困難性，6)過敏性，のPDDに特徴的な6領域で構成されている．カットオフスコアが設けられており，ASDのスクリーニングにも役立つ．PARS短縮版により，より簡便な評価もできる．
「乳幼児期自閉症チェックリスト修正版(M-CHAT)」[26]は，保護者記入式の質問紙である．対

象は16～30か月である．乳幼児健康診査でスクリーニングとして使用し，回答結果が基準値を超えた場合は，約1か月後に電話面接で，不通過項目を中心に発達状況を確認する．全23項目中，3項目以上が不通過，または重要6項目(「他児への関心」，「呼名反応」など)中2項目以上で不通過であった場合は，個別面接となる．

「ADHD-RS-Ⅳ日本語版」[27]は，5～18歳が対象であり，保護者，教師記入式の質問紙である．家庭版と学校版がある．不注意9項目，多動性・衝動性9項目の計18項目で構成されており，各項目を4段階評定する．治療効果の判定にも使用される．

6 視知覚認知および視覚記憶に関する検査

視知覚認知および視覚記憶に関する検査については次のようなものがある．

「DTVPフロスティッグ視知覚発達検査」[28]は，4歳～7歳11か月を対象に，「視覚と運動の協応，図形と素地，形の恒常性，空間における位置，空間関係」の5種類の知覚技能の評価を行い，読み書きの基礎能力を評価する．

「ベンダー・ゲシュタルト・テスト(BGT)」[29]は，児童用(5～10歳)と成人用(11歳～成人)の2種類あり，9個の幾何学図形を模写し，分析することで精神発達の程度や脳障害などを評価することができる．

「Rey-Osterrieth複雑図形テスト(ROCFT)」[30,31]は，後天性脳障害患者の視覚認知・視覚構成・視覚記憶などにかかわる脳機能障害の評価として用いられてきたが，近年漢字にかかわる読み書きの基礎的能力の評価として用いられるようになった．図形を模写し，直後(即時再生)，30分後(遅延再生)に同じものを書いてもらう．各課題について18の採点部位について線の正確性や相対的配置について評価を行う．

G 個別検査を実施する際の留意点

最後に個別検査を実施する際の留意点について述べる．

①検査の開発の背景を知る．

言語検査・発達検査・知能検査を実施するにあたっては，作成者がどのような目的で開発したかについて理解しておくことが重要である．

例えば，LCスケール(言語・コミュニケーション発達スケール)の開発者である大伴ら[17]は，LCスケールは，言語発達過程を単に語いの増加といった量的な発達だけでなく，乳幼児期の発達の段階で異なる伝達様式を身に付けていく質的な成長と捉えている．言語発達を「語い」，「語連鎖」，「統語」，「談話・語操作」，「音韻意識」，「コミュニケーション」という複数の領域で評価し，この領域間の発達のバランスを検討し，子どもの言語面の特徴を明らかにすることを目的としている．このように，検査作成者の考えを理解しておくことが大切である．

②検査の実施のためにそれぞれの検査に習熟する．

検査を実施するにあたっては，各検査のマニュアルを読み，検査の目的，実施方法などについて習熟する必要がある．また，各検査の講習会なども実施されているため，そのような講習会に参加することも有用である．

③発達段階をふまえた検査を実施する．

実施する子どもの発達段階や検査の適用年齢をふまえて実施する検査を選択することが必要である．また検査を実施する前に子どもや親とのラポートが取れるような配慮も重要である．

④問題の意図を理解させる．

検査に練習問題があるかどうかの確認をするとともに，検査者には，検査の標準的な実施手続きの範囲内で，子どもが検査の意図を十分に理解できるような工夫が求められる．

⑤見通しを与え，注意をしっかりと引く．

　発達特性から，「あとどれくらいで検査が終了するのか」という見通しを与えたほうが落ち着いて検査ができる子どもが多い．子どもの年齢や理解の度合いに応じ，写真や表を用いて検査の流れを目で見て確認できるよう視覚的支援を行う．

　子どもが検査時に教示を聞いていなかったり，問題をよく見ていなかったりして不通過になることをなるべく避けたい．そのためには教示する際に子どもが課題に注意を向けているか観察しながら検査を実施することが重要である．

⑥検査実施中の行動を記録する．

　検査実施中の様子から，検査項目になくても，落ち着きや集中の様子，刺激の量や好み，コミュニケーション・対人関係の特徴などを観察することができる．そのことが支援のヒントにつながる場合も多い．どのような声かけ，指示の与え方が有効であるかといった視点をもって実施することが重要である．

⑦子どもの全体発達を支援するための情報収集を行う．

　相談に来所する幼児の場合は，子どもがまだことばの獲得の途上にある．言語，コミュニケーションの発達は，ほかの発達の側面，すなわち身体運動の成熟，知的な発達，社会性の成長，身辺処理技術の獲得などと連動して進行するものである．評価において，発達全体を俯瞰することが重要である．

引用文献

1）山口浩明，他：知的障害．伊藤元信，他（編）：言語治療ハンドブック．pp128-131，医歯薬出版，2017
2）医科診療報酬点数表．令和2年4月版，社会保険研究所，2020
3）三宅和夫（監），大村政男，他（編）：KIDS 乳幼児発達スケール；Aタイプ（0：01〜0：11用），Bタイプ（1：0〜2：11用），Cタイプ（3：0〜6：11用），Tタイプ（発達遅滞児向き）．発達科学研究教育センター，1989
4）津守真，他：増補版 乳幼児精神発達診断法 0歳〜3歳まで．大日本図書，1961
5）津守真，他：乳幼児精神発達診断法 3歳〜7歳．大日本図書，1965
6）生澤雅夫，他（編著）：新版K式発達検査2001．京都国際社会福祉センター，2002
7）遠城寺宗徳：遠城寺式乳幼児分析的発達検査法．九州大学小児科改訂新装版，慶應義塾大学出版会，2009
8）上田礼子：日本版デンバー式発達スクリーニング検査—JDDSTとJPDQ．医歯薬出版，1983
9）田中教育研究所：田中ビネー知能検査V．田研出版，2003
10）Wechsler D（原著），日本版WPPSI-Ⅲ刊行委員会（日本版作成）：WPPSI™-Ⅲ知能検査．日本文化科学社，2017
11）Wechsler D（原著），日本版WISC-Ⅳ刊行委員会（日本版作成）：WISC™-Ⅳ知能検査．日本文化科学社，2010
12）前川久男，他（編）：日本版DN-CASの解釈と事例．日本文化科学社，2017
13）Naglieri JA，他（原著），前川久男，他（日本版作成）：DN-CAS認知評価システム．日本文化科学社，2007
14）Kaufman AS, Kaufman NL，日本版KABC-Ⅱ制作委員会：KABC-Ⅱ心理・教育アセスメントバッテリー．丸善出版，2013
15）Goodenough FL（原著），小林重雄，他（日本版作成）：DAM グッドイナフ人物画知能検査 新版．三京房，2017
16）上野一彦，他：PVT-R絵画語い発達検査．日本文化科学社，2008
17）大伴潔，他：LCスケール増補版 言語・コミュニケーション発達スケール．学苑社，2013（初版2005）
18）大伴潔，他（編著）：LCSA学齢版 言語・コミュニケーション発達スケール．学苑社，2012
19）小寺富子，他（編著）：国リハ式〈S-S法〉言語発達遅滞検査．エスコアール，1998
20）佐竹恒夫，他：質問-応答関係検査．エスコアール，1997
21）藤田郁代，他：新版 構文検査—小児版—．千葉テストセンター，2016
22）宇野彰，他：STRAW-R改訂版 標準読み書きスクリーニング検査—正確性と流暢性の評価—．インテルナ出版，2017
23）Fenson L, et al（原著），小椋たみ子，他（日本語版）：日本語マッカーサー乳幼児言語発達質問紙（JCDIs）．京都国際社会福祉センター，2004
24）Schopler E, et al（原著）内山登紀夫，他（監修・監訳）：CARS2日本語版．金子書房，2020
25）一般社団法人発達障害支援のための評価研究会（編著）：PARS®-TR 親面接式自閉スペクトラム症評定尺度 テキスト改訂版．金子書房，2018
26）Baron-Cohen，他（原著），神尾陽子，他（日本語版）：日本語版乳幼児自閉症チェックリスト修正版（M-CHAT）．国立精神・神経医療研究センター精神保健研究所
27）DuPaul, G. J，他（原著），市川弘伸，他（監）：診断・対応のためのADHD評価スケール ADHD-RS（DSM準拠）．明石書店，2008
28）Frostig M（原著），飯鉢和子，他（日本版作成）：フロスティッグ視知覚発達検査 実施要領と採点法手引 尺度修正版．日本文化科学社，1977
29）Bender L（原著），高橋省己（日本版作成）：ベンダー・

ゲシュタルトテスト：ハンドブック増補改訂版．三京房，2018
30) 久保田あや子，他：発達性ディスレクシアのアセスメントにおけるRey-Osterrieth複雑図形（ROCF）の有効性の検討—小学生におけるROCFの発達的変化と書字エラーとの関連—．滋賀大学教育実践研究指導センター紀15：66-77, 2007
31) 眞田敏，他：発達障害をともなう子どもへのRey-Osterrieth複雑図形検査の臨床応用．岡山大学大学院教育学研究科研究収録156：7-13, 2014

3 評価のまとめ

A 評価のまとめの位置づけ

評価のまとめを行うにあたっては，まず図3-3の「言語聴覚療法の実践課程」を通して考えてみたい[1]．

「言語聴覚療法の実践過程」では，ことばの遅れやコミュニケーションの問題を主訴に来所する幼児・児童に対して①評価・言語障害学的診断（以下，評価・診断），②訓練・指導，③再評価という一連の流れで対応する．

通常，第一段階の「評価・診断」を行うためには，まず情報収集である．保護者や本人との面接を通して主訴・生育歴・相談歴・治療歴を聴取する．そして問題を明らかにするために各種検査を実施する．その結果を分析統合し，方針・指導仮説の設定を行う．この評価・診断過程を報告書にまとめる．そして，方針・指導仮説に基づきながら「訓練・指導」を実施する．そして「再評価」を行う際には，検査を実施し，再評価報告書をまとめる．このように「言語聴覚療法」の過程は，報告書（評価のまとめ）と切り離すことはできない．

B 評価・診断過程の留意点

評価・診断過程において留意すべき点について次の3点である[2]．
① 幼児や児童の検査や観察の結果は，場面や子どもの体調の状況によって大いに影響を受け変動するものである．確実な資料を得るには観察や検査を継続することが必要である．
② 幼児期の状態像は成長とともに変化するため，定期的に検査や観察を行い発達経過を正しくとらえることが必要である．
③ 子どもの状態像や発達は支援活動の効果によって変化する可能性があり，効果的な指導は言語発達障害の予後を変える場合もある．

図3-3　言語聴覚療法の実践過程（PDCAサイクル）

C 包括的な評価・診断に向けて

検査を支援につなげるためには，いわゆる心理検査・言語検査などの検査結果と，検査結果だけでは十分に把握できない子どもの情報と，実施した検査による結果を分析・統合していくことが必要になる．それぞれの情報は相補的関係にあるという視点をもつことが大切である．子どもの対応が困難であればあるほど，子どもを取り囲む環境に関する情報が役立つ場合がある．

具体的には，保護者や他児とのコミュニケーションの取り方や本人の興味関心（余暇活動），苦手な刺激，どんな刺激に対して過敏性があるかなどを把握することが必要である．子どもの日常生活の情報はとても重要である．服用している薬，医療上の問題や身体の状態（例，喘息・アレルギー，発作など），睡眠時間や睡眠リズム，食事やその内容，テレビや動画の視聴時間など，普段の生活リズムが変わった時に，子どもの成長発達や適応行動に変化があることはよくあることである．

これらの情報については，主に家族への面接で情報収集することになるが，保護者の承認を得て所属する集団（保育所，幼稚園，学校）から情報を得ることも重要であることはいうまでもない．

D 包括的な評価・支援につなげるためのICFの活用

全体像の把握のためには，情報収集で得た情報を国際生活機能分類（International Classification of Functioning, Disability and Health：ICF）の項目にそってまとめていく．

情報収集で得られた子どもについての情報や検査結果は，項目ごとに列挙すれば膨大な情報量となる．そのため言語聴覚療法を実施するうえで重要なものを選択する必要がある．情報内容を整理するために，国際生活機能分類の各種要素（心身機能・身体構造，活動，参加，環境因子，個人因子）ごとに肯定的側面と否定的な側面がわかるように記載して，振り分けるという作業を行う．これによって，単に障害に焦点を当てた支援ではなく，子どもがもつ肯定的な側面に焦点を当てた包括的な支援を計画することができる（図3-4）[3]．

E 収集した情報のまとめと報告書の作成

表3-4に収集した情報をまとめ，支援を行っていくための報告書の記載内容について示した．①基本情報，②評価・指導の目的・内容，③評価・指導の結果，④包括的な考察，⑤支援方針の記載が基本であるが，誰にむけた報告書であるかによって，記載内容は変わってくる．

(1) 基本情報ではジェノグラム（→ Note 18）で家族構成を記載しておく．近年の複雑化する子どもの環境を視覚化することは，家族支援を考える際にも有効である．すでに他施設を利用している場合は診断名や言語障害名を記載する．来所目的や発達経過，家族構成などについては事前にアンケートを書いてもらうことが多い．

(2) 評価・指導の目的では，検査・指導を行う際には，インフォームドコンセント（説明と同意）を得ることが重要である．

(3) 評価・指導結果では，行動観察，各種検査，そして保護者面談で得られた情報を整理して記載する．行動観察では待合室での親子のやりとりの様子の観察も重要である．日常の親子関係をみることができる場面である．

(4) 考察では，評価指導結果を包括的（総合的）にとらえて記載していくことになる．まず，想定される言語障害名の記載を行う．初回評価

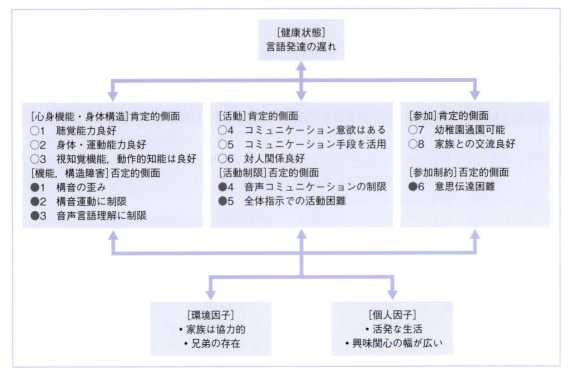

図3-4 ICFの構成要素間の相互作用の図を参考にした言語発達に遅れがある小児例
〔独立行政法人国立特別支援教育総合研究所(編著):ICF及びICF-CYの活用 試みから実践へ—特別支援教育を中心に—. p9, ジアース教育新社, 2007より改変〕

の段階では言語障害名の確定は難しく,「○○の疑い」と書くことが多く,特に低年齢の場合はその傾向が強い.次に認知,言語,行動の各側面について,項目間の関係(バランス)について考察していくことになる.例えば知的障害が疑われる子どもの生活年齢と認知面,言語面の関係をみていくことにする.この場合,生活年齢に比して認知面が低くなるが,認知面と言語面についての発達年齢の差は少ない.このような包括的な記載が,想定した言語障害名の根拠となる.同様に各項目内について行う.認知面では言語性知能と非言語性知能,継次処理と同時処理の関係(バランス),言語面では,理解言語と表出言語,音韻・意味・統語・語用の関係(バランス)について検討し,記載していく.

(5) 家族関係・環境について支援方針を考えていく際にも包括的な視点が重要である.子どもを取り巻く,両親や祖父母それぞれに思い・考え方がある.家族全員が同じ方向をみて関われれば良いが,それが難しい場合もある.他の専門職との連携・協働が必要になる場合も多い.生活環境も子どもの成長・発達には重要であり,食事,生活,睡眠などについて把握することも,支援には欠かせない.

(6) 考察の最後には,長所・問題点をICFの観点で整理しておくことが,より良い支援を考える際に有効である.特に障害の部分にのみ焦点をあてるのでなく,長所(strength)を把握することが支援に結びつく.また,環境因子では,物的環境と人的環境がある.子どもの成長・発達は環境との相互作用が重要であることから,直接的指導とあわせて環境調整(間接的指導)も具体的に計画することが必要である.

表 3-4 報告書の記載内容例

Ⅰ．基本情報
- 氏名，生年月日，家族構成（ジェノグラムで記載），主訴，発達歴，既往歴，相談歴，過去の評価の結果などの特記事項など，現在の所属集団
- 診断名・言語障害名の記入（すでにあれば）

Ⅱ．評価・指導概要
- 評価および指導の目的，内容

Ⅲ．評価・指導結果
1. 行動観察
   1) 待合および入室時の状況
   2) 検査者との関係の取り方
   3) 玩具，道具の扱い，検査・課題への取り組み方
   4) 母親との関係の取り方
2. 検査
- 検査結果と所見，検査のまとめ
3. 保護者面談結果とまとめ

Ⅳ．考察
1. 言語障害名
2. 認知面，言語面，行動面などから検討（言語障害名の根拠の記載）
   ※下記項目間のバランスについて記載する．
- 認知面
- 言語の構成要素（音韻，意味，統語，語用）
- 言語理解
- 言語表出
- 社会性（コミュニケーション，集団参加など）
3. 家族関係・環境
4. 長所，問題点の整理（ICFの利用）

Ⅴ．今後の支援方針
- 目標（長期・短期目標）
- 直接的指導，環境調整（間接的指導）

Note 18. ジェノグラム

ジェノグラム（家族関係図）は，家族構成を表した図のことである．原則的には3世代程度をさかのぼる形で作成される．一般的には，男性が「四角」で，女性が「丸」で表される．本人は二重の四角または円で表示する．

ジェノグラムを作成すると家族関係が一目瞭然となり，問題を整理し，家族の誰がキーパソンとなるかなど支援策を検討するのに役立つ．

---

(7) 今後の支援方針では，長期目標（6か月～1年後），短期目標（3か月後）を設定していく．短期目標を考える際に重要なのは，ヴィゴツキーの「発達の最近接領域」[4]とブルーナーの「足場かけ」の考え方である[5]．子どもの指導目標を設定する際は，検査や観察などで得られた現在の発達段階の少し上（発達の最近接領域，zone of proximal development：ZPD）の課題を設定し，それどのように支援するか（足場かけ：scaffolding）が重要である．

(8) 環境面へは，物的環境としての学びの場や（視覚的支援のための）教材・教具の検討と，人的環境として保護者，保育士，幼稚園／小学校教諭，専門職など子どもに関わる人すべてが対象である．環境面の整備は「合理的配慮」として子ども達の活導・参加を妨げている社会的障壁を取り除き，成長発達を支援するものと捉える必要がある．

以上のような点を考慮しながら，報告を作成していくことが必要である．

引用文献

1) 畦上恭彦：言語聴覚士．北島政樹（総編集）：保健医療福祉のための臨床推論―チーム医療・チームケアのための実学―．朝倉書店，2016
2) 西村辨作（編）：入門コース ことばの発達と障害2 ことばの障害入門，大修館書店，2001
3) 独立行政法人国立特別支援教育総合研究所（編著）：ICF及びICF-CYの活用 試みから実践へ―特別支援教育を中心に―．p9，ジアース教育新社，2007
4) 柴田義松：ヴィゴツキー入門（寺子屋新書）．子どもの未来社，2006
5) 今井康晴：ブルーナーにおける「足場かけ」概念の形成過程に関する一考察．広島大学大学院教育学研究科紀要 57：35-42，2008

第 4 章

指導と支援

1 発達段階に応じた指導

学修の到達目標
- 発達段階（水準）ごとの指導について述べることができる．

A 指導の基本的背景

1 指導領域・指導目標の設定

言語・コミュニケーションの発達に遅れのある子どもへの指導を開始する第一歩として，指導を要する領域（伝達手段のレパートリー，伝達機能，語彙，統語，談話，メタ言語，書記言語）と具体的な目標を設定する．保護者からの主訴や言語・コミュニケーション行動の観察，アセスメントなどの結果にもとづいて決定する．なお，言語・コミュニケーション面の課題だけでなく，注意や視覚的弁別，ワーキングメモリ，実行機能といった**認知領域**，自発性，協力，感情の理解といった**情動・社会性領域**にも配慮する．

2 目標水準の設定：発達の最近接領域の配慮

指導目標を設定する際に，「スモールステップを心がける」という言い方をすることがある．最終的な目標に到達するために，到達可能な短期目標を設定し，積み重ねることで徐々に長期目標に近づくという考え方である．ロシアの心理学者ヴィゴツキー（L.S. Vygotsky）は**発達の最近接領域**という概念を提唱した（図4-1）．大人の援助により達成できる水準や，仲間と一緒のグループ活動であれば到達できる水準までを発達の最近接領域と呼ぶ．

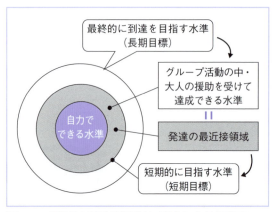

図4-1 「発達の最近接領域」に配慮した目標設定

教材を選択したり，指導内容を設定したりする際には，子どもの水準よりもわずかに高いレベルの課題を用意することが重要である．例えば，言語表出が困難な子どもの場合，オノマトペや音節数の少ない語の産出から始める，短い語連鎖の中で産出を求める，なじみのある高頻度語から語彙を導入する，といった配慮である．日常生活の中で使う機会が多く，役に立つ，**語用論的必要性**の高い表現を目指すといった配慮も重要である．

3 指導アプローチの多様性

言語・コミュニケーションの指導方法には，いくつかの分類の仕方がある．表4-1の分類では，子どもと大人のかかわり方をもとに「発達論的アプローチ」と「行動論的アプローチ」に整理している．また，課題の枠組みの柔軟さの観点から，自由場面型と課題設定型に分けている．ただし，これらの要素が融合するスタイルもある（→ Note 19）．

表4-1 指導スタイルの類型化

言語指導のスタイル	自由場面型 ⇔	課題設定型
発達論的アプローチ	自由遊び場面で子どもに主導権を委ねてコミュニケーションを取るなかで，発達論的方略を用いる．	指導目標に到達するための教材・課題を設定し，相互交渉のなかで，発達論的方略を用いる．
行動論的アプローチ	子どもの自発的活動のなかに標的行動の定着に向けた課題を組み入れ，行動論的方略を用いる．	標的行動の確立のための個別的課題を設定し，行動論的方略を用いて行動の定着を図る．

a 発達論的アプローチ

定型発達児は，乳児期から共同注意(➡第1章5頁参照)を介した人とのかかわりを通して，情動を含めた多様な経験を積む．自然な母子間のやり取りを分析した発達論的研究の知見にもとづき，言語・コミュニケーションの促進に有効なかかわり方を抽出し，支援方略として整理したものを発達論的アプローチと呼ぶ．子どもからの自発的なコミュニケーションを重視し，聞き手の対応や言語環境を調整することで，子どもの発達を最大限に促すことを主眼としている．本節で紹介しているとばかけや応答の工夫，環境調整は発達論的アプローチに分類される．

b 行動論的アプローチ

子どもに特定の伝達行動を身につけてもらいたい場合もある．そのような行動面のスキルの習得には，スキナー(Skinner, B.F.)の学習理論から発展した**応用行動分析**(applied behavior analysis：ABA)が用いられることがある．ある状況で子どもが適切な行動(正反応)を起こしたら，即座に報酬を与えることによって，その行動が定着するように**強化**する．個別指導場面において，一定の基準に達成するまで学習試行を何度も繰り返していく方法を**不連続試行訓練**(discrete trial training：DTT)と呼ぶ．近年の応用行動分析は，より自然な人とのかかわりのなかで自発する，機能的なコミュニケーション行動を重視するようになっている(**機会利用型指導**)．応用行動分析理論にもとづく指導方法を行動論的アプローチと呼ぶ．

c 自由場面型と課題設定型

指導アプローチは，活動の自由度の高いスタイルと，課題設定を優先するスタイルに大きく分けることができる．**自由場面型**では，子どもの自発的な遊びや表現を引き出すことを優先する．子どもに活動の主導権を与えるなかで，発話や遊びのモデルを提示し，より適切な理解や表現に導いていく．**課題設定型**では，例えば絵カードの呼称のように，目指される子どもの表出が明確であり，限定的である．自由場面型でも特定の発話を引き出すために遊具が意図的に配置されたり，課題設定型でも子どもに活動の主導権を与えたりするなど，両者の特徴が融合されるスタイルもある(➡Note 20)．

学童期のメタ言語的活動や読み書き指導は，基本的には課題設定型である．教材の内容が指導目標に沿っているか，教材の難易度が子どもの発達水準に照らして適切であるか(発達の最近接領域に設定されているか)，子どもが自ら課題に取り

> **Note 19. 包括的アプローチ**
> 自閉症スペクトラム障害児への支援方法には，発達論的アプローチの理論的背景と応用行動分析の要素が組み合わされたアプローチも提唱されており，包括的アプローチと呼ぶことができる．包括的アプローチには，TEACCHプログラム，SCERTSモデル，デンバーモデル(early start Denver model：ESDM)などがある．
>
> **Note 20. インリアルアプローチと<S-S法>**
> インリアルアプローチは自由場面型の発達論的アプローチであり，<S-S法>は行動論的要素を含む課題設定型の指導である．なお，「行動主義的アプローチ」「認知・言語的アプローチ」「語用論的アプローチ」に分類することもできる[1]．

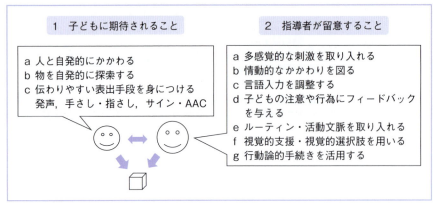

図4-2 前言語期における言語指導の観点

組もうとするか，といった点が重要になる．大人とのかかわりではなく，子どもの主体的な取り組みが前提となるため，発達論的／行動論的という類型化には当てはまらない．

B 前言語期における指導

1 子どもに期待されること

指導目標の設定にあたっては，現在の子どもの発達水準に照らして，何をどの程度できるようになってもらいたいかを検討する．前言語期の子どもには主に以下の3点が期待される（図4-2）．

a 人と自発的にかかわる

前言語期の子どもは，人とのかかわり方に個人差が大きい．重度の知的障害や肢体不自由などが重複する子ども（**重度重複障害児**）は，身の回りの全般について大人の介助が必要である．一方，自分から人とのかかわりを求めるが，言語理解にもとづく行動や言語表出が認められない子どもや，知的発達障害をともなう自閉症スペクトラム障害の子どものように，人とのかかわりが乏しく無発語の子どももいる．自分から人に働きかける**自発**

性が乏しかったり，周囲からの働きかけに応じる力（**応答性**）も低かったりする子どもには，後述する方略を用いて，自発的に人にかかわる意欲を育てることが重要となる．

b 物を自発的に探索する

知的発達に重度の遅れがある子どもの場合，身近な物にも関心を向けなかったり，物を手に取るだけであったり，顔や口で物の感触を探る扱いが中心になったりすることが多い．物を探索しようとする意欲を育み，探索の機会を増やすために，子どもの興味を引き出す教材を用意する．上肢に運動障害のある子どもは，特に探索の経験が少ない．わずかな動きでスイッチを入れることができる電動の玩具や楽器は，子どもにとって興味深い視覚的・聴覚的なフィードバックを与える．運動障害がない子どもの場合は，「手を伸ばす」「つかむ」「振る」「容器に入れたり出したりする」など扱いのモデルを示して，子どもの行為のレパートリーが広がるように働きかける．

c 伝わりやすい表出手段を身につける

前言語期の子どもの伝達手段には，視線，表情，手さし・指さしを含む手の動きといった身体的な表出や，**拡大（補助）・代替コミュニケーション**（augmentative and alternative communication：**AAC**）,発声などがある.これらの伝達機能には,要求,叙述,あいさつなどがあるが,前言語期の子どもの表現は意図が読み取りにくい.そこで,意図が伝わりやすい伝達手段を身につけてもらうことが目的となる.指導領域や観点を組み合わせて,指導目標が設定される.例えば,「手さし」という**伝達手段**,「要求」という**伝達機能**,**認知領域**では「視覚的弁別」,**情動・社会性**では「自発性」を組み合わせると,「2つの玩具のうち,遊びたい玩具に手を伸ばして選択して,相手に要求を伝える」となる.

2 指導者が留意すること

前言語期の子どもの指導においては,以下の点に留意して指導内容を考える.

a 多感覚的な刺激を取り入れる

認知発達全般に遅れのある子どもには,多様な感覚を通して直接的に働きかけていく.向かい合って手遊び歌を一緒に楽しむことがあるが,対面することで視線が相手に焦点化されやすい(**視覚**).歌のリズムやメロディー,歌詞という**聴覚**への刺激,子どもの手を取ったり身体をくすぐったりするという**触覚**への刺激もともなう.両端を大人が持ったシーツやブランケットに子どもを載せて揺らすシーツブランコでは,揺らしや上下動が加わるといった**平衡感覚**にも刺激を与える.このような活動は覚醒水準も高める.

物への注目や探索行動を促すため,重度重複障害のある子どもには,光ったり(視覚),音が鳴ったり(聴覚),柔らかさや独特の触感(触覚)があったりする新奇性のあるおもちゃを用いる.思わず物に手が伸びる状況を作り,後述する言語入力やフィードバックを与えてかかわりのきっかけを作る.操作が単純だが,操作の結果がわかりやすい,輪を積み上げる玩具やスイッチも有効である.AAC機器の使用を目指す子どもでは,スイッチを操作すると光・音・振動などが生じる,という因果関係を学習することから始める.

物を持ったときに感じる重さや,「そっと持つ」「強くにぎる」という行為から得られる**固有覚**(身体の関節の曲がり具合,身体部位の位置,筋肉の動きや緊張度などの感覚)のフィードバックも活用する.子どもが経験する感覚をオノマトペに置き換えて聞かせ(例「ピカピカ」「ゆーらゆーら」「ギュー」),感覚を言葉に置き換えて聞かせる.

b 情動的なかかわりを図る

人とのかかわりの基盤の1つは情動の共有である.快適な感覚と,笑顔をともなう快の情動は,活動の参加を促す.また,子どもができることという「能力」,できたことという「到達度」ではなく,子どもが行おうとする「意欲や努力」に対して,大人はことばかけで承認し,賞賛する(「すごいね」など).情動面の反応が少ない自閉症スペクトラム障害児への介入でも,近年は情動面の支えが重視されている[2].

先に述べた,遊具に力を加える経験は,触覚や固有覚からの感覚刺激を受けるだけでなく,噛む・握る・押しつけるといった行為を通してストレスが発散されるという側面もある.また,感覚・感情についての共感的なことばかけ(「おいしいね」「うれしいね」)は,認められているという安心感をもたらす.

c 言語入力を調整する

親が乳幼児に話しかけるときには,ゆっくりした速度や,強調された抑揚で話し(韻律),子どもになじみのある語彙を繰り返し(語彙),単純な文型で(構文),子どもの目の前で起こっていることについて話す(内容)という特徴がある(➡第1章10頁参照).指導場面における前言語期の子どもへの語りかけも,このような配慮を行うとともに,大人が話す内容について具体物を見せたり身振りを添えたりして理解を促す.言語理解やコミュニケーションへの参加を促す環境の調整を**足場かけ**と呼ぶ(➡ Note 21).

表 4-2　言語的マッピングの例

対象となる事物	大人の発話の例
・子どもが見ている物	「でんしゃ」「ジュースね」「パズルやりたい」
・子どもが見ている物の特徴と状況	「かわいい」「大きいね」「おちちゃった」
・子どもの行為	「開かないね」「開いた」「積み木じょうず」
・子どもの意図や感情	「やりたいね」「いや」「もっとほしいね」

なお，子どもから表現を引き出すために，話しかけ続けるのではなく，反応のための時間の余裕を与えることも大切である．大人の働きかけの後はしばらく待ち，子どもにターンテイキングの機会を与える．

d　子どもの注意や行為にフィードバックを与える

子どもから自発的表現を最大限に引き出すためには，子どもにやり取りの主導権を与えるように心がける．①子どものわずかな表情や視線の変化や，身体の動きから子どもの感情や意図（要求，拒否など）を大人が読み取って，②大人は表情や身ぶり，言葉で子どもの表出を受け止めたことを示して応じる．子どもの動きにオノマトペをつけても良い．

子どもと大人が同じ対象に注目する**共同注意**（joint attention）の場面や，同じ事物に一緒にかかわる**共同行為**（joint engagement）の場面（図4-2：子どもと大人から物への矢印）においては，目の前の事物や子どもの行為を言葉に置きかえて聞かせる．子どもの注意の対象を言語化することを**言語的マッピング**と呼ぶ（表4-2）．前言語期の子どもにとっても，自分が注意を向けている対象についての大人の発話は理解しやすい．言語的マッピングは，言葉と，言葉が示す指示対象や行為との連合につながる．

なお，物品名の学習では，大人が子どもに物を見せて名称を聞かせがちである．しかし，前言語期から幼児前期までの水準の子どもには，子ども自身が興味をもって自発的に探索している時に，その事物の名称を聞かせるほうが，習得されやすい[3]．したがって，物を操作することのできる子どもの場合は，①子どもの興味を引き，子どもが自ら探索や操作を行うような玩具や教材を用意する．そして，②子どもの注意の対象を大人が読み取り，その対象に即した語りかけや，子どもの行為を言語化して**高頻度**で聞かせる．

e　ルーティン・活動文脈を取り入れる

「いないいないばあ」遊びや食事の前の「いただきます」のような，パターン化した活動の流れ（**ルーティン**）は，子どもに見通しを与えるため，子どもの自発的な参加を促す（→ Note 22）．予期せぬ出来事への対応が困難な自閉症スペクトラム

> **Note 21.　足場かけ**
> 足場かけ（scaffolding）は心理学者のブルーナー（Bruner, J.）が理論化した概念であり，子どもが「発達の最近接領域」に進むための援助を提供することを指す．建築現場で使われる足場は，建設中は支えとなるが，建物が完成に近づくにつれ，外される．同様に，大人の発話にともなう身振りや子どもの目の前の状況は，子どもの言語理解を助けるが，言語発達とともにそれらは不要になってくる．

> **Note 22.　ルーティンの活用**
> 重度重複障害児のなかには，自分が置かれた状況や出来事の流れを理解することが難しい子どもがいる．活動の流れを一定にして，「音楽が聞こえると活動が始まる」「チャイムの音でスイッチを使った遊びが始まる」といった2つの出来事の流れ（音→活動）を取り入れるようにする．この流れを繰り返し経験することで，子どもは次に起こることを予期し，スムーズに次の活動に移行できる．出来事の流れを一定にすることは，状況理解を促す環境調整である．

障害児にとっては，見通しのもてる活動の流れを設定することは，不安の軽減にもつながる．

子どもと大人が向き合って座り，ボールや車のおもちゃを交互に相手に向けて走らせ合うといった，単純なやり取りの繰り返しは，相手に注目し，相手の行動（車を自分に向かって走らせる）を期待するという対人的なかかわりの足場となる．子どものちょっとした行動に対して，大げさな擬音語や表情で反応して見せる．自分の行動が大人に与える効果に気づいた子どもは，面白がって行動を繰り返すかもしれない．これもルーティンにつなげていくことができる．

日常生活には，食事やおやつのように流れが明確で，日々繰り返される場面が多い．そのような場面では，大人が毎回同じようなことばかけを心がけることで，発話の意味理解が促される．発声や両手を合わせるサインで食べたい・飲みたいという意志を子どもが伝えたり，指さしで欲しい物を選んだりする機会にもなる．大人も一緒に活動しながら，子どもから表現が自発しやすいように活動の流れを調整する．次に述べる「選択肢の提示」や「行動論的手続き」も併用していく．

f 視覚的支援・視覚的選択肢を用いる

子どもが理解しやすいように，身振りや物品，絵図版といった視覚的な手がかりを与える．視覚的手がかりは，子どもと大人の間で共同注意が生じやすく，子どもは指さしなどの動作で自分の意図を表現できる．選択肢を与える際，具体物と絵カード・写真のいずれを用いるかを試したり，図版の大きさや選択肢の数を調整したりして，子どもが最も成功しやすい提示の仕方を探る．子どもに選んでもらうことは，子どもが主体性を発揮する場を提供することでもある．子どもの意思が尊重されるため，情動の安定にもつながる．

g 行動論的手続きを活用する

特定の表出行動を育てる際には，計画性のある行動論的手続きが有効である．例えば，提示された選択肢から手さしで選ぶという行動を育てたいとしよう．しばらく待って自発的な行動が見られない場合，①子どもが手を伸ばしやすい位置に選択肢を移動させて，自発を促す（**視覚的プロンプト**）．あるいは，②期待される行動（手さし）を大人がモデル提示し（**モデリング**），自発を促す．模倣しない場合には，③大人が子どもの手や肘に触る（**身体的プロンプト**）．それでも行動が起こらない場合は，④大人が子どもの手を取って一緒に行う．いずれの段階でも，標的行動が生じたら，直ちに応じてフィードバックしてあげる（**強化**）．

身振りやサインで援助を要求してもらいたい場合，大人の援助が必要な状況を意図的に設定する（例：手の届かない所におもちゃを置いておく；ネジ巻き玩具など自分では操作しにくいおもちゃを用意する；シーツブランコの揺れを途中で止めて，揺れが続いてほしい状況を経験させる）．子どもからの自発的な要求の表出があるまで一定時間待つ（**時間遅延法**）．しばらく経っても行動が生起しない場合に，初めてプロンプトを提示する．行動が自発したら即座に強化する．このような過程を経て，自然なやり取りで表現するという**般化**を目指す．なお，物を投げるなどの望ましくない行動に対して，つい大人は反応しがちになる．しかし，大人の反応は子どもの行動を強化することになる．大人は無関心を装い，反応を控えることが望ましい．行動論的手続きでは，これを**消去**と呼ぶ．

C 幼児前期における指導

1 子どもに期待されること

幼児前期の子どもは有意味語を獲得しているため，期待される姿の観点は，前言語期を基盤としつつ広がってくる（図 4-3）．

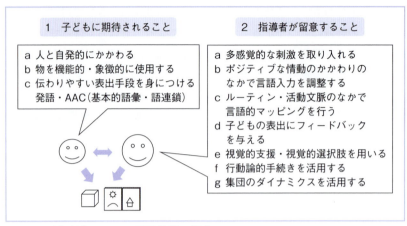

図4-3 幼児前期における言語指導の観点

a 人と自発的にかかわる

幼児前期の子どもの多くは，言葉で要求を伝えることができ，人とかかわるルーティンも前言語期の子どもよりも豊富に経験している．しかし，他者からの働きかけを必要とすることも多く，自分から他者にかかわる意欲をさらに高めていきたい．

b 物を機能的・象徴的に使用する

物を自発的に探索することに加え，積み木を積む，空のコップを口に持っていくといった，物の用途（機能）に沿った使い方ができるようになることが期待される．操作して遊ぶ玩具については，単純な操作の前言語期よりも，やや複雑さが増す．ぬいぐるみや指人形，電車など，具体的なイメージを浮かべて扱うことが期待される．また，象徴機能という認知面の発達を支えとした，見立て遊びも促す．

c 伝わりやすい表出手段を身につける

幼児前期では，基本的な語彙（社会的語彙，身近な事物名称，動詞，形容詞など）の習得と，2語・3語程度の語連鎖で表現することが期待される．これらを統合した指導目標の例としては，「発語」（伝達手段），「要求」（伝達機能），「動詞」（語彙）を組み合わせて，「数ピースのパズルを使った遊びのなかで，『ちょうだい』という発語で，足りないピースを要求する」という目標が考えられる．

2 指導者が留意すること

魅力的な活動や課題であれば，子どもは自分から参加したくなる．そのような活動のなかで語を経験させる．自由場面型の指導では，大人は，子どもがまねをしたくなる遊びを例示し，子どもが模倣すれば，**ターンテイキング**へと移行していく（→ Note 23）．あるいは，子どもからの要求行動を引き出す活動を設定する（ペグさしのペグを要求してもらうなど）．なお，つなげたレールや道路に電車や車を走らせる遊具のセットは，ルートが組みあがった後は，子どもはひとり遊びに没頭

> **Note 23. 平行遊びや子どもの行為の模倣からの展開**
> 大人に注意を向けず，相互のやり取りになりにくい子どもの場合は，同一の遊具・物品を用意しておき，大人が子どもの行動を模倣する「平行遊び」的なかかわりでもよい．他者に意識が向きにくい自閉症スペクトラム障害児も，自分の行為がそっくり模倣されると，大人の行為に気づくことがある．指導者は，自分が操作する物を徐々に子どもが所有する物に近づけていき，相互的なやりとりに近づけていく．

しがちになる．子どもと遊びを共有しやすい遊具の設定を心がける．

　幼児前期の子どもに対しても，留意すべき観点は前言語期と共通である．特に幼児前期の子どもの指導に関連する点を以下に整理する．

a　多感覚的な刺激を取り入れる

　物の視覚的な形状や材質の触感，音や光といった直接的な感覚に注意が向きやすい前言語期の子どもに比べて，物の「用途」や，人形やミニチュアが模している「対象」自体に関心が向くようになる．物の用途に沿った扱いや，見立て遊びを楽しめる教材を用意する．子どもが物を扱う様子を観察し，扱い方のレパートリーを把握する．そのうえで，物を用いた遊びを例示し，扱い方のレパートリーが広がるように働きかける．

b　ポジティブな情動のかかわりのなかで言語入力を調整する

　子どもの言語発達水準に合致した発話を聞かせる．子どもが2語文レベルであれば2〜3語文を中心に聞かせる．お互いに共感し合うやり取りのなかで，社会的語彙を意図的に多用し，要求や叙述といった機能をもつ表現のモデルを示す（例「ちょうだい・やって・あった・ない」）．語彙のチェックリストなどを用いて子どもの語彙レパートリーについて保護者から聞き取り，どのような場面や活動でどのような語彙や文型を聞かせるかについて，あらかじめ計画しておく．目標語を設定する際には，子どもの興味・関心の対象や，日常生活での必要性，音形の単純さ（音節数）にも配慮する．動物や物品の絵に対応するオノマトペ（鳴き声やボールの絵に対応する「ポン」など）から始めても良い．1つの目標語ではなく，複数の目標語を設定しておく．名詞だけでなく，動詞「開けて－開いた」「取って－取れた」「乗せて－乗れた」や，形容詞「おいしい」「かわいい」なども目標語となる．語を視覚的に強調するため，身振りやサインも添えて，高頻度で経験させる．

c　ルーティン・活動文脈のなかで言語的マッピングを行う

　幼児前期では，子どもは大人のリードに合わせることもできるようになるため，ルーティン化した相互交渉場面を設定する．例えば，大人と子どもが交互に輪を柱にさして積み上げていく遊びは，順番というルールがわかりやすく，大人の行動を模倣しやすい．このような共同行為場面は，相手と協力することや，遊びや社会的なルールを学ぶ土台にもなる．

　ルーティンに合わせて目標語彙や文型を設定し，繰り返し聞かせる．例えば，ボールを相手に転がし合う活動では，転がし方に大人が変化をつけながら「ゆっくり」「早く」などと語彙をモデル提示する．遊びのルーティンが確立したら，次にどのような転がし方がよいかを子どもに言ってもらう．

　1語文から2語文への移行期にある子どもであれば，「名詞＋擬音・擬態語」（「ボール，ポン」「クルマ，ゴッツン」）」，大小のミニチュアを使った遊びのなかで「大きい＋名詞」，箱の中に隠された物を探すルーティンにおける「名詞＋あった」など，文型を定めて聞かせる．メニューや食品のミニチュアを用いた「レストランごっこ」では，「○○＋ください」「○○＋たべる・のむ」や，より長い語連鎖を目指す子どもでは，「つめたいアイス＋ください」といった3語文を用いることもできる．1語目や語頭の音節のみを聞かせるプロンプトで，子どもに続きを促したり，子どもの発話を修正するフィードバックを与えたりすることもできる．ただし，子どもに発語を無理に模倣させることはしない．

d　子どもの表出にフィードバックを与える

　子どもの発話の直後に修正や拡張を加えて聞かせることを**リキャスト**（recast）と呼ぶ．リキャストのなかでも，子どもの発話に語を付加して聞かせることを**拡張模倣**（expansion）と呼ぶ（例「ト

ラック」→「大きいトラック」,「ボール」→「ボールちょうだい」「ボール投げるよ」).このようなフィードバックによって,自分の発話が受け入れられたという満足感を子どもは得るとともに,大人の発話にも関心が向きやすくなる.

子どもの発話に対して,親がタイミングよく応じる**応答性**が子どもの言語発達を促すことを示す研究もある[4].保護者にも子どもの言動に適切に応じるよう助言する.

e 視覚的支援・視覚的選択肢を用いる

視覚的支援は,言語理解だけでなく表出の足場にもなる.小窓のついた箱に入った物品や絵カードは,中身への興味を高め,自然に名称を言いたくなる文脈となる.物品や絵カードの呼称を促す際には,箱や袋から取り出す際に,ゆっくり少しずつ出して部分的に見せ,物に関心をもたせてから呼称してもらうという推理ゲームの文脈を作る.視覚的な選択肢を用いる場合,選んで意思表示をしたあとで,発語も促すようにする.ただし,指さしで伝達という機能は果たしているため,強いることはしない.

なお,言語発達水準が幼児期であっても,生活年齢が学童期にある子どもは学校で文字を学んでいる.文字も視覚的支援である.文字を読めなくても,一文字ずつ指で示すことは,拍の構造を意識させ,言葉の意味に注意を促す手がかりになる.

f 行動論的手続きを活用する

語彙を獲得した幼児前期では,言葉によるプロンプトが可能である.子どもに選択の指さしを求める時に「お手々ね」と声かけをする(**言語的プロンプト**).子どもに発語で表現してもらいたい場合,自発されなければ**語頭音節のみを聞かせる聴覚的プロンプト**を適用できる(例「ちょうだい」を促すための「ちょ…」).あるいは,絵などの視覚的選択肢は用いず,「○○,それとも△△?」と**言語的な選択肢**のみで尋ねることもできる.

g 集団のダイナミクスを活用する

幼児前期以降の子どもは,仲間と集団で活動する場面も増える.「発達の最近接領域」は,他児の行動を模倣すればできる水準を含んでいる.他児のモデルを見たり,小集団で活動したりするような場面を設定する.集団への参加は,「順番に行う」「協力する」といった社会的なルールの理解にもつながっていく.

D 幼児後期における指導

幼児後期になると,会話のトピックは,目の前の事物に限定されず,過去の出来事や明日の予定など,非現前の出来事についても話し合えるようになる(図4-4の白抜き矢印).語彙も,「上・下」などの位置を表す語,「多い・少ない」などの数量を表す語,「だれ・どこ・いつ・どうして」といった疑問詞など,意味的抽象度の高い語彙も増えていく.

1 子どもに期待されること

a 人と協調的にかかわる

幼児前期までのように自発性や応答性,順番だけでなく,人との協調性という観点が重要になってくる.子ども同士の協同遊びができるようになり,ルールの理解も進む.自己中心ではなく,他者の視点も踏まえて行動することが期待されてくる.

b 言語理解や産出において内容や構造が高次化する

時間的・空間的に離れたところの出来事についてイメージがもてるようになり,ストーリー性のある絵本なども楽しめるようになる.語彙の拡充

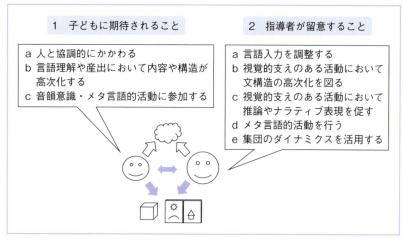

図 4-4　幼児後期における言語指導の観点

とともに，助詞・助動詞のレパートリーも増え，産出する文構造の高次化が期待される．複数の文をつなげて，自分が経験した出来事について報告したり（パーソナルナラティブ），ごっこ遊びなどのなかで架空の話を作ったりすること（フィクショナルナラティブ）もできるようになる．

c 音韻意識・メタ言語的活動に参加する

メタ言語的活動は，語の意味や文の構造などについて考えるなど，言葉について客観的に考えることを指す．「『いぬ』と『ねこ』は『どうぶつ』」といった上位・下位概念の関係を理解したり，「パンはパンでも食べられないパンは？」といったなぞなぞができるようになったりする．また，音韻意識が育ち，しりとり遊びを楽しむようになる．

2　指導者が留意すること

これまで紹介した多様な留意点を統合しながら，大人のリードに合わせた活動を展開していく．

a 言語入力を調整する

絵本などの読み聞かせでは，子どもになじみのない語が文章に含まれることがある．元のストーリーにはなくても，言葉の意味を説明しながらストーリーを聞かせることで，語彙の習得が促進される（**語義埋め込み型指導**）[5]．日常生活でも，なじみの少ない言葉の意味を別の言葉で補いながら会話を進めていく．また，ストーリーとともに心的語彙（例「うれしい・楽しい・はらはらする・くやしい」）を使って聞かせる．シンプルな表情のイラストを添えて，心情を言語化してもよい．

b 視覚的支えのある活動において文構造の高次化を図る

「～するものどれ？」といった問いや，例えば車の絵を見せて「どんな車？」と尋ねるなど，言葉で説明する機会を与える．応答がなければ「青くて大きい車」といった自問自答形式で例示する．苦手意識のある子どもには，大人が考えるそぶりを見せて，「青くて…」と言い淀み（言語的プロンプト），子どもに助けを求めるような文脈をつくる．子どもが補ってくれたら感謝して納得してみせる．このような説明課題では，①カルタのように絵カードを机上に並べ，②子どもに特定の物の用途や特徴を言ってもらい，③大人があてはまるカードを選ぶ（時おり意図的に間違えて子どもに指摘させる）というゲームの文脈も設定できる．

自立語とそれに続く助詞のまとまりを文節と呼ぶ．格助詞を含む2文節や3文節の表出については，目標とする文型を設定しておく．「○が○を〜する」という状況を描いた絵図版を見せて，

言語化を求める．格助詞を含まない子どもの自立語の連鎖には，指文字などで格助詞を強調するなど，視覚的支えも用いながら，リキャスト（「アイス食べてる」→「アイスを食べてるね」）で応じる．言語・認知発達水準が幼児後期であっても，生活年齢が学童期である子どもは，学校で文字を学習している．視覚的な支えとして文字を使うこともできる．

「〇が〇を～する」「〇が〇に～される」という状況については，絵図版の言語化や，人形などを用いた見立て遊び文脈で経験してもらう．相手と自分との関係性を表す授受動詞（あげる・もらうなど）や，貸借関係の動詞（貸す・借りる）なども対象になりうる．このような状況画の説明は子どもにとって負担感が大きいが，カルタ形式で子どもに「〇が～されている」と表現してもらいその絵カードを大人が取るというゲーム文脈にすると，子どもの動機づけは高まる．

c 視覚的支えのある活動において推論やナラティブ表現を促す

箱の中の品物が何であるのかを当てるため，大人と交替で，質問に工夫を凝らして情報を集め，推理するクイズを設定する．箱の中の見えない品物を手探りし，形や感触を言語化し，もう1人が推理するという活動も考えられる．あるいは，「探偵クイズ」として，状況（例：子どもがころんでいる場面）を絵図版やことばで提示し，「なぜこうなったのか」「この後どうなるのか」「どうすべきか」などについて推論し，言葉で表現する．納得できる推論にはポイントを与える．

経験について語るナラティブのスキルを育てるために，子どもの経験を振り返り，単純な文型で言語化して聞かせる．家庭から週末などの写真を提供してもらい，視覚的手がかりを大人と共有しながら，報告を促すとともに，報告のモデルを提示する．うまく想起できずに言い淀んでいる語があれば代わりに言って聞かせたり，その語の語頭音節だけ聞かせて，自分で想起を促したりする．また，視覚的手がかりにもとづき発話を導く問いかけを行い，子どもの発話に対してリキャストや必要に応じてモデル提示を行う．子どもの発話には賞賛でフィードバックし，内容について感想を述べて，自分の経験が大人と言葉で共有できたことを実感してもらう．

d メタ言語的活動を行う

動物や乗り物など，上位概念の異なる対象の絵カードをカテゴリーに分類したり，「乗り物」にはどのようなものがあるのかを考えたりする．絵カードの分類を行う場合，なぜそのように分けたのかを自分の言葉で表現してもらうことが重要である．さらに，「自動車と船」「バスとタクシー」はそれぞれどこが似ていて何が違うのかを絵を参照しながら話し合っていく．また，仮名文字の習得の基盤として，しりとりや，語を拍（モーラ）へ分解する音韻意識課題（「たまご」→「た・ま・ご」）を取り入れていく．

e 集団のダイナミクスを活用する

幼児後期になると，「順番を守る」「協力する」など，集団活動のルールを身につけるための遊びや活動を用意する．勝ち負けの要素が入ったゲーム文脈では，他者に合わせて自分の欲求や衝動を抑えることも求められるため，自己統制の育ちが期待される．

E 学童期における指導

学童期は，学級で教示や説明を聞いて理解する文や文章の聴覚的理解，教科で使う語も含めた語彙知識，文法的な表現，読み書き，柔軟に発想したり推論したりする力などが求められるようになる（図4-5）．認知面でも，ワーキングメモリ，状況理解，推論，**実行機能**（➡ Note 24）が言語理解や表現，行動を支える．位置や方向を表す語彙の

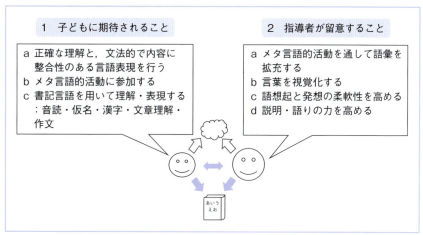

図4-5 学童期における言語指導の観点

使用が不正確な子どもは，背景となる空間認知に苦手さがある可能性もある．認知検査を含めたアセスメントにもとづき，困難のある領域を特定し，苦手にアプローチしていく．なお，生活年齢は学童期であっても，言語・認知発達水準が幼児後期以前に相当する場合は，発達水準に沿った対応も取り入れていく．

1 子どもに期待されること

a 正確な理解と，文法的で内容に整合性のある言語表現を行う

学童期は，言語理解が教科学習の支えになると

> **Note 24. 実行機能（遂行機能）**
> 実行機能（executive function）とは，目標に対して，それを達成するために，どのような手順で実行したらよいのかを立案することや，それを実行するために自分の行動を調整していく一連の過程を指す．例えば，掃除をするという目標には，はじめに掃除の道具を用意したり，机の上の物を分類して適切な場所に移動させたり，机の下を掃除するために机を動かしたりするという一連の流れがある．実行機能には，行動のプランニングや，1つの作業を遂行しながら次のことを考えるといったワーキングメモリもかかわっている．

ともに，学級での発表や話し合いには言語理解・表現力が欠かせない．文字による表現も求められるため，格助詞の使用など，文法的な正確さも重視されるようになる．

b メタ言語的活動に参加する

幼児期は，日常生活やメディアで耳にする言葉を中心に学んでいく．学童期になると，教科の学習も始まる．言葉による定義づけも交えてより抽象度の高い新たな語彙を学習し，適切な表現の仕方について考える機会も設ける．

c 書記言語を用いて理解・表現する

仮名や漢字の読み書きや，文章の**音読**や**読解**，**作文**も日常的な活動となる．

2 指導者が留意すること

文字の読み書きについては「限局性学習障害」の項（本章4 ➡ 118頁）で解説がなされるため，本項では読み書き以外の側面について述べる．

a メタ言語的活動を通して語彙を拡充する

学齢期の語彙は数千語あると言われており，学習する語彙を選定する必要がある．教科書などの

文章などで使われる語彙のなかには，子どもは知っているつもりでも意味理解が不正確な語もある．意味を正しく言えない語が指導の対象となる．子ども用のイラスト付きの絵辞典から，指導対象となりそうな語を選択してもよい．語や意味を一方的に教えるのではなく，子どもと一緒に意味を考える．別の言葉を使って定義づけしたり，似た意味の類義語や反対の意味の対義語を想起したりするという**能動的な活動**が重要である．これを通して，語の知識の定着や，語想起の柔軟性，言語的な表現力の向上を図る．

b 言葉を視覚化する

幼児期と異なり，文字で言葉を視覚化できることが学齢児の強みである．未習得の語をカードの表に書き，語の意味について話し合ったり，例文を考えたりする．裏に意味や使い方の例を書き，コレクションの対象にすることもできる．カードの表の言葉から定義を考える，裏に書いた定義から語を想起する，あるいは反対の意味の言葉を考える，例文を作ってみる，といったメタ言語的活動に展開していく．なお，漢字熟語で表される語彙の場合には，語彙とともに漢字もあわせて学習する．

子どもにとって，自分の話した内容を振り返ることは難しい．後述する語りの課題でも，子どもの語りの内容を大人がキーワードで拾い出し，ホワイトボードなどに書き留めていくと，**視覚的なフィードバック**になる．

c 語想起と発想の柔軟性を高める

語彙にかかわる力は，**語彙知識**と**語想起**の両者によって支えられている．会話や作文で言語表現が乏しくなりがちな子どもの場合，「語彙知識」の成績は平均的であっても，語想起の柔軟性が低いことがある．「白いもの」「遠足に関係のあること」「料理に関連するもの」といったキーワードを与え，連想する語を一定時間内に列挙する活動を行う．語彙をスムーズに産出できるようになることを目指す．作文でテーマが与えられても，何を書いたらよいのかわからない子どもの場合には，まずテーマから連想するアイデアの列挙から始める．

d 説明と語りの力を高める

「自動車」などの上位概念に含まれる具体例(バス，タクシー，パトカーなど)をあげたりするだけでなく，それぞれの共通性や違いを自分の言葉で説明する．また，「○とはどんなもの？」と特定の物の特徴について説明してもらう．形や色といった視覚的な特徴はあげやすい．質問を重ねて，その物の素材や用途・特徴・機能(どういう役に立つか)というより抽象的な側面についても考えるように導く．

筋道の通った説明ができるためには，話し始める前に，頭のなかで話の材料を整理し，順番を考える作業(**プランニング**)を行わなければならない．「サンドイッチの作り方」など，作業手順の説明にもプランニングが必要であり，道順の説明では「右・左」「～の前を」など位置を表わす言葉を正しく使うことも求められる．「さいしょに・つぎに」の順を表す言葉のカードをヒントとして用いることもできる．

ナラティブ(語り)の表現を促すために，自分が経験した出来事の写真や，4コマ漫画などの視覚的な支えを活用することがある．語りは，語彙知識や文法的な能力だけでなく，状況の理解，他者の心情の理解なども含まれる統合的な表現活動である．「いつ・どこで・だれが・なにを・どのように・なぜ・どうした」といった，いわゆる5W1Hの情報や，事実だけでなく「どう思った」という気持ちについての言及があると内容が豊富になる．「いつ」「どこで」などと書かれたカードや付箋紙を並べておき，これらの情報を含めるように意識させる．「そこで・ところが・すると・なぜなら」や「さいしょに・つぎに」の順を表す言葉のカードを用いることもできる．リキャストや質問－応答を通して，心情の言語化や，出来事の原因の推測やその後の展開についても表現を促していく．

このような活動のなかで，語彙の選択や文型の適切さについてもメタ言語的な活動を展開し，より豊かな表現へと導いていく．

引用文献
1) 石田宏代，他：言語聴覚士のための言語発達障害学 第2版，医歯薬出版，2016
2) バリー・M・プリザント，他：SCERTSモデル 自閉症スペクトラム障害の子どもたちのための包括的教育アプローチ 2巻 プログラムの計画と介入，日本文化科学社，2012
3) Tomasello M, et al：Joint attention and early language. Child Development, 57, 1454-1463, 1986
4) Tamis-LeMonda C, et al：Maternal responsiveness and children's achievement of language milestones. Child Development, 72, 748-767, 2001
5) Justice LM, et al：Learning new words from storybooks：an efficacy study with at-risk kindergartners, Language, Speech, and Hearing Services in Schools, 36, 17-32, 2005

環境調整

学修の到達目標
- 保護者に対する支援の心構えと言語聴覚士の役割をあげることができる．
- 連携する機関の種類と地域における言語聴覚士の専門性を活かした仕事の内容を述べることができる．
- カウンセリングの考え方に基づいた面接・臨床のための望ましい態度について説明できる．

障害やその疑いのある子どもや家族のケアを行う営みを総称して，医療・福祉分野においては**療育**あるいは**発達支援**と呼ぶが，療育には3つの重要な柱がある(図4-6)．1つ目は**子どもへの支援**である．2つ目は**保護者支援**である．3つ目は**関係諸機関との連携**である．本項においては保護者支援および関係諸機関との連携，そして特に保護者支援において欠かすことのできないカウンセリングマインドについて述べ，障害の有無に関わらずあらゆる子どもやその家族が地域の中で安心して暮らしていくために言語聴覚士が果たすべき役割について述べる．言語聴覚士が指導計画を立てる際には，子どもの言語・コミュニケーション発達に直接働きかけるアプローチのみならず，子どもの日常生活を視野に入れつつ，いかにその子らしく幸せに生きることのできる環境を身近な地域において整えるかということも考慮する必要がある．このように，障害や疾患そのものへの指導や支援(直接的支援)ではなく，多様な人々やその家

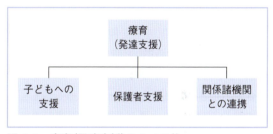

図4-6 療育(発達支援)の3つの柱

族がありのままの存在を受け止められ，尊重されながら地域生活を営んでいけるようにするための援助(間接的支援)を総称して**環境調整**と呼ぶ．子どもや家族の立場に立った環境調整を進めていくために，言語聴覚士は医療，保健，福祉，教育における制度についてバランスよく学びを深めなければならない．

A 保護者支援

1 保護者支援における心構え

　保護者支援とは，障害やその疑いのある子どもの保護者への子育て全般に関する助言や説明，情報提供などを通した心理的援助全体を指すが（図4-7），まず留意すべきは，保護者も人格をもった1人の人間であるということである．障害のある子どもの発達相談や療育指導で言語聴覚士に出会う保護者は，もちろん子どもの発達に関する相談や助言を求めていることも多い．しかし，実際の臨床場面においては障害のある子どもを育てている自分自身の生活の中で生じる困難や，家族関係（配偶者や親，あるいは親戚縁者との関係性など），あるいは保護者自身の生活史にまで話が及ぶこともある．つまり，「子どもの話と同時に，保護者である私の話も聞いてほしい」という願いをもって言語聴覚士の元を訪れることも多いことを念頭に置いて，保護者支援を考える必要がある．「子どもに関する話」を聞きたい専門家と「私の話」をしたい保護者との間にずれがあることを自覚することが重要である[1]．

　また，子どもへの支援がそのまま保護者支援に影響を及ぼし，反対に保護者を支えることがそのまま子どもへの支援につながっていくことがあるということも忘れてはならない．子ども自身が変化し，「わが子をかわいい」と実感できることが何よりの親支援であるとも言えるため，子どもが安心して通える場が身近な地域にあることが重要である[2]．ある保護者は障害児の親としての経験から「わが子の気持ちがわからない時が，一番つらかった．娘の不思議な行動の理由を教えてもらうと，どんどん見方がかわって，別の自分になったような気がした．そうなると不思議と，わが子も他の子もたまらなく愛おしく思えてくる」と述べている[3]．子どもの臨床では親子の関係性を捉え

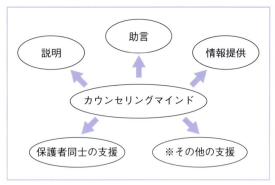

図4-7　保護者支援の構成
実際の臨床場面ではこれらが重なり合って支援が行われることが多い
※きょうだい支援やレスパイト支援などを含む

たうえで保護者支援のあり方を考えていくことが重要である．なお，障害のある子どものきょうだいの育ちへの目配せも欠かせないことから，保護者支援ときょうだい支援を包括した概念として**家族支援**という言葉を用いることもある．

2 助言

a 助言とその効果

　助言とは保護者に対して，子どもの言語・コミュニケーション発達を促すような関わりや環境の設定，教材教具の用い方など，具体的な支援の内容や方法について子どもの発達段階に応じて科学的根拠に基づいた指導を行うことをいう．例えば，言語発達障害領域においては，**言葉の遅れ**を主訴として言語聴覚士へつながるケースが多いが，相談の中で「具体的に家でどのように関わったらよいでしょうか」と保護者から助言を求められることがある．個々のケースによって助言の内容はさまざまであるが，例えば「1日15分，なるべく静かな環境で子どもと1対1で遊ぶ時間を設けてみてください．その際にお子さんからの音声の表出があったらできる限り大人がそれを真似してみてください」というような，具体的な内容を伝えることが求められる．

2 環境調整　91

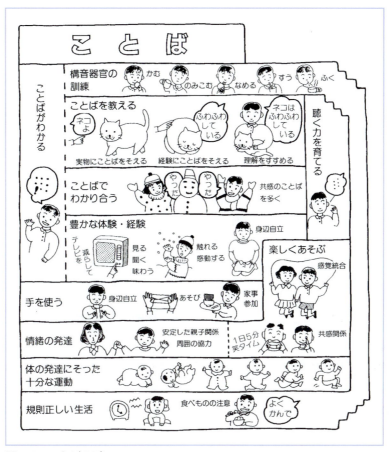

図4-8　ことばのビル
〔中川信子：ことばをはぐくむ．p95, ぶどう社，1986より〕

　助言により，保護者は「自分にも何かできることがある」という気持ちを高めていけるという効果がある．また，「子どもの発達にとって望ましいことは何か」ということについて，正しい知識を得るための援助をしたり，啓発を促したりする効果もある．特に言語聴覚士は**乳幼児健診の事後フォロー**などにおいて，まだ診断名が付いていない子どもの保護者の相談場面に立ち会うこともあるが，保護者は「わが子のために自分にできることは何でもしたい」と願うことが多い．経過観察が必要な場合でも，単に「様子を見ましょう」とだけ伝えるのではなく，家庭でもすぐにできることや無理なく続けられることをわかりやすく伝えることは，その後の親子関係や専門家と保護者の関係にも大きな影響を及ぼす．図4-8はことばのビル[4]と呼ばれており，子どもの言語発達をビルの構造に例えて示したものである．子どもの言語発達において，体と心を育むことがいかに重要であるかということが，一般の人々にも理解しやすいように工夫されている．

b 助言における留意点

　助言はタイミングや頻度，分量に細心の注意を払う必要がある．例えば，前述のような言葉の遅れを主訴とするケースにおいて，保護者と言語聴覚士の信頼関係が構築されないままに，「できるだけたくさんことばかけをしてあげてください」という助言を行うことは，保護者に「子どもの言葉が遅いのは，自分のことばかけが悪かったせいである」という気持ちを抱かせてしまう危険性も含まれ

ている．また，日常生活で実行可能な範囲を超えた助言を与えても，それは保護者を「専門家の言う通りにできなかった」という気持ちに追い込んでしまう可能性もある．相談が説得にならないように留意すべきであり，相談者に「わかりました」「やってみます」とがんばらせることが相談の目的ではないことを理解する必要がある[5]．近年はウェブサイトなど，さまざまな情報媒体から子どもの言語発達に関する情報を収集している保護者も多い．言語聴覚士の相談場面において，あらかじめ得たさまざまな知識の是非について専門家の意見を尋ねてくるような場面もある．科学的根拠に基づいた対応が原則であるが，一方的に保護者の行動を否定するような態度は臨床家として厳に慎まなければならない．情報を得なければ不安で仕方がなかった保護者の心理を受け止めつつ，根拠に基づいた助言を与えることが重要である．言語発達は**生得的要因**と**環境的要因**の相互作用によって進む[6]．環境的要因としての「ことばかけ」は言語発達において重要であるが，必ずしもそれのみによって予後が決まるわけではないということは臨床家として理解しておかなければならない．

3 説明

a 説明とその効果

説明とは，保護者に対して，子どもの発達の見立てについて伝えたり，検査を含む**評価（アセスメント）**の結果を伝えたりすることなどが含まれる．子どもの言語発達に何らかの心配が生じている場合であっても，具体的な症状としては言語に限定されず，例えば多動・衝動性やコミュニケーションの取りにくさなどが際立っていることもある．保護者によって個人差はあるが，多くの場合は「子どもの行動の意味がわからない」という困りを抱えている．そのような時に，行動の発達的意味を系統立てて伝えることで，これまで不可解であった我が子の行動について余裕をもって見守れ

るようになり，保護者が子育てに対して前向きになったり，自信をもてるようになったりするという効果がある．特に検査を実施した場合は常に説明は欠かすことのできない手続きである．検査には行動観察のみでは得られない客観的情報が多く含まれており，正しく活用すれば子どもの発達を理解する大きな助けになる．特に，医療受診を勧める際や**就学指導**を受ける際には，このような検査結果の説明が十分になされていると，保護者にとって適切な判断をするための材料が増え，将来への見通しがもちやすい．近年は，児童発達支援センターへ通所する子どもも増えていることから，**個別支援計画**や**サービス等利用計画**などについて言語聴覚士が説明を行う場面も増えている．

b 説明における留意点

説明で留意すべき点は，保護者の立場で適切な言葉を選ぶことである．また，言語聴覚士と保護者の間にどの程度信頼関係が構築されているかによって説明の仕方も変わってくる．例えば，初回相談で不安を感じている保護者に対して，長時間にわたって一方的に発達の見立てを説明し続けるというようなことは，仮に説明の内容が正しかったとしても，臨床的態度としては望ましくない．説明後の保護者の気持ちに何が残るかということを十分に想像する必要がある．「一度にすべては理解できなかったけれど，信頼のおける言語聴覚士だった」という気持ちが残るか，それとも「専門的なことは教えてもらえたけれど，結局何が言いたいのかわからなかった」という気持ちになるかはその後の保護者の行動に大きな違いを生じさせる．また，健診後に事後フォロー教室や療育につなげる必要性が高いケースであっても，それが目的化して「子どものおかしさ」を伝えることに終始してはならない[2]．保護者はわが子の「問題」が理解できたときに療育機関に行くのではなく，療育がわが子を成長させると感じたときにこそ療育機関に行くものであるということを念頭に置く必要がある[7]．また，**発達検査**や**知能検査**など，標準

化された検査の仕組みを理解するためには，統計学や心理学の専門用語についての知識が必要であるが，保護者に検査結果を説明する際は極力それらの用語を使用せずに，一般の人々でもわかるような平易な言葉遣いを心がけることが求められる．検査と説明は常にセットで考える必要があり，説明が適切に行われていなければ検査が十分に活用されているとは言い難く，臨床家として熟達が求められる．

4 情報提供

a 情報提供とその効果

　情報提供とは，障害やその疑いのある子どもと保護者が安心して地域の中で生活していけるように，信頼性のある有用な情報を保護者に与えることである．地域における子育てや療育資源についての案内，教材教具や書籍の紹介，リーフレットの提供，親の会の案内，障害児・者の制度に関する案内，就園先や就学先の保育・教育内容に関する案内などがある．療育は医療，保健，福祉，教育の幅広い分野にまたがる営みであることから，保護者がすべて自分で調べて情報を得ることは難しい．そのため，保護者が混乱しないように正しい情報を整理して伝えることで，保護者が不安を1人で抱えることなく療育資源を有効に活用しながら子育てができるという効果がある．特に福祉制度に関しては，自治体によって若干異なる部分もあり，地域の実態を正しく把握しておく必要がある．また，障害のある子どもの就学においては，就学先の支援の仕組みについて詳しい情報を提供し，必要に応じて見学や教育相談につなげるなどのケースワークが必要になることもある．

b 情報提供における留意点

　情報提供を行う際に留意すべき点は，提供された情報を選び取り，最終的に決定を下していくのは保護者や子ども自身であるということである．専門家はさまざまなケースを経験しているだけに，善意ではあっても保護者の選択の機会を奪い，専門家が考える良い判断に誘導してしまう危険性がある．専門家への依存を招くのではなく，親として元々もっている力が発揮されるように見守り，寄り添う姿勢が求められる[8]．また，地域の療育資源について自分であらかじめ確かめたうえで信頼できる最新の情報を提供するということも大切である．福祉制度は数年おきに改正されることがあるので，不明な点は自治体の担当部署に確認しておくとよい．また，小学校では人事異動で特別支援を担当する教員の配置が変わることもある．常に地域の中で連携を取りながら，正しい情報を収集しておくことが求められ，それが保護者の安心につながっていく．

5 保護者同士の支援

a ピアサポート

　保護者支援は専門家によってのみ行われるとは限らない．近年は，障害のある子どもの保護者同士のつながりを積極的に作り，経験の共有や情報交換をしながら，当事者同士が互いに支援を行う**ピアサポート**の機会も増えている．

　保護者にとって医療機関を受診したり，専門家に相談をしたりするということは，大きな不安を伴うことが多い．障害受容については，ドローターの**段階説**がよく知られている．段階説とはショック，否認，悲しみと怒り，適応，再起というプロセスを経て障害受容に至るという考え方であり，保護者の言動の背景にある気持ちを想像するときに有用であるが，個人差も大きいことを踏まえておく必要がある．オーシャンスキーによれば，保護者は一見障害を受け入れているように見えても，根底には決して受け入れることのできない気持ちを抱えながら希望と落胆を繰り返すとされ，これを**慢性的悲哀**と呼ぶ．また，保護者は「この子を残しては死ねない」といった孤立無援感

を抱えていたり，母親は「うすうす気づいていた」けれど父親は「心配しすぎ」と感じるなどというように，家族の立場によっても思いが異なったりすることが知られている[9]．

ピアサポートには，同じような思いを抱えている保護者同士だからこそ気軽に悩みを打ち明けたり，有用な情報を共有したりすることが可能となり，1人で悩まずに済むという効果がある．ある障害児の保護者は自らの体験を振り返り，保護者同士のつながりは「運命共同体」のようでもあったが，それによって「自分は無力な存在ではない」「支えあって，自分たちの力で生きていける」という感覚を得ることができたと述べている[3]．規模はさまざまであるが，障害種別や年齢に応じた**親の会**や学習会，サークル活動も各地で増えてきている．これらの活動においては，気軽に参加できる雰囲気を保障しつつ，偏った情報のやりとりに陥らないように，時には療育の専門家がアドバイザーとして参加するなどの工夫も必要である．

b ペアレントメンター

最近では**ペアレントメンター**など，保護者を支援者として育成していくようなプログラムを系統的に整備している地域もあり，その効果が期待されている．また，医療機関や児童発達支援センターにおいても交流会やイベントを企画し，先輩保護者が主導的役割を果たすことで，保護者同士のつながりが生まれやすい環境を整えているところもある．

一方で，すべての保護者がこれらの支援を望んでいるわけではないということにも配慮する必要がある．積極的につながりを作っていくのが得意な保護者もいれば，苦手な保護者もいる．無理強いをせず，1人ひとりのペースに合わせた誘い方が重要である．支援する側とされる側の役割が固定していないことが保護者同士ならではの良さであるとも言える[3]ため，それぞれの保護者が自分の得意分野を活かせるような雰囲気作りを援助できるとよい．

6 その他の支援

障害やその疑いのある子どものきょうだいは不登校などの心身の不調に陥ることが比較的多く，自責の念や表現できない否定的な思い，家族の大変さを小さいころから意識して我慢することが多いと言われている[10]．また，療育における保護者支援は母親に対するものが中心となることが多く，普段なかなか療育場面に同席できない父親や祖父母といった母親以外の家族に対する支援にまではなかなか手が届きにくい．親子による通所を基本とした児童発達支援センターでは，きょうだいのための託児室が設けられ，**きょうだい支援**のための保育士を配置しているところもある．全国的な活動を展開している**きょうだい児の会**もある．また，子育て支援センターでは父親が来所しやすい休日に親子遊びのイベントを開催するなどの工夫をしているところもある．困難な子育てには支える人が多く必要であり，専門家が家族まるごと支援の視点をもつことで「支える人を支えるしくみ」を作ることが重要である[8]．

また，重症心身障害児や近年増加している**医療的ケア児**などについては保護者による介護の負担が大きく，専門的なサービス提供体制の整った通所施設やショートステイ先も限られている．保護者が安心して子どもを預け，リフレッシュしたり，きょうだいとの時間がもてるような**レスパイト支援**（➡ Note 25）もますます重要になっている．

B 関係諸機関との連携

1 連携の重要性とその意義

言語聴覚士の仕事の成功とは，子どもや保護者と「上手なさよなら」ができることであるという考え方がある[11]．これには2つの意味が含まれてい

る．1つは能力的な回復のことであり，もう1つは別の機関に安心して紹介ができる関係性を言語聴覚士が地域の中で有しているということである．リハビリテーションにおいて，実際は前者のような例は少なく，子どものライフステージに応じて次の担当者へと引き継ぎを行いながら地域の中で生涯にわたる支援を続けていくことが現実的であろう．つまり，言語聴覚士として関わることができる期間は，子どもの生涯のごく一部であるに過ぎないということを自覚したうえで，これまで関わってきた人々や，これから関わっていくことになる人々と地域の中でどれだけ顔の見える関係性を有しているかということは，子どもと保護者の**最善の利益**に大きな影響を及ぼすということである．

また，子どもの発達のアセスメントや指導計画の立案においては，発達の領域ごとのアセスメントと，それらを統合し子どもを1人の人間として全体的に捉える視点が欠かせない．それは言語聴覚士だけではなく，多職種との連携があって初めて可能となる．1人ひとりの療育者の子どもの内面への「気づき」の過程は，同僚の発見や意見に学びつつ，自らの視点や療育の仕方を顧みる過程において確かさを増していく[12]ため，職場内外の多職種と連携し気づきを共有する時間が重要な意味をもつ．

また，近年はひとり親家庭や経済的貧困の状況下にある家庭なども増えており，子どもが育つ環境は実に多様である．発達に関する直接的な支援の前に，まず経済的支援が何よりも優先される場合もある．そのため，言語聴覚士も地域の子育て支援に関わるコーディネーターとしての役割を積極的に果たしていかなければならない．制度的な知識も含め，ソーシャルワークという視点が欠かせない．一見，子どもへの支援とは直接関係のないように見えるこのような役割もこれからの言語聴覚士には必須であり，**地域包括支援**という視点で関係諸機関と連携を図っていくことが実効性のある環境調整へとつながっていくということを述べておきたい．そして，地域における支援者同士がお互いに顔の見える関係をもっていて，お互いが何をしているか理解していることが子どもや保護者の最善の利益を保障するために欠かせない．そのためには前述したように，それぞれの職種同士をつなぐコーディネーターの役割を言語聴覚士も状況に応じて果たさなければならない．**連携**とは，「複数の者（機関）が，対等な立場に位置したうえで，同じ目的をもち，連絡をとりながら，協力し合い，それぞれの者（機関の専門性）の役割を遂行すること」である．また，役割分担の明確化，共通言語，互いへの慰労の3点が円滑な連携には欠かせない[13]．上下関係を基本とした指示命令系統による関係性（ピラミッド型）では真の連携とは言えず，コーディネーターが潤滑油となりながら，多職種が対等な立場で尊重し合い地域の中で顔の見える関係性（サークル型）を構築することが重要である（図4-9）．支援者と子ども，支援者と保護者の関係性においても同様で，支援する側とされる側という固定された関係性ではなく，共に生きる仲間であるという意識をもちたい．保護者と専門家は「子どもの健やかな成長をともに喜び合う仲間」である[8]．

> **Note 25. レスパイト支援**
> 　障害や病気をもつ子どもの養育や介護から保護者が一時的に離れてリフレッシュしたり，自分自身や家族との時間を大切にできるように支援することをレスパイト支援という．知的障害児や発達障害児の場合は，近年増加している児童発達支援や放課後等デイサービスなどの障害児通所支援が実質的にレスパイト支援の役割を果たしていることも多い．一方，重症心身障害児や医療的ケア児などの場合，呼吸管理（痰の吸引を含む），栄養管理（経鼻栄養や胃ろうの管理を含む），排泄（導尿補助を含む）などの専門的なケアに従事できる人材も限られていることから，結果的に家族の介護負担が大きくなりやすい．重症心身障害児や医療的ケア児が安心して利用できる通所支援や短期入所（ショートステイ），訪問看護などのサービスの充実と，社会全体における理解・啓発が求められている．

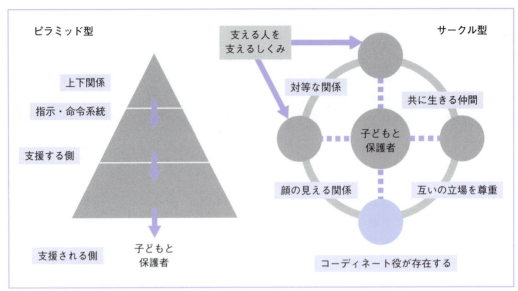

図 4-9 連携のモデル（ピラミッド型とサークル型）

2 関係諸機関の概要

次に，言語聴覚士が関わる関係諸機関の役割と連携のポイントについて医療，保健，福祉，教育の4つに分けて説明する（表4-3）.

a 医療

療育センターやクリニックなど，規模や形態はさまざまであるが，医師による診察，検査，診断など医療機関でしか行えないことは多い．**理学療法士（PT）**や**作業療法士（OT）**などのリハビリテーション関連職種や心理専門職がいることも多いので，幅広い情報が得られる．子どもが初めて医療機関を受診する際に保護者はさまざまな不安を抱くことが多いので，受診を勧める場合は慎重なケースワークが必要であり，あらかじめ受診の流れを説明しておくと保護者の不安を軽減できる．就学指導では，医師からの意見書が有効に活用されると教育機関が支援体制を構築しやすいなどのメリットもある．日頃から地域の医療機関と顔の見える関係を構築するために，保護者の了解を得ながら書面によるケース連絡をこまめに実施しておくとよい．

表 4-3 言語聴覚士と連携する主な職種

医療	医師, 歯科医師, 理学療法士, 作業療法士, 看護師, 心理士
保健	市町村の保健師, 乳幼児健診に参画している栄養士や歯科衛生士
福祉	保育士, 社会福祉士, 児童相談所の職員, 市町村の福祉担当職員
教育	幼稚園や小中学校の教諭（担任），特別支援教育コーディネーター，市町村の教育委員会の職員

b 保健

わが国では**母子保健法**に基づき，**1歳6か月児健康診査**および**3歳児健康診査**の実施が市町村に義務付けられており，行政機関には**保健師**が勤務している．保健師は，住民の健康管理と疾病予防に関するスペシャリストであり，療育にとっては欠かすことのできないパートナーである．保健師の業務は多種多様であるが，母子保健専任の保健師を配置したり，地区担当制を敷いたりしながら，乳幼児健診とその事後フォローなどを行っている．保健師の強みは，子どもの出生前から保護者との関係性を有していることや，子どものライフステージが変わっても長く育ちを見守ることが

できる点にある．また，対象となる子どものみならず，その家族(きょうだいや祖父母を含む)に関する情報を豊富に有していることも多い．子どもや家族のことでわからないことがあれば，まず保健師に聞くと何らかの情報が得られる場合が多く，個人情報に配慮したうえで，こまめな情報共有を図っておくとよい．最近では，言語聴覚士が積極的に乳幼児健診に参画している自治体も増えている．

c 福祉

まず，**保育所**や**子育て支援センター**などにおいて，子どもや保護者の日常を支える**保育士**は保健師と同様に，療育に欠かせない職種である．保育士の強みは，対象となる子どもと過ごす時間が長く，日常の姿を知っていることにある．また，発達を領域ごとに分断するのではなく全体として捉え，1人ひとりの子どもの興味や関心に合わせた遊びの引き出しを豊富に有し，それらを日常的に集団の中で実践している点も保育の特徴である．個別療育では見えにくい子ども同士の関わり合いや生活スキルの獲得なども，保育場面だからこそ見える部分が多い．言語聴覚士も最終的には子どもや保護者の生活を支える職種であると考えれば，保育士から学ぶことは多い．近年は，**保育所等訪問支援事業**などにおいて，言語聴覚士が保育所を訪れて支援を行うことも増えているが，子どもの生活場面から謙虚に学ぶ姿勢を大切にしたい．また，**児童発達支援センター**において，個別療育や集団療育の中心的な役割を担っているのも，その多くは保育士である．

その他，行政機関の福祉関係の担当職員は，手帳や手当に関する手続き，受給者証の発行などにおいて重要な役割を果たしており，日頃から信頼関係を構築しておきたい．

d 教育

ここで言う教育とは幼稚園などの就学前教育と学校教育を指している．障害やその疑いのある子どもの就園や就学にあたっては，事前に園や学校を見学し，保護者が迷い，悩み，そして納得しながら自分で選択していくことを援助していくという姿勢が欠かせない．そのためには，言語聴覚士も地域の教育機関の特徴をしっかりと把握し，保護者に正しい情報提供ができるよう準備しておかなければならない．その際にキーパーソンとなるのが，各園や学校に配置されている**特別支援教育コーディネーター**と呼ばれる教員である．園見学や学校見学，あるいは教育相談などの窓口でもあり，日頃から顔の見える関係性を作っておきたい．支援が必要な子どもについては，保護者も含めたケース会議を定期的に実施していることも多く，言語聴覚士もチームの一員としての役割を果たしていく必要がある．言語聴覚士のアセスメントに基づく望ましい支援体制が，予算や人事などの理由により，これらの教育機関などにおいて必ずしもすべて実現できるとは限らないが，それぞれの立場を尊重し合いながら，批判ではなく知恵を出し合う関係性を構築することが求められる．

C カウンセリングマインド

1 カウンセリングマインドの重要性とその意義

カウンセリングマインドとは，対人援助職として来談者やケアを必要としている方々と向き合う際の，共感的態度を中心としたかかわりやその意識そのものを指す言葉であり，保護者支援においては欠かすことのできない基礎的概念である．つまり，これまで述べてきた，助言，説明，情報提供，保護者同士の支援，その他の支援のすべてにおいて前提となる臨床家の基本的心構えとも言える．その土台となる考え方は，端的に言えば，よりよく生きるために物事を選び取っていくのは最終的には来談者自身であり，選び取る力そのもの

は来談者の中にあるのだから，対人援助職にはその力を最大限に引き出していくようなケアや寄り添い方が求められるということである．引かれた路線の上を言われたままに走るだけでは，親としての力が育たず専門家への依存を招くことになる[8]．専門家による支援は時に支配となりやすく，支配は依存へとつながる．「この先生でなければ」という保護者の期待は，専門家にとってはやりがいにつながることもあるが，別の視点で考えると，「この先生がいないと」成り立たない依存的な子育てを招きやすいとも言える．専門家と保護者が共依存的な関係に陥ることのないよう，「私の言うことを聞いておけば大丈夫」といった支配的な指導は厳に慎みたい．また，保護者の主訴とその背景にある思いや願いに忠実であることを忘れ，「きっとこのようなことで困っているに違いない」というように支援者が勝手にニーズを作り出してしまうことのないように注意する必要がある．つまり，支援と支配は表裏一体の関係であることを常に自省的に振り返ることが言語聴覚士には求められ，その際に対人援助職としての基礎・基本に立ち返らせてくれるのがカウンセリングマインドなのである．

2 共感と臨床の実際

a 共感

共感（empathy）とは**クライエント中心療法（client-centered therapy）**の創唱者であるロジャーズが最初に用いた言葉とされており，「あたかもその人であるかのように」相手を内側から理解することであるとされている[14]．また，イーガンは共感について，クライエントに関して「内側から理解」したことを「相手に伝える能力」までをも含むとしている[15]．

b 相談場面における共感的態度

例えば，1歳6か月児健診で言葉が少しゆっくりであることを指摘され，2歳で再健診となった親子がいるとする．事後フォロー教室に通ったものの，なかなか言葉が出てこないため，週に1回，療育施設において言語聴覚士の指導を受けることになった．その初回相談にて，母親は多くを語らず，言語聴覚士の問いかけに対しても「いや，別に」とか「家では結構，話しています」といった答えしか返ってこない．このような場合，言語聴覚士にはどのような共感的態度が求められるであろうか．

「あたかもその人であるかのように」という態度で母親と向き合えば，再健診になった時の思いや，言語聴覚士の初回相談に訪れるまでの不安や葛藤を感じ取ることになるであろう．「内側から理解」しようと意識していれば，本当は子どもの発達が心配なのだけれど，それを言語聴覚士の前で語ってしまうことは，障害や診断といったことにつながるかもしれないといった不安が垣間見えるであろう．そして，そのような苦しい状況の中であっても毎日子どもと向き合ってきた努力や，療育機関に相談に行くことを決断した勇気が母親の中にしっかりと存在していたことを理解したのであれば，それを「お母さん，よくお子さんのことを見ていらっしゃいますね．今日はよく来てくださいましたね」という具体的な言葉をもって「相手に伝える」ことが大切であろう．もちろん，実際の臨床はこのように単純に一般化できることばかりではないが，豊かな経験をもつ臨床家の多くは共感的態度を中心としたカウンセリングマインドをもちながら，保護者支援におけるさまざまな工夫を試みている（表4-4）．

3 カウンセリングマインドと長期的視点

カウンセリングマインドは，単発の臨床場面においてのみ求められるのではなく，親子あるいは家族全体を長期的な視点で支えていくときにも欠かせない．親子が成長していく過程はサービスの利用，医療機関の受診，入園，入学をはじめ「選

表 4-4 カウンセリングマインドと相談・面接場面における工夫

阿部(2017)	・くりかえし ・プラスの言い方 ・具体的に話す
池添(2014)	・自分はほとんど話さない ・質問は具体的に ・自分(保護者)自身のことを聞く
中川(2017)	・子どもを連れて来所，来院，来室してくれたことへの感謝と保護者の努力へのねぎらい ・こちらの伝えたいことを言うだけではなく，保護者が抱える子育ての苦労や不安を共感的に聞き取る ・子どもの特性や弱い点を伝えるときには，併せて自分たちが行っている工夫や，改善の方策をできるだけ具体的に伝える ・専門家としての意見は伝えるが，最終的には保護者の選択を尊重する ・保護者の悩みやマイナスの気持ちにもきちんと耳を傾ける

図 4-10 共感と同情の違い
〔河合美子：面接の方法．長田久雄(編)：看護学生のための心理学．p160，医学書院，2016 より〕

び取る」ことの連続である．前述したように，支援者に求められるのは親子が選び取っていく力を最大限に発揮できるようなケアや寄り添いである．

a 共感的態度と同情的態度

いずれの過程においても保護者の思いに過度に接近する**同情的(sympathetic)**な関わりでもなければ，距離を置きすぎた無関心な態度でもなく，**共感的(empathic)**な態度をぶれずに貫くことが重要である．ツーディンは共感と同情の違いについて，溝に落ちた人に対する援助的行動を例にして論じている[14]．図 4-10 はそれらについて絵でわかりやすく示したものである[16]．ツーディンは，右側の絵が共感的態度であり，左側の絵のように援助者が一緒に溝に落ちてしまうのは同情的態度であると述べている．中央の絵は援助を必要としている人との距離が遠すぎ，援助のあり方も現実的ではない．

なお，右側の絵の援助者が命綱を付け，自分の立ち位置を失わないように気を付けていることに着目してほしい．言語聴覚士の臨床においても，障害やその疑いのある子どもおよび保護者と出会い，長く関わっていく過程の中では，同情的態度に傾いてしまいやすい局面もあるので注意が必要である．大切なことは「大変なことはたくさんあったけれど，これでよかった」と最終的に親子が共に感じられるような支援である．そして，人生を確かに「自分たちで選び取ってきた」と思えるような自立した親子へと成長していけるような援助である．そのために言語聴覚士に求められるのは，共感的態度を土台としたカウンセリングマインドであるといえる．

b 親子の生活と共にある言語聴覚士

最後に，ある発達に心配のある子どもの母親が書いた手記を紹介する(図 4-11)．親子の生活は葛藤の連続であるが，適切な環境調整と支援者による援助的な関わりによって，保護者が本来もっている，子どもへの愛情や成長への期待，そして大変な中であっても，結果的に何とかやり過ごしていく知恵や思考のあり方などを引き出していくことができるということが感じ取れるであろう．子どもへの直接的な言語・コミュニケーション支援のみならず，地域の中で家族全体を包み込みな

> 　言葉の遅れやみんなと同じ行動がとれないことを3歳児健診で相談したところ，○○*に定期的に通うように勧められお世話になっています．
> 　3歳を過ぎてからようやく長文も出てくるようになりましたが，カ行，サ行が苦手なあさひ（仮名）．「ここ」は「とと」，「そっち」は「ちょっと」．聞いているほうはかわいいのですが，今後を考えると少し心配です．
> 　△月に□□に引っ越してきて，息子2人はストレスを抱えていたと思います．そして，父も，母も．
> 　あさひは1年でたくさんのことが出来るようになりました．オムツが取れてうんちもトイレで出来るようになりました．自分で自分の名前と歳を言えるようになりました．
> 　私（母親）が体調を崩し寝ているとき手を握り「あいしてるよ．ママ」と言ってくれます．まだ弟を叩いたりしますが，一緒に遊んでくれたり，面倒を見てくれたりします．
> 　卵を冷蔵庫から出してフライパンに卵を割って自分で卵焼きを作ることが出来るようになりました．
> 　他にも色々，たくさん出来るようになりました．
> 　出来ることがたくさん増えたのに，母は毎日怒ってばかり．怒らないようにしようとしてもついつい怒ってしまいます．反省の日々．
> 　あさひは毎日自分の思い通りにならないとごねる．泣く．叫ぶ．叩く．それを母は毎日なだめたり怒ったり…．あさひが自分の思い通りにならなかったらごねたりする行動や，言葉がなかなか出てこなかったり，はっきり発音できなかったり，みんなと同じ行動がとれなかったりするのは私のしつけのせい．教育のせい．と悩みプレッシャーを感じています．
> 　そんな中，○○に通うようになりみんなと同じ行動がとれないときは同じ動作をしなくてもよい，1人で正義の味方の戦隊モノに変身！していても許される○○はあさひと母の私にとってありがたい場所．
> 　外遊びが大好き，戦隊モノが大好き，電車が大好き，動物が大好き．好きなことをさせてくれる○○は，あさひと母の私にとっても本当にありがたく，心がほっとできる場所です．
> 　まだまだ慣れないことが多く母と一緒じゃないと行動ができないあさひ．来年度から幼稚園に入園予定．「絶対行かない」って言っているけど，どのように成長してくれるのか楽しみです．
> 　そして子ども達と一緒に父も母も成長出来ればと思っています．
> 　これからもよろしくお願いします．

図4-11　ある母親の手記
*文中の○○はあさひくんが通っている療育機関

がら，親子が安心して毎日を過ごせる環境を整えるための努力を言語聴覚士も積み重ねていかなければならない．

引用文献

1) 久保山茂樹：保護者とわかりあうために．久保山茂樹（編）：特別支援教育ONEテーマブック④子どものありのままの姿を保護者とどうわかりあうか．pp6-24，学事出版，2014
2) 近藤直子："ステキ"をみつける保育・療育・子育て．全国障害者問題研究会出版部，2015
3) 進藤美左：親の会による保護者同士のサポートの実際．中川信子（編著）：ハンディシリーズ 発達障害支援・特別支援教育ナビ 発達障害の子を育てる親の気持ちと向き合う．pp39-47，金子書房，2017
4) 中川信子：ことばをはぐくむ．p95，ぶどう社，1986
5) 池添素：荷を分かち合う相談活動の実際．池添素，他（編）：発達保障のための相談活動．pp9-24，全国障害者問題研究会出版部，2014
6) 中川信子：講演記録—子どもと親を支える健診．エスコアール，2007
7) 市川奈緒子：保護者がわが子の「特性」に気づくとき—健診から療育へ．中川信子（編著）：ハンディシリーズ 発達障害支援・特別支援教育ナビ 発達障害の子を育てる親の気持ちと向き合う．pp11-19，金子書房，2017
8) 中川信子：発達障害のある子を育てる保護者のためにできること．中川信子（編著）：ハンディシリーズ 発達障害支援・特別支援教育ナビ 発達障害の子を育てる親の気持ちと向き合う．pp2-10，金子書房，2017
9) 田中康雄：発達の診立て．乳幼児療育研究 33：85-90，2020
10) 市川奈緒子：療育・発達支援における家族支援．市川奈緒子，他（編）：発達が気になる子どもの療育・発達支援入門—目の前の子どもから学べる専門家を目指して．pp142-159，金子書房，2018

11) 中川信子：発達障害とことばの相談―子どもの育ちを支える言語聴覚士のアプローチ．小学館，2009
12) 白石正久：発達と指導をつむぐ 教育と療育のための試論．全国障害者問題研究会出版部，2014
13) 田中康雄：支援から共生への道―発達障害の臨床から日常の連携へ．慶應義塾大学出版会，2009
14) ヴェレナ・ツーディン（原著），長田久雄（監訳）：ナースのためのカウンセリングスキル．医学書院，1996
15) G.イーガン（原著），鳴澤實，他（訳）：熟練カウンセラーをめざす カウンセリング・テキスト．創元社，1998
16) 河合美子：面接の方法．長田久雄（編）：看護学生のための心理学．p160，医学書院，2016

特異的言語発達障害

> **学修の到達目標**
> - 特異的言語発達障害と判断する根拠を述べることができる．
> - 特異的言語発達障害の症状を説明できる．
> - 特異的言語発達障害の指導について説明できる．

特異的言語発達障害とは

子どもの言語の問題は，最初は初語や2語文の遅れとして現れる．実は，遅れの原因は複数あり，聴覚障害，知的障害，自閉症スペクトラム障害（autism spectrum disorders：ASD）などに伴う場合も少なくない．一方，特異的言語発達障害（**specific language impairment：SLI**）は，**レイトトーカー**（late talker：**LT**）や限局性学習障害（specific learning disorder：SLD）とともに，これら明らかな原因が見当たらない場合をいう．このように言語発達を阻害するような原因が見当たらないのに言語が特異的に障害されるSLI児は，米国の通常の学級に在籍する5歳児の約7％に発現すると報告されており，稀な障害ではない[1]．Rice[2]は，SLI児を幼児から成人に至るまで追跡した結果から次の4点をSLI児の特徴としてあげている．

①言語習得のあり方や進み方は定型発達児と同じであるが，平均して1～2年遅い．
②理解語彙，表出語彙ともに習得が遅く，10～12歳以降にはさらに遅れる．
③理解と表出の両面で動詞に関係する文法の習得に困難を呈する．
④言語の障害が長期に渡り続く（治ることがない）．

このうち③の文法の問題はどの言語を習得しているかで異なるが，欧米のSLI児は，時制や項の一致を示す動詞にまつわる文法形態素，例えば，三人称単数「-s」や過去形を示す「-ed」などの習得が難しい．実は，定型発達児も最初，これら文法形態素を適切に動詞につけていないことも多いが，4～5歳にはマスターする．しかし，SLI児は成人してもこの問題が継続するうえに，これら文法規則の理解も難しく，定型発達の6歳でも気づくような文法形態素の誤りにSLIの青年は気が付かない．

1 医学的診断とことばの遅れとの区別

SLIは医学的診断名ではないが，DSM-5の神経発達症／神経発達障害群のコミュニケーション症群／コミュニケーション障害群に含まれる「言語症／言語障害群」に属し，就学後は学習のつ

まずきが生じ限局性学習症／限局性学習障害に至るリスクが高い[3]．以前は失語ということばが使われていたが，症状は言語の習得における障害であり，いったん獲得した言語を失う失語とは異なるということもあり，SLIと呼ぶようになった．そして，SLIの研究や臨床が進むにつれ，知的障害や社会性の問題がなくても言語習得が困難な子どもがいることや，子どもの言語の問題を文法や語彙などの多面的に捉える必要があること，さらに就学後は読み困難や学習困難に至るリスクが高いことなど，単なることばの遅れとして捉えるのは不十分であることが示された．

2 日本語では

日本語のSLIについても文法障害があると示唆する研究者もいるが，現時点で臨床現場で用いる検査の数値などで示される臨床的な特徴はわかっていない．一方，SLIという障害が臨床に示唆しているのは，言語聴覚士が子どもの言語の問題の捉え方を変えなければならないということである．SLI児の場合，3歳児健診でことばの遅れを指摘されていても，4～5歳ごろにはことばをしゃべりだすことが多く，追いついたと捉えられるため，経過観察や言語指導が終了しがちである．しかし，SLIの言語の問題（英語圏の文の形態素の習得困難）が示すように子どもの言語の問題は，「ことばを話すかどうか」ではない．また，ASDのようなコミュニケーションの問題はないので，日常会話の中では気づかれにくい．そのため，言語聴覚士には言語の問題を発見するための感性や資質が求められる障害といえる．

B 言語・コミュニケーション障害の特徴

英語圏のSLI児に認められる文法の問題は，受動態や使役態の文が作れないというような文構築における問題より，動詞の活用にまつわる形態素の省略という小さな単位の問題が中心である．例えば，Rick Ø walking（進行形のためのisが抜けている），Rick walkØ yesterday（過去形を示す「-ed」が抜けている），Rick walkØ everyday（三人称単数「-s」が抜けている）など，文法的に必要な形態素が抜けているというのが言語特徴である．このような臨床像から考えられることは，SLI児は4歳ごろから文レベルで話しており，日常の会話には支障はない．つまり，言語の問題はことばを話すかどうかや，日常のコミュニケーションから判断できないということを示唆している．

日本語の場合，文法の問題は気づきにくい．それは，日常の会話の中で，主語，目的語，助詞，動詞などの省略が頻繁に生じているが，文法的には誤りではないからである．また，外国人が日本語を話していると，「なにか変，助詞がおかしい」などと文法的誤りに気づくことがあっても，相談に来た子どもとのやりとりではほぼ感じない．

本項では，そのような難しさを抱えている日本語SLIの言語コミュニケーションの特徴を発達期に沿って述べる．

1 幼児期

幼児期では言語聴覚士とSLI児との接点は少なくとも次の2つの機会があるため，それぞれにおける言語・コミュニケーションの特徴を述べる．

a 健診を通して：LTとの関係

1～3歳で実施される発達健診では，表出面で遅れが認められるものの，状況や場面の理解が比較的よく，知的にも遅れは認められない．アイコンタクトもあり，対人関係に問題が認められない子どもがいる．英語圏では，これらをレイトトーカー（LT）と呼ぶが，2歳児の13～15％に生じ，男児に多く（女児の3倍），家族性（親族内に言語の問題があるものがいる）の場合や未熟児や低体

重児である場合も少なくない．SLI児は初語や2語文の発現が遅れるため，最初はLTから始まりそのままSLIになる印象があるが，LTのほとんど(75%)は3歳〜3歳6か月ごろまでに追いつく．そして，3歳以降そのままことばの遅れが継続し4〜5歳にSLIに至る子どもが2歳時のLTの15〜20%と概算されている[4]．

LTのプロフィール(ことばは遅いが知的な遅れや対人関係の問題を感じさせない)を示す子どもについては，従来から「しばらく様子を見ましょう」「集団に入れば大丈夫」と判断されてきた．しかし，3歳児健診でことばが遅れている場合，そのうちの2割前後はSLIに至る．ただ，英語圏の調査からもLTの段階で3歳では追いつくかどうかの判別が難しいことがわかっているため，LT児の再診や経過観察を少なくとも年中後期〜小1まで実施する必要があり，その際には次のような点に留意する．

(1) 状況理解と言語理解との区別

2〜3歳ごろ，表出の少なさに加えてジェスチャーなどの非言語的伝達活動が乏しいLT児のほうが，表出面のみ遅れたLT児より6歳でSLIが発現する頻度が高いことがわかっている．また，3〜5歳の追跡研究を参考にすると，遅れが継続する子どもの特徴として，近年，言語の理解の低さが要因の1つとしてあげられている[5]．そのため，言語理解力を状況判断の良さとは区別し，語彙や文の理解度について検査を実施して早期判定・発見につなげるべきである．

(2) 表出語彙の中でも動詞の習得に着目する

そもそもLTは表出語彙が少ないこと(例えば，2歳で50語以下)で発見されるが，語彙の中でも特に動詞習得に定型発達とは異なる特性があることがわかってきた．特に，SLIに至るLT児にとっては，「歩く」「踊る」など行為の方法を示す動詞は，行為の結果を示す動詞(「叩く」「閉める」)より難しいという．これは，行為の結果を示す動詞のほうが状態の変化を伴うため効果や終了がみえるが，行為の方法を示す動詞は終了がみえず，わかりにくいためである．また，行為の方法を示す動詞間の違いがわかりにくい場合がある．例えば，走ると歩くの場合，両者の区別はほんのわずかな違いによるため気づきにくい．そのため，LT児の語彙が増えてもこのような動詞特性の影響が続くという．つまり，SLIに至るLTの語彙発達は単なる遅れではなく偏りを示すため，語彙の量だけでなく内容にも着目することが言語発達障害の早期発見につながる．

(3) フォローアップの重要性：保護者の理解が不可欠

健診後の経過観察では表出面の遅れはあるものの，それなりに発語が増え，文レベルの発話が認められてくると，とりわけ保護者は子どもが追いついたと捉え，経過観察の必要性を感じなくなる．しかし，LT児が5年後の7歳でSLIに至るリスクはLTでない定型発達児の2倍である[2]．しかも，英語圏でもSLIかどうかの判断は文法障害が顕著になる4〜5歳である．つまり，それなりに文を話すようになってから，遅れではなく特有の言語症状が顕現するのである．したがって，保護者にはSLIに至る可能性，コミュニケーション言語ではなく学習言語の習得におけるつまずきリスクがあること，就学後までの経過観察の必要性について理解を図ることが必要である．また，経過観察の中で言語の問題の有無について，ことばを話すか話さないかで判断せず，言語理解の確認，ナラティブ再生などの課題を実施し，それらの結果を保護者と共有していくことが望ましい．

b 保育所や幼稚園からの紹介

第2の臨床像は，4〜6歳で集団の中で認められる言語理解や表出の問題である．この場合，子どもの言語は年齢に比して幼いという印象(5歳で3歳の言語・コミュニケーション)はあっても，ことばもそれなりに話している．そのため，すべての担任が気づくわけではないが，中には言語の問題(指示が理解できない，ことばで伝えられないなど)や言語以外の問題で言語聴覚士に紹介さ

れる場合がある．その際には，認知，言語，社会性の発達レベルを明らかにし，SLIのプロフィール（認知や社会性は低くないが，言語が低い）を示すかを確認すべきである．

また，構音が不明瞭なため家族にしか何を言っているかよくわからない場合もある．英語圏では，SLI児の40％に構音の問題があるという報告もあり，構音の問題ということで言語聴覚士に紹介される子どもであっても言語の問題を呈する可能性が高く，構音検査だけでなく言語検査の実施が必要である[6]．

幼児期におけるSLI児は，集団への適応や日常会話への反応は比較的良好である．また，早期には理解（もしくは状況判断）はそれほど悪くないが，自発語が乏しく，ジェスチャーなどを多く使う傾向がある．ただ，臨床像を詳細にみると多様であり，ことばをしゃべりだしたが，なかなかことばが出てこず非流暢さがある例，集団の場ではあまり自分から話さず，担任に何か話しかけることもあるものの，何を言いたいのか要領を得ない例，課題や取り組みについての説明が理解できず，隣の子どもの真似ばかりしている例，先生や友達の名前，色の名前など特定のことばが覚えられない例，友だちとの行き違いやトラブルが多い例など，言語理解・表出における困難さを背景にした症状はさまざまである．さらに，日常のコミュニケーションにはほとんど問題がないため，周囲の大人は気づいておらず幼いだけと捉えているが，兄や姉があまりの通じなさ（理解の悪さ）に話しかけなくなったといったように，子ども同士の様子から判明した例もある．

英語圏では，音声言語の問題（例えばことばの遅れ）が5歳6か月までに解消されていないと，書字言語の問題も併発することがわかっており，5歳6か月を臨界期（年齢）として捉えるべきであると示唆されている．これを受けて田中ら[7]は，就学前後の子どもの学習言語の習得能力を測定するダイナミックアセスメントを開発し，就学後の学習のつまずきの早期発見に取り組んでいる（本

項の「評価」の項を参照）．

2 年長～学童期

a 言語・コミュニケーションの特徴

SLIは，通常の学級の5歳児のほぼ7％という発現率から稀な障害ではない．しかし近年，文法形態素の習得のつまずきという臨床マーカーが明らかな英語圏でもSLI児の29％しか言語聴覚士による言語指導を受けていないことが明らかになった[8]．言語指導を受けているSLI児には，言語の問題に加えクラス内での問題行動や対人関係のトラブルなどがあり，園や学校から紹介される場合が多いという．つまり，言語の問題が背景にあり，指示に従わない，禁止されていることを繰り返しやる，友だちに手が出るなどの問題行動に繋がっている．ちなみに，注意欠如・多動性障害（attention deficit/hyperactivity disorder：ADHD）の診断項目に「言語指示を聞かない」など言語理解に関連する項目が含まれていることがあり，英語圏でもADHDと診断されているSLI児が少なくないという．このようなことから，何らかの問題行動がある場合はSLIではないと判断するのは早計である．むしろ担任から指摘されている問題行動の背景には言語の問題があるかもしれず，それを確認できるのは言語聴覚士しかいないという自負が必要である．ところで，幼児期後半以降では，言語聴覚士の受診前にWISCなどの知能検査をすでに受けている場合が少なくない．そのため，SLIに相当するかどうか（動作性IQが正常域かどうか）検査結果が手掛かりになるものの，確認すべき点が2つある．まず，動作性IQが80前後の場合，言語の弱さで認知課題の成績が低い場合があるため，下位検査を改めて実施し言語指示の理解ができているうえでの成績かどうかを確認する．また，標準化検査では単語や単語の羅列でも点数がとれるため，数値上問題がないということになっている場合も少なくない．し

たがって，文レベルの問題があるかどうか，遊びや会話の中での発話分析やナラティブの再生(本項の「評価」の項を参照)を用いて確認すべきである．

b 学習言語の問題として捉える

近年，Rice[2]が，SLI児は就学後に読み障害，能力に見合わない学力の低さ，同年代との関係構築の困難，いじめの対象へのなりやすさなどのリスクが高いと報告している．つまり，幼児期の言語習得のつまずきに加え，思考や学習のための学習言語の習得にも問題が生じるということである．実際，就学時点でどの程度そのレディネスが構築されているかが，後の学習到達度を予測するという．

また，英語圏では5歳でSLIと判定された子どもの60％は4年後も言語に重篤な問題があり，学童期には言語発達障害があるために学習障害が生じる**言語学習障害**(language-based learning disabilities：LLD)に至る可能性が極めて高いという[9]．従来からLDの85％に言語の問題があるという指摘があるが，LDの定義にある「知的遅れはないが，聞く，話す，読む，書くの言語活動の習得に困難がある」のうち，「聞く・話す」は聞こえや話し方のspeechの問題ではなく，聞いた内容を理解する，考えや出来事をことばで表現する，いわゆる音声面の学習言語の問題であるといえる．また，学習言語の弱さには，Vygotsky[10]の「内言」にも相当する思考する機能の弱さが含まれ，学年が上がり教科学習で求められる水準が高くなるに従いつまずきが深刻になることに加え，このような言語の問題は継続し，そのまま成人するという．

ところで，学習言語の問題を指導するにあたり，習得の方法の特徴について理解が必要になる．従来から子どもは生活の中で自然に言語に触れる経験の結果として言語を身につけると考えられている．これは周囲の人とのコミュニケーションのための言語の習得方法である．子ども自身はことばを学ぼうという意図はないが，環境からのコミュニケーション言語についてのインプット(言語情報)に繰り返し触れる中で偶発的に自然に習得する．一方，学習言語の習得は，コミュニケーション言語の発達が基盤となるものの，子ども自身がその意味や特性に気づき，経験の中で言語についての意識を高め，意図的に学習しなければ身につかない．例えば，書きことばの習得は，子どもが自然に覚えるというより，少なくとも最初は家庭や教室で大人が教え，子どもが学ぶということがなければ起こらない．したがって，学習言語の指導にはコミュニケーション言語の指導にあるような遊びの中での応答的ことばかけを繰り返しているだけでは効果がないことになる．このことから近年，さまざまな言語指導法が提唱されている(本項の「支援」の項を参照)．

SLI児は音声言語に加え書字言語の習得につまずく場合も少なくない．書字言語の問題は大きく2つあり，かな文字の読みから時間がかかるディスレクシアタイプ，かな文字は読めるが，内容の理解が難しい読解困難タイプである．前者については幼児期後半から認められるが，後者の問題については担任や家族が気づきにくいため，言語聴覚士が確認すべきである．さらに，両タイプとも小学3年ぐらいから漢字・熟語の読みや意味が習得できなくなり，文章を自分では読んで理解できないことが増える．そして，学年が上がるに従い困難さも増し，学習への意欲低下に至ることが多い．ところで，このような書字言語の問題は視覚性ではなく，学習言語の問題から生じているため，単純な読む練習や書く練習，1人でプリントを仕上げるなどを繰り返すことでは改善されない．言語聴覚士との間の活発な言語活動とともに，授業や教科書の内容を理解するため学習言語の指導を行うべきである．

C 評価

1 SLIと判定するための評価

SLIかどうかを判定するにあたり，欧米で最も準拠される診断基準はLeonard[11]によって提唱されたもので，数種の検査や臨床観察の結果が総合的に使われる．まず，「知的障害がない」という基準は，一般的に知能検査の動作性IQの標準得点が80〜85以上であることが求められ，それ以下の場合はSLIには当てはまらない．また，「言語に問題がある」という基準は，標準得点85以下，評価点7以下などが用いられるが，現在使われている標準化検査では言語のすべては評価できない．そこで，幼児の場合は遊びなどの自然な場面での発話を集めて行う**言語サンプル分析**（**LSA**）などを通して，子どもの発話の長さや異なる語数なども分析して言語の問題の有無を確認する．また，標準化検査の成績は低くないが，文レベルの問題がある場合もあり，さらなる掘り下げ検査や保護者や園・学校からの情報収集が必要である．

2 幼児期におけるSLIの判定

表4-5に幼児を対象に臨床現場で使用されている検査や言語・行動観察項目，判定基準などを示す．まず，言語に問題があることを確定し，その原因が聴力障害や中耳炎の頻発によるものではない，脳損傷，てんかん，麻痺などの明らかな中枢神経系の障害によるものではない，全般的な発達の遅れやASDなどの対人関係・適応障害によるものでもないことを確認することが評価のポイントになる．

幼児の場合，言語聴覚士がSLIかどうかを判定する機会は，3歳児健診でことばの遅れを指摘された後の再健診や，保育所や幼稚園から「気になる」と指摘され，言語の問題の有無を精査する場面である．そのため，対象児が4歳前後になっていることが多いが，英語圏でもSLIかどうかの判定は少なくとも4歳以降になる．なぜなら，この年齢のSLI児は3〜4語文以上で話しており，文法形態素の問題が顕著になるからである．日本語でも年中・年長に至っていないと，健診後に追いついたかどうかの判断は難しい．

評価対象が乳幼児の場合，表4-5に含めたような検査を用いるが，特定の検査結果の数値のみでSLIと診断できるわけではない．また，言語の標準化検査の数値がどの程度低い場合にSLIと判断するかについてさまざまな議論があるが，近年，語彙や文法などの言語の成績が平均から1 SD（標準偏差）以下でも定型発達児との判別になるということが縦断研究から示唆されており，本項でもその基準を用いている．

SLI児は引っ込み思案で検査課題の導入にやや時間はかかっても，知的遅れや対人関係の問題がないため，表4-5にあげたような検査の実施はそれほど難しくない．子どもの全体的なプロフィールを把握するために，まず，言語表出は年齢より低いが，知的には低くないことを確認する．ところで，日常のコミュニケーションには支障がない場合でも言語理解が良好とは限らないため，理解の検査は実施して確認すべきである．なかには言語理解も低い場合があるが，その場合，こだわりの目立たないASD児との判別はかなり難しいため，経過観察をしていく中で判別していくことになる．また，検査を実施すれば言語や認知に遅れがあるかないかはわかるが，それらの数値上の結果に加え，対人関係の弱さ，他児との関係の乏しさ，こだわりなどが認められない，言語検査では低くないが話そうとしない，言い誤りや言い淀みが多いなどの言語・コミュニケーションの特徴を有するかどうかなどの情報が正確な判定につながる．ただ，文法能力などは現在使われている検査では測れない．そこで，次のような言語の掘り下げを行うことにより言語の質的な問題を

表 4-5 乳幼児期に SLI の判定に用いる項目と基準

判定項目	使用下位検査や情報収集の例	判断に用いる基準
言語表出に遅れがある	【標準化された検査例】LC スケールの言語表出 KABC-II, WPPSI-III の表出語彙, なぞなぞ, 語の推理など,	標準得点や指数が 85 以下, 評価点 7 以下
	【言語の実態を把握するための課題例】言語サンプル分析(LSA): 発話長, 異なる語彙数, 言い淀みや言い誤りの頻度など, 2 語文の多様性: 異なる動詞数や文結合の数など	年齢平均値から 1 SD 以下, 明らかに多いもしくは少ない
言語理解に遅れがある	【理解語彙検査例】LC スケール, PVT-R, KABC-II, WPPSI-III など	評価点 7 以下, 標準得点や指数が 85 以下
知的遅れがない	【動作性知能 NVIQ の検査例】WPPSI-III: 積み木模様, 行列推理, 絵の概念, KABC-II: 模様の構成, パターン推理, 新版 K 式: 認知・適応領域	標準得点 85 以上 DS 85 以上
聴覚障害・運動機能障害・中枢神経系の異常などがない	・聴力検査 ・発声・発語器官の検査 ・発達歴・既往歴などの聴き取り	正常域
言語の問題が ASD によるものではない	・遊び, 検査時の反応などの観察によるコミュニケーションや状況理解の問題の有無 ・聴き取りや観察によるこだわりの有無 ・質問紙の利用(CCC-2, など)	ASD ではない

浮き彫りにし,SLI かどうかの判定に繋げるとよい.

a 言語サンプル分析法 (language sample analysis: LSA)

自発的な発話に焦点を当てた言語の分析である.親子が遊んでいるような自然な状況の中で認められる子どもの自発的発話を集めて分析する.分析の視点には,平均発話長,発話の内容,発話の頻度,異なることばの数,発話の誤りなどさまざまあるが,幼児期の SLI の判定で主に使われるのは,発話の長さ,異なる語彙数である.ただ,SLI 児は 4〜5 歳になると文レベルで話していることが多いため,これら数的評価よりはむしろ言い淀みや言い間違いの多さ,喚語の難しさなど質的特性を捉えるほうが評価に役立つ.

b 文の多様性(sentence diversity)

Hadley ら[12]によると,「文の構築」は定型発達では 22〜33 か月の間に出現し,子どもの真の言語能力を反映するため,ことばの結合数や内容を評価することで,子どもの初期の文法発達を評価できるという.この文多様性に基づく評価は,30 分間の親子の自由遊びの場面を観察し,その中で発話サンプルを採取する.発話サンプルのうち異なる主語と動詞の組み合わせ数を数えるのであるが,子どもが自発的に表出した文だけを記録して検討すればよく,簡便であるため臨床で使用しやすい.近年,遠藤ら[13]は日本語への適用を進め,文多様性の評価に基づいて事例の文法発達を検討しているが,言語発達障害がある幼児の文の多様性は明らかに少なく,文構築が定型発達とは初期から異なることを示唆している.

判定のために実施する標準化検査の成績や掘り下げ課題の成績が低いと言語の問題の有無の判断につながるが,言語の問題の背景に何があるか,すなわち軽度の知的障害,ASD,それとも SLI かの判断は,実施中の子どもの検査課題や検査者への反応などが手がかりになる.つまり,子どもの言語反応に認められることばの意味的・文法的

誤りの頻度，言語理解のあいまいさ，対人関係の弱さなどを総合して判断することになる．したがって，英語圏のような臨床症状（文法形態素の省略など）が明らかになっていない日本語でSLIかどうかを判定するのは言語聴覚士の力量に大きく影響されることになる．

3 年長以降におけるSLIの評価

年長以降では，クラス内での適応の悪さから担任が気になる子どもの中に，「教師の指示の理解が悪い」「授業の内容を理解できない」「人にわかるように説明できない」「読んだ内容を理解できない」など，言語に問題があることを示唆する子どもがいる．このような子どもの場合，日常会話に支障はないが，言語を評価すると成績が低く，SLIもしくはLLD（言語発達障害のために学習につまずいている言語学習障害）である場合が少なくない．

この年代でのSLIやLLDの評価のポイントも，標準化検査の結果で言語の成績は低いが知的障害がないこと，対人関係の問題など言語習得を阻害する原因が見当たらないことを確認することにある．そもそもこの年代の言語の問題は，コミュニケーションのためではなく思考や学習のための学習言語の習得のつまずきであり，そのつまずきが教科学習を阻害しているかどうかについても評価を行うことが大切である．さらに，子どもへの適切な支援や指導を組み立てるためには，言語や学習のつまずきの背景が軽度知的障害，ASD，SLI/LLDのうちどれかを判別する必要があるが，標準化検査の結果の数値からでは判別できず，課題実施の中で認められる子どもの言語反応や特性などから総合して判断していくことになる．ただ，年齢が上がるに従って子どものスキルや能力も伸び，背景の判別が難しくなる．例えば，学校では認識されていないが，家庭内では小さなこだわりなどがあることからASDと判明した学童の事例があるなど，多方面からの情報収集が必要である．そこで，SLIもしくはLLDであるかどうかや言語の問題の有無の判定には標準化検査に加え，次のような評価法を用いて言語の問題を彫り上げる．

a ダイナミックアセスメント

日常会話ではわからない学習言語習得のつまずきを早期発見するために，近年，田中ら[7]は学習言語のダイナミックアセスメントを提案している．そもそもダイナックアセスメント（DA）とは，事前評価—指導—事後評価のプロセスを経るが，子どもに認知・言語学的ストラテジーを教え，その後その新しいストラテジーをどの程度使えるようになったかを調べるものである．子どもが今どの程度達成しているかという現在のレベルを示す標準化検査の結果に比べると，DAの結果は子どもの指導への反応に基いており，どの程度指導が有効か，またどこでどのようにつまずいているかを明らかにすることができるため，その後の指導につながりやすい．田中ら[7]による学習言語のDAは音声言語および書字言語を評価する．前者では簡単なナラティブのマクロ構造（起承転結などの話の組み立て）について絵やアイコンを用いて教え，話を再生させる中で教えたことをどの程度習得できるか，教えたことを他の話に応用が可能かを評価するとともに，ナラティブに使われる言語的複雑さ（動詞句，接続詞などの使用），習得にかかった時間，発話の質的特徴（言い淀み，言いなおしなど）などを捉える．書字言語のDAでは，万葉仮名で表記した無意味語（例：まっこ）を用いて促音や濁音の規則性を教え，その規則性を新しい無意味語に応用できるかを評価する．そして，音声・書字言語それぞれの学習能力の判断は，指導による可変性の程度として捉え，年齢相応に可変性が認められない場合，背景に言語発達障害があり学習につまずくリスクが高いと判断する．田中ら[7]はこのDAによる学習言語の評価を年長や1年生を主に対象にしたスクリーニングとして位置づけているが，外国籍の子

どもの日本語習得が進まない場合の原因解明，つまり，そのつまずきが多言語という言語環境によるのか，背景にある言語発達障害によるかの判別に役立つという手ごたえを得ている．

b ナラティブ再生を用いた発話分析

ナラティブは従来から，文レベルの子どもの発話サンプルを集める方法の1つとして用いられ，発話をトランスクリプトに起こしてさまざまな側面から分析されてきた．例えば，話の結束性の分析，発話に含まれる単語や形態素数を数える分析など，言語学的指標を用いた分析により文レベルの言語の問題を浮き彫りにするものとして位置づけられてきた．ただ，臨床現場で用いる際に，分析に時間と労力がかかりすぎる，話の組み立て（ストーリーグラマー，起承転結，マクロ構造などと呼ばれる）の発達的分析や言語学的な分析の意義がわかりにくい，などの批判があった．

そこで，近年では臨床で使いやすく簡便化された実施法や解釈法などがでてきている．その1つがナラティブを再生させる（リテリング）実施法である．子どもからナラティブを誘発するには，絵を見せながら「絵についてお話ししてください」と自発的に語らせる方法がとられている．しかし，子どもが語れる場合は良いが，子どもが語れない場合，その理由が言語の問題なのか，経験が乏しいからなのか，あるいは他の要因（認知，社会性，感覚器系の障害など）からなのかの判別が難しい．また，そもそも言語聴覚士が対象とする子どものほとんどが自分から語れない．そのため，一度話を聞かせてから「それでは今度はあなたが絵を見ながらお話ししてください」と指示するナラティブ再生法を使うことが増えている．この方法が評価しているのは記憶力そのものではないし，見聞きしたことを丸覚えで一言一句そのまま言うことでもない．むしろ聞いた話を理解し，自分のことばで再構成できる力をみる．つまり，言語記憶力よりは言語理解力や言語表現力を捉えようとする．

英語圏におけるSLI児の再生ナラティブの特徴として，マクロ構造（話の組み立て）では必要な要素（場面設定，登場人物，展開，結果など）が不十分で話の筋がわかりにくい，ミクロ構造（語彙や文法における言語的複雑さ）では文が短い，単純な文が多く，接続詞が十分でないか適切でない，語の意味の間違いやあいまいさが多い，などが報告されている．

田中ら[14]はある絵本[15]を簡略化した話を用い，PCで絵とともに話を聞かせた後，ページに沿って話の再生を促し，最後に内容についての発問をするなどを含めた15分程度の課題を作成した．そして，子どもから誘発したナラティブ再生発話についてマクロ構造，ミクロ構造，質的特徴の3つの視点から分析することで，文レベルの言語の問題や能力を評価する．また，このナラティブ再生を用いた言語評価法を構築するために，定型発達児や言語発達障害児に実施しデータの集積を行っているが，近年，ことばの教室での言語指導事例に実施したところ，学童期のSLI児ではマクロ構造はあまり問題がないが，ミクロ構造（動詞句を用いた複雑な文や接続詞が少ないなど）の弱さに加え，質的特徴（言い誤り，言い直し，言い淀みが多いなど）で健常児と違いが大きく，特性が出やすいと報告している[14]．

D 近年のSLI児の言語指導や支援

英語圏では近年，子どもの言語指導に関する次のような疑問点があげられている．

①ことばが遅れた子どもには，子どもの表出レベルに合わせた応答的ことばかけが推奨されている．しかし，知的遅れがなく，理解もそれほど低くないLT児やSLI児には表出に合わせた低いレベルのことばかけが言語を伸ばすために役立つのだろうか．

②指導する順は，従来から簡単なものから難し

いものへと設定されてきた．これは定型発達児に認められる発達プロセスから導かれたものであるが，果たして文法規則が簡単な文から始めてわかるようになるだろうか，難しいものから指導したほうがわかりやすい場合もあるのではないか．

③言語の習得は日常生活という自然な文脈の中で行われるため，LT児やSLI児にも同様に生活の中で自然な形で習得できることを目指すが，そもそも彼らは生活の中で習得できないために問題が生じているので，自然な文脈や状況ではやはり難しいのではないだろうか．

④名詞の数を増やすことは従来からさまざまな方法で検討されているが，文の要である動詞についてはその習得や指導方法などが十分に分析されていないのではないだろうか．

このような疑問を背景に，子どもへのことばかけを含めて従来の子どもの言語指導法について見直す臨床研究が増えている．ことばを育むことを目標にした言語聴覚士の言語技法にはさまざまあり，子どもの行動や思いをことばにする（パラレル・トーク），子どものことばを文法的に正しく言い直す（リキャスト），ことばのモデルを提示する（モデリング），子どものことばを拡大して返す（エキスパンジョン：拡張模倣），会話の中で目標語に何度も触れさせる（focused simulation：重点的刺激法）などがあげられるが，どのことばかけも，言語聴覚士がことばをかけた後に子どもからの反応を引き出すことはしない．つまり，このような言語技法は周囲の言語情報から子ども自身がことばの意味，形，規則性などを発見し，分析し，身につけていくことを暗黙のうちに期待している．したがって，子どもに習得してほしいことが明白に示されないということで，暗黙の(implicit)言語指導法(**IM法**)といえる．しかし，SLI児を中心に言語習得につまずいている子どもはそもそも言語情報を分析し，規則性を発見する力が弱いため，IM法のように暗に示される方法では習得が難しいことが予想される．

そこで，学ばせたい目標を明白(explicit)にした言語指導(**EP法**)の効果検討が始まっている．EP法はメタ言語的知識が育ってくる学童以降の子どもを主に対象とし，文法規則の習得を目指す[16]．学んでほしい目標の背景にあるパターンを認識させるため，英語の場合，「男の子について話すときはheで始め，女の子について話すときはsheで始めます」などの説明を加える．さらに，図形を用いて習得させたい文構造（主語，述語，目的語など）を示し，例えば，「○の中には動詞が入ります」など視覚的手がかりを与えつつ，目標を含む文を読む，書くなどの活動を通してメタ言語的能力を同時に伸ばそうとする．近年，幼児期の子どもの言語指導にもEP法が応用されるようになってきたが，その場合，指導の文脈やかかわりの基本としてIM法を用い，構造化された遊び（粘土遊び，すごろくやチェスなどのボードゲームなど）の中で伸ばしたい文法的構造を明確に示していくなどを行う．

このような近年の言語指導法に関する動向を背景に提唱されている言語指導法について述べる．

1 明白な言語情報：トイトーク(toy talk)

Hadleyら[12]は，言語発達障害に至るリスクが高いLT児の文法発達を促すために，トイトーク(toy talk)という指導法を開発した．これは，保護者を指導して，そのことばかけを変化させ，子どもの言語発達を促す方法で，EP-IM結合法の中でも低年齢向けである．トイトークの指導では「子どもが遊んでいる玩具について話をする」「対象となる玩具の名前を明示する」という2つの方略を保護者に習得させる．Hadleyら[12]は40組の母子にトイトーク指導を行ったところ，保護者のことばかけから「あれ」「それ」などの代名詞が減り，普通名詞が主語となる文が増加すること，指導をした保護者の子どものほうが，その後の文法発達が促進されたことを報告している．遠藤ら[13]は，日本語版トイトークでは，保護者のことばかけに動詞文の割合を増やすことが子どもの文法発

達を促すと仮定している．日本語の文の基本構造は，英語のように「主語＋動詞」ではなく，「補足語＋動詞」から成ると捉えると，母親のことばかけには「ワンワンが歩いているね」といった主体（動作主）＋動詞という構造だけでなく，「ご飯食べてるね」と言った目的（対象）＋動詞や，「ボールで遊ぼう」など手段（対象）＋動詞などの文構造が含まれる．そこで，日本語版トイトークでは，養育者に「子どもが遊んでいる玩具について話をする」「動きを表すことば（動詞）と組み合わせた文にして話す」の2つの方略を指導する．遠藤ら[13]は，この日本語版トイトークの予備調査として言語発達障害児1名（4歳10か月女児）およびレイトトーカー1名（2歳0か月男児）と母親2名を対象に実施したところ，指導前，母親2名は文に比べて単語，句の発話が顕著に多かったが，トイトーク指導後（4週間後）には2名とも文発話，特に動詞文の割合が増加した．さらに子ども2名の文発話も増加し，日本語版トイトークの指導により保護者のことばかけを変えることが可能であるとともに，子どもの初期文法発達を促す可能性も示唆された．

2 文の要である動詞の指導を目指したことばかけとは

日本語版トイトークでは動詞文に着目し，保護者のことばかけの指導を行うが，英語圏でも動詞が文の基本で，動詞の発達が文法習得につながると考えられており，次のような動詞の指導におけるポイントが挙げられている．これらは，今後研究により検証されるべきであるとはいえ，言語指導の内容や方法を組み立てる際に考慮すべき大切な論点である．

a 電文体は使わない

子どもは動詞の意味を自分にかけられたことばの言語学的文脈から判断している．英語圏の定型発達の場合，2歳児でも文法形態素（-ing -edなど）を手がかりにかけられたことばが名詞か動詞かの区別がつき，そのうえで動詞の意味を捉えるという．子どもへのことばかけを簡単にしようと，多くの言語聴覚士が電文体をよく使う．しかし，電文体はことばを並列に並べただけであり，文法情報が省かれ，そもそも文法形態素が苦手なSLI児にはどのことばが動詞かがわからず，指導の効果はあまり望めない．つまり，電文体は子どもにとって簡単でわかりやすいという大人の思い込みにすぎず，動詞の習得には役に立たない．言語聴覚士は文法的に適切な文（日本語の場合，代名詞を使わず，主語，目的語，動詞，助詞がある文）を用いて動詞の指導を行うべきである．

b 子どもが処理しやすくする

LT児やSLI児は，定型発達児に比べると言語情報を処理するのに時間がかかるうえに，処理する量も限られている．そのため，子どもがわれわれのことばかけに気づきやすいように，習得させたい動詞を言う前に，行為主（特定名詞）を繰り返す．例えば，「男の子見て！男の子がいるでしょ」．そして，その後に，「男の子が歩いている」などの動詞文を言ったほうが子どもの動詞習得が良いことが示唆されている．また，「男の子がゆっくり歩いている」など，副詞をつける．さらに，「電車が走っている」より行為主を（動きがある）生物（男の子，ワンワンなど）にするなどの工夫も文や動詞の意味を処理しやすくする．

c 多様な例を提供する

従来からことばが遅い子どもにはことばをたくさん聞かせる，「ことばの風呂に入れる」ことが推奨されている．確かにLT児やSLI児は定型発達に比して言語に触れる機会がより多く必要であるが，何をどのくらい聞かせるとよいかはよくわかっていない．文法の視点から考えると，動詞については，動きの方法（落とす，落ちる），時制（落ちている，落ちた），後続の助動詞の影響（落とされる，落としてもらう）など，子どもが気づ

き習得しなければならない項目は少なくない．

近年，動詞の指導には多様性をもたせるほうが効果が高いことが報告されている．例えば，1つの文法規則の習得のために異なる動詞を用いる，同じ動詞について時制や助動詞の付加を変化させるなどであるが，指導対象の子どもにとってはどのような多様性（動きの方法，時制，助動詞の付加など）に効果があるか，指導の中で子どもの習得度をみながら考えていくとともに，例示の仕方，回数，タイミングなども見つけていくことが必要である．

d 指導の効果は教えたことができるだけではない

従来から指導の効果は，教えたことが言えるようになる，わかるようになるという点から捉えられてきた．標準化検査の項目も，要求することが言える，わかるということで点数化される．しかし，言語の規則性の習得とは，機械的に記憶できたかではなく，その規則を新しいことに応用できるかという生産性（productivity）によって判断するべきである．そのため，指導した動詞やそれにまつわる規則を子どもが新しい状況に応用できるかどうかを，教えていない動詞に規則を応用する課題などを用意して確認していくことも大切である．

3 ナラティブを用いた言語指導

ナラティブとは，幼児期後半から発達する学習言語の1つである．英語圏の調査では，年長時（5歳6か月）でことばの遅れが解消されなかったSLI児は4歳台のナラティブの成績が追いついた群より低く，ナラティブの成績で追いつくかどうかの判別がつくという．実際，言語聴覚士が対象とする子どものほとんどがしっかりと語れない．彼らの話は年齢に比して短く簡単で，言い淀みなどが多く不明瞭である．そして，語彙も乏しいため「あれ」「これ」を多用し，話の組み立て（ストーリーグラマー，起承転結，マクロ構造などと呼ばれる）ももたないことが多い．しかし，ナラティブ能力は，先生が話すことを理解する力，授業内容や書物に書いてあることを読んで理解する力，口頭や書字で作文する力と深く関係し土台となるため，ナラティブの力を伸ばす言語指導が近年推奨されている．Gillamら[17]はナラティブ指導法 **SKILL（supporting knowledge in language and literacy）** を開発し，学齢期の言語発達障害児4名に実施したところ，語彙が広がり，複雑な文で語るようになったという．このSKILLは系統的に話の組み立てや話に含まれることばや文の形を教えると同時に，聞いた話，読んだ話，自分が語った話について比較や評価をさせるメタ言語的指導を含めている．また近年，ナラティブを指導すると，作文の質も向上したという報告もある．

入山ら[18]は，SKILLに加え，聞いた話の再生を誘発し，話の組み立てを絵やアイコンを用いて認識させ，子どもが話した内容を付箋に書き留める，似たテーマをもつ自己体験へ応用させることを通じて学習言語やメタ言語的能力を高める指導法を構築している．このナラティブを用いた言語指導法をことばの教室に通級する小4児童3名（A，B，C）に実施した結果，同じ学年であるがさまざまな効果が認められた[18]．発達障害があり，こだわりが強い事例Aでは，ナラティブ指導によりアイコンを手がかりに，語りに必要な要素を意識しながら話せるようになった．保護者は会話がスムーズになり，説明や言いたいことがわかりやすくなっただけでなく，落ち着いて生活できるようになったと報告した[18]．知的レベルは高いのに語想起が悪く，言い誤りも多いため何を言っているかわからない事例Bは，ナラティブ指導を通して「書きことば」にも変化がみられ，作文のなかにも主語を意識して入れ，多様なことばや言い回しを使い表現できるようになった．当初は「構音障害」が主訴だった事例Cの言語の問題は既存の検査では見えにくかったが，ナラティブを通して「微妙なことばの捉え違いや理解不足」

「言語表現力の低さ」などが浮き彫りになった．ナラティブ指導後には，使用したアイコンがフリートークの際に本人の表出の手がかりとなり，メタ言語的能力も伸びたことが示唆された．このようにナラティブを用いた言語指導の効果はさまざまであるが，どの事例においても共通に家族や指導教員は「話がわかりやすくなった」「ことばの意味を聞いてくるようになった」「経験や出来事を話そうとするようになった」と報告している[18]．

　幼児の場合のナラティブを用いた言語指導では絵本を活用することが多いが，内容や書かれている文が抽象的で複雑な場合も少なくないため，音声言語やリテラシーの指導の目標に合わせて，内容や筋は変えずにきめ細かな修正を加え（文字の数を減らす，文字を大きくする，比喩や慣用句などの表現を減らし，わかりやすい表現や簡潔な文に変える，目標のことばを挿入し繰り返し言わせる機会を増やす，助詞を除いた文を用意し適切さや何が入るかを考えさせる，など），子どもに目標を明示的に示しながら絵本を読むという活動の中で言語を伸ばす方法もある．また，話の構造を示すアイコンの利用も可能であるが，学童の指導よりも数を減らす，付箋には文字ではなく絵を描くなど，子どもの認知レベルに合わせることが必要である．

4　学童期の SLI/LLD 児への言語指導：カリキュラムに沿った言語指導

　学習言語は，コミュニケーション言語のように，遊びや日常会話を繰り返す中でことばに触れて偶発的に習得されるものではなく，系統的・明示的に指導しない限り習得は進まない．そして，言語の弱い子どもは言語室内での指導のみでは習得や定着，般化が難しいため，指導の頻度を上げるとともに，子どもの生活の中で指導効果を実感させることが必要である．そのため，田中ら[19]は子どもの学校でのカリキュラムに沿った学習言語の指導法を提唱している．その場合の教材は，子どもの学年より低い学年の教科書や教科書と関係ない市販のドリルではなく，子どもの在籍クラスで現在使われている教科書であり，指導も授業のカリキュラムに沿って展開する．特に，予習型で，クラスが該当単元に入る少なくとも1週間以上前に指導を開始することや，毎日15～20分程度の個別指導を行うことが重要であり，予習した単元の授業がクラスで始まったときには子どもが内容の理解ができ，担任の発問にも答えられる機会を増やす．そのことを通して言語聴覚士と個別に取り組んでいることの効果を実感させ，子どもの取り組みへの意欲を高めることをねらう．教材として国語，理科，社会の教科書を用いるが，指導対象の子どもが得意とする教科から始めるのが望ましい．また，言語聴覚士は教員ではないので，担任の補講をするのではなく，あくまでも教科書を言語指導の教材として用いた言語指導プログラムを組み立てる．この指導には保護者のみならず，子どもの学校の管理職，クラス担任，支援員などの理解と協力が必須であるため，事前に他職種との連携を図ることが必要である．

E 事例紹介

　言語にのみ問題があるSLIの定義はわかりやすいが，その判定は実際にはかなり難しく，臨床家によって異なることが多い．本項はこのようなプロフィールが認められる乳幼児が受診した場合，言語聴覚士の評価・指導の対象となることや，言語の弱さは継続するため学童期にわたっても言語・学習指導・支援のための体制づくりが必要であることを示している．

1　対象児

【事例】A（男児），初診時5歳6か月，年中
【主訴】ことばが遅い・聞き返しが多い・発話が不

明瞭である

【診断名】言語発達遅滞

【生育歴】在胎 40 週　2,986g　首の座り 3 か月　座位 6 か月　独歩 12 か月

　1 歳半で有意味語表出がなく，健診でことばの遅れを指摘された．保健師に定期相談していたが，2 歳過ぎに単語で話し始めたため，経過観察で終了となった．

　2 歳半で保育所に入所した．3 歳頃，言葉と言葉を繋げて話すようになったが，母は，兄と比べて本児のことばが幼いことを気にしていた．3 歳児健診では特に指摘がなかった．

　保育所では，年少までは保育士から問題を指摘されることはなかったが，年中になってから聞き返しの多さを指摘された．また，制作などで保育士の指示を聞いていないことがあると言われた．さらに，年中の夏頃に友達と喧嘩してしまうことがあり，その理由について保育士に尋ねられた際にうまく質問に答え，説明することができなかったと報告があった．

　母は，A のことばの幼さを心配し，地域の専門家による発達相談に行ったところ，よく目が合うこと，文レベルで話していること，保育所の行事などにも参加できていることから，問題なしと説明された．ことばかけを増やすよう助言され，「様子をみましょう」と経過観察となった．

　年中の冬に，祖父母から発音が不明瞭であること，たくさんしゃべってくれるが何のことを話しているのかよくわからないことを指摘された．母親はことばの幼さが改善しないことを心配し，B 病院耳鼻咽喉科を受診した．

【家族歴】父，母，兄，本児の 4 人で生活．父は平日仕事，母も平日のパート勤務．

2　初診評価（アセスメント）

【聴力検査】正常

表 4-6　言語反応

言語聴覚士の質問	A の反応
インテークにおける言語反応	
お名前を教えてください	A くん
何歳さんですか？	・・・（無反応）
何組さんですか？	・・・（無反応．母を見る）⑧
保育所は，何組さん？	・・・さん・・さい
LC スケールにおける言語反応	
靴で何をするか教えてください	おみせをいく ⑨・・・さんぽのみせ．やさいとか，くるまとか ⑩
お外からおうちに帰ってきました．あなたはおうちに帰ってきたら，なんと言いますか	あの・・・それで・・・ゆうやけの・・・んー・・ごはん ⑪

四角数字は【評価のまとめ】と対応している．

【知能検査】

「WPPSI-Ⅲ」全検査 IQ 86

言語理解 71　知覚推理 102　処理速度 98　語彙総合 78

【言語検査】

「PVT-R」評価点 8　VA4：7

「LC スケール」

言語表出　4 歳 2 か月　言語理解　3 歳 7 か月

コミュニケーション 4 歳 8 か月

総合 4 歳 0 か月

　言語理解に関する下位検査

　　「形容詞の理解」　5/6 正答 ①

　　「格助詞の理解」　すべて誤答 ②

　　「位置を含む指示理解」　すべて誤答 ③

　言語表出に関する下位検査

　　「位置の表現」　2/3 正答 ④

　　「文脈に応じた動詞の使用」　1/5 正答 ⑤

＊身振りを多用する．

　コミュニケーションに関する下位検査

　　「状況画の理解」　言葉による説明　すべて誤答 ⑥

　　　　　　　　状況画の理解　3/3 正答 ⑦

【検査場面での言語反応】（表 4-6）

【評価のまとめ】

WPPSI-Ⅲによると動作性の知能が年齢相応であるのに対し言語が低かった．言語検査では，概ね3歳後半～4歳前半の言語発達段階であり，語彙理解は単語での質問に対し絵の選択肢から回答する課題は比較的正答が多かった(PVT-R，①)．しかし，表出面では，頭に浮かんでいるのに言葉が出てこない様子がみられ，特に動詞の表出では身振りを多用することが多く(④⑤)，語を想起することの困難さが認められた．

文レベルでは，助詞を手掛かりにした文や，多語文の理解が難しい様子が観察された(②③)．また，文を使用して物事を説明することが非常に苦手であった(⑥⑨⑩⑪)．

視覚的に状況を理解することは得意であり，状況の因果関係理解も可能であった(⑦)．質問に対する回答がわからない時に，近くにいる母の顔を不安そうに見て，助けを求める様子がみられた(⑧)．

インテークの質問応答の様子に関して母からの聞き取りでは，年齢を「いくつ？」と尋ねると答えられる，保育所のクラスは「ウサギ組？パンダ組？」のように選択肢を聞かせれば答えられるとのことであった．このことから，聴き慣れない言葉で尋ねられると質問の意味が取れないと考えられた．

LCスケールにおける言語反応から，文から談話レベルで状況を説明することが著しく苦手であると考えられた．具体的には，単語から頭に浮かんだ関連語を列記するものの(⑨靴→おみせ，⑪おうち，帰って→ゆうやけ→ごはん)，質問に適切に答えられなかった．

以上の①～⑪にみられるように，対人関係の問題がなく，良好な動作性知能に対し，言語面，特に文レベルから談話レベルの理解と表出に著しい困難を抱えているため，SLIであると判断した．

3 指導目標と指導内容

a 第1期：年中～年長前半／ねらい＝言語活動を活発化

【具体的目標】
①語彙の意味ネットワークの拡大
②「主部-述部」など特定の文表出パターンの習得
③視覚的ヒントを使用したナラティブ表出の獲得
④早期の文字習得

【指導内容】

月2回，40分の指導および20分の保護者面談を実施した．また，保育士と連絡を取り，Aの言語の問題点を説明し，丁寧な関わりをしてほしい旨を伝えるとともに，下記の課題に対する協力を依頼した(丸数字は【具体的目標】と対応させている)．

①身近な語彙を用いてスリーヒントクイズを実施した．クイズの方法を理解したところで，Aにもクイズの問題を作成させた．その際，目標語彙と周辺語彙の関係性を教示しながらヒントを考えさせた．家庭でも母と一緒にヒントを考え，父や兄にクイズを出すよう指導した．また，上手に作れたクイズを言語聴覚士の言語指導時に持参し言語聴覚士にクイズを出すことを提案した．

②Aの好きなアニメキャラクターを使用し，現前事象を文で表出する課題を実施した．Aが表出できない場合は，言語聴覚士がモデル提示し復唱させた．復唱できた文は，離れたところにいる母親のところへ行って，報告(遅延模倣)させた．

③1枚絵やAの家族写真もしくは系列絵を使用して，ナラティブの表出を促した．ナラティブの構成要素(登場人物，事件，取り組みなど)を示すアイコンを使用しながら，言語聴覚士が簡単な談話を聞かせ，Aに再生(リテリング)させた．

②，③に慣れてきたところで，保育所と連携をとり，休日の家族写真や家族の出来事写真を撮り，保育士に対して再生するよう提案した．保育

士には別途母から簡単な文書で写真に関する情報を伝え，自発的な文や談話を促すようお願いした．

　④好きなアニメキャラクターや生き物の絵カード・写真カードを使って，文字に触れさせた．家庭では，アルバムや玩具箱，冷蔵庫などに，Aの好きなものの絵や写真と文字を貼っておくよう依頼した．

b 第2期：年長後半〜就学／ねらい＝学習言語の指導

【具体的目標】
①視覚的ヒントを使用した談話(ナラティブ)表出の獲得
②文字の読み書き指導
③カリキュラムに沿った学習言語の指導

【指導内容】
　月2回，40分の指導および20分の保護者面談を継続した．
　①複数の系列絵を使用して，よりわかりやすいナラティブ表出を指導した．登場人物(だれが)，時間(いつ)，場所(どこで)，出来事(何があって)，結果(どうなったか)，さらに登場人物の気持ちといった談話の各要素について，アイコンを用いてヒントを出しながら表出させた．同様の方法で，自分が経験した非現前事象についても語れるよう練習した．
　②文字への興味が伸びてきたところで，家庭での読み書き指導を開始した．また，①に関連し，Aが話したことや経験したことについて，文字で表記してAにフィードバックするよう，保護者に依頼した．さらに，保育士に連絡を取り，複雑な指示や出来事についての確認には簡単な線画と文字を用いてAに提示するよう依頼した
　③兄の教科書を用い，1年生の国語，算数の内容を予習する中で語彙・概念理解の指導を実施した．国語では，わかりづらい語彙や内容をイラストで提示する，簡単な線画で話の流れを一緒に追うなどして事前に内容を理解させた．算数は，簡単な加算減算についてドリルなどを用いてパターン的に理解させた．

c 第3期：就学後〜現在(小2)／ねらい＝他職種との連携による支援

【具体的な目標】
①国語および算数について内容を理解した状態で授業に参加できる
②各担任の理解や支援のもと学習に自立的に取り組むことができる
③わからない語や説明があったら，担任に自発的に質問できる

【指導内容】
　頻度は3〜4か月に1度，学校での様子を確認する定期フォローに変更し，必要に応じて評価および助言を行った．保護者の同意のもと幼児期のアセスメント結果および指導経緯を就学先に書面で報告するとともに，通級指導教室で言語指導が受けられるよう保護者を通して要望した．また，依頼があれば，学級担任，通級指導教室担任にAの言語の問題および指導上の配慮事項について詳細に説明を行った．

4　指導結果

　指導開始3か月後頃より，保育士から「聞き返しが減った」「指示理解がよくなってきた」「お友達とのトラブルが減り，お兄さんになってきた」との報告があった．指導開始4か月後，祖父母と電話で話した際に，「何を話したいのかわかるようになってきた」と言われた．文字を覚えてくるに従い，身の回りで目にする文字を通して，言葉の意味を知りたがる様子がみられ，質問が増えた，と保護者から報告があった．

　就学後は，単純な計算や漢字は得意で，テストでも良い点数をとってきた．国語のテストは，単元テストでは平均的な点数をとったが，まとめのテストや初めて目にする問題では，質問の意味がわからずに点数が下がるとのことであった．

出来事の説明はまだ幼い段階ではあるが，学級担任や通級指導教室担任が丁寧にAの話を確認してくれているとのことで，楽しく学校に通えている．

小学校1年生終了時（7歳10か月）のアセスメントは，以下の通りであった．

知能検査：WISC-Ⅳ 全検査IQ 88

言語理解76　知覚推理109　ワーキングメモリ92　処理速度98

言語検査：PVT-R 評価点7　VA6：1

LCスケール：言語表出5歳6か月　言語理解5歳1か月　コミュニケーション6歳0か月　総合5歳6か月

引用文献

1) Tomblin B, et al：Prevalence of specific language impairment in kindergarten children. J Speech Lang Hear Res 40：1245-1260, 1997
2) Rice ML：Clinical lessons from studies of children with Specific Language Impairment. Perspectives of the ASHA Special Interest Groups 5：12-29, 2020
3) Catts HW, et al：A longitudinal investigation of reading outcomes in children with language impairments. J Speech Lang Hear Res 45：1142-1157, 2002
4) 田中裕美子：LT/SLI/LDの発達的関係．言語発達障害学．医学書院，2016
5) Zambrana IM, et al：Trajectories of language delay from age 3 to 5：persistence, recovery, and late onset. Int J Lang Commun Disord 49：304-316, 2014
6) Shriberg LD, et al：Prevalence of speech delay in 6-year-old children and comorbidity with language impairment. J Speech Lang Hear Res 42：1461-1481, 1999
7) 田中裕美子，他：ダイナミックアセスメントを用いた学習言語の評価法の検討：年長・低学年を対象に．第44回日本コミュニケーション障害学会学術講演会，2018
8) Wittkea K, et al：Which preschool children with specific language impairment receive language intervention？ Lang Speech Hear Serv Sch 49：59-71, 2018
9) Paul R, et al：Language disorders from infancy through adolescence：listening, speaking, reading, writing, and communicating. 4th edition. ELSEVIER, 2012
10) Vygotsky LS（著），柴田義松（訳）：思考と言語（原書1934）．明治図書，1962
11) Leonard LB：Children with specific language impairment（2nd. Ed）. MIT Press, 2014
12) Hadley P, et al：Input subject diversity enhances early grammatical growth：Evidence from a parent-implemented intervention. Language, Learning, and Development 13：54-79, 2017
13) 遠藤俊介，他：トイトーク（Toy Talk）を用いた保護者指導による早期文法発達支援の試み．第46回日本コミュニケーション障害学会学術講演会，2020
14) 田中裕美子，他：ナラティブを用いた言語評価．日本コミュニケーション障害学会言語発達障害研究分科会第11回セミナー，2019
15) Mayer M：Frog, Where Are You？（A Boy, a Dog, and a Frog）Puffin. 1980
16) Owen Van Home AJ：Forum on morphosyntax assessment and intervention for children. LSHSS 51：179-183, 2020
17) Gillam SL, et al：Improving narrative production in children with language disorders：an early-stage efficacy study of a narrative intervention program, LSHSS 49：197-212, 2018
18) 入山満恵子，他：ナラティブを用いた言語指導法の効果について．第46回日本コミュニケーション障害学会学術講演会，2020
19) 田中裕美子，他：デジタル教科書と従来の教科書の比較を通じた読み指導法の検討Ⅰ：読みの指導法について．第38回日本コミュニケーション障害学会学術講演会，2012

4 限局性学習障害

学修の到達目標
- 限局性学習障害(読み書き障害)の定義を述べることができる.
- 限局性学習障害の症状を説明できる.
- 限局性学習障害の指導について説明できる.

A 限局性学習障害とは

1 定義

限局性学習障害は教育の領域と医学の領域それぞれで定義されている. LDと呼ばれることも多いが, この用語についても, Lはlearningで共通だが, Dは教育の領域ではdisabilities, 医学の領域ではdisordersの略となっている.

まず, 教育の領域での定義を述べる. 文部科学省は学習障害を,「基本的には全般的な知的発達に遅れはないが, 聞く, 話す, 読む, 書く, 計算する又は推論する能力のうち特定のものの習得と使用に著しい困難を示すさまざまな状態を指すものである. 学習障害は, その原因として, 中枢神経系に何らかの機能障害があると推定されるが, 視覚障害, 聴覚障害, 知的障害, 情緒障害などの障害や, 環境的な要因が直接の原因となるものではない」と定義している. また,「学習障害児に対する指導について(報告)」(1999年7月)では, 実態把握のための観点(試案)が示されている(表4-7).

医学の領域においては, 米国精神医学会の診断基準であるDSM-5[1]において, 限局性学習障害(限局性学習症)specific learning disorderという分類がなされている. 限局性学習障害は, 自閉症スペクトラム障害(ASD)や注意欠如・多動性障害

表4-7 文部科学省によるLD(学習障害)の実態把握のための観点(試案)(2004)

A. 特異な学習困難があること
1. 国語又は算数(数学)(以下「国語等」という)の基礎的能力に著しい遅れがある. 　現在及び過去の学習の記録等から, 国語等の評価の観点の中に, 著しい遅れを示すものが1以上あることを確認する. この場合, 著しい遅れとは, 児童生徒の学年に応じ1〜2学年以上の遅れがあることを言う. 　小学校2, 3年生　　　　　1学年以上の遅れ 　小学校4年生以上又は中学生　　2学年以上の遅れ 2. 全般的な知的発達の遅れがない. 　知能検査等で全般的な知的発達の遅れがないこと, あるいは現在及び過去の学習の記録から, 国語, 算数(数学), 理科, 社会, 生活(小学校1及び2年生), 外国語(中学生)の教科の評価の観点で, 学年相当の普通程度の能力を示すものが1以上あることを確認する.
B. 他の障害や環境的な要因が直接の原因ではないこと
・児童生徒の記録を検討し, 学習困難が特殊教育の対象となる障害によるものではないこと, あるいは明らかに環境的な要因によるものではないことを確認する. ・ただし, 他の障害や環境的な要因による場合であっても, 学習障害の判断基準に重複して該当する場合もあることに留意する. ・重複していると思われる場合は, その障害や環境等の状況などの資料により確認する.

(ADHD)などとともに「神経発達症」(neurodevelopmental disorders)の1つに分類されている.DSM-5の診断基準を表4-8に示す.

また,WHO(世界保健機関)のICD-10(国際疾病分類第10版)では,発達障害のうちの学習能力の特異的障害に分類され,「特異的読字障害」「特異的書字障害」「特異的算数障害」「混合性障害」が含まれている.

学習障害に含まれる症状は教育と医学領域で異なり,医学領域の定義では音声言語の障害は学習障害に含まれていない.知的機能の扱いも教育界と医学界では異なっている.文部科学省の定義では「全般的な知的発達に遅れはない」ことが要件とされている.一方,DSM-5では知的能力障害群に分類されたとしてもそれで説明がつかない場合は限局性学習障害ということになるし,ICD-10では読みの達成度,書字,算数の能力が生活年齢や知能,年齢相応の教育の程度から期待されるものより十分に低いことが診断基準となっており,知的障害を排除していない.

また,DSM-5では,限局性学習障害の重症度を記載するようになっている.概要を表4-9に示した.すべての障害と同様,学習障害においても重症度という考え方は非常に重要である.軽度例で併存症状もなく,意欲が高いといった例と,読み書きに関する症状が重度で併存症状があるような例では,必要とされる対応が全く異なる.

言語聴覚士は医療,教育いずれの領域でも活躍が期待されており,共通点,相違点を含めた教育界,医学界それぞれの定義,そして重症度という視点を十分に理解しておく必要がある.

2 学習障害の各タイプ

a 音声言語の障害

文部科学省の定義にある「聞く」「話す」の障害は,特異的言語発達障害に該当する症状と考えられるため,本章3項(➡101頁)を参照してほしい.

表4-8 DSM-5における限局性学習障害の診断基準

A. 学習や学業的技能の使用に困難があり,その困難を対象とした介入が提供されているにもかかわらず,以下の症状の少なくとも1つが存在し,少なくとも6カ月間持続していることで明らかになる:
(1) 不正確または速度が遅く,努力を要する読字(例:単語を間違ってまたはゆっくりとためらいがちに音読する,しばしば言葉を当てずっぽうに言う,言葉を発音することの困難さをもつ)
(2) 読んでいるものの意味を理解することの困難さ(例:文章を正確に読む場合があるが,読んでいるもののつながり,関係,意味するもの,またはより深い意味を理解していないかもしれない)
(3) 綴字の困難さ(例:母音や子音を付け加えたり,入れ忘れたり,置き換えたりするかもしれない)
(4) 書字表出の困難さ(例:文章の中で複数の文法または句読点の間違いをする,段落のまとめ方が下手,思考の書字表出に明確さがない)
(5) 数字の概念,数値,または計算を習得することの困難さ(例:数字,その大小,および関係の理解に乏しい,1桁の足し算を行うのに同級生がやるように数学的事実を思い浮かべるのではなく指を折って数える,算術計算の途中で迷ってしまい方法を変更するかもしれない)
(6) 数学的推論の困難さ(例:定量的問題を解くために,数学的概念,数学的事実,または数学的方法を適用することが非常に困難である)
B. 欠陥のある学業的技能は,その人の暦年齢に期待されるよりも,著明にかつ定量的に低く,学業または職業遂行能力,または日常生活活動に意味のある障害を引き起こしており,個別施行の標準化された到達尺度および総合的な臨床評価で確認されている.17歳以上の人においては,確認された学習困難の経歴は標準化された評価の代わりにしてよいかもしれない.
C. 学習困難は学齢期に始まるが,欠陥のある学業的技能に対する要求が,その人の限られた能力を超えるまでは完全には明らかにはならないかもしれない(例:時間制限のある試験,厳しい締め切り期限内に長く複雑な報告書を読んだり書いたりすること,過度に重い学業的負荷).
D. 学習困難は知的能力障害群,非矯正視力または聴力,他の精神または神経疾患,心理社会的逆境,学業的指導に用いる言語の習熟度不足,または不適切な教育的指導によってはうまく説明されない.

〔日本精神神経学会(日本語版用語監修),髙橋三郎,大野裕(監訳):DSM-5 精神疾患の診断・統計マニュアル.pp65-66,医学書院,2014 より〕

b 文字言語の障害

読み書き困難の中心的な障害ともいえる症状

表4-9 DSM-5における限局性学習障害の重症度

軽度：1つまたは2つの学業的領域における技能を学習するのにいくらかの困難さがあるが，特に学齢期では，適切な調整または支援が与えられることにより補償される，またはよく機能することができるほど軽度である．

中等度：1つまたは複数の学業的領域における技能を学習するのに際立った困難さがあるため，学齢期に集中的に特別な指導が行われる期間がなければ学業を習熟することは難しいようである．学校，職場，または家庭での少なくとも1日のうちの一部において，いくらかの調整または支援が，活動を正確かつ効率的にやり遂げるために必要であろう．

重度：複数の学業的領域における技能を学習するのに重度の困難さがあるため，ほとんど毎学年ごとに集中的で個別かつ特別な指導が継続して行われなければ，それらの技能を学習することは難しいようである．家庭，学校，または職場で適切な調整または支援がいくつも次々と用意されていても，すべての活動を効率的にやり遂げることはできないであろう．

〔日本精神神経学会(日本語版用語監修)，髙橋三郎，大野裕(監訳)：DSM-5 精神疾患の診断・統計マニュアル．pp66-67，医学書院，2014 より〕

が，**発達性読み書き障害（発達性ディスレクシア）**である．この用語はDSM-5において初めて記載された．DSM-5では，発達性読み書き障害は読みにおける正確さや流暢性，綴りの問題で特徴づけられるものであり，発達性読み書き障害という用語を用いる場合には，読解力や数学的推論といった付加的な困難さを特定することが重要であると指摘されている．発達性読み書き障害については後述するが，限局性学習障害における読字や書字の問題は発達性読み書き障害より広い概念となっていることを示している．

C 計算もしくは算数障害

文部科学省の学習障害の定義には「計算する」ことの障害が含まれている．しかし，実態把握のための基準として文部科学省は，「算数(数学)の基礎的能力の著しい遅れ」をあげており，必ずしも計算だけが想定されているのではないことが示唆される．また，学習障害の定義に含まれる「推論する」能力については，図形や数量の理解・処理といった算数や数学における基礎的な推論能力が含

まれているとしている．

医学の領域では，DSM-5には限局性学習障害の診断基準に，数字の概念，数値，または計算を習得することの困難さと，数学的推論の困難さがあげられている．それぞれの例として，前者に対しては，数字，その大小，および関係の理解に乏しい，1桁の足し算を行うのに同級生がやるように数学的事実を思い浮かべるのではなく指を折って数える，算術計算の途中で迷ってしまい方法を変更するかもしれない，と述べられており，後者については，定量的問題を解くために，数学的概念，数学的事実，または数学的方法を適用することが非常に困難である，と記載されている．このように，示されている症状や特徴は多彩であり，今後整理されていくことが望まれる．

症状について秋元[2]は，算数障害を2群に分けることを提唱している．すなわち，言語能力に問題のある群と視覚-空間能力に問題のある群である．前者においては，九九や暗算ができない，繰り上がりや繰り下がりのある計算でよく誤る，筆算の割り算の手続きがなかなか覚えられないといった問題がみられるという．発達性読み書き障害の臨床において，音韻障害がある程度強い例で，九九の覚えにくさや繰り上がりや繰り下がりのある計算，特に暗算の困難さがみられることがある．一方，視覚-空間能力に問題のある群は量的概念や図形の概念の理解に困難を示し，機械的な計算は可能でも演算の意味が理解しにくいといった症状を示すという．このような例において，定規が正確に使えなかったり，アナログ時計をみて時間を読み取ったりすることに困難がみられることがある．ただし，算数のみに障害を示す純粋例があるのかどうかについては議論のあるところである．

出現率に関しては，文部科学省の調査(2012年)[3]では，担任によって知的発達の遅れがなく，「計算する」あるいは「推論する」に著しい困難を示すと回答された児童生徒の割合は2.3%と報告されている．

B 評価

限局性学習障害に該当する症状のうち，読みにおける正確性や流暢性の問題については発達性読み書き障害（123頁）で詳述する．

限局性学習障害の評価においては，全般的な知的能力と定義にある学習に関する習得度の両側面の評価が必要である．しかし，どの程度の困難があれば限局性学習障害とするかについての明確な基準は必ずしも示されていない．

1 全般的な知的機能

定義上，読み書きや計算，算数の症状が知的能力の低さで説明がつく場合は，限局性学習障害に該当しない．したがって，診断評価において知的機能の評価は欠かせない．さらに，臨床的にはこちらの目的がより重要だが，目標設定や指導方針の立案という観点からも全般的な知的発達の程度を知ることは必須である．全般的な知的機能の評価には，WISC-ⅣやKABC-Ⅱ，レーヴン色彩マトリックス検査などを用いることができる．詳しくは他項を参照されたい．

2 読解

読みにおける「不正確または速度が遅く，努力を要する読字」の評価については後述する．

読解については，学校での国語の試験結果が参考になると思われる．言語聴覚士が実施できる評価としては，KABC-Ⅱの下位項目「文の理解」，全国標準Reading-Test読書力診断検査があげられる．

しかし，読解に影響する要因はたくさんある．言語の問題としては，音声言語の理解力，語彙力，特に文字単語の語彙力，音読力をあげることができる．文字言語の能力は音声言語の能力を反映するので，音声言語の理解力が低ければ，当然読解は低くなる．したがって，読解の低さが音声言語の理解力の低さに起因しているのかどうかを判断する必要がある．音声言語の評価については他項を参考にされたい．

音声言語の理解に比べて読解の能力が低い場合は，その弱さが何に起因しているのかを把握する必要がある．文字単語の語彙の少なさが問題なのか，音読の弱さが要因なのか，といったことを確認する．文字単語の語彙については，標準抽象語理解力検査の文字提示−指さし課題を実施し，音声提示の差をみることも有用である．

読解の低さが音読の弱さに起因する場合は，漢字への仮名振りや読み上げによって理解が促進されるはずである．音読に困難さがあると文字を音に変換することに負荷がかかり，意味への変換が十分に行えないということが起こる．

さらに読解には言語外の問題として，注意の持続，推測力，背景となる知識や一般常識の有無などが影響する．読解力の評価にあたっては，これらの点についても留意する必要がある．このように，読解の評価には総合的な視点が必要とされる．

3 書字表出

綴字の評価については後述する．DSM-5にあげられている例のうち，文章の中での文法の誤りは，日本語では主に助詞の使用における誤りや，主語と述語のねじれ（主語と述語が合わない）といった形で現れる．これらは，句読点の誤りとともに非常に多くの人たちの文章でみられる誤りであり，どの程度の頻度で出現したら障害と捉えるべきなのかはきわめて曖昧である．

また，段落を適切にまとめたり，思考を明確に書字として表出するといったことは，ものごとを理路整然と考えたり，思考を整理したりするなどの，必ずしも言語にとどまらない能力が必要とされるものである．発話では明確に思考を表現できるのに，文書で書くことに非常な困難さがあると

いうような，発話と書字に乖離を示す例が果たして存在するのかは今後の検討を待つ必要がある．いずれにしても，書字表出についての定量的な評価は現時点では困難である．

4 数字の概念，数値，計算，数学的推論

数字の概念については，数字と○の数のマッチングなどで確認できる．計算課題は学年を考慮して行う．KABC-Ⅱの「算数尺度」には筆算の課題が含まれている．計算ができない場合，量的な概念の把握に困難があるのか，記号の意味理解が困難なのか，操作ができないのか，繰り上がりや繰り下がりで誤るのかなど，どの段階でつまずいているのかを確認する．乗除算は，九九が獲得されていないためにできない場合もある．九九の習得には音韻の能力がかかわる．

数学的推論については，KABC-Ⅱの下位項目に「数的推論」がある．算数や数学の問題が解けない場合，計算における問題以外にも，図形の理解や文章題の読解など複数の問題が影響しうるため，どの過程に困難があるのかを見極めることはより難しい．認知機能の評価が欠かせない．

C 支援

1 支援・指導における基本原則

a 支援の目標

学習障害はその名称のために，学校教育を受けている期間の障害と捉えられる可能性もあるが，困難さは成人になっても続くことを忘れてはならず，発達過程に応じた支援が必要とされる．支援においては，学習そのものを保障することが重要であることは言うまでもない．しかし同時に，適切な自己評価ができる力や努力する力など，生きていくうえで必要な能力の獲得を目指すことが重要である．小学校入学前といった早期の介入であったとしても，常に将来を見据えた支援が必要とされる．また，重要なことは本人の自覚である．支援も指導も，本人の自覚と，支援を受けたい，指導を受けたいという気持ちなしに進めることはできない．対応する側には，本人が自分の状態を把握できるような関わり，支援や指導を受ける意欲を促すような関わりが求められる．指導の最終目標は，QOLの水準を上げ，それぞれの対象者にとって望ましい形での社会参加を支援していくことにある．

b 学校教育における支援

学校における介入には支援と指導という2つの方向がある．介入においては，この2つが両輪として機能することが必要である．このうち指導は学習そのものへの介入であり，児童生徒の学習能力の向上を目指す．一方，支援は指導とは異なり，困難さがあることを前提に，困難さがあっても活動や参加が制限されないように対応することである．学校では，全校的な支援体制の確立，障害のある児童生徒の実態把握や支援方策の検討などを行うための校内委員会の設置，特別支援教育コーディネーターの配置，個別の指導計画の策定と活用などが行われている．ただし，学校による差も大きく，現時点では十分な体制が整っているとはいえない．

学習障害のある児童生徒においても，障害の有無にかかわらずともに教育を受けるという，インクルーシブの理念に基づいた教育が保障されるべきである．**インクルーシブ教育**の実現のためには，**合理的配慮**（reasonable accommodation）が提供されるべきであるとされている（→ Note 26）．

発達障害のある児童生徒への合理的配慮の例としてあげられている項目のうち，個別指導のためのコンピュータの活用やデジタル教材は，学習障害のある児童生徒においても有用な可能性がある．しかし，学習障害のある児童生徒は原因，症

状あるいはそれ以外の側面においても1人ひとりが異なっている．このような多様性のある児童生徒に対して，個別に必要とされる配慮を把握して実行することは決して容易なことではなく，その方法論については教育現場でもまだ確立されているとはいえない．本人と保護者を中心とした学校内外の連携が必須である．

学習障害のある生徒のうち，高等教育に進める人たちがどの程度いるのかは明らかになっていない．しかし，学習障害に対する支援は高等教育においても必要であることは言うまでもない．独立行政法人日本学生支援機構が2019年度に実施した調査[4]では，日本のすべての大学，短期大学，高等専門学校の計1,174校において，学習障害のあることが明らかになった学生（単独例のみ）が199名いたと報告されている．明らかになっていない学生もいることを考えると，学習障害を有している学生はこれより多い可能性があるが，199名中168名は何らかの支援を受けていると報告されている．具体的には，タブレット端末利用の許可，講義の録音許可，試験時間延長や別室受験，学習指導（履修方法，学習方法など），専門家によるカウンセリング，出身校との連携などがあげられている．しかし，学習障害の専門家が少ない現状を考えると，日本での高等教育における支援が十分とは考えにくい．

C 職場や社会における支援

職場における支援はほとんど行われていない．

> **Note 26. 合理的配慮**
> 合理的配慮とは，2012年7月に文部科学省の「特別支援教育のあり方に関する特別部会」が出した最終報告によれば，「障害のある子どもが，他の子どもと平等に教育を受ける権利を享有・行使することを確保するために，学校の設置者及び学校が必要かつ適当な変更・調整を行うことであり，障害のある子どもに対し，その状況に応じて学校教育を受ける場合に個別に必要とされるもの」であり，「体制面，財政面において，均衡を失した又は過度の負担を課さないもの」とされる．

誰に学習障害があるのか，本人にすらわかっていないような状況では当然のこととともいえる．しかし今後，学校教育の現場における対応が進んでいけば，学習障害の評価診断を受けたうえで就職する人も出てくると考えられる．就職試験などの採用における配慮や就職後の適切な支援が求められる．

また，学習障害という用語は社会的に認知されるようになってきているが，その正しい知識の普及はこれからである．発達の過程におけるさまざまな場面でどのような支援が必要とされるのかすら明らかになってはいない．社会全体に正しい知識の周知を図っていくことは非常に重要な課題である．

D 発達性読み書き障害（発達性ディスレクシア）

1 発達性読み書き障害（発達性ディスレクシア）とは

発達性読み書き障害は，限局性学習障害の一部に相当すると捉えることができる．生物学的要因，かかわる認知機能，指導方法その他のさまざまな側面で統一された見解に至ってはいないが，限局性学習障害の中では最も研究が進んでいる領域と考えられる．

a 定義

国際ディスレクシア協会は，発達性ディスレクシアを「神経生物学的原因による特異的な学習の障害」と定義し，その特徴について「正確かつ，もしくはまたは流暢な単語認識の困難さ，綴りや文字記号音声化の拙劣さにある」と述べている．さらに，「ほかの認知能力からは予測できないことが多い．通常の授業は効果的ではない．二次的に読解が影響を受けたり，読む機会が減少したりするため，語彙の発達や知識の増大を妨げるものともなる」と記載されている．

b 名称について

読み書きの障害は後天性の脳損傷によっても出現することが知られている．特に日本においては後天性の読み書き障害の研究が先行していたという事情もあり，先天性の場合は発達性という用語をつけて呼ばれることが多い．

英語の dyslexia（ディスレクシア）は，直訳すると「読み障害」あるいは「読み困難」「失読症」となる．後天性の脳損傷に伴う dyslexia では，書字には問題のない読みだけの障害，すなわち純粋失読という症状が出現することが知られている．しかし発達性の場合，読みに困難があるにもかかわらず「書く」ことにまったく問題がない，という例の報告はない．逆に，読みに問題はなくて書字だけが困難な症例はいる．発達性読み書き障害例では書字の問題は必発と考えられている．そのため日本語では発達性読み書き障害と呼ばれることが多い．

c 出現率

日本語話者の出現率については，文部科学省が2012年度に全国の公立小・中学校の通常学級に在籍する児童生徒（小学校 35,892 名，中学校 17,990 名）を対象に行った教師への質問紙による調査[3]では，知的発達に遅れはないが「読む」「書く」に著しい困難を示すとされた割合は 2.7% であった．一方，多数の小学生を対象に認知機能や読み書きの正確性の習得度などを実際に調査した結果によると，知的発達に遅れのない児童生徒のうち，ひらがなの読みの習得度が学年平均の −1.5 SD より低い小児の割合は 0.2%，カタカナは 1.4%，漢字は 6.9%，書字についてはひらがなが 1.6%，カタカナ 3.8%，漢字 6.0% であったという報告もなされている[5]．この数値の違いには，質問紙による調査か，実際に個々の児童生徒に課題を実施した調査かという方法の相違が影響しているのではないかと思われる．また，検査を実施するにしても，どの検査を用いて平均からどの程度低ければ

表 4-10　Wydell ら[6]による粒性と透明性の理論による文字

		透明性	
		高	低
粒性	小	イタリア語 スペイン語など	英語
	大	日本語（ひらがな，カタカナ）	日本語（漢字）

発達性読み書き障害とするかに関しては明確な基準が定められていないため，どの検査を用いるか，「障害あるいは困難あり」とする基準をどこにおくかによって出現率は異なる可能性がある．

一般に，文字と音との対応関係が規則的な言語（透明性が高いともいわれる）での出現率は，そうでない言語に比べて低いことが知られている．文字と音との対応関係が不規則な英語は，対応関係が規則的な仮名に比べて出現率が高い．英語圏では，書字障害のみの例を除く読み書き障害例の出現率を 10〜15% 程度とする報告が多く，概して日本語に比べて高い．言語による出現率の違いについて理解するには，Wydell ら[6]による**粒性と透明性の理論**（表 4-10）が役に立つ．粒性とは1文字が担う最小の音の単位，透明性とは文字と音の対応関係の規則性のことである．この理論では，1文字が担う最小の音の単位が小さいほど，また規則性が低いほど，読みの習得が難しいとされる．仮名は基本的に1文字が1モーラを担い，漢字は多いものでは1文字が3モーラ以上を担う．これに対して，英語やイタリア語などは1文字あるいはそれ以上の文字が1音素を担う．透明性については，仮名やローマ字，イタリア語やスペイン語は非常に高い一方で，英語や漢字の透明性は低い．粒が小さくて透明性が低い英語は読み書きの習得にとって負荷が高いのに対して，粒が大きく透明性の高い仮名は習得が比較的容易と考えられるのである．

出現における性差については，男児での出現率が女児に比べて多いとする報告が多い．男女差は

表 4-11　発達性読み書き障害のある日本語話者にみられる読み書きの特徴

正確性における特徴	ひらがな, カタカナ	1 文字ずつの音読や書取で誤ったり，時間がかかったりする． 拗音や長音，促音に対応する文字の音読や書字の習得に困難を示す． その困難さが小学校高学年になっても持続することがある．
	漢字	「わからない」「忘れた」という反応が多い． 読み誤りとしては，語性錯読の割合が大きい．音読はできなくてもおおよその意味の把握をし，意味から音への変換がなされるためと考えられる． 書き誤りとしては，実際にない形態となることが多い． 正しく書けても，文字が傾いたり，1 文字の中の構成要素間の開きが大きいといった傾向を示すことがある．
流暢性における特徴		音読や書字に時間がかかる． 読み方がたどたどしい． 速く読んだり書いたりすると誤りが多くなる．

ないとする報告もある．

d 他の発達障害との併存

　発達性読み書き障害は単独でも出現するが，その他の学習障害や学習障害以外の発達障害と併存することも多い．

　海外では，注意欠如・多動性障害のある児童の 40％以上に読みの問題があり，29％に書字の問題があったとする報告や，発達性読み書き障害のある小児の 50％に注意欠如・多動性障害がみられたという報告，成人のアスペルガー症候群例の 14％に書字困難が認められたとする報告，読み書き障害のある小児の 52％に発達性協調運動障害があったという報告などがなされている．

　日本においては，速読課題を用いた検査にて，検査を実施した自閉症スペクトラム障害例（研究が行われた時点では広汎性発達障害）31 例中 8 例（25.8％），注意欠如・多動性障害例（同　注意欠陥／多動性障害）39 例中 17 例（43.6％）に読み困難がみられたという報告がある[7]．注意欠如・多動性障害の 17 例のうち 13 例の主訴は読字困難だったが，読み困難が主訴ではなかった 26 例においても 5 例（19.2％）に読字困難がみられたという．この報告での読字困難例がすべて発達性読み書き障害に該当するかは明らかではないが，上述の日本語話者における発達性読み書き障害の出現率と比較してかなり高い割合であり，海外の報告とも矛盾しない結果である．自閉症スペクトラム障害や注意欠如・多動性障害と発達性読み書き障害は日本語においても併存しやすい可能性が高い．主訴が読み書きの困難でないとしても，発達障害例の臨床にあたっては読み書きに問題がないかどうか確認することは必須である．

2 症状

a 音声言語の発達

　幼児期に音声言語の発達に遅れを示す例が多いという報告もあるが，そうでない例も多い．したがって，音声言語の発達のみで発達性読み書き障害の出現を予測することは困難である．しかし，幼児期に音声言語の発達に遅れがある場合は，その遅れがたとえ軽度であってもその後の文字言語の習得について慎重に見ていく必要がある．言語聴覚士が学齢期まで介入できない場合でも，少なくとも保護者にはリスクについて伝えておくことが求められる．逆に，音声言語の発達に問題がない場合でも，文字言語の習得に問題が出現しないとはいえない．

b 読み書きにおける症状

　発達性読み書き障害のある日本語話者の，読み書きにみられる特徴を表 4-11 に示す．ただし，

```
お父さんは、「どうしたんだい」と言って、
でをぐるんと回しました。ぼくは「いつもど
おりだったよ」とこたえました。
弟が、ガラスのはへんをふまないように気づ
かないで、歩いていきました。
ぼくは、ちょっぴりぼんやりしていました。
                            脱落
                            ちょっと
                            へん…はん
                            きづ
```

図4-12 文章音読の例

発達性読み書き障害のある児童にだけみられる症状はないと考えられている．

(1) 正確性と流暢性

　発達性読み書き障害においては，誤りなく音読や書字ができるかという正確性における症状と，滑らかに誤りなく音読や書字ができるかという流暢性における症状が出現する．ほとんどの場合，正確性に問題があれば流暢性の獲得にも困難がみられる．逆に，正確に音読や書字ができるようになっても，流暢に読んだり書いたりできるようになるとは限らない．近年，特に文字と音韻との対応関係が規則的な言語においては，正確性よりも流暢性の獲得が大きな課題と考えられている．日本語の場合，ひらがなとカタカナは，促音や長音，一部の助詞を除けばその対応は規則的であり，正確性の獲得に大きな困難をきたす例は多くはない．しかし，音読や文字の想起に時間を要する例は少なくない．

(2) 読みの困難

①正確性の問題

　読むという過程には「音読」と「読解」がある．発達性読み書き障害における読みの障害は「**de-coding**」，すなわち**文字や文字列の音声符号化**にある．文字の音声符号化とは，例えば「か」という文字を音韻としての /ka/ に変換するということであり，この困難さは音読の症状として顕在化する．しかし，黙読の際にも文字の音声符号化は必要である．例えば，「それらの結果が十分に示されているとはいいきれない」という文をまったく音声符号化せずに理解するのはなかなか困難である．decoding の問題は黙読にも影響する．

　日本語にはひらがな，カタカナ，漢字，ローマ字と多くの文字種が存在する．重度例では，ひらがな1文字の音読の習得にも大きな困難がみられる．濁音，半濁音の習得でつまずく例もいる．長音，拗音，促音の習得はさらに難しい．特に，促音の習得は難度が高い．カタカナは，学校での練習量も日常の使用頻度もひらがなに比べて少ないため，ひらがなより習得度が上がらない場合がある．また，単語の全体的な処理ができるようになってからは，ひらがなやカタカナの単語は読めるのに1文字で誤るといった現象がみられることもある．これは1文字-1音変換の習得の不十分さを反映する反応と考えられる．さらに，文章において，「している」を「した」と読むような，文末などの仮名の部分に読み誤りが出現することも多い(図4-12)．教育現場では「勝手読み」といわれることもあるが，意図的な誤りではないのでこの呼称は適切ではない．

　漢字の音読では，「わからない，知らない」という反応が多くみられる．読み誤りとしては**語性錯読**が多い．表4-12の例に示したように，語性錯読では，単語に含まれるいずれかの文字から推測したと考えられるような反応や意味性の誤り，形態的に類似した文字を含む単語への誤りなどがみられる．この他，単語の部分的な音読や，個々の漢字の読みとしては正しいが全体としては非語になるような誤りである **LARC(legitimate alternative reading of component)エラー**(➡ Note 27)なども出現する．まったくの非語反応となってしまうこともある．

　発達性読み書き障害のみであれば，基本的には音読できない文章も聴覚的に提示されれば理解す

表 4-12　発達性読み書き障害のある児童生徒の音読例

誤反応のタイプ	目標の単語	反応
語性錯読	文字	さくぶん
	親	まいご
	遠足	さんぽ
類音的錯読	夢中	ゆめ，なか
	見学	みがく
	下車	した，くるま
部分的な音読	宿屋	しゅく…
	目先	め…
形態的に類似した文字への錯読	人口	いりぐち
	楽器	やくひん

ることは可能である．発達性読み書き障害における「読解」の困難さは音声符号化の困難さに由来すると考えられる．

　ローマ字の習得は非常に困難な例が多い．仮名は拗音や促音，長音を除くと1文字が1音を表す．しかし，ローマ字を習得するためには1音が2音素から成り立っていることを理解する必要がある．詳しくは後述するが，音韻障害のある発達性読み書き障害例にとってこの過程は決して容易ではない．新たな文字種を覚えるという負荷もある．ローマ字をほとんど習得しないまま小学校を卒業する例も多い．

　英語の習得も非常に困難が大きい．アルファベット1文字ずつの読みにも困難を示す例は少なくない．特に小文字は，pとqのように形態が似ている文字，bとd，bとp，mとnのように形態も音も類似している文字があり，これらの混同が起こりやすい．また，音の最小の単位が音素で

ある点，音と文字との対応が複雑である点などが習得を困難にしている．文章レベルの読みが可能な軽度例もいる．日本語の読み書きでは明らかな問題を示さず，英語の文字学習が本格化して初めて問題が顕在化する例や，英語圏に留学して発達性読み書き障害と指摘される例もいる．

②流暢性の問題

　読みの流暢性に問題があると，正しく音読できたとしてもゆっくりでたどたどしい読み方になったり，不適切な位置でポーズが入ったり，同じ個所を繰り返して読んだりといった症状がみられる．あるいは，速く読むと読み誤りが増えるということもある．ゆっくりでかつ読み誤りが多いというパターンもみられる．

　流暢性の問題は読解に大きく関わる．読むことの最大の目的は，内容を理解し，それによって知識を増やしたり他者の考えを知ったり，豊かな感性に触れたり，楽しんだりすることにあるが，スムーズに読めないことは読解の大きな妨げとなる．

(3) 書字の困難

①正確性

　書くとは，意味や概念，あるいは音に対応する文字形態を想起（encoding）し，その想起された形態を実際に筆記具を用いて紙の上に実現する，あるいは空書するまでの行為である．発達性読み書き障害における書字の困難さは，文字の想起までの過程にある．すなわち，発達性協調運動障害や上肢の機能低下，注意機能低下などでみられる文字形態の拙劣さ（字が汚い）や枠内に書けないなどの問題は，発達性読み書き障害の症状には含まれない．

　重度例では，ひらがなやカタカナ1文字ずつの習得にも困難がみられる．音読と同様，濁音，半濁音の習得に時間がかかる例もいる．さらに，拗音や長音，促音での誤りが多い．小学校高学年になっても促音の書字に困難を示す例もいる．漢字の書字では「わからない」という反応が多くみられる．書いた場合は形態的な誤りが多く，実在しな

> **Note 27.　LARC エラー**
> 　LARC エラーとは漢字語における誤り方の1つで，個々の漢字の読みは正しいが熟語としては誤りとなるものであり，「海老」を「かいろう」，「歌声」を「かせい」などと読み誤る．

表4-13 発達性読み書き障害のある児童生徒の漢字書字の誤り例

目標語	反応	誤り方
谷川	(手書き)	形態的な誤り
理科	(手書き)	
鼻血	(手書き)	
顔	(手書き)	
社会	(手書き)	別の文字への誤り
世界	(手書き)	

図4-13 文章の書字の例（小学生，男児）

表4-14 文字種からみた発達性読み書き障害の発現

		パターン					
ひらがな	音読	×	○	○	○	○	○
	書字	×	×	○	○	○	×
カタカナ	音読	×	×	×	○	○	○
	書字	×	×	×	×	○	×
漢字	音読	×	×	×	×	×	○
	書字	×	×	×	×	×	×
英語	音読	×	×	×	×	×	×
	書字	×	×	×	×	×	×

い文字となってしまったり，別の文字になってしまったりすることが多い．同音の別の漢字への誤りも出現する（表4-13）．文章ではひらがなが多用されることが多く，低学年で学習した漢字でも誤りがみられる（図4-13）．

②流暢性

　発達性読み書き障害の問題は運動機能の問題ではない．したがって，流暢な，すなわち正確で素早い書字における問題は，文字形態の想起にかかる時間にある．ひらがなやカタカナ1文字ずつの書取りでも想起までに時間のかかる例もいる．1文字の想起に長い時間がかかれば，一定の時間に書ける文字数は当然少なくなる．

c 日本語の文字種における発現の様式

　ひらがな，カタカナ，漢字，ローマ字さらに日本語ではないが学校教育で学ぶものとして英語も含めて，文字種による読み書き障害の典型的な出現パターンを表4-14に示した．一般に，ひらがなの読み書きに困難さがあればカタカナが困難となり，カタカナが困難であれば漢字にも困難が出現する．漢字の書字は最も難度が高いと考えられる．ひらがなとカタカナの発現の差は，おそらくは文字種そのものの差ではなく，練習量の違いによるものと考えられる．

d 発達の過程と発達性読み書き障害

(1) 幼児期

　前述のとおり，音声言語の発達には個人差があるが，文字への興味関心は概して乏しい．読み聞かせは好んでも，文字は見ようとしない．養育者や幼稚園，保育所で文字を教えても，ほかの幼児に比べて明らかに覚えにくいといった傾向を示す．音韻認識の弱さを反映して，「ヘリコプター」を「ヘリポクター」と覚えるなど，発話において音韻の誤りを示す例もいる．ほかに併存する症状がなければ，情緒面や社会性，運動面の発達には問題を示さない．

(2) 学齢期

　比較的重度の場合は，ひらがなの読み書きの習得に困難を示す．しかし，ひらがなは毎日の圧倒的な読み書きの量によって，特殊音節を除くと習得できるようになることが多い．一方，カタカナ

はひらがなに比べて読み書きの頻度が低く，困難さが顕在化しやすい．漢字はさらに困難である．

音読では誤りが多かったり，たどたどしい読み方になったりする．板書を写して書くことには非常に困難が大きい．もちろん，作文は非常に苦手である．読み書きの困難さは学業全般に影響し，語彙や知識の増大を妨げる可能性がある．

併存障害がなければ，行動面や社会性の発達，コミュニケーションには特に問題はない．全般的な知的能力が平均あるいは良好な場合，ほかのことはできるため，「やる気がない」「怠けている」と誤解されやすい．読み書き障害が理解されずに必要な対応がなされないと，自信の喪失や自己評価の低下などの二次的障害をきたす恐れがある．読み書きに関連することだけでなく，あらゆることに対して意欲をもてなくなったり，学校生活への不適応を起こしたりすることもある．注意欠如・多動性障害や自閉症スペクトラム障害などの併存障害がある場合は，問題がさらに大きくなりやすい．

(3) 青年期

高校進学まで可能な場合が多いが，選択肢は狭いという現状がある．症状が比較的軽度でほかの能力が高い場合，大学に進学する例もみられる．しかし，学習障害に対する支援を行っている高校や大学は非常に少ない．専門学校も同様である．

(4) 成人期

概して職業選択の幅は狭くなりがちである．就職試験に筆記試験があると非常に不利である．就職してからの支援もほとんどないため，転職せざるを得ない場合もある．運転免許その他の資格の取得においても困難が生じる．役所などの配布物からの情報収集，銀行や郵便局，役所などでの手続き，子どもがいる場合は，学校からの配布物や提出物などさまざまな状況で文字言語の使用が必要とされ，そのすべてにおいて困難が生じる可能性がある．しかし現状では，本人が発達性読み書き障害があることに気づいていない場合も多いと考えられる．

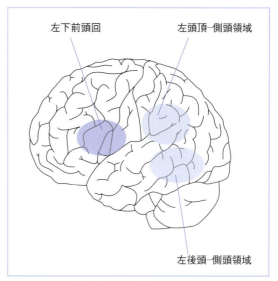

図4-14　発達性読み書き障害のある例で報告されている大脳の機能低下部位
淡い色の部分が低下，濃い色の部分は逆に強い活動

3　原因

a　遺伝・遺伝子

発達性読み書き障害は家族性に出現することが知られている．遺伝率は57％という報告もある．フィンランドでは，発達性読み書き障害の血縁者がいない場合の出現率が9％であったのに対して，家族性のリスクのある家系での有症率は34％という報告もある．双生児の研究では，双生児のどちらもが発達性読み書き障害である確率は，二卵性双生児に比べて一卵性双生児のほうが高いという．

遺伝子については，これまでの海外での研究によって発達性読み書き障害の出現には複数の遺伝子や遺伝子部位が関与していることが示唆されている．日本での大規模な研究はまだ行われていない．

b　脳機能（図4-14）

発達性読み書き障害の要因は脳にあると考えら

れている。通常は側頭平面の大きさが右に比べて左で大きいという左右非対称性がみられるが、発達性ディスレクシア例ではこれがみられないという報告がある。脳機能の研究では、発達性読み書き障害のある例では、左側頭-頭頂移行部や左後頭-側頭回（紡錘状回）の活動が弱く、代償的に左の下前頭回や右半球の活動が強いという報告がなされている。このうち、左頭頂-側頭移行部は音韻処理にかかわるとされる部位である。また、左紡錘状回は単語の形態の認識に関連すると考えられている。

C 認知機能

背景要因となる認知機能については必ずしも統一された見解には至っていない。従来、特に英語圏を中心に音韻の問題が有力視されてきた。しかし近年、すべての発達性読み書き障害の出現を単独で説明できる認知機能はなく、いくつかの要因がその背景にあると考えられるようになってきている。発達性読み書き障害のある日本語話者についても、22名のうち音韻障害と視覚認知障害双方の問題がみられた例が16名いたという報告がある[8]。

ここでは、現在読み書きに関連するとされている主な認知機能について述べるが、これ以外にも、視覚性の記憶スパンの問題、低次の視知覚の障害、小脳の機能低下などが発達性読み書き障害の要因として提唱されている。

(1) 音韻意識

音韻意識（phonological awareness）とは、言語音を特定の言語音として同定し、語の音的な側面に注意を向けて操作できる能力のことと考えられる。英語圏を中心に多くの言語において、音韻意識における困難さが発達性読み書き障害の要因として重視されている。日本語の文字の習得においても、音韻意識は重要な認知能力である。ここでは便宜的に、言語音の同定に必要な音韻表象と音韻操作を分けて記述する。

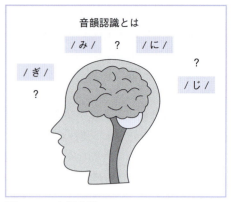

図4-15　音韻意識

①音韻表象

言語音をどの音か正確に同定するためには、音韻が明確に表象されることが必要である。音韻表象が不安定、すなわち音韻や音韻列が明瞭に表象されなければ、当該の音韻と文字の対応関係を形成することは難しい（図4-15）。日本語話者にとっての英語のrとlを考えると理解しやすいだろう。多くの日本語話者にとって英語のrに対応する脳内の音韻表象は曖昧であるため、音韻と文字形態との結びつきは脆弱なものとならざるを得ない。そのため、単語を書く際に「r」なのか「l」なのか迷うことになる。音読の際も同様に、「r」を見ても出すべき音が明確には表象されないため、発音が本来の「r」に対応する音になりにくい。このような状況が母国語で生じていると考えれば、文字言語の獲得を妨げになることは容易に理解されるだろう。

②音韻操作

さらに、音韻列を自在に操作する能力も文字言語の習得に大きくかかわる。通常、仮名文字の習得より先に音声言語の習得がなされる。音韻の発達は別項に詳しいが、幼児はまず音声言語としての単語をひとかたまりのものとして認識する。その後、発達とともに、例えば、「きりんのき」というように単語の中の音の単位、日本語ではモーラ（拍）に気付くようになる（図4-16）。こうして、音声言語としての単語を活用して、「いぬのい」は

図 4-16 音韻意識と文字
かぎかっこ(「 」)が音韻意識で，四角(□)が文字である．

特定の文字と対応することを学習し，仮名文字が習得されていく．漢字単語の読みを学習する際にも，この音韻操作の能力が必要となる．例えば，「先生」という漢字単語の読みを学習する際，「先」が「せん」に，「生」が「せい」という音列に対応することが認識できていないと，新たな漢字単語，例えば「先手」を読む際に，「せて？」「せんせて？」「せいて？」などとなり，正しく読むことができない可能性が出てくる．

(2) 視覚的認知

文字は視覚的に提示される形態である．視覚的認知の弱さも読み書きの困難に関連すると考えられている．特に漢字は形態的に複雑で，数も多く，似たような形態も多いため，視覚的な処理への負荷はアルファベットにおけるそれよりも大きいと考えられる．

①視覚的知覚

文字形態を正しく捉えるためには，全体と細部を同時に正確に知覚することが必要となる．この段階で弱さがあれば文字を正しく書き写すことができなかったり，正確な文字 - 音対応関係の学習に困難をきたしたりする．

②視覚的記憶

さらに，文字を読んだり書いたりするためには，文字形態を記銘，保持，再生する視覚的記憶が必要である．通常，母語にない誤った文字形態が提示されることはないので，おおよその再認ができれば音読は可能である．一方，書く場合は細部まで正確に保持され，再生される必要がある．

(3) 自動化

文字列を読む際には，文字から音韻への変換が連続的に素早くなされる必要がある．文字だけでなく，記号を音韻あるいは音韻列に正確かつ素早く変換するというこの能力は，自動化(automaticity)と呼ばれている．音読の流暢性との関連が指摘されている．

4 評価

発達性読み書き障害であるかどうかについては，実際の文字言語の習得度と全般的な知的機能，読み書きに関連する認知機能の評価を総合して判断する．語彙力を含めて，音声言語の能力も確認すべきである．また，セラピーのためには良好な機能を見出すことも重要である．例えば，AVLT(auditory-verbal learning test)などで測ることができる音声言語の長期記憶が比較的保たれている例は多い．

a 全般的な知的機能

文部科学省の定義に従えば，発達性読み書き障害と評価するためには，知的発達に遅れのないことを確認する必要がある．医学的定義に従うとしても，知的能力を判断することは必要である．定義とは別に，目標設定や指導方針の立案という観点からも，全般的な知的発達の程度を知ることは重要である．全般的な知的機能の評価にはWISC-ⅣやKABC-Ⅱ，レーヴン色彩マトリックス検査などを用いることができる．詳しくは他項を参照されたい．

b 読み書きに関連する認知機能

(1) 音韻意識(表 4-15)

単語や非語の音韻抽出，音韻削除，音韻結合，逆唱，2語の語頭音の入れ替え(スプーナライジング)などが用いられる．音韻列の記憶過程を含

む非語の復唱課題もよく用いられている．課題や基準値として28頁を参照されたい．

表4-15 音韻意識課題

	方法	具体例
音韻抽出	音声で提示された語の指定された位置の音を言う	「たまご」の真ん中の音は？
音韻削除	音声で提示された語から1音を抜いて言う	「たまご」から「ま」を抜くと？
音韻結合	1音ずつ音声提示された音をつなげて言う	「た」「ま」「ご」をつなげて言うと？
逆唱	音声で提示された語を逆から言う	「たまご」→「ごまた」
2語の語頭音の入れ替え	音声で提示された2つの単語の語頭音を入れ替えて言う	「高い　山」→「やかい　たま」
非語復唱	音声提示された非語の復唱	「おごたれま」→「おごたれま」

(2) 視覚的認知

視覚的知覚の評価には，図形の異同弁別課題，立方体やレイ・オステリート複雑図形テスト(Rey-Osterrieth complex figure test：ROCFT)の模写(図4-17)，DTVP検査，WAVESなどを用いることができる．視覚的記憶の評価には，ROCFTの即時再生や遅延再生(図4-17)，BVRTベントン視覚記銘検査を用いることができる．

(3) 自動化

自動化能力を測定する課題としては，RAN (rapid automatized naming)課題(図4-18)が用いられている．これは，色や線画，数字，アルファベットの名前などを連続的に素早く呼称していく課題である．発達性読み書き障害がある例では，1つひとつの刺激の呼称はできるのに，連続的な処理を課すと長い時間を要することが知られている．

(4) 音声言語の能力

WISC-ⅣやKABC-Ⅱの言語性課題の結果から推測できる．しかし，学習によって獲得される知

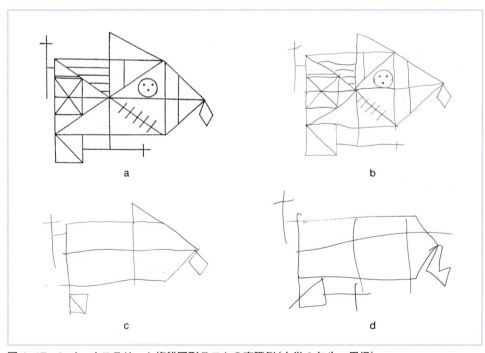

図4-17　レイ・オステリート複雑図形テストの実際例(小学6年生，男児)
a：見本，b：模写，c：即時再生，d：遅延再生

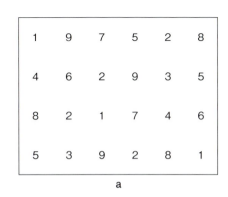
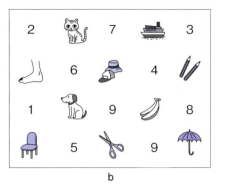

図4-18 RAN(rapid automatized naming)課題例
a：単一刺激課題，b：交互課題

表4-16 読み書きの評価ができる代表的な検査法

	評価項目				
	音読		書字		読解
	正確性	流暢性	正確性	流暢性	
STRAW-R 改訂版読み書きスクリーニング検査	○	○	○	△	
特異的発達障害診断・治療のための実践ガイドライン	○	○			
URAWSS 小学生の読み書きの理解		○		○	
KABC-Ⅱ	○		○		○
包括的領域別読み能力検査 CARD		○			

識や一般常識などは，基本的な言語機能そのものではないことに留意が必要である．受容性語彙については，PVT-R絵画語い発達検査や標準抽象語理解力検査(SCTAW)，KABC-Ⅱの下位項目「理解語彙」を用いることができる．表出性語彙についてはKABC-Ⅱの下位項目「表現語彙」がある．WISC-Ⅳの「単語」は，語として理解していても適切に説明できない場合は得点が低くなるため，語彙力そのものの結果ではない点に留意が必要である．

C 文字言語の習得度(表4-16)

発達性読み書き障害と診断評価するためには，読み書きの実際の習得度を確認することが重要である．たとえ認知機能に問題がみられても，読み書きの習得に遅れが生じていなければ発達性読み書き障害という評価にはならない．指導のためには読み書きがどの程度遅れているのかを確認する必要がある．

(1) 音読と書字の正確性

ひらがな，カタカナ，漢字の文字種別の音読と書字の正確性に関しては，「STRAW-R 改訂版標準読み書きスクリーニング検査―正確性と流暢性の評価―」が活用できる．KABC-Ⅱの下位項目には「ことばの読み」「ことばの書き」が含まれている．文レベルの書字の評価にはKABC-Ⅱの下位項目「文の構成」が活用できる．

(2) 音読と書字の流暢性

音読速度については，「STRAW-R」「特異的発達障害診断・治療のための実践ガイドライン―わ

かりやすい診断手順と支援の実際―」，URAWSS II（Understanding Reading and Writing Skills of Schoolchildren II）などが活用できる．書字速度については，URAWSS IIが活用できる．

(3) 読解

KABC-IIの下位項目「文の理解」が活用できる．音読の能力と比較することによって，音読に見合った読解力なのかどうか判断することができる．発達性読み書き障害の単独例では，音読に比較して読解が保たれていることが多い．

5 支援・指導

a 発達性読み書き障害の発見と介入

読み書き障害の発現にはさまざまな要因がかかわるため，発達性読み書き障害のある小児の検出は容易ではない．しかし，読み書きの習得や学業の遅れを最小限にくいとめるためにはもちろんのこと，二次障害を防ぐという意味でも，早期発見・早期介入はきわめて重要である．

発見と介入に関して，日本には現在，2つの大きな流れがある．1つは，できれば就学前に発達性読み書き障害のリスクのある小児を発見し，読み書きに困難さが出現したらすぐに介入しようとするものである．もう1つは，小学校入学後に読みに効果的な指導を行い，それでも習得に遅れがみられた児童生徒に対して発達性読み書き障害の有無を評価し介入するというものである．

(1) 早期発見・早期対応（図4-19）

読み書き障害のリスクのある例を就学前に発見できれば，就学後に注意深く見守り，困難さが実際に出現したら直ちに介入することが可能となる．

早期発見のためのシステムはまだ確立されていないが，早期発見のための研究は行われている．例えば，RANは比較的低年齢時の読み書き障害の検出に有用とされており，日本においても，年長時のRANの速度が1年後の小学1年時のひらがなとカタカナの音読，2年後の小学2年時の漢

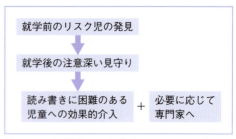

図4-19 早期発見・早期介入のイメージ図

表4-17 発達性読み書き障害のある児童生徒の特徴

幼児期の特徴
・文字に興味を示さない．
・しりとりなどの言葉遊びが得意でない．
学校での特徴
・文字の習得がほかの能力にくらべて困難である．
・板書を写すことが困難である．
・作文が困難である．
音読がたどたどしい
・小学校高学年になっても拗音や促音を誤る．
・漢字が覚えられない，すぐに忘れる．
・算数の文章題が苦手だが，問題を音読したり，振り仮名があると解ける．
・英語の聞く話す能力に比べて読み書きの能力が低い．

字音読における困難を予測するという報告がある．発達性読み書き障害のある児童生徒の読み書きにおける特徴を知ることも，早期発見の一助になると考えられる（表4-17）．

(2) RTI（response to intervention/instruction：介入に対する反応）モデル

米国から始まり，近年，日本においても広がりをみせているのがRTIモデルを元にした介入法である．この方法は，まず通常の授業の中ですべての児童生徒に対して効果的な文字指導を行い，それでも習得が困難な児童生徒に対して少人数での補足的な指導を実施する．さらに，これによっても予想された効果が得られない場合に集中的な指導を行うというものである（図4-20）．日本においても関連する取り組みとして，多層指導モデル[9]，鳥取大学方式[10]などが実施され，実践報告が上がってきている．発達性読み書き障害の有無

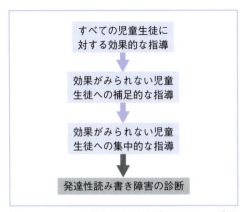

図4-20　RTIを基本とするモデルのイメージ図

が明確になる前に効果的な指導を実施し，いわば予防的に介入する点や，通常の授業の中で担任が実施できる点，発達性読み書き障害ではない読み書きに困難のある児童生徒にとっても効果が期待できる点などで有用な方法と考えられる．ただし，根拠のある指導方法の確立はまだ十分ではなく，また，個別指導が必要な児童生徒が最終段階まで発見されないという可能性があり，そのような例については逆に介入が遅れる可能性もあるという懸念も指摘されている．

b 読み書きの具体的な指導方法

認知機能障害の種類や程度，知的機能や音声言語の能力，性格や好み，二次障害の有無，環境などはそれぞれ異なるため，基本的には個別の対応が必要となる．個々の認知機能を把握したうえで，根拠に基づいた方法による指導を行うことが重要である．また，本人の意欲は指導が効果を上げられるかどうかの1つの大きな鍵である．介入前に本人にも十分な説明を行い，介入後は本人が効果を実感できるよう工夫するといった配慮も求められる．

以下に，読み書きの具体的な指導方法について概説する．

(1) ひらがな，カタカナの読み書き指導

音と文字の対応関係が規則的なため，書字ができるようになれば基本的に音読は可能である．そのため，書字の指導から開始するのが効率がよいと考えられる．

通常行われている方法，すなわち見本を写して何度も書いて覚えるという方法で1文字も覚えられないという例はいない．習得できた文字を手掛かりとして，習得しにくい文字の書字に活用する方法（「ぬ」は「め」を書いてクル，「れ」は「ね」の途中から「し」，など）が考えられる．また，音声言語の長期記憶に問題のないことが確認できている例については，文字形態を音声言語化して覚える方法（「す」はヨコタテくるっと下に伸ばす，など）も有用と考えられる．

効果が科学的に確認された方法として，**バイパス法**による仮名の書字練習法がある[11]．これは図4-21に示したように，「あかさたなはまやらわを ん」が1人で言えるようになったら「あ，あいうえお，あか，かきくけこ」というように「あかさたなはまやらわ，わをん」まで1人で言えるようにする．1人で言えるようになったら，50音表を書く練習をする．一度に練習するのは7～8割書けるところまでとし，「ん」まで書けるようになったら，自動化を目指して速度を上げていく．この方法でひらがな書字練習を実施した10名とカタカナの書字練習を行った26名は，約40日強で平均正答数が有意に増加し，1年後にもそれが維持された．十分に機能していなかった1音-1文字の直接的な変換に対して，音としての50音の配列と文字としての配列との結びつきが，いわばバイパスとして機能したと考察されている．36名はいずれもAVLTにて聴覚性記憶が良好であることが確認されており，良好な機能の活用の重要性を示す結果でもある．さらにこの研究では，直接的な練習を行っていなかった音読も向上した．また，本人の意欲が練習の奏功のために強調されている．

特殊音節が困難な例については，それに特化した練習が必要である．拗音を「きゅ」は「き」と「ゅ」というように分解して覚える方法や，促音の位置

50音表を用いた仮名訓練

「あかさたなはまやらわをん」を1人で言えるようにする

「あ あいうえお あか かきくけこ あかさ さしすせそ
・・・・・あかさたなはまやらわ わをん」を
1人で言えるようにする

わ	ら	や	ま	は	な	た	さ	か	あ
を	り		み	ひ	に	ち	し	き	い
ん	る	ゆ	む	ふ	ぬ	つ	す	く	う
	れ		め	へ	ね	て	せ	け	え
	ろ	よ	も	ほ	の	と	そ	こ	お

50音表を用いた仮名訓練

3日続けてスラスラ1人で言えたら，50音表を書く

70～80% 書けるところまでを練習の範囲とする

3日続けて正しく書けたら次の70～80% 書けるところまで書く．ただし，つねに「あ」から開始する

すべて書けたらスピードアップ
目安としては低学年2分～2分半　高学年1分半

	ま	は	な	た	さ	か	あ
	み	ひ	に		し	き	い
				つ	す	く	う
		へ		て	せ	け	え
	も	ほ	の	と	そ	こ	お

練習

	さ	か	あ
	し	き	い
		く	う
	そ	こ	お

練習

図 4-21　バイパス法を用いた仮名訓練の流れ
〔宇野彰，他：発達性読み書き障害児を対象としたバイパス法を用いた仮名訓練—障害構造に即した訓練方法と効果および適応に関する症例シリーズ研究—．音声言語医 56：171-179，2015 を参考に筆者作成〕

を意識化させる方法が活用できる．また，例えば促音を小さい「•」，それ以外を大きな「●」で示したり，動作と結び付けて覚える多感覚法ともいうべき方法も報告されている[9]．

(2) 漢字の音読

発達性読み書き障害のある児童生徒にとって，音読力をあげることは読解力の向上につながる．書けない文字を辞書などで調べる際にも，音読ができなければ同じ読みをする漢字のうちのどれを用いればよいか判断できない．音読すなわち音声符号化の困難さは，教科書はもちろん，新聞や雑誌，インターネットから情報を得る際にも大きな支障となる．音読の指導は書くこと以上に重要である．

語彙力が漢字音読力を予測するという報告もあり，音読力を上げるためには語彙力を上げることが重要と考えられる．漢字単語の音読の指導は意味と関連付けて行うことが必要であり，文脈の中で提示することが有用と考えられる．

教科書の音読が困難な場合，最初は振り仮名を振って読めるようにし，読めるようになってきたら振り仮名を除去していくなどは学校教育の中でできる取り組みである．

また，音読できない文字があれば調べるという行動を身につけられるように支援することも大切である．発達性読み書き障害のある児童生徒にとって紙の辞書をひくことは困難な場合が多いため，電子辞書あるいはタブレットの辞書の活用を導入することは有用と考えられる．

(3) 漢字の書字

音声言語の長期記憶に問題がない例では，文字形態を音声言語化して覚える方法が有用である（図 4-22）[12]．画ごとに色分けして視覚的に明示したり，筆順から覚えさせる方法などが提唱されている．なお，漢字は仮名と異なり，書けるようになっても読めるようにはならないため，書字の練習と音読の練習はそれぞれについて行う必要がある．

(4) 文章の音読

注意すれば自力で正しく読める場合は，最初から自分で読むように促してもよいが，読み誤りが多い場合，試行錯誤して読ませるよりもまずは正しい読みを聞かせることが有用と考えられる．音声提示と同時に，読み上げられている個所を明示

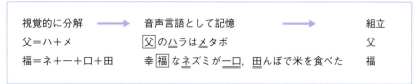

図 4-22　音声言語の記憶と語彙力を活用した漢字書字練習例

する方法が有用な例があるという報告がある．音読の流暢性を上げるための確立された方法はまだない．

(5) 文章の書字

感想文日記などを書くには，まず書く内容を思い出したり整理したりする必要があるため，発達性読み書き障害のある児童生徒にとっては困難が大きい．まず目の前にあることを正しい文で書くということから始めるとよい．動作絵や状況画，2コマや4コマ漫画の書字説明などが活用できる．

(6) 英語

幼少時から英会話を学習していて，英語にはある程度馴染んでいる児童生徒でも，読み書きには困難を示すことが多い．また，学校の試験で合格点を取ること以上の，英語学習，特に文字学習へのモチベーションのない例も多い．英語の読み書きに関して，どのレベルまでの習得を目指すのかについては，本人とも話し合い個別に目標設定する必要がある．

重度例では，中学3年生でも，アルファベットを系列で正しく言うことができない例もいる．音韻能力が低いと，「エル，エム，エヌ」のような類似した音同士の混乱が起きやすい．文字と音の対応関係を作るためにはなんらかの枠組みが必要であることから，まずは音系列を正しく言えるようにするとよい．その後，アルファベット1文字ずつを読んだり(呼称したり)，書いたりできるようにする．仮名と同様，書けるようになると読めることが多い．ただ何度も書くだけでなく，bはBの下だけ，qは数字の9に似ている，pはqの反対など，音声でのヒントが有用な場合がある．単語の音読や書字がある程度できるようになっても

bとdを誤る例もいる．1文字も間違えずにできるようになってから単語へと考えていると，いつまでもこの段階に留まってしまう可能性がある．指導の進め方は個別に判断する必要がある．

単語の読みができるようになるためには，アルファベット1文字が名称だけでなくaはア(ここではカタカナ表記とする)，bはブというように，「音」をもっていることを理解する必要がある．さらに，それらの音は日本語より小さく，その音を組み合わせて単語ができ上がっていることを理解する必要がある．この段階でつまずく発達性読み書き障害例は多く，わからなさに寄り添って丁寧に指導する必要がある．また，文字列から音韻列への変換にはある程度の規則性があるので，その規則を指導するという方法もある．近年，英語圏で取り入れられている方法が，アルファベットと音素の対応関係に基づく指導法である**フォニックス**である．日本の英語教育においても急速に取り入れられるようになっており，日本語話者の発達性読み書き障害例への適用の報告も少しずつ増えている．しかし，英語を母語とし，日々英語の中で生活していて，音声言語としての英語の習得がなされている英語話者と，それとは全く異なる言語環境にいる日本語話者とでは当然のことながら条件が全く違う．英語話者を対象とした方法の日本語話者への適用は慎重に行うべきであり，科学的根拠のある指導法の積み重ねが求められている．

書字は，発達性読み書き障害がなくても習得が容易な課題ではなく，発達性読み書き障害のある児童生徒にとってはさらに困難である．練習を行う際には，単語ごとに，日本語から音声としての

英語への変換と，音声としての英語からスペルへの変換過程をわけて評価する．単語の中の規則的な部分については，文字列から音韻列への規則を援用する方法をとることができる．また，ローマ字が習得されていれば覚えにくい部分を例えば「restaurant はレスタウラント」などのようにローマ字的に覚えたり，短い単語であれば「犬→ドッグ→ディーオージー」のように音声言語化して覚えたりするなど，個人個人にあった方法を組み合わせて用いるとよい．ただし，日本語話者の発達性読み書き障害例における科学的効果を示した指導の知見はまだない．

楽しんで取り組めるという観点からはさまざまなアプリが活用できる可能性もある．

c ICT の活用

ICT の活用は適切に行えば有用なものとなる可能性がある．学校教育におけるタブレットの普及が進んでいる．ただし，発達性読み書き障害のある児童生徒における ICT の活用は，あくまで読み書き能力を上げるため，あるいはそのための十分な指導を行ってもなお困難な部分を補足するためのものであるという認識が重要である．ICT があれば読み書きの力を向上させる取り組みはしなくてもよい，ということではない．また，どのように用いるかについても 1 人ずつ検討し，指導する必要がある．読み書き能力向上を目指したアプリ教材もたくさんあるが，認知機能の症状や習得度，本人の嗜好などを考慮して選択する必要がある．

教科書については，2008 年 9 月 17 日に「障害のある児童及び生徒のための教科用特定図書普等の普及の促進等に関する法律」の施行と「著作権法第 33 条の 2」の改正がなされ，LD などの障害のある児童・生徒は読み上げ機能の付いた教科書を使用することが可能となった．「マルチメディアデイジー教科書」や「Access Reading」「音声教材 BEAM」「ペンでタッチすると読める音声付教科書」などが活用可能な教科書として紹介されている．

d 合理的配慮

発達性読み書き障害への合理的配慮としては，読み上げ機能の付いた教科書の使用，教科書へのふりがなの許可，板書を写すことの困難さに対して板書内容の事前配布，要点の明示，写真撮影の許可などが考えられる．試験においては，試験用紙への仮名振りや読み上げ，試験時間の延長，漢字の試験以外での仮名での回答の許可などがあげられる．ただし，現時点では学校ごとに対応が異なっている．

E 事例紹介

1 対象児

【事例】男児　右利き　初診時 6 歳 8 か月～終了時 11 歳 11 か月

【主訴】ひらがなの読み書き困難．母親がひらがなの読み書きの習得が遅いことを心配し，インターネットで調べて専門機関を受診した．本人も苦手意識をもっていた．

【診断名】発達性読み書き障害，自閉症スペクトラム障害併存

【成育歴】在胎 40 週で 3,020 g で出生．周産期に特に問題はなく，その後の身体・運動発達にも異常はなかった．保育所で対人面の難しさや落ち着きのなさを指摘され，医療機関を受診し，自閉症スペクトラム障害の診断を受けた．

【家族歴】両親，3 歳年上の姉との 4 人暮らしで，姉は定型発達である．父は漢字がやや苦手とのことであった．

【環境】小学校では通級で，SST(social skill training)や教科学習の補助的な指導を受けた．保護者と学校の連携は比較的良好で，専門機関での評価を基に，担任による個別支援計画と特別支援コーディネーターによる個別指導計画が作成さ

れ，漢字テストにおける配慮や試験問題への仮名振りなどが実施された．保護者からの要望で，「がんばり表」で目標に向けた努力を支援する工夫も行われた．小学6年生の春に専門機関の担当と保護者が中学進学について話し合い，中学でも通級を選択する方向が確認された．

2 評価

初診時評価の結果は表4-18のとおりである．WISC-Ⅳの結果から，全般的な知的発達は正常範囲と考えられた．読み書きの習得は，正確性においてはひらがなとカタカナ1文字ずつの音読，書取り，ひらがな単語，カタカナ単語の音読と書取りの習得に遅れがみられた．流暢性に関しても，ひらがなとカタカナの単語と非語，ふりがな付きの文章のすべてにおいて遅れていた．認知機能としては，音韻障害と視覚的記憶，自動化に弱さがあると考えられた．一方，語彙力と聴覚性の記憶は比較的良好であった．

3 指導目標と指導内容

a 指導目標

①ひらがな，カタカナ，漢字の音読と書字能力の向上，音読速度の向上
②文字指導を通して正しい自己意識や生きていく力をつけることを支援

b 指導内容

(1) 第1段階

本人に評価結果を説明し，練習開始について相談したところ，「やってみる」との返答が得られたことから，比較的良好な音声言語の記憶を活用する方法によるひらがなの読み書き練習を開始した．開始2週後，母から，自分で考えた話を毎日書くようになったとの情報が得られた．この時点で清音の読み書きはすべて素早くできるようになったが，濁音，半濁音，拗音の読み書きに困難が残存していた．そこで，「『が』は『か』に点々」「『き』と『小さいよ』で『きょ』」というように口頭での分解練習を開始した．5週後，すべてのひらがな1文字ずつの書取りが可能となった．その後，促音の練習を行い，さらにカタカナの書字練習を開始，6週でカタカナ1文字ずつの書取りが可能となった．情景画や2~4コマ漫画を用いた文レベルの書字練習を実施し，文レベルの書字がほぼ誤りなくできるようになった．同時に電子辞書を導入し，忘れた漢字を調べることを通して活用を促した．

(2) 第2段階

小学2年時，本人に選んでもらった本を用いて，音読の向上と語彙の拡大を目指した練習を開始した．

(3) 第3段階

第2段階の練習が軌道に乗った時点で漢字書字練習を追加した．漢字書字練習開始にあたって，通常の写して書く方法と文字形態を音声言語化して覚える方法(聴覚法)を比較したところ，練習直後だけでなく，練習終了4週後においても，後者が良好な結果であった．本人からも聴覚法のほうが覚えやすいとの内省が得られたことから，すべての漢字を聴覚法で覚えることとなった．小学5年時に，小3配当の漢字の書字を確認したところ，およそ9割の文字を正答することができた．

(4) 第4段階

小学4時に母から，自分の好きな本を進んで読むようになったとの情報が得られたことから，本を用いた練習を終了することとした．日常頻用される漢字単語リストを用いた音読と意味の練習に切り替えた．意味については，辞書に書いてあるような説明をするのではなく，実用性を重視して例文の作成を促したり，どのような時に使うかを覚えるように指導した．

(5) 第5段階

漢字書字，漢字単語の音読と意味練習に加えて，小学6年の夏に，アルファベットの読み書き

表4-18 各種の検査結果

		小学校1年生 (6歳8か月時)	小学校2年生～小学校3年生 (7歳10か月時～8歳3か月時)
WISC-Ⅳ	言語理解	107	113
	知覚推理指標	87	103
	ワーキングメモリ指標	94	103
	処理速度	86	94
	FSIQ	92	108
RCPM		22/36	33/36
KABC-Ⅱ	ことばの読み	<u>5歳9か月相当</u>	7歳6か月相当
	文の理解	<u>6歳0か月相当</u>	<u>6歳9か月相当</u>
標準抽象語理解力検査		19/22	20/32
ROCFT		未実施	模写　28
			<u>直後再生　5.5</u>
			<u>30分後再生　6.5</u>
逆唱	正答数3モーラ語	8/10	9/10
	4モーラ語	<u>1/10</u>	<u>5/10</u>
非語復唱		5/10	6/10
RAN所要時間		<u>30.6秒</u>	<u>25.8秒</u>
102モーラ対応文字	ひら　音読	<u>66　SC 4</u>	102
	書字	<u>62　遅延7</u>	101
	カタ　音読		102
	書字		101
STRAW-R			
単語音読	ひら	<u>18</u>	20
	カタ		20
	漢字		19
単語書字	ひら	<u>11　SC1</u>	20
	カタ		19
	漢字		<u>10</u>
音読速度	ひら　単語	<u>54.2秒</u>	<u>35.3秒</u>
	カタ　単語		<u>38.4秒</u>
	ひら　非語	<u>63.3秒</u>	<u>44.0秒</u>
	カタ　非語		<u>42.5秒</u>
	文章	<u>250.5秒</u>	<u>136.8秒</u>

＊下線のある数値は−1SD以上の低さを示す．

の練習を開始した．中学入学前にアルファベット1文字ずつの音読と書取りが大文字はすべて，小文字はときおりｂとｄの誤りがみられたが，概ね可能となった．

4 まとめ

本例は小学1年生という比較的早期に，母がひらがな習得の困難さに気づいて専門機関につながった．自閉症スペクトラム障害の併存があったが，明らかな2次障害を起こすことなく小学校を終えることができた．保護者と学校，専門機関との連携が奏功したケースと考えられる．読み書きの習得についても，早い段階からの介入ができたことにより，遅れはあるものの確実に向上した．

引用文献

1) 日本精神神経学会（日本語版用語監修），高橋三郎，大野裕（監訳）：DSM-5 精神疾患の診断・統計マニュアル．pp65-73，医学書院，2014
2) 秋元有子：算数障害のサブタイプ―記号とその意味の観点から―．LD研究 12：153-156，2003
3) 文部科学省初等中等教育局特別支援教育課：通常の学級に在籍する発達障害の可能性のある特別な教育的支援を必要とする児童生徒に関する調査結果について．2012
4) 独立行政法人 日本学生支援機構：令和元年度（2019年度）障害のある学生の修学支援に関する実態調査．2019
5) Uno A, et al：Relationship between reading/writing skills and cognitive abilities among Japanese primary-school children：Normal readers versus poor readers(dyslexics). Reading and Writing 22：755-789，2009
6) Wydell NT, et al：A case study of an English-Japanese bilingual with monolingual dyslexia. Cognition 70：273-305，1999
7) 岡牧郎，他：広汎性発達障害と注意欠陥/多動性障害に合併する読字障害に関する研究．脳と発達 44：378-386，2012
8) 宇野彰，他：発達性読み書き障害．東條吉郎，大六一志，丹野義彦（編）：発達障害の臨床心理学，東京大学出版，2010
9) 海津亜希子，他：特殊音節の読みに顕著なつまずきのある1年生への集中的指導―通常の学級でのMIMを通じて―．特殊教育学研究 47：1-12，2009
10) 小枝達也，他：RTI(response to intervention)を導入した特異的読字障害の早期発見と早期治療に関するコホート研究．脳と発達：46：270-274，2014
11) 宇野彰，他：発達性読み書き障害児を対象としたバイパス法を用いた仮名訓練―障害構造に即した訓練方法と効果および適応に関する症例シリーズ研究―．音声言語医 56：171-179，2015
12) 粟屋徳子，他：発達性読み書き障害児における聴覚法を用いた漢字書字訓練方法の適用について．高次脳機能研究（旧失語症研究）32：294-301，2012

5 知的能力障害

> **学修の到達目標**
> - 知的能力障害の定義と症状の概略を述べることができる．
> - 知的能力障害の言語発達の遅れについて説明できる．
> - 知的能力障害の言語指導について説明できる．

小児を対象とした言語聴覚士が臨床において多く出会うのは，知的能力障害をもつ子どもたちか，発達障害の子どもたちであろう．1歳半くらいから保健師に言われてずっと待っていたが3歳過ぎになっても言葉がでない，最初の言葉が出てから半年以上言葉が増えない，小学校に上がっても読み書きに関心を示さない，遊びが親から見ても幼い感じがする，2年生くらいまではなんとか宿題などもやっていたが4年生ごろから勉強や学校などもあまり好きではなくなった・・・このような傾向は，知的能力障害の子どもによくみられる．図4-23は，知的能力障害のある子どもとそ

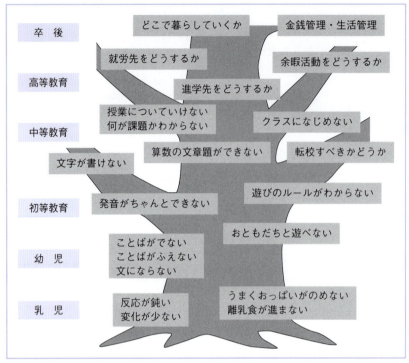

図4-23 状況と時期で変わる育ちの悩み

の養育者が抱えやすい問題を年齢別に大まかに示したものである．

　発達は分化のプロセスであり，その育ちを樹木に例えれば，子どもは育つ主体である苗であり，養育者は苗を育てる人である．苗を育てる人とてまったく完全無欠ではなく，自分自身の来し方を踏まえながら今を生きている人である．

　苗がどのように大きくなるのかは誰も知らない．しかし，その苗ができるだけ健康で大きく育つよう願い，迷いながらも時々に応じて自分なりに環境を調整しようとするが，思うようにはいかないことも多々ある．その試行錯誤の過程の中で，適度に日に当てたりよけたり，風が吹いて傷がついたら風をよけ，少しずつ苗も育てる人も互いを理解しながら成長していく．

　言語聴覚士は，例えるならば苗を育てる人である養育者の気持ちを受け止めて支え，苗である子どもの状態に合わせて，育てる人の考えを尊重しつつも環境調整をしながら見守り，時に助言し，時に導く．それが，知的障害児者を育てている家族とともに歩む言語聴覚士ではないだろうか．

A 知的能力と知的能力障害

1 知的能力

　知的能力障害について述べる前に，まず知的能力の概念について考えてみよう．日常的な理解では，知的能力は「頭のよさ」のようなものだろう．その「頭の良さ」は絶対的なものではなく，多くの人にとっては同じ年齢集団内の比較から得られる相対的な解釈である．そして比較の対象とされる活動（例えば教科学習）のパフォーマンスが，知的能力の反映であることは一般的な考え方であろう．また，知的能力は例えば運動能力のようなほかの能力とある程度分けられる能力でもある．後

表 4-19　おもな知能理論と知能検査

背景理論	知能検査
一般知能 g	田中・ビネー V 知能検査
知能因子理論	WISC-Ⅳ, WPPSI-Ⅲ
Luria の理論 CHC（Cattell-Horn-Carroll）理論	心理・教育アセスメントバッテリー KABC-Ⅱ
PASS 理論 （プランニング・注意・同時処理・継次処理）理論	DN-CAS 認知評価システム

述する種々の検査では，認知・言語・社会性・運動といった領域はある程度独立した機能モジュールと考えられている．

現在では知的能力は私たちの生活の中でも素朴に理解されており，知的能力を表す指数としてよく知られている知能指数（Intelligent Quotient：IQ）は，もはや専門用語としてだけではなく生活の中に浸透している．

「知的能力」は，知能という概念が発明され，知能検査が生まれたことで初めて数値化することができるようになったものである．A. ビネーの「一般知能 g」，D. ウェクスラーの知能因子理論はすでによく知られている．現在では心理・教育アセスメントバッテリー KABC-Ⅱ で採用されているCHC（Cattell-Horn-Carroll）理論や，DN-CAS 認知評価システムの基礎となっている知能の PASS 理論など，知的能力の概念と尺度の開発は続いている（表 4-19）．

知的能力は知能検査で測れる/測ったものと考えられているが，どの理論においても知的能力全体を網羅するものではない．知能検査は知的能力のうち，知能検査理論というフィルターを通した知的能力の「ある面」を映し出す道具である．そのため，検査結果に評価と解釈を与える際には，日常生活の様子や発達経過など，より多くの情報を統合して解釈する．

2　適応行動

適応行動（adaptive behavior）は，知的能力障害の定義にかかわる重要概念であり，知的能力障害・発達障害の診断にとって知能指数と同等かつ不可欠な基準であると Tassé[1] は報告している．適応行動とは，ある知的能力をもった人が社会で生きていくにあたって望まれる行動を指す．また，Tassé は「適応行動とは，日常生活に用いることができるよう人から学んでいく概念・社会・実用スキルの集まりであり，その複雑さは年齢とともに増す」という．定型発達では，トイレや更衣，食事の自立といった ADL の自立が，家族や幼稚園・保育所といった社会に望まれる幼児期の適応行動としてあげられる．学齢期以降では，文字言語理解はメディアから情報を得るための適応スキルであり，書字は本人証明の手段でもある．もっと年齢が高くなってくれば，電車・バスの利用における IC カードの使用，スマートフォンの操作，オンライン決済なども適応行動の 1 つとして考えられるかもしれない．

適応行動の概念は知的能力障害の診断だけでなく，知的能力障害の人々に対するリハビリテーションや支援を考えるためにも重要な概念である．Tassé は，これまで開発されている評価尺度によって個々の人の適応行動を評価することができ，診断することもできるし，あるいは自立しよりよく生きていくためのスキルを教えるための教育・指導の目標が明確になるだろうと述べている．

適応行動を評価する尺度として国内で標準化されたものには，0～92 歳に適用できる Vineland-Ⅱ 適応行動尺度がある[2]．その尺度構成は，表 4-20 に示す．Vineland-Ⅱ は**半構造化面接法**により評価

表 4-20　Vineland-Ⅱの尺度構成

適応行動領域	下位領域
コミュニケーション	受容言語・表出言語・読み書き
日常生活スキル	身辺自立・家事・地域生活
社会性	対人関係・遊びと余暇・コーピングスキル
運動スキル	粗大運動・微細運動
不適応行動	内在化問題・外在化問題・その他

表 4-21　知的能力障害の定義

知的能力	臨床評価および標準化された知能検査で確認できる知的機能（説明，問題解決，計画，抽象的思考，判断，教科学習，経験からの学び）の低下
適応行動	自立と社会的責任を果たすうえに必要とされる，発達的・社会文化的な適応行動の困難や制約
発症時期	小児期の発症

する．ほかにも，乳幼児～中学生を適用範囲とするS-M式社会生活能力検査[3]，旭出式社会適応スキル検査[4]がある．適応行動を社会生活能力（social functioning ability）ととらえ，知的障害に限らず障害のある人々のエンパワメントをめざす評価・支援方法として「社会生活能力プログラム」も開発されている[5]．

3　知的能力障害

a　医学上の定義

DSM-5では，知的能力障害（intellectual disabilities）は神経発達上の問題と考えられている．状態像として，幼児期に発症すること，知的な困難さに加えて概念形成，社会性，実用的な生活能力にも困難を示すという．診断ガイドラインのまとめを表 4-21 に示す．

b　行政上の定義

知的能力障害児者は社会福祉上の定義にのっとって教育や社会支援を受ける権利をもっており，これを保障するための法律として，日本では改正障害者基本法（2011年），知的障害者福祉法（1960年），改正児童福祉法（2016年）が制定されている．知的障害者福祉法の中には知的能力障害に対する定義はない．ただし，医療機関あるいは児童相談センターの医師の診断は，障害等級判定における根拠となる．障害等級により，受けられる社会的支援（学校制度，社会的サービス，年金など）が変わる．

c　まとめ

知的能力障害は医学上では症候群の名称であり，いずれの基準でも①小児期の発症であること，②原則として標準化された知能検査において標準から明らかに逸脱した遅れがあること，③適応行動・生活能力において困難を示すこと，の3点がいくつかの定義に共通しており，これらを満たすものが知的能力障害といえる．

知的能力障害は社会的に規定されたものであり，「治す」ことは困難である．仮に現在知的能力障害と言われる人々の能力を向上させ，「治す」方法が発明されたとしても，知的能力障害の定義が「当該年齢のもっている知的能力と適応行動から判断して定型発達の範囲から逸脱して遅れている」ことである限り，社会の中では常に適応行動獲得困難を示す人がいることになる．

医学的診断は，配慮や支援を必要とする人々が暮らしやすくなるよう，制度を活用するにあたって大変重要な役割をもっている．一方，言語聴覚士が発達支援を行ううえでの課題は，個体の能力向上という面がありつつも，その子その人が今生きる社会（家庭や学校など）の中でどうやって周囲の人々と共に生きていくかということに重きを置く．個々の子どもに対する言語聴覚士の評価や支援が，社会に理解されるための手立てやヒントとなることが望まれている．

表 4-22 知的能力障害がみられるおもな疾患

出生前	染色体異常		ダウン症候群，18トリソミー症候群，13トリソミー症候群，脆弱X症候群，猫なき（5p欠失）症候群，プラダー・ウィリー症候群，アンジェルマン症候群
	神経皮膚症候群		フォン・レックリングハウゼン病，結節性硬化症，スタージ・ウェバー病
	代謝異常・神経筋疾患・変性疾患		フェニルケトン尿症，ウィルソン病，先天性筋ジストロフィー，ハンチントン病
	奇形症候群		コルネリア・デ・ランゲ症候群，歌舞伎メーキャップ症候群，ソトス症候群，ヌーナン症候群，ウィリアムス症候群
	その他		色素性乾皮症，レット症候群，進行性ミオクローヌスてんかん
	中枢神経奇形		神経管形成障害（無脳症，二分脊椎，アーノルド・キアリ奇形，ダンディ・ウォーカー症候群），小頭症，水頭症，裂脳症
周産期	子宮内	母体感染	風疹，サイトメガロウイルス感染症，トキソプラズマ感染症，単純ヘルペス
		母体の代謝異常	甲状腺疾患，糖尿病など
		中毒	アルコール，喫煙
		薬物など	フェニトイン，バルプロ酸ナトリウム，アルコール，ワルファリン，放射線
	出産時	発育異常	子宮内発育不全，未熟産
		外傷・物理的原因	頭蓋内出血，分娩遷延など
出生後	感染		細菌性髄膜炎，急性脳症（インフルエンザ脳症など），脳炎
	中毒		ライ症候群
	外傷・物理的原因		頭部外傷（虐待・事故），溺水
	栄養障害		クワシオルコル（栄養失調の一種）
	脳器質性疾患		てんかん
	心理・社会的剥離		虐待

〔本田輝行，中島洋子：精神遅滞．市川宏伸，他（編）：日常診療で出会う発達障害のみかた．p60（表10），中外医学社，2009 より改変〕

4 疫学と原因論

知的能力障害の有病率は約1%といわれている（厚生労働省ポータルサイト）．海外の報告でも，Maulik[6]は meta-analysis による研究で知的能力障害の有病率を1,000人当たり10.37人（1.037%）と報告している．日本国内の基礎調査では，0〜9歳の知的能力障害の有病率が1,000人当たり4.9人（0.49%），10〜19歳で6.6人（0.66%）と報告されている[7]．

知的能力障害児者の原疾患が明らかになることは少なく，これまでの研究では知的能力障害の原疾患が明らかなものは30〜40%程度といわれている．臨床的には原疾患をあえて特定しない場合もある．経験事例では，染色体異常や遺伝子病の可能性を示唆する症候が顔貌などにみられるが，遺伝子診断をしなかったという．理由は，遺伝子の特定が治療に必ずしも結びつかず，患者に対する医学治療面での利益が見込めず，両親もゲノム解析を望まなかったからである．

知的能力障害を引き起こす要因は多様であり，詳細は小児科学の成書を参照されたい．表 4-22 には，知的能力障害を示す代表的な疾患を示した[8]．要因は，大きく分けると遺伝子病から周生期までの出生前要因，周産期要因，出生後要因の3種類からなる．

5 合併症について

知的能力障害を示す症候群として頻度が比較的高いダウン症は，臨床でも出会うことの多い症候群である．ダウン症は，心疾患や中耳炎，聴覚障害，視覚障害，口腔機能障害など種々の合併症をもつことが多いため，言語聴覚療法における評価や支援においても留意点が多いのが特徴である．佐々木[9]の調査では，2010〜2016年の7年間でみるとダウン症の推定年間出生数は2,200人（1,000人当たり2.2人）で横ばい傾向になっており，統計的に見れば，10万都市に200人くらいということになる．

6 知的能力障害の臨床像

知的能力障害は重度から軽度あるいはボーダーライン知能と言われる程度まで含めると程度の幅が非常に広いため，重症度により臨床像が異なってくる．ICD-11による障害の程度をGirimaji[10]に沿って表4-23に示した．ここでは，大熊[11]を参考に，ごく簡単に重症度別の臨床像をまとめた．ただし，同じ重症度に属していても，個別にみていくと程度もさまざまで，その子の生活環境においてどのくらい問題化するかは別問題である．

【重度】 行動は飲食・情動表現などに限られており，抽象的な事柄は理解困難である．人格的には，おとなしくてスローペースなタイプが多く日常生活の事柄でも多くは介助を必要とする．成人になるころには音声言語をいくつか理解できるようになる例もある．

【中等度】 小学校普通級では低学年のころから相当の学習困難を伴う．日常会話は具体的で生活経験の中でわかるものならできるが，複雑な文や抽象的な語彙になると理解・表出ともに困難である．成人になるころには小学校低学年〜中学年程度の精神活動が可能になり，支援を受けながら作業などをすることはできる一方で，生活そのものが受

表4-23 知的能力障害の重症度

重症度	SD (ICD-11)	IQ (ICD-10)
軽度	−2〜−3 SD	50〜70
中等度	−3〜−4 SD	35〜50
重度	−4 SD〜	20〜35
最重度	−4 SD〜	<20

け身になりがちである．

【軽度】 幼児期には周囲との差はなくはないがさほど明らかでなく，小学校でも学業困難を示すのは中〜高学年ころである．日常会話程度のコミュニケーションに困難はないが，話がまとまらない，あるいはまわりくどいといった特徴がある．自主性を維持することに課題があり，周囲の影響を受けやすい．善悪や道徳面での発達も未熟さがあり，教唆されて犯罪などに巻き込まれることもある．

B 言語・コミュニケーション障害の特徴

1 コミュニケーションと関係性（対人関係）

知的能力障害のある子に特有なコミュニケーション特徴があるわけではなく，定型発達の子どもと同じく1人ひとり違った特性をもっている．合併症がなければ，総じて温和でおとなしいタイプの子どもが多い．斉藤[12]は，言語獲得以前のコミュニケーションにおいて，ダウン症では反応の弱さはあるもののコミュニケーションのあり方は多様であり，逸脱や明らかな遅れは認められなかったという．ただし，軽度であればあるほどいわゆる定型発達の子どもたちに囲まれて育つことになる．その場合には周囲との能力の違いから周りの様子をみてなんとか状況を理解するということが増えやすく，結果として受け身な立場に置か

れる傾向がある.

臨床でよくある訴えとして,例えばダウン症の子どもを育てている親御さんから「がんこ」「切り替えがよくない」「自分からはよく働きかけてくるがこちらの働きかけには応じない」というものがある.実際かかわってみるとなるほどと思うところはあるが,切り替えの難しさは,そもそも他者の意図に自分の意志をすり合わせていくという,大人と子どもの間のコミュニケーションにおいてだれにでも起こりうる摩擦である.ただし,他者との気持ちのすり合わせに"通常想定されるよりも時間がかかる"という特性は,知的能力障害の一特徴かもしれない.実際,楽しかったセッションが終わると急にふてくされ,しばらく(といっても15分くらいになる場合もあるので待つと長く感じる)待っていると,自分からさっさと部屋を出てそんなに機嫌も悪くないことがある.他者の意図理解や共有に時間がかかる,あるいは他者の気持ちに合わせて自分の気持ちを一瞬一瞬リアルタイムで感情を調律していくというスピーディーな処理の困難さを示唆しているともいえる.

2 言語の特徴

言語の一般的な特徴は,言語獲得・発達指標における行動の獲得時期が定型発達児に比べて遅くなることがあげられる.神土[13]は,ダウン症児のvocabulary spurtについて5例の事例検討を行った.その結果,獲得語彙数がおよそ100語になる時期は,軽度の発達遅滞であった3例では2歳7か月～3歳1か月ごろであったのに対し,中等度の発達遅滞であった2例では3歳8か月～4歳4か月ごろであったという.このことは,全体の発達全体のテンポのゆっくりさが,発達の1つの側面である言語獲得の速さにも反映され,語彙の獲得がある一定数に到達するまでの時期が定型発達に比べて遅くなることを示している.

全般的知的発達に比して言語発達が遅れることも1つの特徴といえる.田尻[14]は,知的障害児(MR)のLCスケールにおける発達年齢(LCA)と田中ビネー知能検査Vなどで測定された発達年齢(MA)における比較を行い,月齢で6.9か月MAよりもLCAに遅れがあるとの結果を得た.このことは,全般的な知的能力に比しても言語の課題が多いことを示している.

a 語彙

語彙を理解と表出に分けて考えてみる.一般に言えることは,定型発達児でも知的能力障害児でも,わかるほどには話せない.

理解面では,小寺ら[15]による調査結果がある.定型発達1歳6か月児29名に＜S-S法＞事物名称の受信課題(16語)を行ったところ,中央値は8語であり,1歳9か月児では中央値が12語,2歳0か月では15～16語理解できるようになっていた.知的能力障害をもつ子どもの場合,重症度によらず時期は定型発達より遅れる.同じく小寺らによる調査では,多くの事例では早くて3歳,遅くて9歳の間に事物名称の音声言語理解が可能になったが,身振りの理解(段階3-1)までにとどまり,音声言語理解が困難な事例もみられた.

表出面は,理解面に比べてさらに獲得時期が遅いことがわかっている.先の小寺らの調査では,理解語彙が16語中8語になる1歳6か月時に,表出できる語は16語中1語あるかないかであった.また,1歳6か月で理解できるようになる語彙数8語を超えて表出できるようになるのは2歳0か月であり,理解と表現は半年程度ずれがある.一方,知的障害児については,ダウン症について小寺らが追跡データをまとめている.その結果,10歳までに理解が2語連鎖程度,あるいは4歳の時点で音声言語による事物名称理解が得られている場合に発語がみられるというデータがある.

橋本[16]は,ダウン症児の発話の品詞分類を行った.その結果,1語による発話のうち名詞が86%を占め,動作・状態を表す語は11%だけであり,かなり強い偏りを示している.一方で,定型発達

表4-24 健常児における2語文〜3語文理解の推定時期

文法構造	種別	形式	達成の推定年齢	
			通過率60%	通過率90%
2語連鎖	動詞文	対象＋動作	2歳1か月	2歳4か月
		動作主＋動作	2歳2か月	2歳6か月
	名詞句	大小＋名詞	2歳3か月	2歳7か月
		色＋名詞	2歳9か月	3歳7か月
3語連鎖	動詞文	動作主＋対象＋動作	2歳5か月	2歳10か月
	名詞句	大小＋色＋名詞	3歳0か月	3歳11か月

〔小寺富子，他(編)：国リハ式＜S-S法＞言語発達遅滞検査マニュアル．改訂第4版，p279，エスコアール，1998より改変〕

幼児とそれと同程度の精神発達の年長ダウン症児を比較すると，語彙数には理解面・表出面とも差があるとは言えないという結果を得た．

b 統語

基本的な構文は，2〜4歳の時期に獲得される．表4-24は2〜3語連鎖が理解できると推定される時期である[15]．これによれば，2語連鎖動詞文はおよそ2歳半ごろ，名詞句は3歳後半までに獲得する．名詞句は動詞文よりやや遅く，90%通過の推定年齢は大小＋事物で2歳7か月，色＋事物で3歳7か月であった．3語連鎖動詞文は通過率90%の場合で推定年齢2歳10か月，名詞句では3歳11か月である．

知的能力障害をもつダウン症では，年長になるに従い語彙と文法の発達に徐々に乖離がみられるようになる．Chapman[17]の研究では，ダウン症の構文理解は定型発達に比べて成績が低下していたという．また，中川[18]が知的障害を伴う自閉症児者に対して絵画選択課題による能動・受動構文の理解を検証した結果，能動文に比して受動文は理解が困難であることが示された．恩田[19]は，知的障害児に紙芝居の読み聞かせを行い，知的障害児に対する効果を検証した．その結果，理解面はセッションごとに違う教材であったことから理解力の向上は示されなかったものの，表出面での向上は自立語付属語MLU(Note 11 ➡ 14頁参照)の

増加で示されたという．表出面では，斉藤[12]らはMA3〜8歳のダウン症児と3〜6歳11か月の定型発達児を表出面で比較し，ダウン症児では格助詞の省略，ほかの格助詞への置換がみられたと報告している．

c 評価の前提：言語聴覚士と子ども・養育者の関係性

従来心理学の領域で「ラポート形成」と呼ばれる心理過程がある．評価に先立って構築されるセラピストと子どもあるいは養育者の関係性が，心理検査を用いた評価の妥当性や信頼性を高めるために欠かせないことを示している．

言語聴覚士が知的能力障害をもつ子と養育者と出会った瞬間から人と人の関係性が生まれている．養育者が「治療」を求めているのであれば，「治療を求める患者」と「治療手段をもつ言語聴覚士」という立場の関係性が生まれる．しかし，問診・検査のなかで聞き取る情報は，非常に繊細で個人的な事柄を多分に含んでいる．評価を行う場は，相談者が診断に必要な情報を医療従事者に提供するための事務的な関係の場ではなく，相談者と言語聴覚士の関係が「人」と「人」として「安心を共有する場」になることが望ましい．安心できるということは，相手に否定されないという期待が

もてるということであり，そのためのマナーが求められる．このマナーについて，リフレクティング[20]の技術が参考になる．その中で紹介されている対話におけるマナーの例を挙げる(表4-25)．また，矢原によれば，人に変化を起こせるのは受け入れられる差異のみであり，差異がなさすぎれば気づかれず変化は起きない．また，差異がありすぎれば受け入れられず，やはり変化は起きないという．このことは，面接や評価において，最善ではあっても対象者に変化を求めるあまり専門性を振りかざすような関わりになってしまうことを防ぐために有用な考え方である．カウンセリングマインドとともに心にとめ，実践したい．

安心できる関係づくりが，言語聴覚士とのかかわりの中で養育者と子どもが変化しながら互いに育っていくことを支える．そのような関係を結ぶのに重要なのは「気遣い」「関心」といった，必ずしも行動に現れるとは限らない，目に見えない事柄である．それを鯨岡[21]は**接面**と表現し，コミュニケーションにおいて相手の心を積極的に感じ取ろうとする能動的な心のはたらきの重要さを指摘している．

表4-25 対話のマナー

話し合いの前提を共有する	互いの対話の目的を聴き，共有する
	各自が対話をどう活用するか互いに聴く
	話し合うことへの同意を得る
会話の作法	その場の会話内容についての話に限定する
	断定的・評価的な反応は避ける
	否定的なことは言わない

図4-24 2種類の評価

（支援のための評価）
- 自力で「できること」
- 他者の支援や環境調整があれば「できること」

（類型判断のための評価）
- 正常範囲からの逸脱の程度 →「できないこと」

D 評価

【評価の目的】知的能力障害児の発達的アウトカムを良好にするためには，問題点を個体の問題だけに帰することなく，子どもと養育者，言語聴覚士を含め保育・教育の場面でかかわる専門職の人々との「関係性」に焦点を当てる．評価は，その関係性をより望ましいほうに向けていくための方策や考え方を共有するためにある．

【評価の種類】評価には，大きく分けて類型判断に必要な評価と，支援に必要な評価の2つに分けられる(図4-24)．類型判断に必要な評価は，生育歴や発達歴，知能検査，適応行動検査，および言語発達検査の結果から「その時点で獲得できていない行動」を同定し，定型発達と比較して遅れを判断するという情報の集まりである．一方，支援を考えるための情報とは，本人の能力の詳細なプロフィールとしての獲得語彙や構文レパートリーという言語面で獲得されている行動に加えて，家族の子どもの状態に対する受け止めや理解のあり方，今課題だと思っていること，今後課題になると予想していること，かかわる人々（親戚，先生，施設職員など）についての不安や期待といったものも含まれる．

障害の程度が重度であるほど標準化された検査の実施が困難になることが多い．そのため，評価には特に時間をかけながら1つひとつの関わり合いを振り返り，考える必要がある．重度知的能力障害児の評価について，西村[22]は示唆的な記述をしている．西村は，遷延性意識障害と言われた患者（ムラちゃん）と看護師（Aさん）の関わりに関する現象学的考察の中で，入院当初「わかってるかなっていう印象っていうか，手ごたえが全然ない」とAさんから言われていたムラちゃんとの関わり合いを続け，3か月半が過ぎたころ「ムラ

ちゃんがわかってきたんじゃなくて，私たちが彼女をわかってきた」とAさんが述べた，といっている．ここには，入院からずっと心を向け続けながらも，Aさんを評価対象としてみていた関係性から人と人としてある種「既知の間柄」の関係性になっていくにしたがって，ムラちゃんと，関わる自分自身を理解していく深い気づきのプロセスが描かれている．このプロセスは，かかわり続けること自体が支援であり，客観的な行動ではとらえきれないコミュニケーションの存在を示唆するものになっている．

　臨床でも，重度の知的障害児者の場合は，1回のセッションで把握できる事柄はごく限られており，支援につながる働きかけはまずみえてこない．半年以上かけてゆっくり関わり合う中で，ようやく子どもとわかり合えたかもしれないという瞬間が見いだされ，そのこと自体がその子の外界との関わり方であることがわかる，ということがある．

　新患として出会ってから経過観察を継続することも重要である．最初の評価では知的能力障害に伴う言語発達障害であると思われていた事例が，半年～1年経って偏食やこだわりなどの自閉症スペクトラム障害の特性がより明確になる，領域による発達のギャップが徐々に出てきて特異的言語発達障害の臨床像に変化する，音韻障害を合併しており音と記号の結びつき自体に困難を示していることがわかってくるなど，臨床では早期であるほど初期評価の時点では明確でなくとも，関わりを続けていき発達経過をみることで徐々に特性が明らかになっていくことがある．

1　類型判断

a　障害類型

　知的能力障害は言語発達障害の原因ではない．言語発達の遅れは知的能力障害を構成する諸側面の遅れの中の1側面と考えられる．したがって，知的能力障害をもつ子どもの言語障害類型は基本的に「**知的能力障害に伴う言語発達障害**」となる．言語障害の類型判断は，一般的な言語・コミュニケーション障害の全般的な類型鑑別のプロトコルに沿って行い，情報収集（問診を含む）・検査（聴力検査，知的能力検査，言語発達検査）を経て総合的に判断し，支援プログラム立案と実施，検証へと進む．ただし，初期判断よりもむしろその後の経過観察が重要である．レイトトーカーが後々特異的言語発達障害とされる場合があること，学齢期になって学習障害の臨床像を示してくる事例がある．また，ごく軽度の自閉症スペクトラム障害の場合，経過観察の中で特性が明確になってくることもある．初診の段階では見抜けないことがあることに留意すべきである．

b　情報収集

　情報収集において知的能力障害特有に必須の情報はない．一般的な言語・コミュニケーション障害の類型鑑別のプロトコルに沿って情報を収集する（3章1 ➡ 54頁を参照）．いずれにしても養育者から情報を収集することが多いが，情報の意味は子どものプロフィールおよび診断を明確にするための傍証として，もう1つは，子どもを育てる環境としての養育者を知り関係性の状態を把握するという2つの意味がある．

（1）子どもを理解するための情報収集

　子どもは状況依存的に音声言語を受け取り，理解している．そのため，生活上よく知っている場所や，状況の手掛かりがあるところ（例：自宅や保育所など）では，さも音声言語を理解しているようにふるまうことがある．例えば，母親が通園のためのカバンを持って用意して「準備してね～」と声をかけると，子どもは通園の時に着ていく上着を用意したり，靴を下駄箱から出したりする．親はそれを見て「準備っていう言葉もわかるんだね」とつい思う．しかし，実際は生活の中で繰り返されてきたルーチンワークの中でカバンをみて，母親からの声掛けや，非言語的な意図伝達が一種の

シグナルとなって子どもに伝わり[23]，子どもが行動を起こしている結果であることもある．「準備」ということばが，象徴記号として子どもに理解されているわけではなく，信号のレベルで行動が起きていることもある．それと同様，家族からは「こちらの言うことは大抵わかっています」と言われている子が，実際検査をしてみると，象徴記号としての言語はほとんどわかっていない場合もある．事例によっては**視覚的記号**（⇒ Note 28）を使ってコミュニケーション支援，いわゆる「視覚支援」が有効な補助手段になることがある．例えば身振りの場合は，入室前から「こっちへ来てください」「ここで座って待っていてね」といったことばかけに身振りを加えて示すと，音声だけの刺激に比べて伝わる手ごたえを感じることがある．あるいは予定を紙に簡単なシンボルで書いて示すと納得して課題に向かえることもある．

養育者への問診をしている間に，子どもをフリーにしておいて観察することもよい情報源となる．初診であれば，初めての大人（セラピスト）に会うときの子どもの情緒的な反応の質はどうか，初めて入る部屋への関心や情緒的な反応はどうか（場所見知りやほとんど気にしないなど），養育者と話している様子やムードに対して子どもが何を感じ取るか（不安や興奮といった覚醒状態），セラピストに対する関心の質，養育者が話しているときの情緒の状態から子どもが何らかの情緒的な反応を示しているか（情動の伝染や巻き込み），子どもが自由にしている間の行動や思いを養育者が感じ取ろうとしているか（養育者自身の対人関係の質）といった情報も得られる．

(2) 養育者について理解するための情報収集

ある養育者は，小学生のころ，今思えば知的能力障害ではないかと思うような子を，友達と一緒になってしょっちゅうからかっていた．そんな自分が大人になって，今度は自分の子どもが「遅れて」おり，自分がしてきたようなことをこの子が周りにされるのではないかと恐れ，仲間外れにされたり，いじめられたりしないかを心配する立場になったという．また，ほかの養育者のなかには，思うように子どもが育たないことが受け入れられず，将来についての見通しのなさをはじめさまざまな思いが交錯し極めて不安な状態に置かれる場合もある．養育者自身も1人の人間として物語の中を生きている．外来では「どうしたらよいでしょうか」と聞かれるため，早く助言しなければと思ってしまうかもしれない．しかし，養育者への関わりは，助言を急がず，養育者の思いと考えを受け止めることを心がけたい．当然ながら養育者もさまざまなので，自分で答えを出していく人もいる一方で，インターネットの情報に振り回されそうになっている人もいる．1人ひとりの思いに耳を傾けることを通して，養育者を理解する努力が必要である．

このようなかかわりは，診断にかかわる情報収集ではなく，相談者の思い・願いといった養育者の子育て，あるいは生き方に関する質的な情報収集である．

C 聴覚機能

言葉の遅れの原因の1つとして聴覚障害がある．聴覚障害の発見は，類型鑑別上**最初**にしておくべきである．明らかな聴覚障害が発見されれば早期から補聴器などを利用した情報保障が優先課題になる．ごく軽度であっても聞こえの低下があれば，配慮しながら検査や評価を進める必要がある．知的能力障害が中等度以上の学童あるいは幼児の場合，事業所に幼児聴力検査設備がない場合は療育センターや大学病院など，幼児聴力検査機器のある施設で幼児聴力検査をするほうがよい

Note 28. 視覚的記号

視覚的記号にはさまざまなものがある．視覚的記号の中で非補助系のものには身振りやマカトンサイン，手話がある．補助系のものでは絵・絵記号，文字，種々のピクトグラムが含まれる．詳しくは拡大（補助）・代替コミュニケーションの成書を参照されたい．

が，よい設備がなくても楽器などを用いて**聴性行動反応聴力検査**（behavioral observation audiometry：BOA）を用いたスクリーニング程度はできる．

聴覚障害が先天的なものであればもともと聞きづらい聴覚であるため，「聞こえなくなった」という感覚をもつことは難しい．また，滲出性中耳炎のような，痛みを伴わない耳鼻咽喉科系疾患の場合は見逃されていることもある．

知的能力障害が重度の場合は，検査室では検査機器の音，環境音やその子の生活の中にある音まで含めて音刺激として位置づけて聴覚の評価を行う．検査場面では，音刺激に対する反応は遅いことが多く，音刺激を一旦提示して，十分に待ってはじめて反応らしき行動がみられることがある．**馴化**も起きることがあり，再現性の検証が難しい場合には刺激音の間を十分に置き，日を改めることすらある．繰り返し測定し，聴力検査自体を学習場面と考えてかかわる必要がある．**条件詮索反応聴力検査**（conditioned orientation response audiometry：COR）の場合，条件付けを左右の一方だけにする，部屋の明るさを下げてCORのおもちゃの照明との間のコントラストを大きくするなど工夫し，記録する．

知的能力障害が中等度〜軽度の場合，家族などからは音声に対する反応の鈍さの原因が遅れのためとされており，聴覚障害が想定外になっている場合がある．本人からの聞こえに対する訴えが強くないために，聴力低下が見過ごされている場合もある．あるいは一定の反応があるために聞こえていると周囲が思っていても，実は高音急墜型に近い聴力型の場合があるので注意が必要である．聴力検査の方法は，全体発達から考えられる発達上の年齢に応じてBOA，CORなどの幼児聴力検査を選択する．なお，幼児期には軽度難聴と診断できる聴力であった知的能力障害児が，数か月〜数年間補聴器をつけているうちに聴力閾値が下がってくるケースがある．補聴器の使用には耳鼻咽喉科の医師の指示が必要であるが，一定期間家庭に補聴器を貸し出すなどして経過をみるとよい．

d 知的能力発達

全般的かつ分析的に知的能力を測定する場合，原則として直接的に知的能力の発達を測定する知能検査（WPPSI-Ⅲ知能検査，WISC-Ⅳ知能検査，田中ビネー知能検査Ⅴ，KABC-Ⅱ心理・教育アセスメントバッテリー，DN-CAS認知評価システム）や，発達検査（新版K式発達検査，2020年冬頃に改訂版発売予定）を用いる．スクリーニングとしてレーヴン色彩マトリックス検査（RCPM）や，DAMグッドイナフ人物画知能検査 新版（2017年に再標準化）が利用できる．

直接的な検査が困難であれば質問紙法を利用する．**乳幼児精神発達質問紙**や**KIDS乳幼児発達スケール**などを用いることができる．質問紙法は原理的に記入者のバイアス（過小評価や過大評価）を排除できないという特性があるが，言語検査と質問紙検査の相関は高いとも言われている．

質問紙は保護者に記入してもらったのち，補足的に記入者である養育者に具体的な質問をするとよい．例えば，「小さくジャンプできる（KIDSスケール18か月）」という項目に対して，「いつごろのことですか？」「その時の様子を少し詳しくお話してください」「手はつないでいましたか？」など状況を含めて具体的に聞いてみると，「実はさせたことはないけれどもやったらたぶんできるのではないかと思って"できる"に◯を付けた」と保護者自身が気付くことがある．具体的に質問して確認していくことは，養育者自身が観察したことを書いているのか，そうだったらいいのにと思う気持ちが混ざっているのか，させてみたことはないが推測で判断しているのか，について一緒に振り返り養育者自身の子どもを見る目を育てていく機会になる．質問紙にある発達行動指標を共有しながら子どもの状態把握をすることで，質問紙の結果をより妥当にし，養育者の気づきにもつなげることができる．

表4-26 評価場面の種類

	フォーマル場面(検査場面)	インフォーマル場面(自由場面)
評価方法	標準化された検査法 　聴力検査 　知能検査 　言語検査	発達・関心に応じた活動内容 　例　感覚運動遊び(抱っこ，おうま，肩車) 　　　食べ物ミニチュア遊び(ままごと) 　　　人形を含む状況遊び(シルバニアなど) 　　　組み立て遊び(レゴ，マグフォーマーなど)
コミュニケーションパターン	質問・刺激に対する応答 (コミュニケーションの開始者：言語聴覚士 >> 子ども)	子どもに対する言語聴覚士の応答による反応性 言語聴覚士の誘いへの対応 質問に対する応答 (コミュニケーションの開始者：言語聴覚士 << 子ども)
評価できる内容	定型発達との比較における発達レベル	自発性・応答性 興味・関心

表4-27 言語発達検査法

検査法名称	S-S法	LCスケール
適用年齢	0～7歳	0～7歳
理論的枠組	言語形式-指示内容関係 基礎的プロセス コミュニケーション態度	言語理解 言語表出 コミュニケーション
段階	記号形式-指示内容に基づく5段階 1)事物・事態の理解困難 2)事物の基礎概念 3)事物の記号 4)語連鎖・要素 5)語連鎖・統語方略	言語発達に基づく5段階 1)ことば芽生え期 2)1語文期 3)語連鎖移行期 4)語操作期 5)発展期

e 言語発達・コミュニケーションの評価

(1) 言語発達評価

　言語発達評価は，①フォーマル場面(検査場面)と②インフォーマル場面(自由場面)の2場面で行う(表4-26)．フォーマル場面は，標準化された検査あるいは掘り下げ検査をする場面であり，もともともっている性質上，コミュニケーションとしては検査者の質問に子どもが応答するパターンが繰り返されることが多い．一方，自由場面では子どもに主導性をもたせることができるので，フォーマル場面では見えにくいコミュニケーションの自発性や対人的関心，好奇心や物への関わりなどが評価できる．応答以外のコミュニケーション機能や，自発性，情動的な交流，自己調整，模倣のあり方について十分に評価のサンプルをとるには，子ども自身や保護者，言語聴覚士も含めて安心でき，互いが自分らしく振舞えるような場面がふさわしい．言語聴覚士と子どもとの信頼関係が構築される過程の中で，子どもについて評価する．

　フォーマル場面に用いる言語・コミュニケーションの測定法として**LCスケール 増補版 言語・コミュニケーション発達スケール，国リハ式＜S-S法＞言語発達遅滞検査**などがある(表4-27)．双方とも0歳児から適用でき，およそ幼児期は標準化されており，応用的には何歳でも使用できる．**PVT-R絵画語い発達検査**は言語力のなかで語彙に特化しており，実施も容易で簡便な検査法である．新版K式発達検査2020，KABC-

Ⅱ心理・教育アセスメントバッテリー，DN-CAS認知評価システム，田中ビネー知能検査Ⅴの検査項目の中で言語を測定していると思われる下位検査項目を適宜用いて評価することも可能である．

【言語理解】音声言語が獲得されている場合，語彙（基本語，上位概念語），構文（語連鎖，助詞），使用の観点でサンプルを整理し，発達レベルを「タテの発達」，レパートリーを「ヨコの発達」として整理する．なお，重度の知的能力障害の場合，S-S法やLCスケールの標準的な方法を一旦行ってみて，その後，選択肢を減らす，絵カードから実物やその子の経験の中にある事物などに用具を変更するなど，記号形式の象徴性を下げ，親近性を高めるなどの工夫をするとよい．さらに重度重複障害の場合には，既存の検査法を用いつつも，評価の重点は言語よりもさらに初期的な視覚・聴覚といった感覚・知覚面の評価，あるいは微細な運動に現れる自発性や，感情表現などの前言語的なコミュニケーションなど，質的な評価に重点が移る．

【言語表出】音声言語による表出があれば，言語理解と同様に語彙，文法，使用の側面から発達レベルとレパートリーに分けて整理する．単語の表出がみられない場合でも，音声の表出があれば音のレパートリーは記録しておく．また，日常生活における身振りや視覚的記号の使用について情報を収集する．ダウン症では，構音の発達に著しく困難を示す事例が時折見受けられ，幼児期から身振りの指導を行うことが推奨される．身振りについては，バイバイやありがとう（どうも），おいでなど誰でも使っているものもあるが，名詞や動詞のレパートリーを増やし，日常生活でも積極的に使う場合はマカトン法（マカトンサイン➡ Note 29）が活用できる．

【コミュニケーション】コミュニケーションの客観的評価は容易ではない．それは，コミュニケーションがコミュニケーションをとる者同士の間で互いに同時的に影響を与え合いながら行われているものであること，また子どもあるいは養育者と言語聴覚士が関わり合っているときには，言語聴覚士はコミュニケーションの当事者であることが避けられず客観的観察が難しい，という2つの点に起因している．定型発達では，コミュニケーションは子どもと養育者の間では出生前から始まっており，多分に非言語的なものである．同時的かつ流動的で，情動面と深い関連がある．

評価はセラピスト自身の特性や技能の範囲の中で引き出された子どもの反応を根拠として評価しているため，子どもから反応が引き出せないセラピストは，子どもを低く評価するリスクをもっている．これは，検査・評価の場面がコミュニケーションの要素をもっていることの反映と考えられる．

行動観察に基づいたコミュニケーションの評価方法として，対人コミュニケーション行動観察フォーマット（format of observation for social communication：**FOSCOM**）がある[24]．この検査法では，種々のコミュニケーション機能や質についてスケールを用いて定量的に評価できる．FOSCOMは＜S-S法＞との相性がよく，3つの下位領域A（対人コミュニケーション行動の相互

> **Note 29. マカトン法**
>
> マカトン法は，言語発達の遅れのある聴覚障害の人々のために英国で開発された身振りコミュニケーションの手段であり，指導法でもある．1972年にマーガレット・ウォーカーが考案した．マカトン法のうち身振り語彙はマカトンサインという．BSL（British Sign Language）が基礎にあり，日本版では日本の手話も参考に作られている．核語彙（core vocabulary）と呼ばれる単語（330語）が，生活圏の拡大に応じるようにステージ1〜9に分けられているため系統的指導に役立つ．身振りに加えて，マカトン・シンボルと呼ばれる視覚記号も考案されている．マカトン法において，周囲の人々の理解が重要であり，マカトンサイン・シンボルを使う本人がより自由にマカトンサイン・シンボルを使うための環境が必須であると考えている．その使用にあたっては，音声によることばを同時提示することが必須である．その制約が，知的能力障害児者にとってわかりやすくなるための工夫にもなっている．

性とプロセス），B（他者への注目・距離・表情変化），C（特徴的なコミュニケーション行動）に分けられる31の下位項目で構成される．コミュニケーションの「低下」ではなく「逸脱の程度」を捉えるのが特徴である．LCスケールにもコミュニケーションの評価項目が0歳児の課題から設けられており，主に問診の手法で評価する．

自然科学的観点から客観性に乏しいことが課題とされてきた一方で，看護や精神科臨床の中では**間主観的コミュニケーション**が重視されている[25-27]．間主観性は哲学や看護の領域で深められてきたものであり，鯨岡[21]は関係発達論として理論化した．間主観的コミュニケーションは定量的評価の手段ではなく，尺度をもたない．自然科学的な人間理解のあり方とは立場が異なるが，人と人のかかわりの深まりと，心の機微をとらえる**接面**という心のはたらき，互いが互いに志向性を向け合う中で，意味づけあう関係性を紡いでいくといったコミュニケーションの個別性と普遍性という本質をとらえている．セラピストの感受性，あるいは養育者の感受性（maternal sensitivity）や，セラピストが子どもや養育者に向ける「志向性の強さ」[22]も，間主観的コミュニケーションと同様に関係性の本質を探るアプローチのなかで深められてきた知であり，脳科学の分野でも検証され始めている[28]．今後の言語聴覚療法において，間主観的コミュニケーションについての知を深めることは学問的にも臨床的に重要な課題である．

(2) 食事場面でのコミュニケーション・口腔機能評価

知的能力障害児は，摂食の発達も遅れることが多い．食事は人との関わりあいとコミュニケーションの機会であり，愛情表現の象徴とも言われており[29]，生まれた直後から授乳や食事の場面で密なコミュニケーションが行われている．知的能力障害の子どもは，個体差はあるが運動も精神も発達がゆっくりであるため離乳も遅れていく．合併症があれば感覚過敏や偏食，少食も加わり，養育者の育児不安や葛藤のもとになる．養育者の心情を心理的に受け止めつつも，コミュニケーションと口腔機能の発達支援という観点からアプローチすることが必要である．筋緊張の低下や口腔内の味覚・触覚における過敏／鈍麻のようなアンバランスさをもつ知的能力障害事例では，摂取できる食形態や食品のレパートリー拡大にハンデが生じる．幼児期から咀嚼困難を代償するために丸のみを習得・習熟し，その結果成人になってからの肥満，早食いなどの生活習慣の修正困難，という問題が浮上することもある．

言語・コミュニケーションと合わせて食事場面での状態を養育者からよく聞き，必要に応じて摂食場面でのかかわり場面を評価する．発達支援の一環としてプレスピーチや摂食機能の発達を促進することは，知的能力障害児の構音獲得レディネス整備に向けた支援でもある．学齢期以降も学校との連携が重要である．

E 支援

1 支援の適応判断

限られた勤務時間の中で多くのケースへの対応が求められる状況では，個別に支援の適応を判断し，優先順位をつけなければならない．その判断は，子どもの支援ニードと親の支援ニードの2つをもとに考える．

a 子どもの支援ニード

子どもの支援ニードは，種々の個体内差が1つの手掛かりになってきた．例えば認知発達に比べて著しく言語の発達が遅れていく子どもや，認知発達や言語理解は年齢相応であるにも関わらず発語がみられないなど，子どもの個体内差が強いタイプは適応が高いといわれている[30]．ただ，知的能力障害のある子どもにも個体内差の強いタイプの子どもはいるが，多くはない．多くの事例では認知発達の進展や経験に応じて言語も発達してい

くので，その場合直接的な支援ニードは高くない．しかし，知的能力障害が重度であるほど，言語・コミュニケーションの評価は既存の検査法には頼れず，時間をかけて教材を工夫する必要性なども高くなってくるため，より専門的な指導の適応は高くなる．

b 養育者のニードから指導の適応を判断する

　言語聴覚士は子育ての伴走者であり，親の支援ニードについての把握も不可欠である．養育者は，特に幼児期までは子どもが育つ人的環境そのものであり，養育者の支援ニードは，子どもの遅れの程度により異なる．

(1) 重度

　比較的早期から専門職がかかわることも多くなるため得ている情報はあるが，育児の当事者性を低下させるリスクがある．また，発達のテンポが非常にゆっくりであるため，関わりがマンネリになって目標を見失うリスクもある．

(2) 中等度

　ある程度生活適応は可能で，丁寧に繰り返し教えれば習得・習熟することが少なからずあるので，養育者もその都度目標を知りたいというニードがある．

(3) 軽度

　幼児期からうすうす感じてはいたが，早ければ小学校，遅くとも中学生ごろに学業不振や社会適応の面で現実問題として知的能力障害に向き合うという試練を子どもとともに迎える養育者もいる．ケースバイケースで相談に応じる．

　子どもへの直接的支援ニードが必ずしも高くない場合でも，養育者-子の関係性と具体的な関わり合いの学びによって関係性を早期によりよい循環にすること，子どもに対する養育者の理解を深めるなかで育児の不安を軽減すること，ライフコースの節目で変わる状況に対してクリアしていくべき課題を更新すること，教科学習の支援の具体的方法についての学びと施設・専門家間の連携，といった目的から適応の高さを考える．

2 支援の基本的な考え方

　知的能力障害に伴う言語発達障害のある子どもの場合は，まず第一に**家族支援**と**施設間連携**，その次に子どもへの**個別支援**の順で考える．幼児期には家族内のコミュニケーション，そして子どもに対する大人の理解と，子どもの育ちに不安をもつ親の気持ちの受け止めを同時に取り組む課題とし，子どもが暮らす環境が子どもにとって安心できるものになるよう支援する．関わりはじめは，言語指導よりもコミュニケーション指導の色彩が強くなる．精神発達の程度や課題態度から判断して，集中的に言語の学習をするのに適した時期は幼児期よりは学齢期に訪れる．その場合は，学校と連携しながらコミュニケーション領域から言語の領域に指導の重点を移す．学齢期以降の支援については言語聴覚士の職域拡大が途上であることからまだ課題も多いが，中長期的な視点をもってかかわることができるようになることが望まれる．

a 養育者に対する支援・相談

1) 家族の物語の中で関係性を理解する

(1) ファミリー中心という考え方

　言語聴覚士が最初に着手する支援は，養育者への支援である．養育者支援よりもさらに広い視点で知的障害者を支援する枠組みを，Leal[31]は**ファミリー中心アプローチ**(a family centered approach)として提唱している．この観点は，従来の「知的障害をもつ子ども」の支援を，子ども自身にニーズがあるものとして支援を焦点化する発想とは違い，家族という単位のダイナミクスに言語聴覚士がコミットしていくアプローチである．関係性に介入していく考え方は先進的ともいえるが，日本の戦後の文化や現状，社会の在り方といった事柄とも関連し，医療機関と家族全体を関連付けていくにはまだ時間がかかると思われる．narrative based medicine やオープンダイアロー

グといった，これまでの医療を行う側と受ける側の関係性に変化を求める動きも出てきている中で，徐々に当事者に見えている世界を尊重する考え方が浸透してくると，このようなファミリー中心アプローチも本領が発揮できるであろう．

(2) 物語の中を生きる親の思い

「障害のある子どもが生まれた」という事実だけでも，十分に家族の関係性をつまずかせる理由になりうる．子どもが生まれる前から，夫婦あるいは夫婦を囲む人々には「期待される子ども像」がある．子どもは「先にこの世に生まれておのおのの物語を生きている人々の，その流れのただ中に位置していて，やがてはあらがいようもなくその物語の流れにはまり込んでいく運命にある」[32]一方で，子どものあり方は周囲のネットワークにある種の波紋を広げる．例えば「元気な赤ちゃん」を生みたい，あるいは生んでほしいという母親や周囲のごく自然な期待のある中で，新生児仮死あるいは奇形，染色体異常といったことが子どもに起きれば，期待と違うという点で，母親をはじめ周囲はショックを受けるだろう．元気で生まれても，1歳を過ぎても歩かない，2歳を過ぎても言葉が出ないといったように，育てていくうちに徐々に不安や心配が募ることもあるだろう．

(3) 関係性へのアプローチ

いざ障害があると診断され，「元気に生んであげられなくてごめんね」と母親が思うとき，それはだれが受け止めるのだろうか．母親の気持ちがだれにも受け止めてもらわないまま子どもと24時間向き合う状況のなかで，大人の中に子どもの気持ちを受け止めるための心のスペースをどうやってとればよいのだろうか．このような，養育者のこころを重視して早期から母子を一体のものとして考え，その関係性へアプローチする立場を「**母子臨床**」という[33]．主に精神科や母子保健領域では従来からあるアプローチであり，乳幼児期からコミュニケーションにかかわる言語聴覚士は「母子臨床」の面をもっていることを自覚する必要がある．

場合によっては祖父母との関係性や夫婦の関係性について介入が必要な場合もある．言葉の遅れと発音のことを主訴として来室した祖母・母・子の例をあげよう．臨床中に，祖母がちょっと手洗いに席を外した途端，母親が「おばあちゃんが息子の言葉のことを私の育て方に問題があると考えているようなのです．先生からなんとか言ってください」と言われたことがある．このように，仮に子どもの言葉の問題が子どもの個体能力的な問題だとしても，コミュニケーション問題は3世代に渡ることがわかる．子どもを支えるのは主に養育者だが，養育者自身も自分の対人的ネットワークの中で暮らしている．言語聴覚士が養育者と相対するとき，養育者が養育者自身の対人的ネットワークの中で傷ついていることもある．それに気づくかどうかは，言語聴覚士自身の感受性が問われるところである．

養育者を急かさず，認め，ともに歩む気持ちを伝え，親が子どもと歩んでいく気持ちになれるよう支えることは，早期からの介入における重要なポイントである．ただし，気持ちを共感的に理解する，支えるといった心理面へのアプローチだけで終始するのは言語聴覚士の専門性として**不十分**である．遊びの中での大人の応答の在り方，コミュニケーションのタイミングやことばかけの方法，おもちゃの選択や遊ばせ方，摂食場面でのやりとりといった育児にまつわる技術的側面と合わせて支援して初めて言語聴覚士としての役割が果たせる．

2) 子どもの発達テンポに対する理解

知的能力障害の子どもはその障害特性からゆっくり発達する．重度であればあるほどゆっくり発達し，機能的なプラトーもあるため，障害が重度であるほど機能的な到達レベルはおのずと低くなる．そして，知的能力障害の子どもを育てることは，定型発達の子どもを育てるのとはかなり異なった時間感覚の中で暮らしていくことを意味している．定型発達の子どもが1年かかってできる

ことを，知的能力障害のある子は2〜3年かけて，6年かかるようなことなら10〜15年かけて獲得する．1つのステップに時間がかかるため，育てる中では先が見えなくなることがある．子どもの発達テンポをとらえ，ゆっくり歩んでいることを養育者と言語聴覚士の間で確かめ合うことで，養育者が少しでも安心して育児をつづけられるように支援することは重要なことである．養育者と次の目標を共有しながら，伴走者として支援を継続することが望ましい．また，家族メンバーである**きょうだい児**は，特殊な立場に置かれながら成長していく．そのため，家族内ダイナミクスのなかで，関係性に留意しながら経過をみる必要がある．きょうだいの気持ちに寄り添うことの重要さと当事者のこころを，白鳥[34]がまとめている．

b 施設間連携：社会資源や制度の活用

(1) 制度活用

知的能力障害のある子どもを育てるにあたって，養育者は，障害児者に関する制度について療育でかかわるソーシャルワーカー，市町村職員，特別支援コーディネーターといった専門職から情報を得てゆく．知的能力障害の診断により**療育手帳**（障害者手帳の1つ，自治体によって要綱を定めるので愛の手帳や緑の手帳といった名称がある）の取得が可能になる．第何子であろうと，はじめて知的能力障害のある子どもを育てるケースの場合，利用できる社会資源や制度について情報を得ているかどうかを確認する．特に外国籍の養育者の場合は，情報収集にも不利があることも踏まえて情報提供を心がける．

(2) 療育の多様性

知的能力障害児の場合，障害の程度もさまざまであり，重度であれば医療機関や療育機関に紹介されて受診し，継続的にフォローされつつ児童発達支援事業所に通うことが多いかもしれないが，軽度になると，医療機関受診は継続するが療育にはかからず保育所に通う場合や，4歳以降幼稚園に入って療育施設は週1日，あるいはフォロー程度の外来療育に通うといったスタイルの家族もある．

(3) 社会制度の知識

障害の程度も多様で家族の方針や利用施設も多様という背景の中で子育て中の家族を支援するには，社会の状況にも目を向ける必要がある．特に社会資源についての知識は，施設間連携にも関連する．障害児に関連するものとして，国・自治体・市区町村の障害児施策，子育て制度，医療・療育機関，周辺地域の児童発達支援事業所や放課後等デイサービス，適応指導教室，特別支援学級，特別支援学校，教育委員会の教育相談程度は知っておきたい．また，一般的な子育て支援施策，DV（domestic violence）対策，ひとり親への支援体制，生活保護施策についての知識があるとよい．言語聴覚士自身も，アウトリーチ活動やオンサイト支援，電話や文書による情報交換といった方法で諸機関との関係づくりを進め，人的環境の条件整備に貢献したい．

c 知的能力障害児に対する直接支援

1) 乳児期（暦年齢0〜2歳ごろ）

通常の臨床では，0〜2歳では知的能力障害の確定診断は難しい．「障害」は，「治療によって変化はするが治癒はしない」ことを前提としており，0〜2歳では発達テンポの変動や個人差が大きいため，診断の確定や告知が保留されることもある．一方，生後比較的早期に原疾患あるいは症候群が明らかになった場合，原疾患あるいは症候群の特性から考えて知的能力障害の可能性が濃厚な場合もある．重度の障害や合併症があれば医療ニードが高くなるため，医療は早期から多職種で介入していくことになる．他方で，知的能力障害以外に身体障害や聴覚障害が合併しておらず健康であれば，養育者も「少し遅いけれど個人差の範囲」と解釈し，あまり心配されないこともある．

(1) 優先課題

近年は情報が多くなり，知的能力障害を合併す

ることの多い自閉症の早期診断や社会啓発も進んできたこともあって，2歳前に初診となるケースもある．2歳前後で初診の場合には，まず**家族支援と環境調整**を先行させる．専門家としての助言を急がず，まず家族の心配事を受け止めることを優先する．子どもの発達過程から考えても，0〜2歳の時期は食事をはじめ24時間続く育児行為の中でアタッチメントが形成されてゆく時期であり，情緒的な家族との関係性が子どもに大きく影響する．そのため，臨床場面では，家族と本人が同席する中で，家族と本人が安心できる環境設定を心がける．助言として家族に負担を強いることなく，家族の気持ちを**受け止める場**にすることが，その後の言語聴覚士の助言に対して家族が信頼を置く基礎となる．

(2) 支援ポイント

この時期にある知的能力障害のある子どもへの働きかけは，能動性を引き出すことが最も重要な課題である．乳幼児期に能動性と共同注意の確立が重要であることは，SCERTS model[35]でも強調されている．子どもの能動性は，関わり手である大人の「応答性」によって引き出されていく．インリアル(INREAL)アプローチ(➡ Note 30)は，教育的な観点から生まれた言語発達支援の考え方であり，子どもの潜在能力を信じ，主体性を重視している[36]．大人のもつべき基本姿勢としての"SOUL(➡ Note 31)"は，子どもの主体的な学習がより促進的な人的環境のなかで起きるという考え方から生み出されたものであり，言語聴覚士の心構えとしても重要である．WetherbyとPrizantは，自発的なコミュニケーションを引き出すための関わり手のテクニックを紹介している[37]．このように，障害の種類によらず，乳児〜幼児期初期にある子どもにとって最も重要な発達支援の課題の1つは能動性を育てるかかわりである．

2) 幼児期前期(暦年齢3〜4歳ごろ)

3歳以降になると，3歳児健診で遅れを指摘され専門家の外来を受診する家族が増えてくる．ただし，知的能力障害と診断されていても，保護者に対して明確に**告知されているとは限らない**ため，面談の際には注意が必要である．暦年齢3〜4歳で初診となる子どもは中等度であることが多い(重度ではもっと早く判明し，軽度ではもっと遅く判明するため)．この場合，定型発達でいう1〜2歳児の知的能力をもっている子としての面と，3〜4年の生活経験を積んできている子であることの両方を勘案し，支援プログラムを考える．

(1) 支援の具体例

2歳程度のレベルでは，発達的に感覚運動期に含まれるので，体を使った遊びが好まれる．また，体を使った遊びはコミュニケーションを引き出しやすい．お馬になって子供を乗せて大人が四つ這いで移動する，抱っこして段差をぴょんと降りる，窓の外を一緒に眺める，おんぶして小走りする，手をつないで一緒によーいドンで走る，このような活動は他者への関心と意味を子どもの中

Note 30. インリアル(INREAL)アプローチ①

インリアル(INREAL)アプローチは，1974年にコロラド大学のワイズとヒューブレインによって開発された言語発達遅滞幼児に対する言語指導法である．1980年代に竹田らによって日本に導入された．その基本理念と原理は言語学的には機能主義的立場に立脚しており，子どもの主体性や感情を重視しているという点で教育的である．大人の基本姿勢としてのSOUL，言語心理学的技法は，現代の言語聴覚療法においても有用性は変わらない(➡ 181頁も参照).

Note 31. SOUL

インリアル(INREAL)アプローチにおいて，子どもにかかわる大人の基本的姿勢が4点あげられている．① silence 沈黙，② observation 観察，③ understanding 理解，④ listening 傾聴，これらの4点の頭文字をとってSOULと呼ばれている．これらの基本姿勢によって，子どもの主体的なコミュニケーションを尊重しながらかかわることができると考えられている．この基本姿勢は，子どもに対して受身な態度をとることではなく，むしろ積極的に子どもの意図や気持ちを理解するように意識を十分に向け，行動や発話・発声の意味を考えながらかかわる極めて積極的な姿勢である．

タオルブランコをしながら声掛けとアイコンタクトで気持ちを共有

トンネルくぐりの出口で大人が面白い（新奇性の強い）ことをして，外界への興味と人への関心を強める

図 4-25　感覚運動遊びの中でコミュニケーションを反復する

に形成していく．子どもは楽しいものは**自ら反復を求める**ものである．この反復がルーチン（Bruner）と呼ばれるものであり，いないいないばあなどの social play もこれに属する．ルーチン遊びは，共鳴的模倣[38]を引き出しやすい．人よりも絵カードやおもちゃなどの事物に関心が強い場合には事物を使って関わることもある．**子どもが主導権をもち**（child-directed），自ら反復を求めるルーチン遊びの中で共鳴・共感的模倣によって子どもが学ぶことと，**大人が主導権をもち**行動を繰り返させる（clinician-directed）ドリル学習の中で認知的模倣行動を強化していくことで学ぶものは似て非なるものである．ドリル学習は基本的に指導者側の刺激が先行するコミュニケーションパターンになるため，受身になりやすいといわれる知的能力障害児には注意が必要である．

定型発達では，抱っこやおんぶはそれ自体，ほとんど距離なく互いに触れ合い，身体感覚的なコミュニケーションをしている．また，同時に子どもにとって「重要な他者」との関係を形成し，メタ・コミュニケーションを含む非言語コミュニケーションが育っていく（図 4-25）[39]．運動が発達し，徐々に養育者から離れることと同期するように，指差しや視線を使って原要求や原叙述[40]といった記号的なコミュニケーションをするようになる．距離化が進むとともに，音声のように 360度の空間の中で発信でき，かつ文脈に依存せず使える恣意的な記号を使うようになる．

記号的なコミュニケーションの前にも，十分に非記号的なコミュニケーションを経験していくことは，子どもの象徴記号を育てるだけでなく，情緒的な人との関係性すなわち社会性を育てることになると考えられる．したがって，就学までの子どもでかつ知的能力の発達が2歳程度に達するまでは，指導は個別に行うことが望ましいと考えられる．個別指導の中で，言語聴覚士との間でも関係性を作っていくことが，その後のその子への指導のベースになると同時に，社会性の育ちを支えていく．

(2) コミュニケーションパートナーとして

指導における最も重要なポイントは，前項で述べたように，子どもに対する言語聴覚士のコミュニケーションパートナーとしてのスキルである．かかわる大人の応答性を重視する立場は，前述のインリアルアプローチや，ガットステインの **RDI**（Relationship Development Intervention，対人関係発達指導法）にみられる．RDI は，もともと自閉症のための発達支援プログラムとして日本に紹介されているが[41]，知的能力障害児に適用可能であり，今後の検証が期待される（表 4-28）．

(3) 遊びレパートリーの非可逆性

3〜4歳くらいまでの体重であればなんとかおん

表 4-28 RDI（対人関係発達指導法）の遊び例

情動共有レベル	段階の例	関わりの例
1	情動調律	ビーズクッションに一緒に倒れこむ
2	変化の楽しさ	大人が積み木を渡し，子どもが積む．役割交代する
3	共同変化	複数人数で2つのボールを使い，タイミングを合わせてキャッチボール
4	視点取得	目隠しした子としない子がペアになって部屋の中を探検する
5	アイデアの共有	お話しづくりと劇あそび

〔スティーブン・E・ガットステイン（著），杉山登志郎，他（監修）：RDI「対人関係発達指導法」．クリエイツかもがわ，2006を参考に筆者作成〕

ぶやお馬くらいはできる．伝承的な身体的触れ合いをする遊びの多くは，子どもが軽く小さい，周囲で子育てにあたる大人が若くある程度力がある，といった互いの身体的条件が揃っているその時期にしかできない．遊びの中で親子が共に過ごす時間は，後になると子供も大きくなり，その分養育者も年を取るため，幼児期の遊びはできなくなる・しなくなるという非可逆性をもっている．そのため，幼児期には養育者との遊び，例えば手遊び，絵本の読み聞かせ，お手伝いといった生活行為の中で関係性を形成し，量ではなく質的に豊かな言語刺激（非言語コミュニケーションも含め）を子どもに提供し，子どもの発信への大人の応答性を高めていくことが支援の重要なポイントである．

この時期における言語聴覚士の役割は，その遊びを実践して見せ，子どもと関係を作ることで親に「この子はこのように人との関係を作ることができ，主体性をもっている」ことを信じられるようにすることである．

3）幼児期後期（暦年齢5～6歳ごろ）

幼児期後期は，親子中心の支援から，徐々に子ども中心の支援が始まる時期である．特に就学前は，知的能力障害をもつ子どもとその養育者にとって緊張感が増す時期でもある．ちゃんと学校でやっていけるのだろうかという漠然とした不安や，このくらいのことができていなくては／このくらいはできてほしいという養育者の願いが，学校という存在が目の間に迫ってくることで強められる．

(1) 進学の考慮点

学校には通常の学級・特別支援学級・特別支援学校があり，原則としては「本人の知的能力」に応じて，学べばよいと考えられる．しかし，進学の際に重要なのは知的能力の程度だけではなく，幼児期に保育所や幼稚園で形成してきた本人と周囲の子どもたちあるいは親どうしの関係性，親や場合により祖父母の教育方針，通学の安全性も同じくらいに重要である．特別支援学校は通常の学級のように子どもが歩いて行けるエリアにはないことが多く，子どもによっては毎朝夕1時間以上バスに乗る場合もある．通学に体力を使いすぎることもリスクであるが，設備面ではADL（食事，排泄など）の自立を前提としていない分配慮されている．支援学級の場合は通常の学校の中に設置されていることから，ADLはある程度自立しているほうが暮らしやすく，また学校と自宅が特別支援学校よりも近くになることがメリットとなる．

(2) 就学相談

教育委員会の就学相談は活用するとよい．就学相談は，養育者が方針を考える際に医師や心理などの専門職の意見を聞きながら，普通級・支援学級・支援学校のメリットやリスクなどを検討するにあたって重要な機会である．教育委員会は進学先を推奨しつつも，保護者の希望する学校に進学できる．また，特別支援学校などでは体験入学の機会がある．参加することで活動への適応の様子がわかる．

(3) 指導の適応

このころになると，中等度～軽度の知的能力障害児は3～4歳のレベルになってくるので，語彙数はやや少なく構文も短いものが多いながらも日

常生活の会話が成り立つようになり，言い返してくる，口答えなどもみられることがある．生活の中ではルールの理解や集団行動もある程度とれ，個別場面の設定された学習場面でも適応できるようになってくる．数か月に1回でもフォローを入れながら適宜言語発達の状態を把握し，評価から考えられる個別指導の必要性や重点領域の同定，養育者の要望も勘案し，ケースにより語彙・構文の個別学習をする．ダウン症では文法発達には特に困難を示すが，ダウン症以外でも助詞・接続詞・受動態（能動態）といった種々の言語の形式について学習することは有益と思われる．重点領域が定まっていれば，方法としてはドリル学習が効果的である．

(4) 系統的言語訓練

中等度～軽度ならば系統性をもった言語指導をするとよい場合がある．系統的なプログラム言語訓練法として**<S-S法>**[30, 42)]があり，言語を「言語行動」と考え，行動形成によって言語を学習するという考え方に基づいている．訓練プログラムは，①症状分類に基づいた領域別プログラム，②記号の段階に基づいた段階別プログラムの2つの軸によって個別に作成される（図4-26）．<S-S法>の症状分類において，知的能力障害が重度であればA群やT群，中～軽度であれば症状分類C群であることが多い．各群の重点領域を勘案しつつ，個別の特性に応じて柔軟にプログラムを立案する．行動形成的アプローチを取り入れたプログラム療育には，80年代から家庭療育を中心に普及してきたポーテージプログラムがある．ほかにも，**認知・言語促進NCプログラム**[43)]や認知・言語・運動プログラム[44)]などがある．

全体的な知的発達が4歳程度に達していれば，理解面では上位概念語を含めた語彙の拡大，構文レパートリーや基本的な格助詞を獲得するための言語指導を行う．表出面では，リキャストや絵本・紙芝居といった，絵に示された文脈の中で言語刺激を与えるようなモデル学習があることが望ましい．この時期のポイントは，生活の中での音

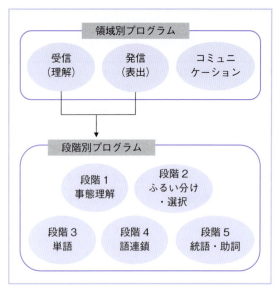

図4-26　<S-S法>におけるプログラム立案の2つの軸

声言語使用が充実していくことであり，指導の軸となる言語の形式や内容といった形式的な面と合わせて，使用についても遊びや生活の中で療育的なかかわりを家族に伝えながら指導を進める．

4) 初等教育前期（暦年齢7～9歳ごろ）

児童発達支援事業所での支援は，就学とともに終了する場合が多い．ただ，病院などの外来診療や開業言語聴覚士の場合は，小学校入学後に指導あるいはフォローが外来では継続しやすい．就学後は，1年生の担任との連携をとることが重要である．学校との連携は，家族にとっても重要な幼児期との橋渡しとなり，就学後に初めて出会う担任との関係に不安をもっている家族にとって，特に幼児期から継続してみてきた言語聴覚士の後ろ盾があることは安心材料になる．

1年生の生活リズムは幼児期とは異なることが多い．幼稚園などに比して早朝から登校し，午後まで授業がある．特別支援学校であれば遠距離になることもまれではなく，幼児期とはかなり違った生活リズムになってくる．この変化は，家族にとっての1つの試練であり，違った環境に適応しようとする努力と不安を生み出す．また，学校や

学級にもよるが，普通級に就学した場合，養育者が学習支援を行うときの方法などについて相談に乗る．コミュニケーションがよく集団適応も良好だった子が，音読や漢字練習，計算ドリルなど，特に1年生後半の教科学習から困難が強くなり，二次障害としての学校嫌いが表面化することもある．

(1) 指導のポイント

子どもに対する個別支援としては，学齢期になって精神発達上の年齢が4〜5歳になってくることもあり，場面適応や受け入れの幅に変化があり，それまでは導入が難しかった机上課題やスケジュールの参照による学習課題も使って指導ができるようになってくる．文字言語獲得のレディネスと言われている音韻意識(phonological awareness)，複数文の理解や短い談話レベルの言語理解も課題になる．

5) 初等教育後期(暦年齢10〜12歳ごろ)

時間をかけながらもこの時期にはすっかり学校にも慣れ，生活様式や生活リズムも，てんかんなどの疾患がなければ大抵各家庭の中で安定してくるので，言語聴覚士の関わりは病院などでの個別支援よりも，学校へのアウトリーチ活動，**専門支援員制度**を活用したオンサイト支援などの施設間連携のネットワークの中で支援することが，生活リズムを維持できる点でメリットがある．

(1) 学校との連携

教育現場では，学校教諭のその子に対する評価や思いをはじめに聴いたうえで，言語聴覚士の評価結果などを照らし合わせながら共有することが，プロ同士として職種間連携を進めていくうえで重要である．学校教諭は保護者とも医療従事者とも立場の違う専門家である．医療では当たり前に聞く「主訴」を聴こうと「何かお困りですか？」と聞いても支援ニードは明確にはならない．そもそも学校教諭は「主訴」のような「困りごと」がおきないように日々実践と工夫を重ねているのである．言語聴覚士の観点からみた子どもについての情報が，学校教諭の教育実践にとって有用であるかどうか，そして学校教諭と言語聴覚士の間で1人ひとりの子どもに対する教育的な思いが共有できるかどうかが連携のカギになる．

(2) 医療への橋渡し

軽度の知的能力障害の場合には，中〜高学年で学業不振が徐々に明らかになってくる．不登校や二次障害，場合によっては精神病理学的な症状や心身症などもみられることもあるので，小児科や児童精神科医との連携が必要になる場合がある．おおらかに育てていてあまり遅れを気にしていなかった家庭の場合，初めて知的能力障害の問題が表面化してくるため，家族が遅れについて認めたくないという気持ちをもつこともある．その子のテンポを大事にしつつ関わることで徐々に本人の発達状態が理解できてくることもあるので，時間をかけながら評価と助言をすすめていく．

(3) 学習支援

このころになると，中等度の遅れくらいであれば就学前後の認知・言語の発達状態になるため，教科学習で扱うような概念を本格的に習得し始められる時期ともいえる．コンピュータを使ったドリル学習やICT教材は気兼ねなく繰り返し視聴ができ，自分で操作できることが関心を高めるという利点があるが，1人でさせると考えず，それを見ている「人」の存在が，学習の継続性にとって重要な環境である．

6) 中等教育〜高等教育期(暦年齢13〜18歳ごろ)

このころには中等度〜重度の子どものほとんどは特別支援学校に在籍している．学校生活に適応できていれば，言語聴覚士の支援としては定期的な個別のアセスメントと経過観察が主たるものになる．特別支援学校高等部へ行っている子どもであれば，就労を見据えて2年生頃にアセスメントをあらためて行うと，実習先候補選定にあたっての検討材料として役立つ情報になることもある．

(1) 自己理解支援

日常会話が十分にでき，9〜10歳のレベルに到

達している子どもであれば，自分のことについて知り始める時期でもあるので，子どもによっては自分の得意／不得意な事柄から始まって，障害そのもの，養育者への思い，兄弟についての認識，将来像など，日々の暮らしの中で，主体的な考えや思いを聞き取ることも大切である．他者の支援を受け，依存するということは，場合によっては支配されることも含む．受け身になりがちな生活の中で，「こうしたい」「これはいやだ」といったことを少しでも聞き取り，受け止めていくことが卒後の自己決定支援のあり方につながっていく．

(2) 余暇活動づくり

中学から高校の時期は，じっくり時間をかけて余暇活動のレパートリーを見極める時期でもある．卒後に保護者が悩むことの1つに「余暇活動がない」「休日の時間を持て余す」といったものがある．子どもによっては休日に1日中YouTubeを検索して見ている子どももいるという．余暇活動として活用できるアイデアがこの時期の支援に求められる．例えば，学校での自立活動は教育の一環として行われるが，卒後にも「頭の体操」つまり知的能力を使う楽しい活動として活用できるかもしれない．認知の自立課題として学校で行っていた活動が，卒後の暮らしの中での退屈を防ぎ，少しでも生活を充実させるための活動となる可能性は十分にある．

7) 卒後（暦年齢19歳以降）

卒後は教育機関から離れ，社会人としての生活が始まる．生活状況やニード，本人の希望などによって変わるものの，重度の場合には多くはデイサービス施設，中等度～軽度であればデイサービスのほかに授産施設や作業所，一般企業や公的機関で仕事を得る場合もある．また，ごく軽度であれば障害者就労ではなく，一般就労を選択する場合もある．

教育機関からの卒業は親子にとってかなり大きな節目になる．まず，養育者も本人も就学の時よりも12歳年を取っている．特に余暇活動では，知的能力障害をもつ本人がプールや散歩が好みの活動であったとしても，親が高齢であると介助が難しく，本人も養育者の介助を望まないことがある．

(1) 生活全体をとらえる

余暇活動を考える際に，図4-27のような1日単位の図を作ることで，養育者と一緒に現状を共有して考えることができる[45]．曜日，時間帯，同伴者について整理し，活動内容を個別に考えていく．午前と午後で活動内容が似通っているので，どちらかは運動の要素をいれてみる．15～16時がこの日に限らず毎日空いてしまう→家の中でできるような仕事（水やりや洗濯物の取り込みなど）を教えてみて役割をもつよう促してみよう，などチャレンジすることが出てくることがある．例に限らず，活動内容が動画閲覧ばかりに偏っている場合は，移動支援を利用して買い物，お使い，ウィンドウショッピングなどの屋外活動，ジョギングや散歩，縄跳び，年中利用できる屋内プールなどの運動，室内ではVTR見本を見ながらの体操やストレッチ，教科学習やドリル，ICTの教育コンテンツ利用も，本人が好む場合には余暇活動としてカウントできる．通常はあまりしない活動でも，本人からみるとそれなりに充実できる活動もある．例えば新聞のチラシをためて，休みの日に1枚1枚はさみで細くきり，シュレッダーのように細く切り続ける（知的障害），人形を並べてCDをかけ，自分が先生になって音楽の時間の再現遊びをする事例（知的障害），ノートに十字をひたすらたくさん書く（知的障害），細密な絵を封筒の裏に細かく書き込んでいく（知的障害＋自閉症スペクトラム障害），などである．周囲から見ればやや不思議に思う活動でも，本人はそれに熱中し，終わると満足した様子もあることから，その子にとっては意味のある重要な活動レパートリーとしてカウントできる．このように，余暇活動は人それぞれのものであるため，個別にレパートリーをあげ，少なければ提案し，体験の機会を設けながら検証していく．そしてこれらの活動が，

○月○日(日)										
いつ	9時	10時	11時	12時	13時	14時	15時	16時	17時	18時
どこで	自宅など			自宅	自宅など				自宅	
だれと		ヘルパー		母親	母親				父親	
なにを		お使い		昼食	買い物				散歩	

活動の重なりを どうするか？　　　この「空き」 どうするか？

図 4-27　人間・時間・空間を整理する

生活場面を拡大し，コミュニケーションの機会となるよう助言していく．

(2) 自立に向けて

卒後は，親子ともどもライフステージが変わる時期である．定型発達児であれば，成人期に自分から自立をしていく．その自立は，親に向かって「お前はいらない」ということを突き付けることになる．一般的には，子育ての終わりに達成と喪失の両義的葛藤に出会う養育者が陥るものを「空の巣症候群」と呼ぶ．養育者は，自分の存在意義の危機を迎える一方で，かつ子どもの真の成長を感じるという両義性と出会う．

しかし，知的能力障害をもつ子どもの場合は，教育期間が終わっても ADL にも介助が必要である場合が多く，能力的にも経済的にも自立していくことが難しいことが多い．そのため，子離れは親のほうから始めなければならない．そのことが，親にとっては葛藤となる．出会うべき葛藤と出会うための支援が必要である．また，子どもを大切に思うこと，そして配慮を重ねて育ててきたことで，逆に卒後の施設での職員の我が子に対する扱いに不満を募らせるといったこともみられる．このような困難に対して，養育者と施設職員や学校教諭との関係がこじれないように調整し，一方では施設職員への啓発，養育者と自立・施設利用といった新しいライフステージの意味を共有することもコミュニケーション支援の一環である．

重度であれば生活介護も必要になるため，福祉制度を利用することになる．通所施設や入所施設で新しい職員と出会うことは，子どもについての理解を周囲に促していく動機となる．この時期には，養育者が子から自立していくことと，子が施設職員と関係を作っていくことをペアで考える必要がある．このことは，親子のコミュニケーションにおける最後の支援課題かもしれない．一方軽度の場合でも別の支援課題がある．周囲に影響されやすく，うのみにしがちなところは，犯罪に巻き込まれる要因にもなる．成年後見制度(後見・保佐・補助)を利用していなかった軽度知的障害(20歳)の事例では，インターネットによる出会いから詐欺にあい消費者金融でカードを作られ，多額の現金を借りたうえに手渡してしまったことがあった．年長になれば，自由に行動できる分危険も多くなる．財産管理や健康維持といった社会生活を維持するために支援が必要な時期といえるだろう．

知的能力障害児と言語聴覚士のかかわりは，1人ひとりの言語聴覚士の考え方と支援レパートリーで変化する．言語聴覚士の関わりが個体能力としての言語能力への支援であると考えると，そもそも言語能力が知的能力に応じて徐々に発達することから，訓練適応が高いとは必ずしも言えない子どもが多い．しかし，関係性やコミュニケーションを含む社会適応に対する支援という考え方では，長期にわたって生活に即した支援が必要という認識ができる．言語指導においても，前言

語〜初期的な言語コミュニケーションでは表現（発信）が重点領域課題である．周囲の大人のかかわりによって主体性と自発性を育て，のちに従来から行ってきた言語の学習を重ねていく．

幼児期はコミュニケーション領域への介入，特に母子臨床的観点から，養育者と子どもの間の情動と非言語コミュニケーションを十分に育てるアプローチが適切と思われる．言語聴覚士のもつ知識と技術は言語と話しことばが中心だが，コミュニケーションを育てる関わりが求められている．一方で，10〜15歳くらいで助詞などの文法を学ぶことに適応がある子や，高校生でようやく構音訓練の適応となる子どももいる．言語や話しことばはむしろ学齢期に特別支援学校や特別支援学級の教諭と連携しながら個別課題のなかで取り組む方が，全体発達のバランスから考えて妥当と思われる．

言語聴覚士の関わりが関係性の問題にコミットしていくこと，すなわちコミュニケーションが専門性の範囲と考えれば，乳児期の家庭内コミュニケーションから成人期のグループホームや入所施設職員とのコミュニケーション，コミュニケーション場面の保障まで，それぞれの子が人間社会で生きていく限り，支援は一生涯に渡る．応えるべき潜在ニーズは大きく，活躍の場としては医療や療育から，教育そして福祉へ広がる．健診への参画，専門支援員としての活動，福祉施設でのオンサイト支援，NPO立ち上げや訪問看護ステーションからの派遣拡大など，知的能力障害児者のための言語聴覚士の課題は多い．今あるニーズと，潜在ニーズにどのように応えていくのかが，今後の言語聴覚士に課せられた社会的課題である．

F 事例紹介*

知的能力障害への対応は，医学的治療より福祉・教育的な関わりの比重が高い．ここでは経過の長い事例を紹介し，本人の個体能力の発達・発展の経過よりむしろ生活の中で起きることや親の思いなどをいくつか紹介する．親は，常に言語聴覚士に言語発達の向上だけを求めているのではない．解決できないこと，答えの出ないことに共に向き合い，支える人を必要としていることもある．障害のある子どもを育てている家族を，細く長く支え続けることも支援の専門職としての役割ではないだろうか．

1 概要

【事例】Aさん（女性）．
【主訴】言葉の遅れ
【医学的診断名】常染色体トリソミー．在胎42週，3,276gで出生
【家族歴】父・母・姉・本人の4人家族

2 初診時評価（3歳）

【理解面】事物の機能的操作（＋），絵カード選択（－），身体部位（＋）
【表出面】絵カード呼称（－），生活の中では「ダッコ」など10語以上あり．探索遊びが盛んで，1歳前後の発達と思われた．

これらのことから，本児例は知的能力障害による言語発達障害と考えられた．

＊本稿は，国立障害者リハビリテーションセンター倫理審査委員会の承認を得ている（承認番号2020-102）．

3 経過

a 幼児期

　3歳から就学まで，他院にて言語指導を受けていたが，数か月に1回程度のフォロー希望があった．フォローの際には，①言語理解や表出面，コミュニケーションにおける変化があったかどうか，②そのほか生活の中で家族から見て気になること，心配なこと，うれしかったことはなにか，を聴いていた．毎回定型的に同じことを聞くのではなく，母親の言葉に耳を傾けていた．

　事例は対人的には明るく活発な印象を与える子どもであった．5歳ごろには理解面では生活の中のことばかけはおよそ理解でき，検査では理解面で2語連鎖（2歳台のレベル），表出面で2語文（1歳後半～2歳前後のレベル）であった．やや多動な傾向がみられた．言語的負荷の軽い課題と言語課題に大きな差はなく，凹凸のないいわゆる「丸い」発達であった．

　自宅近隣の別施設で受けていた言語指導は，就学とともに終了した．そのことを聞いたとき，幼児期からできるだけ「継続してみてもらいたい」という母親の思いに気づいた．

　就学に際して，母親は特別支援学級を希望していたが，実際に見学してみたところ自閉症児が多く，遊び相手がいなさそうなのが心配であると話していた．このころの支援テーマは家庭でのコミュニケーションの確立と維持であった．家庭での言語指導は他院での指導もあり積極的には行わず，親子の遊びの中で言語発達を促すものとして絵本の読み聞かせなどを推奨していた．

　5歳3か月時の田中ビネー知能検査Vでは，2歳台の項目の中で認知的要素の強い「動物の見分け」「絵の組み合わせ」は可能だが，「トンネル作り」は不通過だった．言語的要素の強い項目「用途による物の指示（理解面）」は可能だが，語彙（表出面）は不通過．およそ2歳台の発達であることが推測された．

b 特別支援学校小学部

　小学校生活のリズムを第一にと考え，フォローは夏休み，冬休みなどの長期休暇時となった．電車通学で1時間，毎日親が送迎し，学業のフォローも親が担っていた．学校に進学してから，それまでに比して情緒的に不安定さがみられた．母が見えなくなると「ママは？」と逆に強く求める，一方では指導中にぱっと思いついて部屋を飛び出してしまうなどの衝動的な行動がみられ，3年生のころには学校や家から「脱走」することがあった．母親の負担が大きく本人も情緒不安定な中，言語聴覚士として「解決」を目指すことは難しく，その思いを受け止めることだけに終始していた．

　訓練室では，言語聴覚士が机から落とした鉛筆を拾おうとすると本児も鏡のように拾おうとするような動きを見せる．母親と話していて言語聴覚士が笑うと本児も笑うことがあったが，情緒の伝染というよりはやや過剰で，強制的な模倣と呼ぶほうがふさわしいような印象があった．学校でも悪い言葉をすぐまねるようになり，なかなかやめることが難しい時があった．クラスに気に入った子がいてしつこく話しかけてしまうため，引っかかれることもあった．話しかけるのは多いが相手の反応を見ないというやや一方的なコミュニケーションの特性が，コミュニケーションの問題に発展していた．関係が悪化してしまわないよう，距離を置くなどの方策を母親に伝え，担任教諭と家庭の連携を陰で支えるような形での支援となった．

　発話面では，嗄声はあったが構音はほぼ獲得し，家では物語性のあるテレビアニメも見続けられるようになるなど，理解力も少しずつ向上しているようであった．

　4年生で肘の脱臼があり長期的にギプスをはめることになり，活動制限が生じた．体が思うように動かせないことは大変なストレスで，イライラしている様子だった．そのようなころ，一文字一音対応がわかってきて半数程度の仮名が読めるよ

うになった(図4-28). このため, 高学年ごろ学校や家庭でできるような書字の練習を試験的に導入したが, 継続は困難であった.

小学校6年でK-ABCを行ったが, 多くの項目で相当年齢は2歳後半〜3歳程度で, 施行困難な下位検査もあった. このことから考えると, 文字の導入は難しかったことは無理もなかった.

C 特別支援学校中・高等部

中学は大学附属の特別支援学校に進学. 中学校在学中, 言語聴覚士養成校の実習生と1年間週1回の時間を過ごす機会があった. 最後のセッションで学生とのお別れパーティーをした(手巻き寿司とクレープを一緒に食べた)ことは20年程度を経ても覚えており, 手巻き寿司をするたびにその話をするという.

原因不明の嘔吐が時折見られており, そのことを相談された. よく聞いてみると, 学校での課題や作業時間が長くなったりすると出やすいことがわかってきた. つまり, 嘔吐は事例の「発信行動」であり, 疲れたということを表現していたのである. しかし, 学校の教諭は「いつもニコニコ笑顔で頑張っています」と評価しており,「頑張ることは良いこと」と考えている教諭に対して「やりすぎないでください」とお願いするのは大変難しかった.

ニコニコして作業を続けるところから, そもそも疲労に対する自己モニタリングが十分に機能しておらず嘔吐という身体反応が出てしまうことから, 嘔吐をコミュニケーション手段として位置づけるのが適切と思われた. 伝わりづらいということが, 学校の本人に対する理解と家族の理解の間にギャップをしばしば生んでおり, コミュニケーションの問題となっていた. 嘔吐がみられると家庭に「迎えに来てください」という連絡が入る. 回復には点滴を必要とすることもあった. それでも「頑張ってえらい」という理解は担任が変わるごとに繰り返されており, その都度説明していく必要があった.

図4-28　10歳頃の人物画(おかあさん)

知的能力障害児者の中には, 自分の感覚に鈍感さがみられることがあり, 表情も必ずしも感情をそのまま反映するとは限らない. このころから, 頑張りすぎ(頑張らせすぎ)に注意するという「健康管理」が1つの重要な支援テーマになった. また, 運動には関心が高くスポーツも好きで, 母親が昔から卓球が得意であったことから, 本人も卓球を始めた. ADLからQOL, 社会参加を見据えての親の判断と思われ, 応援していた.

中等部3年時のK-ABCでは認知処理過程は相当年齢3歳6か月であり, その数年前に行ったK-ABCとの比較では, 認知処理過程尺度において変化したのは「絵の統合」のみであった. ふり返れば, 小学校高学年頃には認知発達はほぼプラトーに達していたと思われる. ただし, 習得度尺度では「ことばの読み」「文の理解」では変化なく, 表現語彙, 算数, なぞなぞでは4か月程度の伸びがみられたことから, 語彙や知識はやや増加することもわかった.

スポーツや運動を好む志向性に変わりはなく, 卓球を数年間継続して, ラケットにボールが少し当たるようになった. 一方生活面では, クラスメートのものを持ち帰ってしまうことがみられるようになってきた. 高校生のころには1人で通学

できるようになり，学習発表会でも発表した．徐々に言語聴覚療法の頻度は下がり，高校生以降は年1回のフォローとなっていった．

d 卒後

生活介護事業所に電車で通うようになる．生活圏が拡大する中でスキル向上と問題が現れた．1人で電車に乗る，携帯電話をかける／電車内では電話しないといったことはできるようになり，単独での通勤が可能になったが，駅からの徒歩通勤中にものを拾ってくる，コンビニなどに立ち寄り，フリーペーパーなど無料の紙類をたくさん持って帰ってくることが問題になった．ルールを決めて繰り返し伝えていったところ，ルールを口では言えるようになったが行動統制のための言語にはあまりならず，年単位での取り組みが必要であった．自己統制という言語の機能が十分に機能していないことが明らかであった．

姉が結婚して家を出て子どもも生まれ，家族のあり方も変化していった．その都度本人の障害や特性について甥や姪にいつ，どう伝えるか，なんと呼ばせたらいいかなど，「ちょっと迷うこと」は本当にいろいろあることがわかってきた．

ある朝，膝が大変腫れていることに気付いた母親が診察に連れて行ったところ，膝蓋骨を骨折していたことがあった．実はその前日は普通に生活し，階段も登って帰宅していた．自己モニタリングの難しさは，けがに対する早期対応の難しさも引き起こしていた．痛みを強く感じなければ，痛みを訴える理由も薄くなる．「訴えない・言わない」＝「問題がない」と考えてはならず，言語的なコミュニケーションに依存して意思確認や健康観察をするのでは現実とうまくかみ合わないことを知った．

自宅生活からの自立を目指してグループホームでの生活にチャレンジしたが，持って行った荷物はすべて持ち帰ってきてしまう．ホームの自室に本人のものを増やして，自分の部屋という認識を促してみたものの，なかなかうまくいかなかっ

図4-29 趣味の卓球（29歳）

た．自分の家（実家）があるのに「外」で寝泊まりすることが理解困難，あるいは納得できず，1年以上の取り組みの末に，自宅での介護に方針を変更することになった．このことも，本人の「ことばによらないコミュニケーション」と考えられた．本人は「自宅で暮らしたい」のである．「家で暮らしたい」と言葉で言うのではなく，外泊のたびに持ちきれないほどたくさんの荷物を一生懸命持ち帰ることで，そのことを親に伝えていたのである．

自宅介護も入り，母親も仕事をしながら一緒に生活を続けるようになった．ある程度落ち着いたころ，本人の周囲に感染症が流行し，マスク着用や手洗い，通勤時の手袋着用など，本人からすれば突然多くのルールがかなり強く求められたこと，卓球などの趣味にも制限が加わったこともあり，生活自体に不安を強く感じるようになった．しかし，感染予防のため通所の登所時間が遅く設定されるようになって朝の時間帯に余裕が生まれると，便通が非常に良くなり，皿洗いを母親に代わって行うこともできるようになった．また，通所時間が短くなり作業時間が短縮されると，疲労も減ったのか，以前よりも全体的な体調は良好な状態になっていった（図4-29）．

知的能力障害の事例を細く長く追っていると，進学・就職といった人生の大きな節目だけでなく，日常生活の中に日々生まれてくる子育てとしての

親の悩みに出会う．必ずしも解決案がなくても，思いを受け止め，ともに考え込むことも，支援として機能すると考えている．

　乳幼児期から親子の間で通底して交わされていたのは，言語ではなく非言語のコミュニケーションである．非言語コミュニケーションは乳幼児だけの発達課題ではなく，言語聴覚士の評価のあり方と支援にも通底する課題と考えられる．

引用文献

1) Tassé MJ, et al：The Relation Between Intellectual Functioning and Adaptive Behavior in the Diagnosis of Intellectual Disability. Intellect Dev Disabil 54：381-390，2016
2) Sparrow SS, et al（原著），辻井正次，他（日本版監修），黒田美保，他（日本版作成）：Vineland™-II 適応行動尺度．日本文化科学社，2014
3) 上野一彦，他（編）：S-M 社会生活能力検査 第3版．2016
4) 肥田野直（監修）：ASA 旭出式社会適応スキル検査．日本文化科学社，2012
5) 奥野英子（編著）：障害のある人のための 社会生活力プログラム・マニュアル―自分らしく生きるために．中央法規出版，2020
6) Maulik PK, et al：Prevalence of intellectual disability：A meta-analysis of population-based studies. Review Res Dev Disabil 32：419-436，2011
7) 厚生労働省社会・援護局 障害保健福祉部企画課統計調査係：平成17年度知的障害児（者）基礎調査．https://www.mhlw.go.jp/toukei/saikin/hw/titeki/index.html
8) 本田輝行，中島洋子：精神遅滞．市川宏伸，他（編）：日常診療で出会う発達障害のみかた．p60，中外医学社，2009
9) 週刊日本医事新報 4975号．https://www.jmedj.co.jp/journal/paper/detail.php?id=12927
10) Girimaji SC, et al：Intellectual disability in international classification of Diseases-11：A developmental perspective. Indian J Psychiatry 34：68-74，2018
11) 大熊輝雄（原著）：現代臨床精神医学．第12版，pp420-431，金原出版，2013
12) 斉藤佐和子：ダウン症児者の言語発達に関する最近の研究．聴能言語学研究 19：1-10，2002
13) 神土陽子，他：ダウン症児の初期言語獲得過程におけるボキャブラリー・スパートに関する研究(1)―ダウン症児におけるボキャブラリー・スパートの様相―　日本教育心理学会 第39回総会発表論文集：22，1997
14) 田尻祥子，他：言語コミュニケーション検査 LC スケールを用いた発達障害児のコミュニケーション行動の特性に関する研究．東京学芸大学教育実践研究支援センター紀要 4：93-101，2008
15) 小寺富子，他：国リハ式＜S-S法＞言語発達遅滞検査マニュアル．改訂第4版，p279，エスコアール，1998
16) 橋本創一：知的障害児の言語発達特性と教育支援フレームについて―知的障害児とダウン症児の言語発達に応じた支援プログラムの構築に向けて―．発達障害支援システム学研究 5：57-66，2006
17) Chapman RS, et al：Language skills of children and adolescents with Down syndrome：I. Comprehension. J Speech Hear Res 34：1106-1120，1991
18) 中川佳子，他：自閉性障害児における日本語理解能力の問題とその支援．東京未来大学研究紀要 6：121-130，2013
19) 恩田真澄，他：知的障害児の発話における文の発達―紙芝居の読み聞かせを通して．茨城大学教育実践研究 27：127-138，2008
20) 矢原隆行：リフレクティング―会話についての会話という方法．ナカニシヤ出版，2016
21) 鯨岡峻：関係の中で人は生きる―「接面」の人間学に向けて．ミネルヴァ書房，2016
22) 西村ユミ：語りかける身体―看護ケアの現象学．講談社，2018
23) 岡本夏木：子どもとことば．岩波書店，1982
24) 東川健，他：対人コミュニケーション行動観察フォーマット Format of Observation for Social Communication（FOSCOM）．エスコアール，2013
25) 鯨岡峻：原初的コミュニケーションの諸相．ミネルヴァ書房，1997
26) 鯨岡峻：ひとがひとをわかるということ―間主観性と相互主体性．ミネルヴァ書房，2006
27) Watson MJ：ヒューマン・ケアリング理論の新次元．日本看護科学会誌 9：29-37，1989
28) 定藤規弘：We-mode neuroscience に向けて2個体同時計測 fMRI を用いた相互主体性へのアプローチ．Japanese Psychological Review 59：274-282，2016
29) Morris SE, et al（著），金子芳洋（訳）：摂食スキルの発達と障害―子どもの全体像から考える包括的支援．原著第2版，医歯薬出版，2009
30) 小寺富子，他（編）：記号形式－指示内容関係に基づく＜S-S法＞言語発達遅滞訓練マニュアル＜1＞．エスコアール，1991
31) リンダ・レアル（著），三田地真実（監訳），岡村章司（訳）：ファミリー中心アプローチの原則とその実際．学苑社，2005
32) 浜田寿美男：意味から言葉へ．ミネルヴァ書房，1995
33) 渡辺久子：新訂増補 母子臨床と世代間伝達．金剛出版，2016
34) 白鳥めぐみ，他：きょうだい―障害のある家族との道のり．中央法規，2010
35) バリー・プリザント，他（著），長崎勤，他（訳）：SCERTS モデル―自閉症スペクトラム障害の子どもたちのための包括的教育アプローチ．日本文化科学社，2010
36) 竹田契一，他：インリアル・アプローチ―子どもとの豊かなコミュニケーションを築く．日本文化科学社，1994
37) Wetherby A, et al：Communicative Temptations. NONA Child Development Centre, 1989
38) 藤田郁代（監修）：標準言語聴覚障害学 聴覚障害学．第

39) 汐見稔幸, 他：はじめて出会う 育児の百科. 小学館, 2003
40) Bates E, et al：The Acquisition of Performatives Prior to Speech. Merrill Palmer Q（Wayne State Univ Press）21：205-226, 1975
41) スティーブン・E・ガットステイン（著），杉山登志夫, 他（監修）：RDI「対人関係発達指導法」. クリエイツかもがわ, 2006
42) 佐竹恒夫：記号形式─指示内容関係に基づく＜S-S法＞言語発達遅滞訓練マニュアル＜2＞. エスコアール, 1994
43) 津田望, 他（監修）：認知・言語促進プログラム. コレール社, 2002
44) 津田望（監修）：認知・言語・運動プログラム─発達障がい児のためのグループ指導. 明治図書, 2008
45) 今川忠男：発達障害児の新しい療育─こどもと家族とその未来のために. 三輪書店, 2000

6 自閉症スペクトラム障害

学修の到達目標
- 自閉症スペクトラム障害の定義と症状を説明できる.
- 自閉症スペクトラム障害のコミュニケーションの特徴を述べることができる.
- 自閉症スペクトラム障害の指導について述べることができる.

A 自閉症スペクトラム障害とは

1 定義

自閉症は1943年にカナーによって最初の症例が報告され医学の対象となった. その後, 自閉症の特徴は程度の差こそあれ一般の人たちもさまざまに有することが明らかとなった. そして, 障害のある状態とない状態を明確に分けることはできず, 自閉症の状態像も多様であることから, 連続体を意味する「スペクトラム」の概念が提唱され普及した.

そのような動向の中で, 精神医学の国際的な診断基準であるDSM-5では「**自閉スペクトラム症／自閉症スペクトラム障害**（autism spectrum disorder：ASD）」という診断名が使われるようになった. DSM-5におけるASDの診断基準は表4-29の通りである[1].

2 有病率

ASDの有病率は人口のおよそ1％で, 女性よりも男性に4倍多くみられる[1]. そのうち知的障害を伴う率は調査の方法によって幅があるが30〜50％程度と報告されている. また, 障害として医学的な診断がつくほどではないものの自閉症の特徴をもつ人も含めると, 人口における比率は10％程度とする見解がある.

3 原因

自閉症の原因説として「冷蔵庫マザー説」と呼ばれる親の育て方の問題とする情緒障害説が当初は取られていたが, 現在では否定されている. 代わって脳機能の問題とする認知障害説が定説となった.

ASDの症状と脳の働きの関係を調べる研究は数多く行われているが, 失語症のような後天性の脳損傷による障害とは異なり, 症状を引き起こす責任病巣を特定することはできない. 脳の特定の

表 4-29　DSM-5 の ASD の診断基準

A. 複数の状況で社会的コミュニケーションおよび対人的相互反応における持続的な欠陥があり，現時点または病歴によって，以下のすべてにより明らかになる．
(1) 相互の対人的－情緒的関係の欠落で，例えば，対人的に異常な近づき方や通常の会話のやりとりのできないことといったものから，興味，情動，または感情を共有することの少なさ，社会的相互反応を開始したり応じたりすることができないことに及ぶ．
(2) 対人的相互反応で非言語的コミュニケーション行動を用いることの欠陥．例えば，統合のわるい言語的と非言語的コミュニケーションから，視線を合わせることと身振りの異常，または身振りの理解やその使用の欠陥，顔の表情や非言語的コミュニケーションの完全な欠陥に及ぶ．
(3) 人間関係を発展させ，維持し，それを理解することの欠陥で，例えば，さまざまな社会的状況に合った行動に調整することの困難さから，想像遊びを他者と一緒にしたり友人を作ることの困難さ，または仲間に対する興味の欠如に及ぶ．
B. 行動，興味，または活動の限定された反復的な様式で，現在または病歴によって，以下の少なくとも2つにより明らかになる．
(1) 常同的または反復的な身体の運動，物の使用，または会話
(2) 同一性への固執，習慣への頑ななこだわり，または言語的，非言語的な儀式的行動様式
(3) 強度または対象において異常なほど，きわめて限定され執着する興味
(4) 感覚刺激に対する過敏さまたは鈍感さ，または環境の感覚的側面に対する並外れた興味
C. 症状は発達早期に存在していなければならない．
D. その症状は，社会的，職業的，または他の重要な領域における現在の機能に臨床的に意味のある障害を引き起こしている．
E. これらの障害は，知的能力障害（知的発達症）または全般的発達遅延ではうまく説明されない．知的能力障害と自閉スペクトラム症はしばしば同時に起こり，自閉スペクトラム症と知的能力障害の併存の診断を下すためには，社会的コミュニケーションが全般的な発達の水準から期待されるものより下回っていなければならない．

〔日本精神神経学会（日本語版用語監修），髙橋三郎，大野裕（監訳）：DSM-5 精神疾患の診断・統計マニュアル．p49, 50, 医学書院，2014 より作成（括弧内は省略）〕

> **Note 32.　定型発達と神経多様性**
> ASDの特性をもたない人たちの典型的な発達を**定型発達**（neurotypical：NT, typical development：TD）という．また最近では，自閉スペクトラムは脳の故障でなく，ユニークな脳のタイプであるとする**神経多様性**（neurodiversity）の考え方もある．

部位の損傷によって自閉症が発症するといった因果関係があるわけでなく，定型的でない脳の構造と機能の問題と考えられている（➡ Note 32）．

ASDのケースの15%が特定の遺伝子変異と関連することがわかっているが，大多数のケースでは発症に関与する遺伝子は特定できず多遺伝子的のようである[1]．遺伝子とASDの発症との関連については少なからぬ研究の蓄積があるが，未だ不明な点が多い．

B　言語・コミュニケーション障害の特徴

ASDの言語・コミュニケーション障害は他者との相互の関わり合いの中で現れる．話すことはできても，話がかみあわないことが多い．他者の視点に立った行動を取ることの難しさなど，社会的認知の問題がその根底にはある．

1　エコラリア（反響言語）

他者の発話をおうむ返しに反復して表出する現象を**エコラリア（反響言語）**という．カナーが1943年に自閉症の主症状の1つとして報告して以来，自閉症の言語を特徴づけるものとして知られてきた．DSM-5には自閉症スペクトラム障害の行動，興味，活動の限定された反復的様式の一例として記載されている[1]．

他者の発話に続いて即座に表出される「即時エコラリア」と，一定時間が経過した後に表出される「遅延エコラリア」がある．また，自閉症のエコラリアのなかには他者に向けたコミュニケーションの機能を有する場合があり，理解や伝達意図がない段階からコミュニケーション機能を有する段階へと発達していく[2]．

2 語用論の問題

ASDでは，社会的・対人的な場面で言語の適切な理解や使用に困難が現れる．この問題は一般的に**語用論**の問題とされている．語用論とは，機能的な側面から言語の使用や言語と文脈の関係を扱う言語学の一分野である．話し手が言葉を使うことで何を行おうとし，聞き手がそれを文脈と照らしてどう解釈するか，といった言語の側面を扱う．ASD児者の語用論の問題として以下のようなことがある．

a 意図理解

話者の語る言葉の表面的な意味を超え，その背景にある意図を把握することに難しさがある．行間を読んで察する力といえる．例えばASDの子の親に連絡があって家に電話をかけたところ，その子が電話に出た．「お母さんいる？」と聞くと「うん，いるよ」と答えたが，母を呼びに行く気配がない．この場面での「お母さんいる？」という質問は在宅を確認する質問だが，いたら電話を代わってほしいという依頼の意図が含まれている．この子は，言われたことをそのまま字義通りに受け取り，明示されてはいないもののその発言に含まれている依頼の意図に気づくことができなかったのである．

b 丁寧さの調節

場面や相手に応じた話し方にも困難を生じる．例えば丁寧さの調節が上手にできないといった問題が現れる．親しい友だちにはなれなれしく話すが，校長先生には丁寧な言い方をする，といったように場面に応じた言葉の使い分けである．このような言葉づかいの作法を語用論では「ポライトネス」という．ASDの人たちはどちらかといえば，くだけた話し方よりも，相手や状況に関わらず丁寧な話し方をすることが多い．

c 会話

会話の問題は最もよくみられるもので，ASDの診断基準にも含まれている．話すときに聞き手の注意を得ず，独り言のように誰に話しかけているかわかりにくいことが多い．一方的に質問をし続けたり，相手にかつて質問し答えてもらったことを繰り返して質問することもある．相手の話に合わせて話題を維持することが難しく，相手がまだ話しているのに割り込み，自分が話したいことを一方的に話すこともよくみられる．また，相手の話を聞いていないことが多く，相手から聞き返されたときにわかりやすく言い直すことにも難しさがある．

相手の知識に応じた質問や話題の提示ができないこともある．あるASDの子は電車の知識が豊富で鉄道博士と呼ばれるほどだった．クラスのイベントで，クイズを作って披露したのだが，○○線の○○車両の座席の縦の幅は何センチか，といったその子以外だれも答えられないようなものであった．相手のもつ知識のレベルを考慮し，それに応じた対応ができなかったと考えられる．伝達する必要度の高い重要な情報とそうでない情報を区別し，重要な事柄をまず相手に伝えるといったことにも困難がある．「幹」よりも「枝葉」に話題が広がるため，言いたいことがわかりにくい．

3 語用性言語障害と社会的（語用論的）コミュニケーション障害

流暢に話すことができるが，話にまとまりがなく逸脱しがちで，自然な会話のやりとりができないことを特徴とする言語発達障害の一種として「**語用性言語障害**（pragmatic language impairment）」がある[3]．その特徴はASDにおいてもよくみられるが，ASDとは独立した障害とみなされている．DSM-5の「**社会的（語用論的）コミュニケーション障害**〔Social（Pragmatic）Communication Disorder〕」はこの障害に相当し，表 4-30

表4-30 社会的(語用論的)コミュニケーション障害の特徴

A. 言語的および非言語的なコミュニケーションの社会的使用における持続的な困難さで，以下のうちすべてによって明らかになる
 (1) 社会的状況に適切な様式で，挨拶や情報を共有するといった社会的な目的でコミュニケーションを用いることの欠陥
 (2) 遊び場と教室とで喋り方を変える，相手が大人か子どもかで話し方を変える，過度に堅苦しい言葉を避けるなど，状況や聞き手の要求に合わせてコミュニケーションを変える能力の障害
 (3) 話す順番をとる，誤解されたときに言い換える，相互関係を調整するための言語的および非言語的な合図の使い方を理解するなど，会話や話術のルールに従うことの困難さ
 (4) 明確に示されていないことや，字義どおりでなかったりあいまいであったりする言葉の意味を理解することの困難さ (B, C, D は省略)

〔日本精神神経学会(日本語版用語監修)，髙橋三郎，大野裕(監訳)：DSM-5 精神疾患の診断・統計マニュアル．p46，医学書院，2014 より作成(括弧内は省略)〕

のように特徴が記載されている[1]．ASDから，その主要な特徴の1つである行動，興味，活動の限定された反復的様式，すなわち「こだわり」の要素を除いた状態に近い．

4 ナラティブの問題

ナラティブは語用論とともにASDの特徴が反映されやすい言語の側面である．出来事が時間的・因果的につなげられ，そのことへの考えや気持ちが述べられている語りのことをナラティブという．「○○したら(原因)，○○になったから(結果)，○○だと思った(考え)」のような表現である．自分の経験を語るパーソナル・ナラティブと，空想のストーリーを語るフィクショナル・ナラティブがある．

ASD児は，時間・因果・意図に関する表現が乏しく，中心となるテーマの説明が不足しており，経験をナラティブ形式にまとめる力に弱さがある[4]．また，接続詞などを用いて出来事をつなげることはできても，それらを時間的関係からとらえ，出来事の始まりから終結までの一連の流れとして構成することが難しい．言い換えると，話を最初から最後まで一貫性をもって語ることが少ない．そのほか，聞き手の理解を助ける特別な効果を加えられない，声色を変えてセリフを言うなどの工夫が少ないなどの特徴もある．

5 ASDの認知特性

ASDの支援のためには非定型的な認知の特性について理解する必要がある．共同注意，心の理論，中枢性統合，実行機能を取り上げ，以下に説明する．

a 共同注意

共同注意(joint attention)とは，他者が注意を向けている対象に自分の注意を合わせたり，自分が向けている注意の対象に他者の注意を向けさせたりするなど，注意の対象を他者と共有することをいう．

定型発達の乳幼児の場合，共同注意は生後9か月頃から始まり，大人が注視している対象に視線を向ける行動としてまず現れる．共同注意は他者の意図理解に関係し，言語発達の重要な基盤の1つである．ASDの子どもでは自分から相手にアイコンタクトをする，指さしで伝えるといった共同注意の始発が少ない．そのことが言語，とりわけ語用論面の発達の問題の背景になっていると考えられている．共同注意に基づく視線や指さしがみられない一方，**クレーン**と呼ばれる人の手を取って何かをさせようとする行動がみられることもある．

b 心の理論

共同注意と関連する社会的認知の機能として心の理論(theory of mind)(➡ Note 33)がある．自己や他者の意図，信念，感情などの心の状態の理解を支える認知メカニズムである．心の理論の有無は**誤信念課題**と呼ばれるテスト課題でアセスメ

ントされる．この課題は他者の視点に立つことができるかを評価するものである．「語用論の問題」で述べた意図理解や情報伝達の問題の背景には，他者の視点に立つことの難しさがあると考えられる．

誤信念課題は定型発達の幼児では4歳頃に正答できるようになるが，ASDでは知的な発達の遅れがなくても正答が難しい．ASD児においても9歳レベルの言語力をもつようになると正答できるようになる．しかし，テスト場面で正答できるようになっても日常生活での自発的な心の読み取りには困難が続くため，結果の解釈は慎重に行う必要がある．

Note 33. 心の理論課題

次のようなストーリーを絵や動画などで提示し，質問に答えてもらう．

(1) 誤信念課題
【ポイント】
相手の視点に立つ力を評価する．
【ストーリー】
なつきちゃんはボールを箱に入れて部屋を出ました．
ゆうたくんが部屋に入って来て，ボールを箱からバッグに移し変え，部屋を出ました．
なつきちゃんが部屋に戻り，ボールで遊ぼうと思いました．
【質問】
なつきちゃんは，箱とバッグ，どちらを探すでしょうか？

(2) 優しい嘘の課題
【ポイント】
社会的な文脈と関連づけて発話の意図を理解する力を評価する．
【ストーリー】
なつきちゃんは誕生日のプレゼントにハムスターがもらえると思っていました．
しかし，プレゼントの箱を開けてみると，中には欲しくないクマのぬいぐるみが入っていました．お母さんに「どう？気にいってくれた？」と質問されたなつきちゃんは，「ありがとう．欲しかったの，クマのぬいぐるみ」と答えました．
【質問】
なつきちゃんは本当のことを言っていますか？
それはどうしてですか？

〔藤野 博(著)アニメーション版心の理論課題 ver.2, DIK教育出版，より〕

---

c 中枢性統合

知覚された情報を文脈に統合し，全体の意味を把握する認知機能を中枢性統合 (central coherence) という．ASDにおいては細部にとらわれて全体を把握することが難しく「木を見て森を見ない」認知の特徴があるが，それは中枢性統合の弱さとして説明できる．文脈を考慮せず，ことばの意味を過剰に字義通りに捉える語用論の問題は，弱い中枢性統合の観点からも説明ができる．それは情報処理が全体よりも部分に向かう傾向であるが，細部に対する繊細な知覚ともいえ，障害でなく認知スタイル，情報処理の好みとして捉える考え方もある．

d 実行機能(遂行機能)

目標に向けて問題の解決を行っていく精神的な構えを維持する心理機能を実行機能 (executive function) という．反応の抑制，一時的な情報の保持(ワーキングメモリ)，情報を更新すること(アップデイティング)，課題の切り替え(シフティング)，行動の計画(プランニング)などからなる．実行機能はオーケストラに例えるならば，演奏者でなく指揮者に相当する働きといえる．ASD者はこの機能が働きにくいため，行動を切り替えることや先を見通して行動することの困難が生じると考えられている．実行機能は日常生活の遂行に直接関係する心理機能であり，知能が高いのに身辺処理ができないことなどは実行機能の障害によるものと考えられる．

e 認知特性と学習困難の関係

以上のASDの認知特性から教科の学習困難がなぜ起こるのかをある程度説明できる．ASD児は国語では作文と長文読解に苦労することが多い．特に作文が苦手である．あるASDの子は「急に書けっていわれても何を書いていいかわからない」と訴えていた．作文では，まずテーマを

考え，粗筋を組み立てる．これらには実行機能であるプランする力が必要となる．そして，文章に内容を盛り込む際に，頭に浮かんだイメージを取捨選択する必要がある．幹と枝葉をふるい分ける作業である．それは中枢性統合の働きが必要であろう．また，自分が書いた文章が相手にどう伝わるか，相手の視点にも立ちながら表現をわかりやすく整えることには心の理論が関係する．

また，長文読解では，多数の文の中からポイントになる部分を見つけ出さねばならない．この文章は何について書いたものですか，三点にまとめなさい，などと問われるが，それを行うためには幹と枝葉をより分ける中枢性統合の働きが求められる．また，作者の意図や登場人物の心情の理解には心の理論が関係する．以上の関係を図4-30にまとめた．

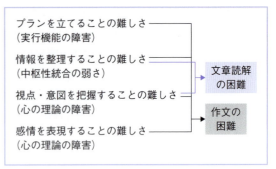

図4-30 認知特性と学習困難の関係

互的対人関係の質的異常」「意思伝達の質的異常」「限定的・反復的・常同的行動様式」「36か月までに顕在化した発達異常」の4領域からなる．それぞれに「診断的アルゴリズム」の**カットオフ値**(➡Note 34)が設定されている．対象者の現在の問題を把握するための「現在症アルゴリズム」も利用できる．

c CARS2 日本語版(小児自閉症評定尺度第2版)

ASDの診断評価と重症度の判定ができる．2歳以上の子どもを対象とし，行動観察と保護者からの情報によって評価する．標準版とIQ 80以上で流暢に話ができる6歳以上の児を対象とする高機能版の2種類がある．標準版はASDと知的障害の鑑別に有効である．

d PEP-3 自閉症・発達障害児 教育診断検査

ASDの子どもの発達と自閉性障害の特徴の評価を行うことができる．2～12歳を対象とする．発達に関する6つの領域(認知/前言語，表出言語，理解言語，微細運動，粗大運動，視覚-運動模倣)と，特異的な行動に関する4つの領域(感情

C 評価

1 診断検査

a ADOS-2(自閉症診断観察検査第2版)

ASD診断のために用いられる世界で標準的に使われている検査である．対象者の発達水準や生活年齢に合わせ5つのモジュールから選んで実施する．半構造化された遊び場面での行動や質問に対する応答などを観察して評価する．「意思伝達」「相互的対人関係」「限定的・反復的行動」の得点が得られ，自閉症や自閉症スペクトラム障害の診断分類がなされる．また「比較得点」から自閉症状の程度を年齢との関係も含め評価できる．

b ADI-R(自閉症診断面接改訂版)

ADOS-2とともにASD診断の世界標準である．2歳以上の子どもを対象とし，半構造化面接によって養育者より情報を得る．検査項目は「相

> **Note 34. カットオフ値**
> 検査で陽性と陰性を分ける値のこと．ASDの検査の場合，その値を超えるとASDである可能性が高いと判断される．ただし，診断はその数値だけで行われるわけではない．

表出，対人的相互性，運動面の特徴，言語面の特徴）を評価する．「芽生え反応」という採点基準があり，自力でできなくとも援助があればできることが捉えられるため，検査結果から発達的な目標を立てやすい．

2 スクリーニング検査

a M-CHAT(Modified Checklist for Autism in Toddlers)

発達初期に ASD のリスクのある人を見つけることを目的とする**一次スクリーニング**で用いられる検査である．養育者が回答する質問紙で，16～30 か月の乳幼児が対象となる．1歳6か月健康診査でも使われている．共同注意のみられなさのような，ASD の子どもが早期に示す行動特徴を評価することができる．

b SCQ (Social Communication Questionnaire：対人コミュニケーション質問紙)

養育者が「はい」「いいえ」で回答する質問紙である．生まれてから現在までに関する「誕生から今まで」版と，現在の状態に関する「現在」版がある．「誕生から今まで」版では ASD の特徴が最も顕著に現れる時期の評価がなされ，カットオフ値が設定されている．

c PARS-TR(Parent-interview ASD Rating Scale-Text Revision：親面接式自閉スペクトラム症評定尺度 テキスト改訂版)

日本で独自に開発された検査で養育者への半構造化面接によって評価する．幼児期ピーク得点と年齢（児童期，思春期・成人期）に応じた現在得点が得られ，ASD のカットオフ値が設定されている．

d SRS-2(対人応答性尺度)

対人関係の問題を多面的に評価できる質問紙である．「社会的気づき」「社会的認知」「社会的コミュニケーション」「社会的動機づけ」「興味の限局と反復行動」の5つの下位尺度からなる．対象者の年齢により幼児版，児童版，成人版の3種類があり，養育者や教師など対象者をよく知る人が回答する．カットオフ値が設定されている．スペクトラムの考えに基づく検査であり，医学的に診断されないレベルも含め ASD の特徴と程度を評価できる．

3 関連する検査

a CCC-2 子どものコミュニケーション・チェックリスト

語用の問題はテストでは十分に評価することが難しい．特定の文脈や状況の中で現れる問題だからである．そのため，日常的な行動の観察に基づくアセスメントが適している．

語用の問題を含め，子どもの音声言語の問題を包括的に評価できるアセスメント・ツールとして「CCC-2 子どものコミュニケーション・チェックリスト」がある．CCC-2 は10の下位尺度から構成され，親や教師など子どもを日常的によく知る人が評価する質問紙である．4つの下位尺度（A：音声，B：文法，C：意味，D：首尾一貫性）は言語の構造的側面を，4つの下位尺度（E：場面に不適切な話し方，F：定型化された言葉，G：文脈の利用，H：非言語的コミュニケーション）は語用的側面を，2つの下位尺度（I：社会的関係，J：興味関心）は ASD に特徴的な行動を評価する．

下位項目 A から H までの評価点の合計値から GCC（一般コミュニケーション能力群）の得点が，E，H，I，J の評価点合計から A，B，C，D の評価点合計を引いた値から SIDC（社会的やりとり能力の逸脱群）の得点が求められる．GCC は言

語・コミュニケーション障害の有無があるかどうかの指標に，SIDC は言語・コミュニケーションの問題が，特異的言語発達障害(SLI)の特徴に近いか ASD の特徴に近いかを判断する指標になる．

b Vineland-Ⅱ適応行動尺度

日常生活に必要な能力を**適応機能**や適応行動とよぶ．ASD 児者は知能と適応機能との乖離がある，つまり知能は高いのに日常生活が円滑に営めないという問題がある．そのため，知能テストだけでなく適応機能のアセスメントが重要となる．

適応機能を評価する検査として Vineland-Ⅱ適応行動尺度がある．対象者の身近な人に面接し評価する検査である．適用年齢は0～92歳と幅広い．「コミュニケーション」，「日常生活スキル」，「社会性」，「運動スキル」の4領域からなり，その合計値から「適応行動総合点」が算出される．また，問題行動の指標である「不適応行動指標」も算出できる．

「コミュニケーション」は受容言語，表出言語，読み書き，「日常生活スキル」は身辺自立，家事，地域生活，「社会性」は対人関係，遊びと余暇，コーピングスキル，「運動スキル」は粗大運動，微細運動の下位領域から構成されている．

c 太田ステージ評価

自閉症を認知機能の障害として捉え，**ピアジェの発達理論**に立脚して開発された「太田ステージ評価」と呼ばれるアセスメント法は特別支援学校や療育施設などで，知的障害を伴う ASD の子どもの評価のために広く用いられている．LDT-R (Language Decoding Test-Revised：言語解読能力テスト改訂版)とも呼ばれる．太田ステージによる認知発達の段階を表4-31に示した[5]．知的障害のある言語発達が初期段階の ASD 児の認知と言語の指導目標を立てる際に有用である．

なお，本節では ASD のアセスメントに特に重要なもののみを取り上げた．言語発達障害のアセスメントに使用される言語検査，発達検査，知能検査については第3章を参照されたい．

表4-31 太田ステージの発達段階

StageⅠ：シンボル機能が認められない段階 （物に名前があることがわかっていない段階）
StageⅠ-1：手段と目的の分化ができていない段階
StageⅠ-2：手段と目的に分化の芽生えの段階
StageⅠ-3：手段と目的の分化がはっきりと認められる段階
StageⅡ：シンボル機能の芽生えの段階 （物の名前がわかりかけているが，物の理解は一義的）
StageⅢ-1：シンボル機能がはっきりと認められる段階 〔物の名前を理解できるようになり，本来の言語（単語レベル）の機能を獲得する．基本的な比較の概念はまだ成立していない．〕
StageⅢ-2：概念形成の芽生えの段階 （ごく基本的な比較の概念が出来始めた段階．物と物との関係づけは経験に左右され，大人の概念とは異なる．個々のイメージを中心とした表象であり，現実の生活と密着している．）
StageⅣ：基本的な関係の概念が形成された段階 〔基本的な関係の概念が形成された段階．思考が直感（見た目）によって左右され，背後にある考え方や普遍性に裏打ちされていない．〕

D 支援

1 ASD の支援の原則

英国自閉症協会は ASD の支援のポイントを一般の人にわかりやすく伝えるため，SPELL (Structure：構造化，Positive：肯定的なアプローチ，Empathy：共感，Low arousal：刺激の低減，Links：連携)というキーワードを提唱している．

a 構造化

何をどのような順序で行うか，どのように終わ

るか，などがわかりやすい状況なら見通しがもて，不安なく活動できる．それらが一目でわかるような環境づくりをすることを構造化という．ASDの人たちの支援において最も重要な配慮の1つである．

構造化はTEACCH(treatment and education of autistic and related communication-handicapped children)の中心的な技法でもある．**TEACCH**では，ASDは脳機能の問題であり，定型発達者とは異なる情報処理様式をもつとする前提のうえで，認知特性に配慮した支援を行う．特定の活動が行われるエリアを視覚的に明確化する空間の構造化を行い，課題を行う場所であるワークエリア，遊びの場所であるプレイエリア，次の活動への移行の中継場所であるトランジションエリアなど活動の内容に応じたスペースの設定をする．

視覚的にわかりやすくする配慮は**視覚支援**ともいう．構造化と視覚支援の例を図4-31に示した．前面の右側に参加児の顔写真入りのネームボードを，左側にスケジュールボードが配置してある．各児の座る椅子の背面にはネームプレートが貼ってあり，前方に各児の荷物整理ボックスが置いてある．そして，指導者は活動の流れをめくり式手順表で参加児に示している．これは情報を整理するサポートであり，ASDの中枢性統合の弱さへの対応である．そして，従事する活動において，何をどういう順序で行うかをスケジュールや手順表などによって示す時間の構造化が行われる．これは活動の流れに対する見通しを与え，不安を軽減させることが目的であり，実行機能の弱さへの対応となる．

b 肯定的なアプローチ

肯定的なアプローチは，できないことよりも，できていることやその人の良さに目を向け，それを伸ばす考え方である．失敗経験を積み重ね自尊感情が低下すると二次障害が生じやすくなる．特にASDの人は不安が強く，一方的に指示されることにも抵抗を感じることが多い．例えば「□□

図4-31　構造化と視覚支援を行った指導場面の例
〔藤野博（編著）：自閉症スペクトラムSSTスタートブック―チームで進める社会性とコミュニケーションの支援．p35, 学苑社, 2010より〕

してはいけません」と禁止・命令の形でなく「○○します」と肯定形で伝えることが推奨される．禁止事項を伝えねばならないときには，一方的な指示でなく，なぜそれをしてはいけないのかを具体的に説明する．

c 共感

ASD児者の経験している世界は定型発達者と異なり，興味や関心のもち方も個性的である．そのため，ひとと認識や話題が一致せず，自分を理解してもらえないことによる孤独感に苛まれることがよくある．ASD児者の理解の仕方や物事の感じ方を想像し，寄り添い，共感をもって接することが大切である．雑談は苦手なことが多いが，興味のある分野の話題だと会話を楽しめることがある．そういったことを通して共感的な関係を築くことができる．

d 刺激の低減

ASDの人は定型発達の人よりも覚醒水準が高く，少しの刺激で興奮が高まることが多いため，

刺激を減らすことが重要となる．大きな声を脅威に感じることもあるので，穏やかに話しかけることが大切である．音や光などに過敏で，イヤーマフというヘッドフォンのような防音用のツールを使ってうるささを和らげている人や，明るすぎると落ち着かないため，サングラスをかけてまぶしさを和らげている人もいる．真っ白はまぶしすぎることがあり，白地に黒の文字は読みにくい場合がある．

e 連携

家族や支援者など関係者が情報を共有し一貫したサポートを行うことや多職種間の連携が重要である．また，仲間とのつながりも大切である．ASDの子どもは友人関係を築きにくく孤立しがちであるが，地域にASDの子同士が集い交流できる場所があると精神的健康のために良い．

2 支援の目標と方法

米国自閉症研究評議会はASD児の支援において，①機能的で自発的なコミュニケーションの指導，②社会的な指導，③仲間との遊びの指導，④認知発達の指導，⑤問題行動への対処，⑥機能的なアカデミックスキルの指導，の6項目を推奨している[6]．この提言をふまえ，ASD児への支援の目標と方法について説明する．

a 機能的で自発的なコミュニケーションの指導

(1) 自然な文脈での指導

大人と子どもが活動を共にする中で，大人から言葉の見本が示され，子どもがそこから学ぶことは日常的なコミュニケーション場面で一般的に営まれている行為である．定型発達の子どもに対してふだん意識せず行っている接し方を，言葉の発達に遅れのある子に対しては意識的に行う必要がある．日常場面や自由遊びなど自然な文脈で語や文を教える方法として，**代弁**，**拡張模倣**，**リキャスト**などの技法がある．いずれも，子どもの興味や自発的なコミュニケーションに寄り添って言葉の発達を促進する方法といえる．文脈の中で場面に即した言語表現を学ぶことができる．

①代弁

子どもが興味を向けている物事に対し，子どもに替わって大人が言葉で表現する．この代弁の手法は，子どもの注意の焦点に大人が合わせる点で共同注意を活用する方法といえる．その場に適した言葉の表現のし方がわかる．事物と言葉を対応付ける方法であり，**言語マッピング**ともいう．

子ども：（ボールを投げている）
大人：ボール　ポーン！

②拡張模倣

子どもの発話の内容や構造を拡げて返す方法をいう．これは子どもの現在の言葉のレベルの一歩先の見本を示す足場かけである．その子の言語発達水準が2語文レベルならば3語文の見本を示す．子どもは自分ができることよりももう少し先にある背伸びしなければできないことに憧れ，やってみたいと思う．拡張模倣はそのような背伸びして少し難しいことをやってみたいと思う子どもの気持ちに応える方法である．

子ども：（クルマの玩具を走らせながら）ぶっぶー
大人：ぶっぶー　はしってるねー

③リキャスト

子どもの言葉が不正確だったときに，それを正確な表現に直して返すことをリキャストという．これは子ども自身の発言の意味を保ったまま，より適切な表現の仕方を教える方法である．子どもの表現と大人の表現の違いを浮き上がらせることによって，子どもの注意を学ぶべき言葉の側面に向けることができる．

子ども：（飛行機が飛んでいたことを思い出して）

ひこうき，とんでる
大人：ひこうきが　とんでたね

　このときに「とんでるじゃなくってとんでただよ．言ってごらん」といった否定的な返し方をせず言い直しもさせない．子どもの伝えたいことを理解し肯定しながらも，さりげなく正しい表現に直して返す．それによって，子どもは伝えたいことを理解してもらえたという満足感とともに正しい表現の仕方も学ぶことができる（→ Note 35）．

(2) JASPER（ジャスパー）

　JASPER（ジャスパー）は，joint attention（共同注意），symbolic play（象徴遊び），engagement（相互的な関り），regulation（感情調整）の頭文字を取ったASDの子どもに対する遊びを通した支援の方法である．遊びや生活文脈での自然な関りを重視する．しかし，たんなる自由遊びではなく，子どもの遊びの水準を把握し遊び場面を構造化することに特徴がある．

　遊びにおいては，子どもの自発性を尊重し，子どもが遊びを始めたときに大人はそれに反応して同じ遊びを繰り返す．子どもが遊びを自分から始めない場合は大人が遊びのモデルを示す．そして，単純な遊びから**象徴遊び**まで遊びの発達段階に沿って展開していく（図 4-32）[7]．

　子どものコミュニケーション行動には言語やジェスチャーなどさまざまな手段で応じる．指さしなどの共同注意の始発に対しては，指さしたものを取ってあげるなどの応答をする．共同注意行動の自発がなかった場合には，指さしや手渡しな

> 単純な遊び（例：ケーキのピースをくっつける）
> 機能的な遊び（例：ケーキにトッピングする）
> 前象徴的遊び（例：人形に食べさせるふりをする）
> 象徴遊び（例：人形が主体となって食べるふりをする）
> ケーキのルーティンの完成

図 4-32　JASPER での遊びのルーティン形成の例
〔黒田美保：自閉スペクトラム症の早期支援の最前線－ジャスパープログラムの紹介．臨床心理学 16(2)：151-159，2016 より〕

どのモデルを示す．

(3) スクリプトを活用した指導

　習慣的に繰り返される一連の行為や出来事についての表象や知識のことを**スクリプト**という．新たな語や構文の学習は，子どもが日常的になじんでいる場面や活動の中で行うことが効果的で，そのためにスクリプトを活用できる．子どもは日常生活や遊びを通してスクリプトを習得していく．スクリプトは語に意味を与える文脈を提供し，新たな語を学ぶための足場となり，生活で使える言葉の習得につながる．ふり遊びやごっこ遊びなどの中ではスクリプトがよく使われる．

　表 4-32 に定型発達児と大人のごっこ遊びでのやりとりの例を示した．大人と子どもが役割交替を行った4回目に，子ども（お客役）が表出した「ピンポーン」「○○ください」「あーおいしい」「いくらですか？」「さようなら」などのセリフは，いずれも1回目にお客役であった大人が発していたもので，子どもはそれを自分がお客役になった際に発している．大人の発言を取り込んで自分のセリフとして表出していることがわかる．このように，ごっこ遊びの中で，大人や年長者からスクリプトすなわち言語の社会的使用の見本が示され，その自発的な模倣と使用が促進される．

　スクリプトによる指導の例を表 4-33 に示す．調理活動や子どもが好きなものに関係する事柄など内発的な動機が生じやすい設定にすると自発的な行動を引き出しやすい．

> **Note 35．インリアル（INREAL）アプローチ②**
> 　インリアルアプローチでは，子どもと大人のやりとりがビデオ録画され，子どもの意図が適切に理解されているか，大人の意図が子どもに効果的に伝達されているかなどがビデオ分析によって検討される．それを通して，子どもに関わる大人は効果的なコミュニケーションの方法を学び実践につなげる．発話の意図の理解や表現にポイントを置く点で，語用論的な観点に基づく支援法である（→ 159 頁も参照）．

表 4-32 ごっこ遊びの中での会話例

【1 回目】
大人：ピンポーン．こんにちは
子ども：こんにちは
大人：ジュースをください
子ども：はーい（コップにジュースを入れるふりをする）
大人：（出してくれたジュースを飲むふりをし）あーおいしかった．おいくらですか？
子ども：（ちょっと考えて）2,000 えん
大人：まあ，たかいのね（とお金を渡すふりをする）
子ども：（お金をもらい，レジに入れるふりをする）
大人：ごちそうさま．さようなら
子ども：さようなら

【2 回目】
大人：クリームソーダできますか？
子ども：（考え込む）
大人：アイスクリームあったよね？
子ども：あ！（とソーダを入れるふりをした後に，アイスを入れるふりをする）
大人：（飲んだふりをして）あーおいしかった．おいくらですか？
子ども：（ちょっと考えて）200 えん

【3 回目】
大人：何がありますか？
子ども：フルーツもありますよ
大人：ジュースにフルーツを入れてください
子ども：（フルーツを入れたり氷を入れたりした後混ぜるふりをする）

【4 回目】
子ども：こうたいして（自分がお客になりたいという意味）
大人：いいよ
子ども：ピンポーン
大人：はーい．いらっしゃいませ．
子ども：ソーダください．フルーツも乗せてね
大人：（フルーツを入れたソーダを出すふりをする）どうぞ
子ども：（飲んだふりをし）あーおいしい．いくらですか？
大人：500 円です．
子ども：（お金を渡すふりをする）さようなら
大人：さようなら

(4) ナラティブの発達支援

　幼児期に子どもは大人と語り合う活動の中でなされる心の状態への言及によって他者の視点を獲得し，自己と他者の視点の違いに気づくとともに経験が社会的に意味づけられる．ナラティブの発達支援は「それからどうしたの？」「それはどうして？」などの質問や出来事の背景や理由などの質問をして，大人が子どもの語りを引き出すことによって行う（➡ Note 36）．

(5) 拡大（補助）・代替コミュニケーション（AAC）

① AAC の考え方

　音声言語に重い障害のある人の支援法として拡大（補助）・代替コミュニケーション（augmentative and alternative communication：**AAC**）がある．AAC は「重度の音声／文字言語の表出／理解の障害のある人々の一時的あるいは永続的な機能障害，活動の制限，参加の制約を補償することを目的とする研究・臨床・教育実践の領域」と定義されている[8]．

　音声言語のみでなく多様なコミュニケーション手段を活用し参加の可能性を拡げることを目的としており，障害を個人と環境の相互作用の問題として捉える ICF（国際生活機能分類）の理念に沿った考え方といえる．

② AAC の方法

　補助的なツールを使う方法と使わない方法がある．ジェスチャーや身振りサインなどは道具を必要としない．身振りサインとは，手話のように系統的な身振りのシステムのことで**マカトン**（Makaton）などがある．道具がなくてもできることが利点だが，新たな語彙を習得するために動作を模倣しなければならず，動作の意味を知らない人には伝わりにくいことなどに問題がある．

　一方，写真や絵などの視覚的イメージを指して意思を伝える方法は，伝える側にとっても伝えられる側にとっても理解しやすい．そして，絵や写真を選ぶだけで表現できるため容易である．スイッチを押すと登録された音声が表出される

> **Note 36. SCERTS モデル**
> 　言語・コミュニケーションの発達研究に基づいてプリザントらによって開発された支援法として SCERTS（social-communication, emotional regulation, and transactional support）モデルがある．SCERTS では，社会コミュニケーション，情動調整，交流型支援の3つの領域で支援がなされる．コミュニケーション発達理論を基盤とし，ASD の子どもの発達支援に有効であることが確かめられているさまざまな技法を包括したハイブリッド・モデルといえる．

表4-33 スクリプトによる指導の例

指導者	子ども
【指導者】電車ごっこの流れを絵カードで説明する．また，相手役を演じる． 【援助者】子どもが発話を自発しない場合，代弁する． 　　　　また，子どもの発話に対し，拡張模倣とリキャストを適宜行う．	
電車（カート）を動かし，子どもの前で止まる．	「電車に乗せてください」と言う．
「どうぞ」と言って乗せる．	「ありがとうございます」と言う．
「ガタンガタン」と言って走り出す．	
「速くしてほしい？遅くしてほしい？」と聞く．	「速く（遅く）して（ください）」と答える．
「○○〜」と停車する駅名を言う． 「どこで降りますか？」と聞く	
	「○○駅で降ります」と答える．
「○○駅に着きました」と言ってドアを開ける．	「ありがとうございました」と言って降りる
次いで，役割交替し，子どもが運転手役を演じる．	

VOCA（voice output communication aids）と呼ばれる電子的なコミュニケーション補助機器は，音声によって相手の注意を引くことができる．伝達意図を相手に知らせにくいASDの人に有効である．

③ **PECS**（絵カード交換式コミュニケーションシステム）

　知的障害や自閉症などがある場合には，AAC手段を提供するだけでは不十分で，それを使えるように指導する必要がある．そのための指導はコミュニケーションの必然性がある場面で行うと効果的である．伝達の必要性がある場面やコミュニケーションの機会を意図的に設定し，その状況においてコミュニケーションの方法を教える．例えば，欲しい物があるが子どもが自分では手に入れられず大人に要求する必要がある場面などを設定する．そのような指導システムとしてPECS（the Picture Exchange Communication System：絵カード交換式コミュニケーションシステム）がある．

　PECSは主に自閉症スペクトラム障害の子どもを対象としたAACの指導システムで，コミュニケーションの相手を探し，その相手に向けて自発

表4-34 PECSの指導ステップ

フェイズⅠ：絵カードを相手に手渡し，好子を受け取る．
フェイズⅡ：離れた所にあるカードを取りに行き，それを離れた場所にいる相手に手渡し好子を受け取る．
フェイズⅢ：コミュニケーション・ブック（図4-33）の中にある複数のカードから選択し好子と交換する．
フェイズⅣ：絵で文（○○ください等）を作って要求する．
フェイズⅤ：「何が欲しいの？」の質問に応じてカードで文を作って要求する．
フェイズⅥ：「何が見えますか？」などの質問に応じ絵で「○○が見えます」という文を作って表現する．

的にコミュニケーションを開始することに重点が置かれる[9]．子どもが好きな物の絵・写真カードを相手に手渡して相手から好きな物（好子）を受け取るという絵カードと物の交換を基本とする．

　指導に先立ち，子どもが好む物（好子）を把握するためのアセスメントが行われ，それに続き，6つのフェイズ（段階）からなる指導が実施される（表4-34）[9]．

　PECSでは，フェイズⅡまでは相手役であるコミュニケーション・パートナーと援助役である身

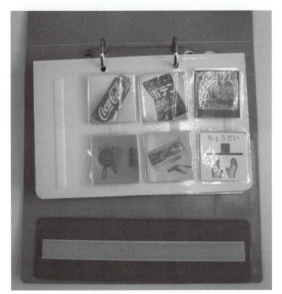

図4-33 PECSのコミュニケーション・ブック

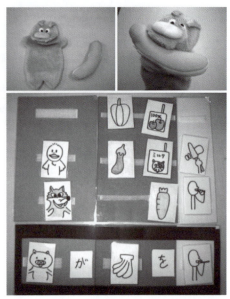

図4-34 絵カードを活用した言語指導の例

体プロンプターの2人で指導する．ASD児は視点の転換に困難があることが多く，指導者が相手役と援助役の一人二役をすると，その役割交替の理解ができないことがあるからである．コミュニケーション・パートナーは指示や促しは一切せず相手役に徹する．身体プロンプターは子どもの行動を身体的にガイドする役割である．子どもがコミュニケーション・パートナーにカードを手渡さないときには，身体プロンプターが黒子となり，子どもの手を取って手渡す援助をする．その際にも言語的な指示は行わない．ASDの子は自発的なコミュニケーションが乏しいため，大人はお膳立てや指示をしがちになる．その結果，指示や促しがないと動けない状況に陥りやすい．このような現象を**プロンプト依存**（→ Note 37）という．PECS指導で指示を行わないのはプロンプト依存を避け，自発的なコミュニケーションを促進するためである．

　PECS指導を行っていく過程でアイコンタクトなどのコミュニケーション行動や有意味な音声言語が増えるなどの発達促進効果も報告されている．絵カードと物との交換という形式でやりとり

が視覚化されることで，他者のコミュニケーションの意図に気づきやすくなり，他者に向けた意図的な伝達への意識が高まるためと考えられる．

　絵カードを補助として活用する言語指導はさまざまな形で展開できる．図4-34は絵で文を作る指導の教材例である．指導者がパペットを動かして何かをしているふりをする．そして，見たことを絵カードを並べて表現するよう子どもに求める．つまり絵で文を作るわけである．次いで，それを言語で表現する指導を行う．視覚的な手がかりがあると文が組み立てやすくなる．

> **Note 37. プロンプト**
> 目標とする行動を引き出すための与えられる手がかりや援助などの促し行為のこと．言葉で指示する，見本を示す，身体の一部を手に取って動かす，などの方法がある．プロンプトは，目標とする行動を自発的に行えるようになるための援助であるため，必要以上に与えないことが重要である．プロンプトがないと行動できない状態は「プロンプト依存」と呼ばれるが，特に言葉の指示（○○してください）によるプロンプトは，指示待ちの状態を生みやすいため注意が必要である．

表 4-35　ASD 児に対する SST の目標

【言葉と会話】	【友人関係】
会話の始め方，続け方，終わり方，順番交代 話の聞き方，傾聴 質問の仕方 話題の選び方，続け方，変え方 感情表現の仕方 丁寧な言い方 挨拶 雑談 交渉 字義通りでない言葉の理解	友人の作り方 からかいやいじめへの対処 適切な友人の選択 友だちネットワークの拡げ方 仲間に入る方法・抜ける方法 他児への関心を示すこと 他児と一緒にうまく過ごす方法 他児を助けたり励ましたりすること 活動の変更を他児に提案すること
【援助要請】	【適応行動】
大人への援助の求め方	学校での適応的な行動 教師にとって好ましい行動 仲間にとって好ましい行動
【社会的な関わり合い】	【感情理解】
アイコンタクト 経験の共有 アイデアの共有	顔の表情 声の音調

b 社会的な指導

(1) ソーシャルスキル・トレーニング

　他者と良好な関係を築き，スムーズな社会生活を送るために役立つ技能を**ソーシャルスキル**(social skills)と呼ぶ．ソーシャルスキルは，仲間から受け入れられる行動，人との関わりにおいて好ましい結果が得られる行動，社会的妥当性のある行動，などと定義されている[10]．

　ソーシャルスキルを獲得することを目的として，対人関係や社会的適応に問題を抱えている人に対して行われる訓練をソーシャルスキル・トレーニング(social skills training：**SST**)という．SST は，教示，モデリング，リハーサル，フィードバック，般化，などからなる．

【教示】どのような時にどのような行動をとることが望まれるか，社会的に好まれる行動とその行動の具体的なやり方について教示する．

【モデリング】目標とする行動を実際に行って見せて見本を示す．また，よくできている仲間が行っているところを見せ，手本にさせたりもする．

【リハーサル】教示し，見本を示した行動を実際に行ってみさせる．繰り返し練習して自分 1 人でもできるようにしていく．

【フィードバック】目標の行動が適切にできているかどうかを伝え，ふり返りをする．できていたら賞賛し，できていない場合，どこをどのように直せばよいかを具体的に伝える．

【般化】トレーニング場面で獲得したスキルを日常生活のさまざまな場面で，さまざまな人に対して活用することを促す．

　社会性とコミュニケーションの障害を主な問題とする ASD 児者には SST が行われることが多い．表 4-35 のようなことが目標とされる．

　ASD 児が抱えるソーシャルスキルの具体的な課題として，他児とのスムーズな会話の困難がある．会話の難しさは子どもたちに深刻な影響をもたらす．同年代の仲間との友人関係は主に会話を通して築かれるが，それが難しくなるためである．相手が気づくように話しかけること，相手の話にあいづちを打つこと，一方的に話しすぎないこと，声の大きさの調整などに問題を抱えやすい．また，雑談が難しいことが多い．

表4-36 会話スキル獲得のためのトレーニング

【話の聞き方】
　聞く時は相手の顔を見ること，相手の話にあいづちを打つことなどを目標とする．相手の目を見ることが苦手な子どもには無理強いせず，相手の方を向くだけでもよく，相手の口元を見る方法などもあることを伝える．相手に質問し，話を聞く場面を作って練習する．

【声の大きさ】
　場面に応じて声の大きさの調整や発声のオン/オフができない場合の指導である．図4-35のようなツールを使って声のボリュームの上げ下げの練習をする．また，さまざまな場面を想定し，そこでの適切な声の大きさについて考えたり，ロールプレイを行ったりする．

【話しかけ方】
　相手の名前を呼んで相手の注意を引くことや，話したい話題を伝えることが目標となる．後ろを向いている人に対して呼びかけ，話したい内容について伝える場面を作って練習する．

【順番交代（ターン・テイキング）】
　「話す人」と「聞く人」の役割交代を意識しながら会話を進める．相手と会話をするとき，自分だけが一方的に話をするのではなく，相手にも話すチャンスを与えることが大切であることを意識させる．
　糸電話を使うと，話し手と聞き手の役割が視覚化され分かりやすくなり，子どもたちにとって興味ある活動にもなる．

図4-35 声のボリュームメーター

　ASD児の会話の問題に対する指導はSSTが一般的に行われている．表4-36は会話スキルを獲得するためにトレーニングの例である．以下の手順で行うことが推奨されている[11]．
- 構造化された状況で教える
- グループセッションに先立って個別セッションを行う
- 最初にスキルの説明をし，ロールプレイで練習する
- はじめはスタッフとASDの人とで行う
- 徐々にASDの人同士で行うようにしていく

　会話スキルの獲得以外に，ポジティブな仲間関係を経験し，その関係を維持・発展させること，それを通して自尊感情を高めることなどもSSTの目標となる[11]．

　SSTにおいても文字，絵，写真などによる視覚支援が有効である（図4-35）．フィードバックでビデオ映像を使うことも効果的だが，その際には注意が必要で，子どもができていない場面でなく，できている場面を見せたほうがよい．できていない姿を見せられると自分が否定されていると感じることがあるからである．逆に，うまくできている自分の姿を自ら確認しながら，それを他者からも賞賛してもらえると自信と士気の向上につながる．

　SSTの問題点として般化や維持の困難がある．習得したスキルが日常場面で活用できないことや長続きしないことである．こんなエピソードがあった．ASDの小学生のA君は，会話スキルのトレーニングを受けた後，よくできたことを帰宅後に母親から称賛された．母親は上手にできていたので学校でもやってみてね，と勧めたところ，A君は「え？これ学校でもやらなきゃいけないの？」と疑問を呈したという．習得したスキルをどのような場面でも，だれに対しても使えるようにすることが般化指導の目標になる．

(2) 社会的状況理解の支援

①ソーシャル・ストーリー
　ASDの人たちに社会的状況を読み取ることを

支援する技法として**ソーシャル・ストーリー**がある．ソーシャル・ストーリーはASDの子どもたちに暗黙の社会的な慣習やルールを教える手法で，一般の人たちがある場面をどう理解するか，どのようにふるまうことが多いかなどを特定のスタイルの文章で説明する教育技術である[12]．

ソーシャル・ストーリーは一人称の視点から，子ども自身が出来事を語っているかのように書かれる．事実文，見解文，指導文，協力文，肯定文などからなる．事実文はできるだけ具体的で詳細に状況を記述する．これはソーシャル・ストーリーの必須要素である．見解文はストーリーで取り上げられる人々の知っていること，考えていること，感情，動機などが書かれる．指導文は「○○しません」のような否定的な表現はせず「○○してみようと思います」のように肯定的に，しかし断定的ではない表現をする．協力文は「○○さんは私が○○するのを手伝ってくれます」のように，肯定文は「○○するのはよい考えです」のように書く．

②コミック会話

コミック会話はASD児と他児との間にコミュニケーションのすれ違いが起こった状況を取り上げ，その場面で生じているお互いの理解のずれを絵で示しながら説明し，問題解決の方法を一緒に考える支援法である[13]．絵と吹き出しを使ってコミュニケーション場面をふりかえり，自分の発言が相手にどのように受け取られたかを助ける．目に見えない心の状態を可視化することにポイントがある．発言の背後にある意図の理解をサポートする点で語用論的な支援である．

支援者は取り上げられた社会的状況について，だれが何をしているか，何と言ったか，そのときにどう思っているか，などを子どもに質問する．そして，その場面を絵に描き，発言や考えや感情などを吹き出しに書き入れることを促す．子どもが相手の考えや感情を想像するのが困難な場合，「たぶん○○さんは，○○と考えていたんじゃないかな」などと案を示す．そのように進め，意図

図4-36 コミック会話の例

や感情の理解ができた後に，その場面で何をすればよかったかを子どもが支援者とともに考える．図4-36にコミック会話の例をあげる．

C 仲間との遊びの指導

同じ趣味や好みをもつ仲間とともに好きなこと，やりたいことに自発的に取り組むことは他者との関わりを深めていくうえで効果的である．

(1) 趣味を語る活動

共通の趣味や興味を媒介として仲間関係形成をはかる支援プログラムがある．その1つの趣味を語る活動は以下のように行う[14]．

- 交代で自分の趣味について語る活動であることを説明する．
- 自分の好きな物を持参するよう子どもには伝える．
- テーブルを囲んで着席できるように設定する．
- 以下の4つのマナーを守るよう伝える．
  ①人の話は最後まで聞く
  ②知っている話でも最後まで付き合う
  ③意見や質問は話のあとにする
  ④見たいときは見せてと言う

この活動を通して他児と話題を共有する楽しみを経験することができる．ASDの子どもは定型発達の子どもとは話が合いにくいが，ASDの子同士だと，ものの見方，感じ方に類似の傾向があり，話題が合いやすいことが多いようである．

(2) テーブルトーク・ロールプレイングゲーム（TRPG）

テーブルを囲み，参加者同士の会話のやり取りで物語を進めていくゲームである．1人（支援者）がゲームの進行役である「ゲームマスター（GM）」を担当し，事前にシナリオを準備する．プレイヤーは，キャラクターを設定してそれを演じ，ほかのキャラクターとともにルールに従って物語をつないでいきながらゲームを進める．表4-37はTRPGの会話例である．

このような楽しみながら行うゲーム的な活動の中で自発的なコミュニケーションが促進される．会話に関しては話題を維持・発展させる力を伸ばすことができる[15]．ASDの子はキャラクターに仮装することで気楽に話せるようである．

表4-37 TRPGの会話例

GM：	……さて，君たちが薄暗い石造りのダンジョン（迷宮）を奥へと進んでいくと，やがて左右に道が分かれた場所にたどり着くよ．
戦士：	（他のキャラクターたちに）どっち行く？
魔術師：	とりあえず周りを調べない？ 何か手がかりがあるかもしれないし．
狩人：	それじゃ，地面を調べる．
GM：	地面には何かの動物の足跡があって，右の通路に続いているよ．
戦士：	よっしゃ，足跡の方に突撃！
魔術師：	ちょっと待って．GM，アタシその足跡を調べたい．
GM：	いいよ．判定してみて．
魔術師：	（サイコロを振る）……11！ これは成功した？
GM：	そうだね．では，魔術師が地面の足跡を調べると，牛ではなく「ミノタウロス」という半人半獣の怪物のものとわかる．
魔術師：	じゃあ，みんなに伝える．「この足跡，ミノタウロスだよ」

d 認知発達の指導

言語発達に密接に関係する認知機能であるシンボル機能（象徴機能）と心の理論の発達を促進するASD児のための指導法を紹介する．いずれの指導においても，SSTの場合と同様に般化への配慮が重要である．日常生活の活動と関連する教材や場面の設定や，習得した知識やスキルを日常生活の中で活用することを促す必要がある．

(1) 認知発達治療法

太田らは自閉症における障害の本質はシンボル機能の出現の著しい遅滞とシンボル操作の障害であると考え，シンボル機能の発達を促進することを目的とする認知発達治療法を開発した[5]．知的障害を伴う言語発達が初期段階のASDの子どもに合った指導法である．指導における重点課題の例[5]を表4-38に示す．知的特別支援学校では，太田ステージによるアセスメントとともに，認知発達治療法に基づく教材がよく使われている．

(2) 心の読み取り指導プログラム

ASD児のための心の読み取り指導プログラムがある（表4-39）[16]．これは心の理論の発達支援を目的としており，例えば信念領域レベル1では次のような指導を行う．両面にそれぞれ別の絵が貼られた絵カードを用意し，そのカードを子どもに見せ，両面の絵を確認する．それを子どもと指導者の間に置き，それぞれ別の絵が見える状況にする．そして子どもに「何が見えている？」「先生は何が見えている？」と質問する．誤答の場合は「○○くんのほうは○○だね」と子ども側の絵を確認させた後，カードの反対側を見せ「こっち側は何の絵かな？先生には何が見えていた？」と指導者側の絵を確認させ，「先生には○○は見えないよね．△△しか見えないね」と教示する．これは自分の視点と他人の視点が異なることへの気づきを促す社会的認知の指導である．自分は知っていても相手は知らないことを考えながら話すことは，わかりやすい会話の前提になる．心の読み取り指導を行った後に，あるASDの小学生は，自分がよく知っている話題を話した後に相手の反応が鈍いと「これは○○の話ね」とフォローを入れるようになった．

e 問題行動への対処

(1) 応用行動分析（ABA）

スキナーの学習理論に基づき，オペラント条件

表4-38 Stage Iの重点課題

Stage I-1	Stage I-2	Stage I-3
1. 各種感覚の発達および異種感覚の統合を促す 　物を目で追う 　音源を見る 　皮膚刺激に慣れる 　物を吹く 　手の操作 　身体の調節	1. 各種感覚の発達および異種感覚の統合を促す 　　目と手の協応 　　動作模倣 2. 感覚運動的知能を養う 　　隠された物を探す 　　手段と目的の分化 3. 対象指示活動の基礎をつくる 　　指さし 4. 物に名前のあることの理解の基礎をつくる 　　物の機能的な扱い 　　弁別・分類 　　マッチング	1. 各種感覚の発達および異種感覚の統合を促す 　　目と手の協応 　　動作模倣 3. 対象指示活動の基礎をつくる 　　指さし 4. 物に名前のあることの理解の基礎をつくる 　　弁別・分類 　　名詞の指示で物を取る 　　名詞の指示で物を指さす. 5. コミュニケーションの基礎を養う 　　日常での言葉かけの理解

〔太田昌孝, 他:自閉症治療の到達点. 第2版, p141, 日本文化科学社, 2015より〕

表4-39 心の読み取り指導プログラム

	感情	信念	ふり
レベル1	写真の表情理解	単純な視点取得	感覚運動的遊び
レベル2	線画の表情理解	複雑な視点取得	機能的遊びの芽生え
レベル3	状況に基づく感情理解	見ることと知ることの関係	機能的遊びの確立
レベル4	欲求に基づく感情理解	正しい信念/行動の予測	ふり遊びの芽生え
レベル5	信念に基づく感情理解	誤った信念	ふり遊びの確立

〔Howlin P, et al:Teaching Children with Autism to Mind-Read:A Practical Guide. Wiley, New York, 1999より〕

付けと三項随伴性の原理を教育やセラピーなど現実の問題の解決に利用する臨床技術を応用行動分析(applied behavior analysis:ABA)と呼ぶ. ABAは, 望ましい行動を増やすこと, 新しい行動を獲得すること, 獲得した行動を維持すること, 獲得した行動をトレーニングされた状況からほかの状況に般化させること, などを目標とする. 問題行動の解決, 音声言語や非言語的なコミュニケーションスキル, 日常生活スキル, 読み書き・計算などのアカデミックスキル, ソーシャルスキルなどの獲得が介入の主な標的となる. 応用行動分析に基づく支援技法を以下に紹介する(→Note 38).

(2) ディスクリート・トライアル・トレーニング
ABAによる代表的な指導・訓練法としてディスクリート・トライアル・トレーニング(discrete trial training)がある. 訓練室の中での個別指導により, 目標としたスキルの獲得に向けスモー

> Note 38. 行動分析と強化
> 行動分析は, 直前の状況, 行動, 直後の変化, という3つの項目のセットで行動の変化を説明する. 行動の結果, 何らかのメリットがあるならその行動は増え, メリットがなければ行動は減るという考え方である. 例えば, たまたま入ったラーメン屋さんが美味しければまた行くだろうし, 美味しくなければもう行かないだろう. 事後に得られるメリットによって行動が増えることを**強化**という. そして, そのようなメリットになり, 行動を強化するもののことを「強化子」あるいは「好子」と呼ぶ. 行動分析の考え方と方法を現実の問題解決に適用するのが応用行動分析である.

ル・ステップで，以下の手順で指導を行う．
① 指導者が指示・質問する
② 子どもの正反応が自発しない場合，プロンプト（ヒント）を与える
③ 子どもの正反応を強化する

ただし，このような介入だけでは教えられたことがその通りにできるようになっても，それを日常場面に般化させることは困難なことが多い．そのため，コミュニケーションの文脈が重視されるようになり，子どもにとっての自然な動機づけや自発的なコミュニケーションに重点が置かれるようになった．

(3) 機会利用型指導

自然な文脈と動機づけを重視する指導法の代表的なものに機会利用型指導がある．意思伝達の動機がある場面で，コミュニケーション行動が起こるのを待ち，モデルを提示したりプロンプトを与えたりしながら目標に向けて導く．コミュニケーションの主導権が子どもの側にあり，子どもが好む活動や自発的に行う活動の中で指導が行われる点に訓練室でのトレーニングとの違いがある．

(4) ポジティブ行動支援

行動問題を解消し，生活の質（QOL）を向上させることを目標とするのがポジティブ行動支援（positive behavioral support）である．行動問題はその人が生活する環境の文脈にその原因があり，その行動が本人のメリットになる何らかの機能をもつために生じるという考え方に立つ．注意を引きたい，嫌悪的な状況を回避したい，快の感覚を得たい，などの機能である．そのような行動がもつ機能を評価するのが**機能的アセスメント**で，その子どもが最も頻繁に問題となる行動を起こす状況や，その行動の生起に関与している条件，その行動の結果としてその子が得られるもの，などを分析する．そして，肯定的な行動を強化する方法で問題行動を社会的に望ましい行動に変容させる．

例えば，いつも教室で騒いでいる子どもがいるとする．いくら注意しても収まらず，むしろエスカレートしてしまう．この行動がもつ機能を分析したところ，先生の注意を引きたいためにそれを行っていることがわかった．そこで，短時間でも静かにしている場面を待つことにし，それができたときに褒めるようにしたところ騒ぐことが少なくなり，静かにしている時間が増えた．問題行動でなく望ましい行動に注目するそのようなアプローチによって，注目を得たいという欲求が充足されるとともに問題も解決される．

f 機能的なアカデミックスキルの指導

アカデミックスキルとは学びの技術のことである．ここでは教科学習の問題を取り上げる．ASDの子が教科学習において，特に作文に困難を抱えることは先に述べた通りである．そして認知特性との関係でその困難の背景を説明した．作文の支援は認知特性への配慮という観点から考えることができる．例えば自由作文の支援として写真を活用する次のような方法がある．

① 参加したイベントの写真を撮りためておく．
② 撮った写真を机の上に広げる．
③ 好きな写真を選ぶ．
④ 写真を時系列に沿って配列する．つまり写真を並べることで話の筋を組み立てる．
⑤ それぞれの写真を見ながら文を作る．
⑥ 文と文のつなぎなどは手伝ってもらいながら文章全体をまとめる．

写真の選択は中枢性統合へのサポート，写真を見ながら並べることは実行機能すなわちプランニングへのサポートに相当する．このような方略を学ぶことで，自分なりの工夫もできるようになっていく．例えば，思いついたことをその都度紙片にメモし，メモをグループ分けしたり並べたりすることで文章の構成を考えるなどである．

視覚支援は学習全般に有効である．口頭で伝えるだけでなく文字，写真，絵などで示すと情報が入りやすくなる．ASDの子は集団の中でほかの人の話を聞いていないことが多い．音声は一瞬で消えるため，相手が話している瞬間にタイミング

を合わせて注意を向けないと情報は残らない．それに対して文字情報は自分のタイミングで情報を取得できる．重要なことは板書する，個別に伝えたいことはメモに書いて渡すなどが効果的である．

また，設問の形式としては「なぜ？」を問うような**オープン・クエスチョン**はASDの子どもは答えにくいことが多い．設問を穴埋め式や選択式にするなど回答の枠組みを設定すると答えやすくなる．ASDに合った学びのスタイルを知ることが支援には重要となる．

E 事例紹介

1 対象児

【事例】男児，初診時3歳4か月〜指導終了時6歳7か月（就学にて終了）
【初診時主訴】言葉の遅れ，対人面の遅れ，切り替えの悪さ，構音の未熟さなど
【診断名】自閉症スペクトラム障害
【生育歴】乳幼児期の言語発達として，喃語がなかった．
【家族歴】父・母・本人・弟
【環境】母がキーパーソンで，幼稚園・習い事・通院などは母が1人で行っていた．
プレ幼稚園〜幼稚園，民間療育，病院のリハビリを利用していた．

2 初期評価とまとめ

a アセスメント

(1) 新版K式発達検査2001（20○○年□月△日　3歳1か月時）
言語療法（以降：言語聴覚療法）開始前に心理にて発達検査を受けた．結果は，全検査DQ 84（運動-姿勢DQ 76・認知-適応DQ 84・言語-社会DQ 87）だった．

(2) 国リハ式＜S-S法＞言語発達遅滞検査（20○○年□月△日　3歳4か月時）

理解面	段階4-2（3語連鎖）	3歳1か月相当
表出面	段階5-2（統語・助詞）	4歳0か月相当
構音面	摩擦音の未熟構音や舌尖音の後方化がみられた（ラ行歪み）．	

(3) 条件詮索反応聴力検査（20○○年□月△日　3歳5か月時）
音源定位があり，聞こえには問題がなかった．

(4) LCスケール言語・コミュニケーション発達スケール（20○○年□月△日　3歳5か月時）

	LC年齢	LC指数
言語理解	3歳5か月	97
言語表出	2歳11か月	86
コミュニケーション面	3歳4か月	96
総合【語操作期】	3歳3か月	90

b まとめ

聴こえには問題なく，検査上，言語発達は生活年齢相当の範囲にあった．表出モデルがあることで3語連鎖が出ていた．**自発の表出や応答が少なかったが**，理解・表出ともに拡大時期にあると判断した．理解していることを言葉で説明する課題を避け，表出面の遅れが見られた．**就学に向けて学習のための言語の習得が遅れる可能性**が示唆された．行動所見では，象徴遊びが苦手で，会話が形式的でパターン化されたやりとりを好んでいた．応答方法がわからないものは，無反応やオウム返しになり，課題を終わらせるように要求することが多く，**コミュニケーションの相互性の弱さ・語用の弱さ**があることが示唆された．新規課題への警戒心がみられ，やりとりの中で行い失敗する予期不安があり，一方方向なやりとりで回避することが多かった．以上のことから自閉症児（以下，ASD児）にみられる言語・コミュニケーション面の特徴がみられ，ご家族のご希望もあっ

図 4-37　教材写真①
a：出来事を話しやすいように選択肢をあげていた．挨拶全般で3期まで名前や年齢でも視覚的手がかりを使用していた．
b：使用すると表情が和らぎ，失敗を恐れすぐに援助要請カードを使っていたが，年長期になると使うときと考えるときとを分けられるようになった．

たので言語聴覚療法の開始となった．

3　指導目標と指導内容

a　経過(年少〜年中期)

年少期は語彙や語連鎖拡大が中心だったが，年中期になると概念理解，語用面，文法面，コミュニケーション面のアンバランスさが目立っていき，認知面・学習面に影響を及ぼし，不安が高まっていった．そのため，年中以降の訓練では「みえない」概念や対大人とのコミュニケーション面について，知識として積み重ねていくことを目標とした．年中期に，弟が産まれた後，行動の切り替え困難や失敗時の立ち直りの困難さが目立ち，泣くことが増えた．弟の出生は男児のライフイベントとして大きかったと考えられる．形式的なやりとりではうまくいくが自然で相互的なやりとりは苦手なことは変わらず，状況認知や思考の切り替えの悪さから柔軟に物事を捉えることが苦手だった．大人の助けがないと対友達は成立しにくく，自宅以外の外部で頑張りすぎるため，自宅ではコントロールが効かず，易怒性・過敏性が強まりパニックが頻回になった．母が生活面では疲弊している状況だったため，年長期途中より投薬

(アリピプラゾール)を開始することとなった．年長期の指導についてまとめた．

男児の指導場面では，**構造化と視覚提示**，肯定的なフィードバックを継続した．訓練を通してスケジュール提示(文字・実物の併用)，質問カードとリマインダーカード(援助要請・報告)，を使用した(図 4-37)．

b　年長期(20○○年□月△日〜20○○年□月△日)言語聴覚療法と民間療育(2か所)の利用

(1) 就学前評価

就学前に言語聴覚療法で知能検査(WISC-Ⅳ)を実施し，結果は表 4-40に示した．

検査の結果数値は，平均以上を示しているが，男児の場合，行動面や解答に特徴がみられ，就学先を決める際にも行動所見が重要視された(詳細は省略する)．

(2) 指導目標

検査分析より，言語・聴覚系に比べて視覚・運動系の課題に苦手な傾向がみられた．視覚系の中でも記号や文字理解は得意で，意味性のある視覚情報を統合・類推する力が弱く，このことから，目に見えないルールのもとで行動することの困難さが想定できた．課題点をご家族と共有し，男児

表 4-40 知能検査の結果

全検査（FSIQ）	126	平均の上―非常に低い
言語理解（VCI）	119	平均の上―高い
知覚推理（PRI）	113	平均―平均の上
ワーキングメモリ（WMI）	128	平均の上―非常に高い
処理速度（PSI）	115	平均―高い

の自信に繋がる支援を目標とした．質問カード（図 4-37）を使用し，会話の話題を持続することを目標とし，課題では，**「みえる」化できない物事（非現前事象）**を考える力が身につくように設定し，物事の概念の異同について考える課題などを行った（図 4-38）．ほかに，男児が挑戦したいことを相談して決めた．使用教材は市販カード・異同課題・漢字イラストカード・なぞなぞ本などであった．

(3) 指導効果と課題

幼稚園の遠足（登山）で，「山頂にいった」と説明があり，「山を登っていったのかな？」と聞くと，「登っていないよ．山頂だから」と答えるので，絵を書いて，山頂と登るについて説明すると，「登って山頂でお弁当を食べた」と言い換えることができた．以前は，会話を途中で投げ出していたが，文脈や相手に合わせることが訓練場面では増えた．異同課題では，見た目のことを最初に言い，その後「みえない」概念について質問すると答えられるようになっていった．

投薬の効果もあり，苦手なことにも諦めずに取り組めるようになり，弟についても受け入れているような態度もみられるようになった．しかし，母は，他者から「褒められる行動」がとれるようになったが，自宅では気持ちのコントロールが難しく制御不可とのことだった．

4 指導のまとめ

男児は，言外の意味に気づくことが苦手なた

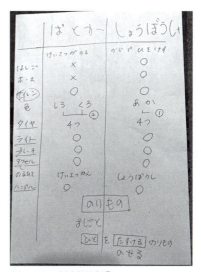

図 4-38 教材写真②
異同課題（絵を見せながら答えてもらう）

め，コミュニケーション面や行動面では，ご本人もご家族も不安を抱えていた．投薬開始により，学習効果が高まり，訓練場面では変化がみられた．視覚支援の活用と具体的な言葉による説明を用いて男児の苦手な概念理解・意図理解・状況理解を「見える」化し，視覚化により社会的な意図を伝えながら，男児が物事をどのように捉えているかを知ることにもつながった．また，説明するモデルを示すことで相互的に応じられることが増えた．だが，日常生活における生きにくさは継続していることもあり，ご家族は安心を優先し特別支援学級（情緒級）を選択された．このケースでは，枠組みのある訓練場面から自由度の高い生活場面への般化の難しさを示してくれた．

5 まとめ

検査数値が高く出る ASD 児の多くは，一見支援が必要ないと捉えられてしまうことがある．実際は，想像力の欠如から他者とのイメージ共有がしにくく，日常生活や集団活動のやりとりで大変な思いをしている．また，枠組みのある中ではうまく振る舞うことができる一方，ご家族が家庭で

疲弊していることがある．ASD児の特性と支援の大枠を理解し，1人ひとりに合った学習方法や理解の手助けを実践し，訓練場面のみではなく安心して活動できる場面が増え，生活場面でも般化されるように，言語聴覚士は支援の幅・質を向上しなければならない．

引用文献

1) 日本精神神経学会（日本語版用語監修），髙橋三郎，大野裕（監訳）：DSM-5 精神疾患の診断・統計マニュアル．p46, 医学書院，2014
2) Prizant BM：Language acquisition and communicative behavior in autism：Toward an Understanding of the "whole" of it. Journal of Speech and Hearing Disorders 48：296-307, 1983
3) Bishop DVM：Pragmatic language impairment：A correlate of SLI, a distinct subgroup, or part of the autistic continuum？ In Bishop DVM, Leonard L (ed)：Speech and language impairments in children：Causes, characteristics, intervention and outcome, pp99-113, Psychology Press, Hove, UK, 2000
4) Bruner J, et al：Theories of mind and the problem of autism. In Baron-Cohen S, Tager-Flusberg H., Cohen DJ (ed)：Understanding other minds：Perspective from autism, pp267-291, Oxford University Press, Oxford, 1993
5) 太田昌孝，他：自閉症治療の到達点．第2版，p141，日本文化科学社，2015
6) National Research Council：Educating children with autism. National Academy Press Washington, DC, 2001
7) 黒田美保：自閉スペクトラム症の早期支援の最前線－ジャスパープログラムの紹介．臨床心理学16(2)：151-159, 2016
8) American Speech-Language-Hearing Association：Roles and responsibilities of speech-language pathologists with respect to alternative communication：Position statement. ASHA Supplement, 25：1-2, 2005
9) Frost L, et al：The Picture Exchange Communication System Training Manual. Pyramid Educational Products,Inc., Newark, DE, 2002
10) Gresham FM：Conceptual and Definitional Issues in the Assessment of Children's Social Skills：Implications for Classifications and Training. Journal of Clinical Child Psychology 15：3-15, 1986
11) Mesibov GB：Social skills training with autistic adolescents and adults：A program model. Journal of Autism and Developmental Disorders 14：395-404, 1984
12) キャロル・グレイ（著），服巻智子（訳）：お母さんと先生が書くソーシャルストーリー™ 新しい判定基準とガイドライン．クリエイツかもがわ，2006
13) キャロル・グレイ（著），門眞一郎（訳）：コミック会話 自閉症などの発達障害のある子どものためのコミュニケーション支援法．明石書店，2005
14) 日戸由刈：地域の中の余暇活動支援でできること．本田秀夫，他（編）：アスペルガー症候群のある子どものための新キャリア教育．pp96-114, 金子書房，2013
15) 加藤浩平：テーブルトーク・ロールプレイングゲーム（TRPG）を活用した社会的コミュニケーションの支援．藤野博（編）：発達障害のある子の社会性とコミュニケーションの支援．pp94-100, 金子書房，2016
16) Howlin P, et al：Teaching Children with Autism to Mind-Read：A Practical Guide. Wiley, New York, 1999

7 注意欠如・多動性障害

> **学修の到達目標**
> - 注意欠如・多動性障害の定義と症状を説明できる．
> - 注意欠如・多動性障害のコミュニケーションの特徴を述べることができる．
> - 注意欠如・多動性障害の指導について述べることができる．

注意欠如・多動性障害（attention deficit/hyperactivity disorder：ADHD）とは，**不注意，多動性，衝動性**を主症状とする脳の機能障害である．不注意とは，注意散漫で気が散りやすく，集中力の維持が難しい状態であり，うっかりミスが多く，課題に取り組み続けることなどが苦手である．多動性とは，落ち着きがなく，じっとしていられない状態であり，離席し走り回ったり，おしゃべりが

やめられないなどの問題が生じる．衝動性とは，思いついたことをすぐに行動に移してしまい，行動にブレーキをかけることができない状態であり，我慢ができない，衝動的に列に横入りするといったルール違反などの問題が生じる．

ADHDは，これらの症状により行動のコントロール機能がうまく働かないため，周囲の状況に適した行動をとることが難しいとされる．2012年の文部科学省による担任教諭への質問調査では，通常の学級に在籍する児童生徒のうち，3.1％が「不注意」又は「多動性—衝動性」の問題を著しく示すと報告されている．

ADHDのある子どもへの支援は，行動の問題へのアプローチが主体であり，医師，心理士などが中心となって介入する．言語発達そのものの遅れはないとされてはいるが，限局性学習障害や自閉症スペクトラム障害などの障害が併存する場合が多いため，言語聴覚療法の適応となる場合も少なくない．したがって，言語聴覚士はADHDの特性や神経心理学的背景を理解して，評価，支援をする必要がある．

A 定義

DSM-5では，神経発達の障害と位置づけ，不注意または多動性-衝動性についてそれぞれ9つの症状が挙げられている（表4-41)[1]．ADHDの特性別に，不注意と多動性-衝動性の両方の特性がみられる混合型，不注意優勢型，多動・衝動優勢型のタイプに分けられる．有病率は，子どもの約5％，成人の約2.5％であり，男女比は小児期2：1，成人期1.6：1に変化する．女性は男性よりも不注意が主徴となる傾向がある．併存する障害が多く，自閉症スペクトラム障害，知的能力障害，限局性学習障害，発達性ディスレクシア，発達性協調運動障害，トゥレット症などがあげられる．ICD-10では，小児期および青年期に通常発症する行動および情緒の問題と位置づけ，多動性障害（hyperkinetic disorders）という診断名が付けられている．

B 発達経過

ADHDの症状は成長とともに変化し，ライフステージによって顕在化する問題が変容する（図4-39)[2]．症状の一部が発達に伴い改善し，適切な支援を受け**二次的な併存障害**が出現しなかった場合，徐々にADHDの診断基準を満たさなくなっていくという経過をたどる．一方で，不適切な対応が続き，二次的な問題が生じた場合，発達に伴って反社会性や，不安症候群，抑うつ症候群などを併発する可能性がある．

C 病態

ADHDは神経発達の障害であり，その原因は，遺伝学と神経学の幅広い領域に存在する．遺伝学的背景としては，複数の関連遺伝子が相互に作用し合うことでADHDを発症させる，すなわち**多因子遺伝**と考えられており，家族内集積性が高い．神経学的背景としては，前頭前野の機能低下により，注意集中の低下，遂行機能障害，行動制御やワーキングメモリなどの弱さがみられる．その他，小脳の機能低下により，タイミングなどの時間調節機能の障害が想定されている．またドーパミンやノルアドレナリン系などの機能低下からは，**脳内報酬系の弱さ**が指摘されている．報酬系は，最大の報酬を得るために「待つべき時には待つ」ことを司っており，人間の社会的行動に強い影響を与えている．後から得られる目の前にはない報酬を待つことができない結果，衝動的な振る舞いが目立つ，すぐにほかの行動を始める，注意

表 4-41 ADHD の診断基準

A．(1)および/または(2)によって特徴づけられる，不注意および/または多動性-衝動性の持続的な様式で，機能または発達の妨げとなっているもの：
(1)不注意：以下の症状のうち6つ(またはそれ以上)が少なくとも6カ月持続したことがあり，その程度は発達の水準に不相応で，社会的および学業的/職業的活動に直接，悪影響を及ぼすほどである： 注：それらの症状は，単なる反抗的行動，挑戦，敵意の表れではなく，課題や指示を理解できないことでもない．青年期後期および成人(17歳以上)では，少なくとも5つ以上の症状が必要である．
(a) 学業，仕事，または他の活動中に，しばしば綿密に注意することができない，または不注意な間違いをする(例：細部を見過ごしたり，見逃してしまう，作業が不正確である)． (b) 課題または遊びの活動中に，しばしば注意を持続することが困難である(例：講義，会話，または長時間の読書に集中し続けることが難しい)． (c) 直接話しかけられたときに，しばしば聞いていないように見える(例：明らかに注意を逸らすものがない状況でさえ，心がどこか他所にあるように見える)． (d) しばしば指示に従わず，学業，用事，職場での義務をやり遂げることができない(例：課題を始めるがすぐに集中できなくなる，また容易に脱線する)． (e) 課題や活動を順序立てることがしばしば困難である(例：一連の課題を遂行することが難しい，資料や持ち物を整理しておくことが難しい，作業が乱雑でまとまりがない，時間の管理が苦手，締め切りを守れない)． (f) 精神的努力の持続を要する課題(例：学業や宿題，青年期後期および成人では報告書の作成，書類に漏れなく記入すること，長い文書を見直すこと)に従事することをしばしば避ける，嫌う，またはいやいや行う． (g) 課題や活動に必要なもの(例：学校教材，鉛筆，本，道具，財布，鍵，書類，眼鏡，携帯電話)をしばしばなくしてしまう． (h) しばしば外的な刺激(青年期後期および成人では無関係な考えも含まれる)によってすぐ気が散ってしまう． (i) しばしば日々の活動(例：用事を足すこと，お使いをすること，青年期後期および成人では，電話を折り返しかけること，お金の支払い，会合の約束を守ること)で忘れっぽい．
(2)多動性および衝動性：以下の症状のうち6つ(またはそれ以上)が少なくとも6カ月持続したことがあり，その程度は発達の水準に不相応で，社会的および学業的/職業的活動に直接，悪影響を及ぼすほどである： 注：それらの症状は，単なる反抗的態度，挑戦，敵意などの表れではなく，課題や指示を理解できないことでもない．青年期後期および成人(17歳以上)では，少なくとも5つ以上の症状が必要である．
(a) しばしば手足をそわそわ動かしたりトントン叩いたりする，またはいすの上でもじもじする． (b) 席についていることが求められる場面でしばしば席を離れる(例：教室，職場，その他の作業場所で，またはそこにとどまることを要求される他の場面で，自分の場所を離れる)． (c) 不適切な状況でしばしば走り回ったり高い所へ登ったりする(注：青年または成人では，落ち着かない感じのみに限られるかもしれない)． (d) 静かに遊んだり余暇活動につくことがしばしばできない． (e) しばしば"じっとしていない"，またはまるで"エンジンで動かされているように"行動する(例：レストランや会議に長時間とどまることができないかまたは不快に感じる；他の人達には，落ち着かないとか，一緒にいることが困難と感じられるかもしれない)． (f) しばしばしゃべりすぎる． (g) しばしば質問が終わる前に出し抜いて答え始めてしまう(例：他の人達の言葉の続きを言ってしまう；会話で自分の番を待つことができない)． (h) しばしば自分の順番を待つことが困難である(例：列に並んでいるとき)． (i) しばしば他人を妨害し，邪魔する(例：会話，ゲーム，または活動に干渉する；相手に聞かずにまたは許可を得ずに他人の物を使い始めるかもしれない；青年または成人では，他人のしていることに口出ししたり，横取りすることがあるかもしれない)．
B．不注意または多動性-衝動性の症状のうちいくつかが12歳になる前から存在していた．
C．不注意または多動性-衝動性の症状のうちいくつかが2つ以上の状況(例：家庭，学校，職場；友人や親戚といるとき；その他の活動中)において存在する．
D．これらの症状が，社会的，学業的，または職業的機能を損なわせているまたはその質を低下させているという明確な証拠がある．
E．その症状は，統合失調症，または他の精神病性障害の経過中にのみ起こるものではなく，他の精神疾患(例：気分障害，不安症，解離症，パーソナリティ障害，物質中毒または離脱)ではうまく説明されない．

〔日本精神神経学会(日本語版用語監修)，髙橋三郎，大野裕(監訳)：DSM-5 精神疾患の診断・統計マニュアル．pp58-59，医学書院，2014 より〕

乳幼児期	主な徴候は多動性	
	乳児期：ぐずることが多い，睡眠リズムの乱れ 幼児期：じっとしていない，迷子になりやすい，はしゃぎすぎる，怪我が多い，物を壊す，順番が待てない，友達と上手く遊べない，集団場面での不適応行動	親が期待する反応が得られずに愛着形成が進みにくい 親の注意に従わないため，怒る-怒られるという親子関係になりやすい
学齢期	主な徴候は多動性から不注意へ	
	じっと着席できない，なくし物や忘れ物が多い，課題をやり終えることができない，集団生活の規律が守れない，仲間関係で孤立，いじめやからかいの対象になりやすい	家庭だけでなく学校でも怒られることが増える 徐々に自己評価の低下をきたし，孤立感から周囲への怒りが高まり，問題行動へと発展しやすい
青年期 成人期	ADHDの症状は落ち着くが一部は持続し，不注意・落ち着きのなさ，衝動性が残存	
	青年期：学業成績の不良，我慢できない，責任感がない，友達ができない 成人期：仕事上の失敗，交通事故，社会のルールが守れない，順序立てて行動できない，整理整頓が苦手	自尊感情の低下から心理的な問題が深まり，問題行動がエスカレートすると，反抗挑戦性障害からさらなる行動の問題につながっていくこともある

図 4-39　ADHDの発達経過の例と二次的な問題
〔齊藤万比古（編）：注意欠如・多動症-ADHD-の診断・治療ガイドライン．第4版，pp7-14，じほう，2016を参考に筆者作成〕

が持続しないということが生じるとされている．

近年では，脳内ネットワークとして，**デフォルトモードネットワーク**（default mode network：DMN）の存在が明らかになっている．DMNは，安静状態における脳の賦活状態を指し，通常は内的な思考活動では活動が高まり，外的処理を必要とする認知活動では低下し，代わりに注意に関連した神経ネットワークの脳活動が高まる．ADHDでは，安静時のDMNの部位の機能活性が有意に低く，DMNの機能的連携，すなわちDMNと注意に関連した神経ネットワークの切り替えに障害があると考えられている．

D　言語・コミュニケーション障害の特徴

ADHDの障害理論として，Barkley[3]は，遂行機能および自己制御の障害を提案している．**実行機能（遂行機能）** とは，行動を順序立てて計画し遂行する機能である．**自己制御** とは，立ち止まる，待つことであり，これによって遂行機能を効果的に活用することが可能になる．多動性・衝動性は，自己抑制に欠陥が生じる結果として表れる症状と解釈される．その背景として，ワーキングメモリの弱さ，内言語化の未熟さ，情緒の内在化の未発達，再構成の障害などが想定されている．

現在では，遂行機能の弱さという単一の病態仮説でADHDを理解するのは困難と考えられている．例えば，Sonuga-Barke[4]は，遂行機能障害と報酬強化障害を並列したdual pathwayモデルを提唱し，この2つの経路で独立に起こる機能障害からADHDの主症状を捉えることを提唱している．

ADHDの基本症状は行動の問題であり，直接的に言語発達障害の原因になるとはいえない．幼児期のコミュニケーション言語の問題は目立たないとされるが，遂行機能やワーキングメモリの弱さから，言語獲得の遅れや新しい知識の学習のしにくさ，複数の言語情報を処理することの難し

さ，秩序だった文の構成の難しさなどを生じる可能性がある．さらに記憶容量に問題はないものの，注目すべき刺激や情報に注意を向けることができないために，結果として記憶されないということが起こり得ると推測され，このことが言語発達や学習に影響をきたす可能性が考えられる．学齢期では，授業に集中できないなどの理由から学業の遅れが生じることがある．近年では，話量が過度に多い，筋の通った構成された発話の産出に困難さがある，相手の話を聞かず誤解する，思いついたらすぐに言う，などの語用の問題が指摘されている．

ADHDは，併存する障害による影響に留意する必要がある．幼児期は，特に自閉症スペクトラム障害の併存との鑑別が難しい．例えば，トランプの手札を相手に教えてしまうなど，相手に伝えるべきではないことを伝えてしまう場合，ADHDの子どもはその衝動性によりルールは理解しているが口に出してしまう一方で，ASDの子どもは，ルールがわからなかったり暗黙の了解がわからないため，見えているものをそのまま相手に伝えてしまうといったことが起こる．起こる事象は同じでも，どちらの障害による行動なのか，見分けがつきにくい．

またADHDに併存する**発達性ディスレクシア**は43.6％と報告があり[5]，中でも不注意優勢型ADHDは，読字困難と関連が深く，遺伝的要因の関連も示唆されている．読字書字の困難は，不注意や遂行機能の弱さなどにより，読み誤りや読み飛ばし，書き誤り，漢字の細部の脱落や誤り，特殊音節の脱落や誤りのほか，字を枠内に収めることが難しいなどのことが生じることがある．発達性ディスレクシアの障害背景，ADHDの特性，どちらもしくは両方の影響が表れている場合が考えられ，評価においてはあらゆる可能性に留意しなければならない．

E 医学的診断

診断は，医師が保護者に子どもの行動特性や集団場面での行動の特徴についての聞き取りを行い，DSM-5の診断基準に則って行う．診断を補完するものとして，ADHD症状の評価をするADHD-RS-Ⅳ（ADHD Rating Scale-Ⅳ），親が行動評価を行うCBCL（Child Behavior Check List），教師が行動評価を行うTRF（Teacher's Report Form），11歳以上の子どもが自記式で評価をするYSR（Youth Self-Report）などがある．

F 神経心理学的評価

併存障害の有無の評価，およびADHDのある子どもの認知能力の特徴を把握し，日常場面での問題に対して具体的な支援を検討するために，神経心理学的検査による評価は有用である．医師や心理士の評価だけでなく，言語聴覚士の視点による神経心理学的評価を取り入れることは，目の前のADHDのある子どもの障害背景の分析に大いに役立つだろう．

注意集中の評価として，持続性注意力検査であるCPT（Continuous Performance Test）がある．パソコンの画面上に繰り返し現れる刺激に対し，目標刺激が出現したときのみボタンを押す課題である．認知特性の評価としては，WISC-ⅣやKABC-Ⅱ，DN-CASなどがあげられる．数値的特徴を鑑別に用いるだけの統一された見解はないが，ADHD児の認知プロフィール特徴として，WISC-Ⅳでは，ワーキングメモリ指標と処理速度指標の低下，DN-CASでは，プランニングや注意の下位検査で困難を示すことが多いとされる．成人では，標準注意力検査（CAT）のほか，遂行機能の評価として，ストループテスト，WCST

表 4-42　ADHD のある子どもの特性に合わせた環境調整の配慮の例

教室内の環境調整	課題・教材の工夫	かかわり方
【座席・机】 ・座席は窓際や廊下側を避け，教師側にする ・隣の席にモデルとなる子を座らせる ・部屋や机を整理整頓し，必要な物以外は置かない ・学用品の置き場所を明示する 【持ち物】 ・物をなくさないよう，名前を書く ・持ち物は最小限にする 【展示物】 ・黒板の周囲の気の散る掲示板を減らす ・展示物は子どもから見えない場所に移動する 【活動】 ・スケジュール表や，作業優先順表を活用する ・教室のルールを明確化する	【課題・教材】 ・課題を小分けにするなど注意持続可能な課題の量を調整する ・本人の興味を取り入れた教材を使用する ・課題は視覚的に提示し，注意を向けるべき箇所をわかりやすくする ・指示を書いて視覚的に示す ・作業の手順を明示する ・課題間で休憩をとる ・時間の見通しを提示する 【意欲を出す工夫】 ・本人が得意な課題を取り入れ，自信をつける ・達成可能な努力目標を決めて取り組ませる ・課題ができたときの達成感が味わえるようにする	【指示の出し方】 ・言語指示は簡潔にする ・複数の指示は分けて出す ・こちらに注意が向いていることを確認してから話す ・切りかえがしやすくなるよう，終わりの見通しを伝える 【接し方】 ・できて当たり前のことでもほめる ・努力している点，身につけてほしい点をほめる ・冷静に話を聞き，落ち着いた態度で，してはいけないことを伝える 【指導者の態度】 ・否定的な言葉ではなく肯定的な言葉を使用する ・感情的に叱らない

〔榊原洋一：最新図解 ADHD の子どもたちをサポートする本．pp56-78，ナツメ社，2019/ 森孝一（編著）：教育の課題にチャレンジ 5 ADHD サポートガイド―わかりやすい指導のコツ．pp41-82，明治図書出版，2002 を参考に筆者作成〕

(Wisconsin Card Soring Test) などがある．

　ADHD のある子どもは，課題に取り組む意欲にむらがある，注意散漫になりやすい，同じ失敗を繰り返しやすいなど特徴がある．検査を実施するにあたっては，子どもが集中して取り組むことができるよう環境を調整することが重要である．また，検査結果と検査中の子どもの観察とを統合して分析することが，ADHD のある子どもの正確なアセスメントと理解に繋がる．

G 支援

　支援は，**環境調整**，**行動療法**，**薬物療法**の 3 つが柱となる．個々のもつ問題や併存障害に応じて，言語聴覚療法，心理療法，作業療法などが適応される．行動面への支援においては，言語聴覚士が支援の中心となることは少ないが，言語・コミュニケーション面や学習面への支援においては，言語聴覚士が積極的に介入する必要がある．個々のニーズに合った支援を提供するためには，医療機関などの専門機関と教育機関などの多機関，多職種間の連携が不可欠である．

　支援の目的は，自分らしく生きていくことができるよう，問題行動や二次障害を防ぎ，自尊感情を伸ばすことである．支援者には，一見困った態度にみえる子どもの様子ばかりに目を向けるのではなく，子どもの力を信じ，子どものよい面を引き出して伸ばしていくという態度が求められる．

1 環境調整

　注意集中を持続しやすくするための物理的な調整と，ADHD の特性に対する周囲の理解や適切な対応を促すための家族支援や教育機関との連携があげられる（表 4-42）[6, 7]．

a 物理的な調整

　ADHD のある子どもは，刺激に反応しやすく

注意が散漫になりやすいため，余分な刺激をできるだけ排除し，集中しやすい環境や条件を整えることが大切である．視覚的刺激を減らし，周囲を整理整頓して構造化することで，今注目すべきところがわかりやすくなるとともに，注意集中が持続しやすくなる．また，注意集中の弱さや，ワーキングメモリの弱さに対する配慮として，支援者側が声のかけ方やそのタイミングなど聴覚的な刺激を調整することで，子どもは口頭による指示や授業の理解がしやすくなる．

b 家族支援

ADHDは，脳の機能障害から起こる障害であるが，周囲からは子どもの問題行動が親のしつけや愛情不足によるものと捉えられてしまい，家族が追い詰められていることがある．言語聴覚士は，保護者の心情に寄り添いつつ，保護者がADHDの症状や経過を知り，子どもの状態を理解して対応できるよう支援する．自助グループの利用も保護者の心の支えとなる．また保護者が子どもの困り感に気が付かず，集団場面での不適応行動を教育機関側の対応の問題と捉えていると，保護者と教育機関の信頼関係は築きにくい．両者が連携して子どもの育ちを支えることができるようサポートすることも，専門家の重要な役割である．

c 教育機関との連携

ADHDのある子どもたちの支援には，彼らが多くの時間を過ごす園や学校との連携が重要である．離席や物を壊すなど，注意しても繰り返してしまう行動がわざとではないことを，担当教員が理解し対応できるよう，ADHDについて正しく知ってもらう必要がある．またADHDの子どもたちの行動は一見反抗的にも見えるため，担当教員自身の困り感が強い場合がある．担当教員との関係性を上手く保ちながら，困っているのはADHDのある子ども自身であり，どのようなことに困っているのかということを共有することが必要となる．実現可能な対応方法を共に検討し，その子への関わりについて担当教員に自信を回復してもらい，双方の関係を好循環にすることが大切である．言語聴覚士と教員が共同して支援をすることが求められる．

2 行動療法

行動療法とは，子どもの行動評価を行い，不適切行動そのものではなく，その行動の直前の状況やきっかけ，行動の直後の対応に注目をする．そして好ましい行動をほめて強化することで，不適切行動を減らし好ましい行動を増やしていく．

ペアレントトレーニングは，同じ悩みをもつ親が集まり，行動療法の理論に基づいて子どもの行動を観察し，個々人に合った対処法を考え実践するアプローチであり，熟達したインストラクターの指導のもとに行われる．ADHDについて十分に理解を深めたうえで，子どものつまずきを本人の目線で捉えて減らしていくために，保護者はどのように振る舞えばよいのかを学ぶ．正しい対処法を知ることでやり取りがスムーズになり，親子関係の悪循環が改善されるため，保護者と子ども双方のストレスを減らすことができる．

ソーシャルスキル・トレーニングは，他者との関わり合いを通して，社会と上手にかかわっていくためのソーシャルスキルを指導するアプローチである．社会的，対人的な失敗経験を減らして自己評価を高めること，友人関係を維持し深めることを目的として実施する．例えば集団場面で，他者とのやり取りを通して，遊びの中で順番を待つ，相手の話しを最後まで聞く，約束を守るなどの多様なスキルを身に付けていく．

そのほか，感覚情報処理の視点からADHDの多動性を分析し，行動背景の仮説を立ててアプローチする感覚統合療法の有用性も報告されている．

3 薬物療法

治療薬を服用することで，ADHDの症状を軽減することができる．薬が効いている間は症状が抑えられるため，生活上の困り感を軽減でき，困難に対処する工夫を身につけやすくなるなど，さまざまなスキルを獲得しやすくなる．代表的な治療薬として，コンサータ®(一般名：メチルフェニデート塩酸塩)，ストラテラ®(一般名：アトモキセチン塩酸塩)，インチュニブ®(一般名：グアンファシン塩酸塩)があげられる．各治療薬とも作用が異なるため，1つの薬で合わなくても別の薬に切り替えることができる．

H 言語聴覚士による支援

言語発達の遅れや学業不振がある場合や，ほかの発達障害が併存している場合には，言語発達面や学習面，コミュニケーション面へのアプローチを目的とした言語聴覚療法の適応となる．また，ADHDのある本人が困っていることの背景を探るため神経心理学的評価を実施する．さらに学齢期では，学習面の遅れの有無を評価することも重要である．学習面につまずきがあった場合，ADHDの特性によって授業参加や課題の遂行などに支障がでているのか，もしくは併存障害の影響によって支障がでているのかを評価することで，支援の内容が変わってくる．

ADHDの言語面の問題は，幼児期のコミュニケーション言語では目立たなくとも，学齢期の学習言語で苦戦することが予測され，先を見据えた指導目標を立てる必要がある．個々の障害像によって目標や内容は異なるが，指導にあたっては，**視覚情報を有効に使用**する，簡潔な言葉で伝えるなど，ADHDの特性への配慮が必要である．実際の指導では，視知覚認知課題などへの取り組みを通して，早期から注意集中を高めるような指導を取り入れる．また，集団場面のような刺激の多い場所ではなく，まずは個別の言語聴覚士が行う指導場面で，行動をコントロールする方略を模索し，子どもに自分で行動をコントロールする経験を積ませることもできるだろう．例えば，着席していることが難しい子どもの場合，離席の許可を求めるサインを決め，サインが出せたら離席を許すなどの離席のルールを作り，守ることができれば一定時間の離席を許し，約束通りに戻ってこられたときはほめる，などである．いずれにしても，ADHDのある子どもの得意な面，良い面を伸ばし，ほめて自尊感情を高めていくことが重要である．

I 事例紹介

1 対象児

【事例】男児(初診時5歳8か月〜指導終了時6歳6か月)
【主訴】サ行が言えない
【診断名】構音障害，ADHD
【生育歴】生下時体重2,980 g
運動発達に特記事項なし，初語1歳1か月，2語文1歳10か月
【家族歴】なし
【所属】幼稚園
【その他】心理療法にて環境調整，行動療法，作業療法にて感覚統合療法を実施

2 初診時評価

【聴力】遊戯聴力検査の結果，左右耳ともに平均聴力は正常域
【知的発達】田中ビネー知能検査Vにて，精神年齢6歳2か月　IQ 109
【言語発達】PVT-Rにて，語彙年齢5歳10か月

S-S検査にて，受信，発信ともに段階5-2（助詞）
質問-応答関係検査にて，下位検査の相応年齢が
5歳台〜6歳台
【コミュニケーション】視線や共感性の質的な異常は認めない．会話の途中でも注意が向いた方に行ってしまい，度々やり取りが中断した．
【行動面】離席が多い．着席時も，姿勢が崩れる，手足を動かすなど，落ち着かない．母親に注意されることが多く，時折反抗的な態度になる．
【発声発語】視診上，形態に明らかな問題は認めない．随意運動発達検査の結果，機能は年齢相応と推測される．構音は，歯茎摩擦音の歯茎破裂音への一貫した置換を認めた．
【心理面】サ行ザ行が言えないことに気が付いており，気にしている．

3　所見・方針

　発声発語器官，聴力，知的発達，言語発達に明らかな問題がないにもかかわらず，構音の誤りが固定化しており，機能性構音障害を認める．会話明瞭度は，段階2で時々わからない程度である．就学時までに自然治癒を期待することは難しいことから，正しい構音動作の習得を目的とした構音訓練の適応がある．注意が逸れやすく，多動性，衝動性を認める点については，これらの行動面への配慮をしながら，指導を進める．

4　指導目標

　正しい構音動作を獲得して会話明瞭度が改善することで自信をもってお話しできるようになる．

5　指導内容

　週1回，系統的構音訓練を実施した．指導室は，指導で使用する教材以外は，本児から見えないように片づけた．各課題の終わりの見通しをもつことで注意集中が維持できるよう，指導の始めにスケジュールを確認した．スケジュールは，「① θ 10かい×2」のように目標音を[θ]のようにマークで記した紙を課題順に並べて視覚的に呈示した．ひとつの課題が終わるたびに，紙を「終わり箱」に入れて，1分間の休憩タイムを入れた．指導中は，言語聴覚士が呈示する音や口形などの聴覚刺激，視覚刺激からすぐに注意が逸れてしまい，褒めるだけでは注意集中を維持することは難しく，目標とする構音動作の形成は進まなかった．そこで，本児の興味を引き，注意集中を維持できるよう，課題にゲームを取り入れて実施した．例えば，舌の脱力を誘導する際には，力を抜くことを「ぐでたま」と表現し「何秒ぐでたまベロになれるかな？」，「だるまさんが転んだ」の要領で「ぐでたまがこっちを見たら，ぐでたまベロになるよ」，音レベル，音節レベルの練習の際にはすごろくを使い，1セット練習する毎にマスを進めて，本児と一緒にゴールを目指すなどの工夫をした．さらに，本児の意欲を持続させるためトークンを利用し，指導の終わりに，頑張ったことを褒めて本児の好きな乗り物のシールを渡した．
　家庭での構音練習は，親子関係への影響に鑑みて，心理療法にて保護者の本児への理解が進み，適切な対応をとることができるようになってから開始した．本児と保護者と一緒に，1日5分を2回練習すると決めて，指導中に100％できた内容を練習してもらった．また，練習時のこちらの反応の仕方について，本児が目標音を産生できたときは，表情やうなずきを大きくして上手にできていることを明確に伝え，もし目標音を産生できなかったときは，「惜しい！」と深追いせずに簡単に伝える程度にすることを保護者と確認した．さらに，練習を完遂できなくても，取り組んだこと自体やできたところに目を向けて褒めるよう助言し，親子関係が悪化しないよう配慮をした．

6　指導結果・まとめ

　本児がもつADHDの特性に配慮をして，系統

的構音訓練を実施した．上記のような工夫を課題に取り入れ，親子関係にも配慮をしながら指導を進めることで，構音障害の改善と日常会話への般化に至った．体調や疲れにより，日によって注意集中が異なったため，その日の指導達成目標を本児の状態に合わせて柔軟に変更しながら進めることも必要であった．

家庭での構音練習は，やり方によっては，子どもがやらされる，できないと注意されるという気持ちになり，親子関係に悪循環をもたらしかねないが，保護者が適切な対応をとることができれば，親子関係を好循環に転換するきっかけにすることもできる．言語聴覚士から心理士などに積極的に助言を求めながら，指導を進めることも大切であろう．ADHDのある子どもを指導する際は，言語症状へのアプローチだけでなく，注意集中を高める，親子関係を改善するなどを広く視野に入れて指導計画を立てることが重要である．

引用文献

1) 日本精神神経学会（日本語版用語監修），髙橋三郎，大野裕（監訳）：DSM-5 精神疾患の診断・統計マニュアル．pp58-59, 医学書院，2014
2) 齊藤万比古（編）：注意欠如・多動症 -ADHD- の診断・治療ガイドライン．第4版, pp7-14, じほう，2016
3) Barkley RA：AD/HD and the nature of self-control. pp83-107, Guilford Press, 1997
4) Sonuga-Barke EJ：The dual pathway model of AD/HD：an elaboration of neuro-developmental characteristics. Neurosci Biobehav Rev 27：593-604, 2003
5) 岡牧郎，他：広汎性発達障害と注意欠陥/多動性障害に合併する読字障害に関する研究．脳と発達 44：378-386, 2012
6) 榊原洋一：最新図解 ADHDの子どもたちをサポートする本．pp56-78, ナツメ社，2019
7) 森孝一（編著）：教育の課題にチャレンジ5 ADHDサポートガイド―わかりやすい指導のコツ．pp41-82, 明治図書出版，2002

8 脳性麻痺・重複障害

学修の到達目標
- 脳性麻痺・重複障害の定義と症状を説明できる．
- 脳性麻痺・重複障害のコミュニケーションの特徴を述べることができる．
- 脳性麻痺・重複障害の指導について述べることができる．

A 脳性麻痺・重複障害とは

1 定義

脳性麻痺についてわが国での医学的定義は1968年に厚生省脳性麻痺研究班が作成した「受胎から新生児期（生後1か月以内）までのあいだに生じた，脳の非進行性病変にもとづく，永続的なしかし変化しうる運動および姿勢 posture の異常である．その症状は満2歳までに発現する．進行性疾患や一過性運動障害，または将来正常化するであろうと思われる運動発達遅延は除外する」である[1]．

このように，脳性麻痺は運動機能障害として捉えられるが，知的能力障害，視聴覚およびその他の知覚・認知障害，行動の偏り，てんかんなどを合併することもあり，その重症度は脳障害の程度によって異なる．近年の脳性麻痺の発症率は1,000人に2人程度といわれている．

2 病型とその症状

脳の損傷部位と姿勢緊張（→ Note 39）の特徴によって主に4つの病型に分類される．

痙直型は麻痺部分の筋緊張が高まり自由に動かせなくなるため動きが少なく，運動範囲も狭いのが特徴である．このうち**両麻痺**は足が突っ張る，股の開きが悪い，下肢の交互運動が少ないなど上肢に比べ下肢の動きが少ない．**四肢麻痺**は上下肢に麻痺がみられ，手を握り込んだり，肘を強く曲げていたり，全身を屈曲させている．

アテトーゼ型は筋緊張が変動するため，姿勢が定まらないのが特徴である．症状は全身に及び，体幹は不安定で，頭部や四肢には意図とは関係なく動いてしまう不随意運動が生じる．いくつかのタイプがあり四肢が勝手にバラバラに動くのをジスキネティック，予期しない大きな筋緊張の変化がみられ全身がねじれて反り返るのをジストニックという．

失調型は低緊張で小さい幅で筋緊張が変動する．座位や立位のバランスを崩しやすく，手の操作時に揺れたり（振戦），足を正確な距離に振りだすことが困難である．発声時にも声の揺れがみられる．

混合型は上記の病型が同時に2つ以上混合している．痙直型とアテトーゼ型の混合が多くみられるが，ほかに痙直型と失調型の混合，アテトーゼ型と失調型の混合がみられる場合もある．

これらの病型以外にも強剛型，低緊張型などがある．

3 原因

脳性麻痺には出生前，周産期，出生後のリスク要因が関与しているといわれている．代表的なものとして出生前では早産（36週未満），低出生体重（2,500g未満），子宮内感染，胎盤機能不全，周産期では新生児仮死，**脳室周囲白質軟化症**（periventricular leukomalacia：PVL）（→ Note 40），脳室内出血（intraventricular hemorrhage：IVH），脳出血などが，出生後は感染，痙攣，高ビリルビン血症などが挙げられる[2]．

a 低出生体重児にみられる脳性麻痺

出生時の体重が2,500g未満を**低出生体重児**といい，そのうち1,500g未満を極低出生体重児，1,000g未満を超低出生体重児と分けている．

近年は周産期医療が進歩し，早産による低出生体重児が漸増している．PVLは低出生体重児にみられる脳性麻痺の主な原因であり，その病型の多くは痙直型両麻痺や四肢麻痺であり，視知覚認知障害を伴うことがある．

b 新生児仮死による脳性麻痺

出生時の仮死により低酸素状態が長く続くと，**低酸素性虚血性脳症**（hypoxic ischemic encephalopathy：HIE）を発症する．満期産児の原因の多くを占め，運動障害だけではなく知的能力障害やてんかんを合併した重度の脳性麻痺になることが多い．重度脳性麻痺のなかに視聴覚の障害がみられることもある．

4 脳性麻痺における重複障害

脳性麻痺では知的能力障害を重複することが多

Note 39. 姿勢緊張
健常人は重力に抗して垂直に身体を維持しようとする抗重力筋が適切に働いて姿勢を保ちながら，目的的な運動をする．脳性麻痺の場合は脳損傷により筋活動を調整できず，過緊張（強い力が入る），低緊張（力が入らない）あるいは動揺（変動）を示すため，姿勢を重力に抗して保つことが困難で，なめらかで効率的な運動ができない．

Note 40. 脳室周囲白質軟化症
早産児は脳血流の調整が未熟な時期に出生するため，容易に脳血流量が減少する．さらに脳室周囲白質周辺の血管が未発達であるため，虚血に陥りやすい．これらの要因が，脳室周囲白質に虚血性の壊死病変を生じさせる．

く，ほかに視聴覚知覚および認知障害を重複することもある．また，重度の肢体不自由と重度の知的能力障害を重複する場合は**重症心身障害**という．重症心身障害ということばはわが国独特の概念であり，医学的用語ではなく，福祉体系上の行政的，法律的用語である．したがってこの用語の定義も各分野ごとでなされている．よく引用されるのは，大島分類[3]の区分1〜4に該当する（図4-40）．重症心身障害（分類1〜4）のなかでも主に呼吸管理や摂食嚥下機能障害などに濃厚な医療や介護が必要な対象を「超重症児」，「準超重症児」としている（厚生労働省により判定基準が定められている）[4]．近年では，大島分類の項目数を増し障害を具体的にあげ，枠組を明確化した横地分類（改訂大島分類）が使用されるようになっている[5]．

					IQ
21	22	23	24	25	80
					70
20	13	14	15	16	
					50
19	12	7	8	9	
					35
18	11	6	3	4	
					20
17	10	5	2	1	
					0
走れる	歩ける	歩行障害	座れる	寝たきり	

図4-40　大島の分類（1971）
1〜4までが重症心身障害とされる．

B 言語・コミュニケーション障害の特徴

1 発達症状の多様性

脳性麻痺の原因となる脳損傷の範囲や程度は個々に異なり，合併する障害も，知的能力障害，てんかん，視聴覚およびその他の知覚・認知障害，行動の偏りなどと多種にわたる．したがって，子どもたちは個々に異なる発達の症状を呈する．病型別による症状の分類と麻痺の分布による分類を知ること，合併する障害についての理解を深めることにより，発達過程にある子どもの症状を把握する．同時に家族を中心とした子どもの置かれている環境によってもその発達の症状は多様になる可能性がある．

2 言語・コミュニケーション発達の遅れと偏り

脳性麻痺の障害の理解には，**神経病理学的視点**と**発達的視点**が必要である．脳損傷による神経病理学的な症状をもちながら発達することによって生じる発達の遅れと偏りがある．

コミュニケーションの発達は乳児期からまなざし，表情，姿勢，発声などを通して，他者との共同注意や共感関係を築いていくことが基盤となる．Bates, Camaioni, Volterraは，コミュニケーションの発達段階を3段階に分けている．脳性麻痺児は出生時あるいは生後間もなくから障害を受け，感覚情報の受容・統合によってもたらされる姿勢・運動の発達や人や物との関わりを通した認知発達，概念形成に遅れや偏りが生じる．脳性麻痺児のコミュニケーション発達障害の要因と経過をBatesの段階に対応させて図4-41に示した．発達の初期から，脳損傷による姿勢運動発達の偏りと遅れ，感覚情報の受け入れの未熟性と偏り，合併症などを認める．通常，子どもの発達基盤は子ども自身の能力と環境との相互作用によってなされる学習によるものと捉えられる．その視点からすると脳性麻痺の子どもは，子ども自身の活動性の低迷，刺激の受け入れのまずさといった子ども自身の問題に加え，養育者の子どもへのかかわり方に問題が生じやすい．養育者は，運動機能障

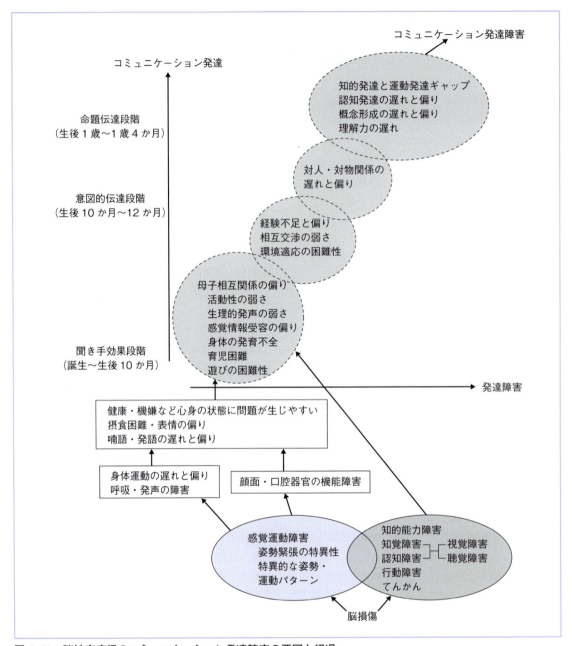

図 4-41　脳性麻痺児のコミュニケーション発達障害の要因と経過
〔髙見葉津：コミュニケーションの発達援助．日本聴能言語士協会講習会実行委員会（編）：アドバンスシリーズ/コミュニケーション障害の臨床 第3巻 脳性麻痺．p79，協同医書出版社，2002 より改変〕

害があり，反応の弱さや不明確さのある子どもへの働きかけ方や遊ばせ方に迷うことも多く，介護をするかかわりに偏りやすい．また子どもの反応をうまく受け止められず，子どもへの働きかけが弱くなったり，医療的ケアのための通院などに時間が割かれ，母親と子どもがゆっくりとやり取り関係を楽しむ時間が不足するといったこともある．これらの状況のなかで，コミュニケーションの基盤となる母子相互作用も停滞しやすい．

このように，子ども自身の**発達の阻害要因**と環

境的要因によって，言語・コミュニケーションの発達障害が生じるといえる（図4-41）．特に障害をもった子どもの母親の心理状態は，出産後子どもの誕生にいだいていたわが子像と現実の子ども像との違いや，障害へのショック，子どもに障害を与えてしまったという罪悪感などがあげられる．このような母親の心の問題も育児に大きく影響すると考えられる．また子どもの成長過程でも身体の医学的な問題により日常生活に濃厚なケアが必要であるため母親など養育者との結びつきが強く，他者と距離のある関係性を育てることにも困難を生じやすい．これらのことは，乳児期だけでなく幼児期や学童期の発達過程でのコミュニケーション意欲やコミュニケーション態度にも影響しやすく，コミュニケーションの発達の停滞の原因にもなる．脳性麻痺児の主なコミュニケーション特徴を表4-43に示した．

重度重複障害では，生涯にわたって聞き手効果段階のこともある．また部分的に意図的伝達段階に達したとしても，運動機能障害による姿勢の不安定さや上肢機能制限のためジェスチャーや指さしなどができなかったり，眼科的問題により視線での表現にも限界があるなど，非言語的な表現も不明確になり，受け手の感性に依存せざるを得ないこともある．命題的段階に達した子どもでも，発語が不明瞭で聞く側の感性に依存しなければならない状況も多い．

3 話しことばの発達の遅れと障害

生涯話しことばをもたない子どもから，話しことばでのコミュニケーションに不自由がない子どもまで幅がある．脳性麻痺のほとんどの子どもは初語に遅れがみられる．その後の発達では，障害のタイプや程度によっても違いがあるが，理解言語にくらべ話しことばの発達が遅れることもある．また，話しことばは獲得しても一方的な発話や，話題が唐突にそれたり，散漫になったりコミュニケーションとして成り立ちにくいこともある．

表4-43 脳性麻痺児の主なコミュニケーション特徴

痙直型両麻痺（四肢麻痺）	認知障害などの影響…聴覚-言語が視覚-動作より優位になる傾向がある． 自己中心的な多弁，コミュニケーション態度や内容に問題がみられる． 成功や達成感が低い傾向がみられる． 聴覚的な刺激に過剰反応しやすく，注意散漫になりやすい．
痙直型片麻痺	多動，注意散漫などの行動が目立つ． 応答関係がとりにくく，コミュニケーションが一方的になりやすい．
アテトーゼ型	集中の欠如や興味の偏りがみられることがある． 顔面筋の不随意運動により，表情が読みとりにくい． 聞き手が話し手の特異な表情や不随意運動に注意が向けられ，ことばが聞き取りにくくなる．

知的能力障害を重複している子どもは，概念の発達や音韻認識の発達に遅れや偏りがみられ，ことばの発達が遅れることもある．ことばの獲得過程でも口腔器官の感覚運動機能の障害により発声や構音，共鳴，プロソディ，流暢性の問題が生じる．脳性麻痺独特の話し方がみられ，明瞭性に問題が生じやすい（表4-44）．

4 高次脳機能障害・神経発達症群

言語，認知，注意，記憶，遂行機能などに障害がみられることがある．PVLやほかの原因による痙直型両麻痺や四肢麻痺の子どものなかに，知的能力障害がなく話しことばの発達が順調であっても，視覚認知や構成能力に障害がみられることがある．線画の識別や大きさや長さの比較や順序付けなどに困難を示し，積み木などの構成能力や紐結びなどの学習に困難が生じる．WPPSI-ⅢやWISC-Ⅳ，KABC-Ⅱなどの検査で偏ったプロフィールがみられることもある．就学後は文字の学習，数概念や数操作の学習，図形構成の学習が困難なタイプの限局性学習障害になることがある．また，自閉症スペクトラム障害や注意欠如・

表4-44 脳性麻痺児の話しことばの症状

声の質	痙直型, 失調型には努力性が認められ, アテトーゼ型には努力性, 気息性の嗄声が認められることが多い.
声の高さ, 大きさ	痙直型には声が小さい, 低い声などの特徴がみられ, アテトーゼ型は声の大きさの変動がある. 失調型には, 声の震え, 爆発的な大きい声, 声の高さの変動などの特徴がみられる.
速さ	アテトーゼ型は速い話し方や速度の急変がみられ, 痙直型や失調型は遅い話し方がみられる.
プロソディー	各タイプとも抑揚に乏しく, アテトーゼ型は音, 音節がばらばらに聞こえたり, 音, 音節の持続時間が不規則に崩れる.
構音・共鳴	各タイプとも構音の誤りが多くみられ, 開鼻声や鼻咽腔構音がみられることもある. アテトーゼ型は構音の歪みが多くみられ, 誤り方が浮動的である.

多動性障害を合併している場合は, 対人面や行動上の問題につながる.

評価

1 運動機能の発達評価

身体の運動発達には**粗大運動発達**と**手指の巧緻運動発達**がある.

粗大運動発達をみると, 新生児は背臥位と腹臥位では頭部は一側に回旋し非対称姿勢で手足を曲げ丸まったような姿勢であるが, 3か月頃から頭部の正中位を保持することができ, 4か月頃には定頚してくる. その後, 腹臥位で腕や手での支えで頭部から胸部をあげて, 重力に抗した姿勢をとるようになる. 5か月頃には背臥位で下肢を挙上して腹臥位への寝返りがみられる. 6か月頃から座らせれば両手を前方に置いてバランスを取るようになり, 7~8か月になると腹臥位から座位になったり, 腹ばいでの移動が盛んになる. 9~10か月ではつかまり立ち, 四つ這い移動が盛んになる. 11~12か月ではつかまり立ちや伝い歩きが盛んになり, 独歩を獲得する. 一方手指の運動発達は〈開く→握る→離す→持ち替える→つまむ〉の順序で発達し, 8~9か月頃には手指の巧緻動作ができるようになる.

このような運動発達は正常な中枢神経系の発達と運動経験による学習に由来するものであり, 視聴覚などの感覚の発達や認知・コミュニケーション発達, 発声・発語機能の発達と影響しあう.

脳性麻痺児の運動評価をするときには, 運動機能の獲得の評価とともに, 身体の感覚の評価, 静止時, 運動時の筋緊張の状態や姿勢や運動パターンの特異性を評価する. 理学療法士や作業療法士から情報を得ることと, 言語聴覚士の臨床でも子どもをよく観察し, 指導の方向性や課題内容に役立てる.

2 言語発達の評価

検査時には, 子どもの姿勢に留意する. 子どもに適した椅子や車いすを使用する. 子どもによっては, 養育者が抱っこしたり, 臥位を取るほうがよい場合もある. 自発的な動きで外界を捉えることができるよう姿勢を工夫する. 既存の検査を使用する場合, 上肢機能に障害があり, 指差しや操作課題に応じられないこともある. 視線で示したり, YES-NOで応じる場合もある. 話しことばをもたない子どもでは, **拡大（補助）・代替コミュニケーション**(augmentative and alternative communication：AAC)の機器を利用したり, サインやジェスチャーを使用することもある. 養育者から子どもの反応形式の情報を得ながら, 評価場面でよく観察して, 子どもの潜在能力を引き出すように評価を行う. 脳性麻痺児は初めての場面や人に緊張しやすく, 初回検査だけでは判断できないので, 日を違えて数回検査を重ねることも必要となる.

操作性の検査や時間制限による評価が必要なものは，失敗を重ねることで子どもが意欲を損なったり，挫折感を感じさせないよう配慮する．基本的には子どもができることを見出す評価内容であることが望ましい．どのような補助を与えたらできるようになるか工夫する．例えば，絵カード提示の際に斜面台や透明アクリル板を使用するなどの工夫で反応しやすくなる子どももいる．

また，既存の検査に加えて，家庭や施設など生活の場での理解や表出，コミュニケーション関係などについて養育者や施設職員から情報を得る．

また，**評価とともに指導を進めたり，指導のなかで反応をみながら評価をする**と子どもの能力が理解しやすいこともある．特に重い障害の子どもには，わずかな身体の動きや表情の変化をよく観察して，指導につなげられる評価を行う．体性感覚（触覚・圧覚・温度覚・固有受容覚など）および嗅覚，味覚，前庭覚，聴覚，視覚などの感覚情報をどのように受容しているかを整理して考えていくとよい[6]．

3 発語器官の機能および発声発語評価

脳性麻痺の発語は，姿勢や姿勢緊張，発語器官の運動パターンと呼吸・発声，構音運動との関連性が高い．呼吸については，口・鼻呼吸の分離や胸郭・腹部の動きを観察する．またブローイングや呼気持続時間を評価する．評価時には楽に能力を発揮できるよう工夫をする．また，発声発語器官の機能評価では指示に従うことが困難な場合もあるので，遊びの場面や平常の状態を観察する．摂食嚥下機能の観察や評価も併せて行う．

発語は不明瞭で聞き取りにくいことが多く，言語障害の主症状といえる．運動性発語障害の特徴は，明瞭性と異常性（脳性麻痺独特の話し方）の2つの側面がある．身体や気持ちの緊張時とリラックス時では発声や構音の誤り方が異なる場合があるため，検査場面だけでなくリラックスした自由会話場面での状態を評価する．姿勢や気持ちがどのような状態でいるときに明瞭性が高く，特異性が軽減するかをよく観察して，アプローチにつなげていくとよい．構音の誤り方の表記が難しい場合が多いため，聴覚的評価を行う際には動画を撮り，繰り返し視聴して構音運動との関係を観察しながら評価することが望ましい．小児の発話特徴抽出評価を表 4-45 に示した．

4 聴力評価

検査時の姿勢を調整，留意する．個々の反応様式の特徴をつかみ，子どもの反応に慣れることや何回か検査を繰り返し行うことも必要である．

5 学習面の評価

年齢によっては文字学習や読書・読解力，作文などの評価が必要となる．この場合視覚障害や視覚認知能力について，事前に情報を得ておく．

D 支援

脳性麻痺児への支援は，以下の3点に留意する．
1) ライフステージや環境など広い視野で捉える．
2) 障害の内容および程度を踏まえ多様な臨床像を理解し，臨床像に応じた支援方法を検討する．
3) 子どもを取り巻く人々との連携，また子どもの将来の言語・コミュニケーションの状態を予測しながら，現在の具体的支援内容を検討する．

1 ライフステージと言語・コミュニケーション支援

子どもたちは，その発達過程で臨床像が変化する．子どもの生活年齢や全体的な発達状態を捉えながらアプローチをし，子どもの成長とともに変化する生活空間，社会性の拡がりのなかで子ども

表 4-45 小児の発話特徴抽出評価

対象児名　　　　　　　　　　　男・女　　　実施年月日

生年月日　　　　　　　年齢　　　　　　評価者

評価に使用した資料(自由会話，単語や文の復唱，音読など)

		項　目	特徴の程度			
声質	1	粗糙性	なし	少々あり	あり	目だってあり
	2	気息性	なし	少々あり	あり	目だってあり
	3	無力性	なし	少々あり	あり	目だってあり
	4	努力性	なし	少々あり	あり	目だってあり
声の高さ・大きさ	5	声の高さ	低い	少々低い	普通	少々高い / 高い
	6	声の翻転	なし	少々あり	あり	目だってあり
	7	大きさ	小さい	少々小さい	普通	少々大きい / 大きい
	8	大きさの変動	なし	少々あり	あり	目だってあり
	9	声のふるえ	なし	少々あり	あり	目だってあり
話す速さ	10	速さの程度	遅い	少々遅い	普通	少々速い / 速い
	11	速さの変動	なし	少々あり	あり	目だってあり
プロソディ	12	音・音節の持続時間が不規則に崩れる	なし	少々あり	あり	目だってあり
	13	抑揚に乏しい	なし	少々あり	あり	目だってあり
	14	繰り返しがある	なし	少々あり	あり	目だってあり
共鳴・構音	15	開鼻声	なし	少々あり	あり	目だってあり
	16	鼻漏れによる子音の歪み	なし	少々あり	あり	目だってあり
	17	構音の誤り	なし	少々あり	あり	目だってあり
	18	構音の誤りが不規則に起こる	なし	少々あり	あり	目だってあり
発話全体	19	異常度	なし	少々あり	あり	目だってあり
	20	明瞭度	明瞭	少々不明瞭	不明瞭	非常に不明瞭

評価時の留意点
①子どもの生活年齢や性差，言語発達レベルに留意する．
②評価をしながら，発話を録音して，カテゴリーの声質，声の高さ，声の大きさ，話す速さ，プロソディー，共鳴・構音，発話全体ごとに1回以上聞き評価する．

〔福迫陽子，他：麻痺性(運動障害性)構音障害のことばの特徴—聴覚印象による評価．音声言語医 24：149-164, 1983 より改変〕

がもっている能力を十分発揮できるように環境を調整する．

子どもやその家族を取り巻く環境は，**時代性**や**地域性**の影響を受ける．時代に則した状況や情報を収集し，地域性を踏まえ，子どもたちが各ライフステージで能力が存分に発揮でき，家族とともに豊かに暮らせるように他職種と連携しながら支援する．脳性麻痺児のライフステージに沿った言語・コミュニケーション支援を表 4-46 に示した．それぞれの子どもの状態に合わせて調整する．

8 脳性麻痺・重複障害

表 4-46 脳性麻痺児のライフステージと言語・コミュニケーション発達の支援

成長段階	フィールド	コミュニケーション発達		言語聴覚士の援助	
		表出	理解	直接的アプローチ	環境のマネジメント
乳児期	家庭／医療／療育／教育 保育所／障害児保育所／居宅訪問型保育／通園（乳児）／リハビリテーション	生理的発声　身体運動 泣き・笑い　表情　[アイコンタクト]　周囲の音・音声への気づき 　　　　　　　[注視]　人とのかかわり 意図的発声　視線　物へのかかわり 声のバリエーション　[共同注意] 手さし　[三項関係]　状況の理解 音のバリエーション　認識の向上 　　　　　　　[VOCA]		プレスピーチ ・食事指導 ・対人・対物関係を広げる表出に対する応答的なかかわり 外界への興味・指向性を引き出す ├ 好きなことを見つける └ 要求・意欲を引き出す	母親への育児・心理的援助 ・生活のリズム調整 ・児からの反応の受けとめ方，働きかけ方 ・母親同士のかかわりの場を提供
幼児期	通園（幼児）／幼稚園／入園	指さし　ことば・絵・写真などの理解 動作模倣 [タブレット端末] [コミュニケーションボード] 構音の分化　ジェスチャー サイン　サインの理解 シンボル　シンボルの理解 [コミュニケーションBOOK]		視・聴覚などの認知基礎学習 スイッチ操作，VOCA，アプリなどによる遊び スピーチ獲得に向けた発声・発語への取り組み サイン，P&Pの導入 言語学習の指導 シンボルの学習	人や物とのやりとり関係を高める ・集団参加 ・遊びの拡大 ・子どもに関わる大人達は，子どものコミュニケーション方法や能力，機能を共有する ・簡単なコミュニケーション手段を使う機会を拡げる
就学前期		スピーチ			
学童期 （小学校）	放課後等デイサービス／特別支援学校／特別支援学級／通常学級	文字を読む　文字の理解 文字を書く　[文字盤] [VOCAコミュニケーションエイド] [タブレット端末・パソコン・スマートフォン]		文字学習 発話明瞭度改善に向けた発声・発語への取り組み コミュニケーション手段の選択 児に適した機器の使用 ことばを用いた思考を高める iPad・パソコンの使用 読み書き能力を高める	新しい環境での表現の受容 児の生活フィールドとの連絡調整 コミュニケーション機器購入の相談・支援・フォロー
青年期前期 （中学校） （高等学校）			社会性の拡がり	多チャンネルでのコミュニケーション	コミュニケーション機器の使用と表現活動の拡大
青年後期 成人期	進学／就労／福祉的就労／施設通所（生活介護）／施設入所（療養介護）／グループホーム（共同生活援助）／自立	[複数のコミュニケーションスキルを用いる]		発声・発語機能低下への対応	・生活の記録 ・生活のフィールドで役割をもつ ・自伝・投稿などの活動 ・生活の質を高め，拡げる

a 乳児期

早期発見，**早期療育**が定着した今日では，言語聴覚士は乳児期から子どもたちと出会うことが多くなった．乳児期は子どもの発達も未分化で家族は療育にかかわる職種への理解も十分ではない．

初期の育児の困難性を少しでも緩和できるように育児全般を支援する**療育チームスタッフ**のなかで専門性を生かしながら役割を担う．また，養育者の障害に対する不安な心理的側面に配慮しながら養育者との信頼関係を築いていく．養育者や家族が子どもの障害を受け入れ，育児に自信や希望をもって暮らせるようになるには多くの時間や数々の経験が必要であることを忘れてはならない．

乳児期は授乳や離乳食などの**食事指導**を中心とした育児支援が中心となる．食事場面は子どもと母親とのコミュニケーションの場でもある．授乳や食事場面でのことばのかけ方，食物の提示のしかたなど視聴覚，味覚，触覚，嗅覚，温度覚などを考慮した認知，コミュニケーション発達面への視点をもつ．母親が子どもの小さな発達的変化に気づくことで，発達の見通しがつき育児に自信をもち，育児の負担感が軽減する．母親の思いを受け止めながら継続して支援を行う[7]．

b 幼児期

この時期は，言語理解を促進したり，乳児期から継続して食事指導を行いながら発語準備のための**プレスピーチアプローチ**（→217頁）を行うことが多い．また医療や療育での個別的リハビリテーションとともに**集団保育**に参加する機会が得られる時期でもある．同年代の子どもや保育士など，これまでと違った人々とのかかわりへ発展できる時期でもある．

養育者は，運動発達，ことばの発達や食事，排泄の自立，といった機能面のことが気になりやすいが，この時期は保育活動の楽しさを十分経験していけるよう配慮する．個別指導での課題が保育場面でどのように活かされているか，あるいは保育場面でみられる子どもの潜在的な能力を個別指導に活かせるよう検討する．また，障害の程度による違いはあるが，意欲や自我の発達でも大切な時期なので，子どもの発達を広い視野から評価し，支援することを養育者とともに確認する．

c 就学前期

近年障害があっても地域の学校を選べるようになった．しかしながら地域によってその受け入れ状況は異なる．地域の情報を養育者に提供し学校選択に役立ててもらうようにする．また子どもが急速に成長する時期でもあるので，就学までの目標を提示して具体的な学習方法を示唆できるとよい．例えば重度重複障害児では学校の給食に向けての食事指導を行うことが必要となる．子どもによっては，発達レベルに合わせて文字や数などの学習の準備をしておくこと，発語でのコミュニケーションが不十分な場合は，ほかのコミュニケーション手段を選択し，使用方法を検討する．そして発語の明瞭性を少しでも改善しておきたい．

d 小学低学年期

学校生活では新しい経験が始まる．地域の療育センターでは就学とともに指導が終了し，学校教育に移行されることが多いが，乳幼児期に指導したことが学校生活で活かされているか，経過を追うことが望ましい．筆者の経験では就学前後にことばが出始めたり，急速にことばが増えることもある．しかし，このような時期には発語が不明瞭なことが多い．教師がことばの不明瞭さのため子どもとのコミュニケーションに困ることがある．子どもの状態を温かく受け入れてもらえるよう**環境調整**を行う．例えば，事前にことばの特徴などを連絡しておき，担任教師が少しでも聞き取れるよう支援する．必要があればAACの使用も検討する．

また，文字や数の学習が困難であったり，語彙や談話に偏りを示す子どももいるので就学後もできる限り何らかの方法で経過観察しながら必要に応じて支援できるよう配慮する．

e 小学高学年期

この時期は学校生活が中心となり，医療，療育

施設での指導は少なくなるが，時間をかけて発達する重度重複障害児は幼児期や児童期で積み重ねてきた指導の成果があらわれることがある．表情や発声，身体の動きなどよる反応性が高まり，子どものコミュニケーション方法が定着してくる時期でもある．知的レベルが中度以上の子どもではAACの使用が実用化してくる[8]．アテトーゼ型や重度の運動機能障害のある子どもは身体の緊張や不随意運動により，随意的にコントロールして使用できる身体部位が決定できず，試行錯誤を繰り返すことが多い．継続的に**理学療法士**や**作業療法士**とも相談しながら使用できる身体部位や使用方法を試してみる．

発語面でも発達する時期でもあり，心身の活動性が活発になる．身体の成長に伴って運動がパターン化したり，側彎や股関節脱臼など身体の変形や拘縮をきたしやすい．発声・発語に関しても子どもの意欲を尊重しながら，リラックスして発声・発語をするようなアプローチを展開していく．

養育者と子どもの将来の生活をイメージしながら現在の子どもの発達段階で何を準備しておくかを話し合っていくことも必要である．

f 中学・高等学校期

この時期は学校生活中心となり，子どもの発達も安定してくるので，個別言語指導を行うことはより少なくなる．しかし，重度重複障害の子どもたちのうち，ゆっくりと発達する子どもたちは幼児期，児童期に積み重ねてきた指導や養育者の熱心な働きかけの成果がみられるときでもある．反応性の高まりや，シンボルや文字の理解，AACの活用がみられる場合もある．重度重複児では，股関節脱臼や脊柱の変形，下顎の後退，舌根沈下などの二次的障害が進み，呼吸や摂食嚥下機能が低下することがある．機能低下の徴候を早めに発見し，姿勢や食事介助方法の改善によって現状の機能を維持することや機能低下を少しでも遅らせられる支援を行う．

子どもたちの発達の経過をみながら必要なときに助言・指導ができるように，少ない頻度でも継続的な経過観察を行っていく．

g 青年・成人期

中学・高等学校期を終了して学校生活から社会人になるこの時期は生活が大きく変化する時期でもある．12年間，学校という安定した環境で教師の指導を受けて豊かに過ごしていた時期から，施設入所や通所，就労といった新たな環境への適応にストレスを感じる場合も少なくない．重度重複障害では特に食事介助に問題が生じやすい．施設において職員の介助に慣れなかったり，摂食嚥下機能の低下の時期とちょうど重なったりして，誤嚥などのリスクが生じる．また環境の変化や加齢により，身体の緊張が増してコミュニケーションも一時低下することもある．個々人が獲得した特有なパターンを大きく変えることは難しく，年少期のような改善は望めないが，対象者の訴えに耳を傾けて，少しでも改善できる方法を検討していく．姿勢，呼吸との関連も高いため，理学療法士，作業療法士，施設職員との連携も不可欠である．

2 言語・コミュニケーション発達の臨床像と支援内容

子どもたちの臨床像は障害の内容や程度によって多様であり，さらに年齢や家庭環境，地域性，時代性が加わり，個別性が高い．これらを考慮し多様な臨床像に対応した臨床を行うために，主な子どもの臨床像と言語・コミュニケーション支援内容を表 4-47 に示す．

障害の内容と程度の軸を指標として，コミュニケーション発達に大きく影響すると考えられる**知的能力**と**運動機能**について各障害の程度を3つに分類した．各枠に示した内容は，あくまでも子どもを理解し，支援内容を考えるうえで参考とするものであり，それぞれの子どもたちはこの枠の内容では対応できない問題を多くかかえていること

表 4-47 脳性麻痺児のコミュニケーション発達の臨床像と援助

		知的能力障害		
		軽度	中度	重度
運動機能障害	軽度	G・統合保育, 統合教育のなかで児の能力を必要に応じて援助する ・保育や教育の環境調整 保育者や教育者に児の障害の特性を理解してもらう 姿勢や器具についての助言 ・将来の自立生活へ向けての ADL 自立の援助 生活に自信をつける 経験の拡大についての助言 上肢機能より下肢機能のほうがよい場合もあり, より実用性のある機能を検討	H・年少期からことばがみられることもあるが言語能力としては発達は遅く, 狭い ・親が過度な期待をすることがある. 適宜児の能力について助言 ・教育の場について迷うことが多い. 社会的背景, 地域性を考慮し, 児がいきいきと生活できる場について助言, 継続的援助 ・生活のなかで実用的に使いこなすためのことばの発達への援助 G'・読み書き計算など学習に困難を示す児もいる ・視覚認知に障害のある児もいることばはよくしゃべるが, つじつまが合わなかったり, 応答がかみ合わない児もいる ・それぞれの問題に応じた援助が必要	I・年少期は不活発か多動傾向があり, 母は児の反応や気持ちがつかみきれず育児が負担になりやすい ・情緒の不安定, 感覚の異常性があったりするが, 生活のリズムを整えること, 食事など生活全般についての助言や母子で楽しく遊ぶ方法などを助言 ・人や物への関心や興味を引きだし, 行動統制の促進の援助 ・人や物とのかかわりを拡げるために, ジェスチャーなど児が理解しやすいコミュニケーション手段を検討
	中度	F・年少期からことばがみられることがある プレスピーチからことばの獲得への援助 ・初期のことばは聴き取りにくい児のことばを受容するために母への助言 ・ことばの明瞭性を改善するための援助 ・保育, 教育の場の選択についての助言 ・ことば, 文字などの表現能力を高めたり, 学習面での援助	C・年少期から人や物に対して反応があり, ゆっくりではあるが理解面, 表出面とも発達がみられる ・プレスピーチからことばの獲得への援助 ・ことばでのコミュニケーションの拡大と維持 ・サイン, シンボルや文字など複数のコミュニケーション手段へ広げるための援助 ・上肢機能によってはコミュニケーション機器について助言 ・生活に必要なスキルの獲得の援助	D・年少期から活動が少なく受け身になりやすい 母の意識を高め, 児への働きかけ方や反応の受けとめ方を助言 ・児の関心や興味を引き出しながら応答関係を促進する援助 ・児の意思や意欲を引き出す働きかけ方を助言 ・上肢機能や口腔機能が比較的良いにもかかわらず感覚の特異性があったり, 発達の遅れや偏りがみられることもある 物の操作や摂食機能など長期の援助
	重度	E・乳児期から環境や刺激に過敏で, 育児が難しい ・年少期から児は伝えたいことがたくさんあるが周囲は了解しにくい 母子関係の調整 早い時期からコミュニケーション手段を検討 ・身体機能障害が重度でも口腔機能が比較的よい場合もあるので, プレスピーチからスピーチの可能性をみていく ・知的面と運動面のギャップをどのように埋めていくか助言, 援助 ・学習の保障について助言, 援助	B・年少期には児の反応をとらえにくく, 手がかりを母とともに見つけていく ・成長とともに障害の重さが顕著になってくる 環境の変化に適応していく力を付けるように援助 ・コミュニケーション能力はゆっくりと発達する 時間をかけてコミュニケーション手段を検討していく ・身体機能障害が重度でも口腔機能が比較的よい場合には, プレスピーチからスピーチの可能性を見ながら他の手段の検討とあわせて表現力を付ける援助 ＊年齢の増加とともに機能低下を起こしやすい. 身体の変形, 口腔機能など長期にわたって経過を見ていく. 眼球運動や視覚に問題がある児もいる. 姿勢や刺激の与え方に配慮が必要	A・周囲の活動にどんな行動を起こしているか, どんなサインを出しているかを探りながら児のゆっくりとした成長に合わせたかかわり方の援助 ・摂食機能に問題がある場合が多く, また乳児期には育児の困難性もあり母の不安感も強い 食事指導を中心に母子ともに生活が楽に気持ちよく送れるよう援助 A'・医療機関との連携が必要 ・視聴覚の反応がはっきりしないことが多い ・食事指導のなかで味覚, 嗅覚, 触覚などの反応を引き出す ・小さな変化を母と共有する

＊ABCD 群に共通する.

〔高見葉津：コミュニケーションの発達援助. 日本聴能言語士協会講習会実行委員会（編）：アドバンスシリーズ／コミュニケーション障害の臨床 第 3 巻 脳性麻痺. pp73-108, 協同医書出版社. 2002 より〕

に留意する．また，運動機能は姿勢運動能力で分けたが，姿勢運動機能と発声・発語機能が必ずしも一致するとは限らないので，その点に留意する．子どもたちの言語能力，口腔機能や呼吸・発声機能をよく観察し，十分に考慮してそれぞれの子どもたちに必要な支援を行う[9]．

a 姿勢運動機能

姿勢運動面では，①日常的に自力座位が困難で臥位ですごしているレベル，②歩行は困難だが自力座位が保てるレベル，③自力での立位，歩行が可能なレベルの3段階に分けた．

b 知的能力

知的能力は大まかに次の3つに分けた．①ほぼIQ 35以下で知的に重い障害を有し，学習効率も悪く表象機能を学習することが困難なグループ．このグループには大島の分類でいう重症心身障害児が含まれる．②IQが40～60前後で知的に中等度の障害を有し，時間をかけながら学習することで象徴機能を用いたコミュニケーション発達が期待でき，発語を獲得する場合もあるグループ，③ほぼIQ 70以上で知的活動が活発で学習効率がよく，環境が整えば通常教育カリキュラムに適応できる軽度の知的能力障害から正常の知能を有するグループである．

c 重複障害への配慮

子どもたちのなかには知的能力障害だけではなく**視・聴覚やその他の感覚機能**に重複障害をもつ場合もあるので十分に配慮する．

d 留意点

表4-47を参照するときの留意点として，1人の子どもが発達過程のなかで1つの枠に固定されてしまうのではなく，発達とともに隣接するほかの枠に移動する可能性が十分ありえることをあげておく．常に子どもの発達状況を見直し支援内容を発展させていくことが大切である．

3 生活の質を向上させる支援のための連携

医師，看護師，セラピスト，生活の場でかかわる人々（例えば家族，保育士，指導員，教師，介護士，ボランティアなど）との横軸の連携，そして，同様の人々との子どものライフステージでの変わり目に沿った縦軸の連携があげられる．

4 指導・支援方法

a 育児支援

子どもたちと母親との母子相互作用は毎日の育児を通して育まれる．脳性麻痺や重複障害の子どもたちにみられる活動性の弱さ，生理的発声の弱さ，感受性の偏り，身体の発育不全といった発達の偏りや遅れとともにそれらの子どもたちを育てていく中での育児の困難性が，**母子相互作用**を滞らせる原因ともなる．食事指導を中心により多くの反応を引き出す遊びなどを指導する．子どもの小さな発達的変化を母親と共有し，母親が育児が楽しく感じられるようにする．

b 言語発達への支援

脳性麻痺児では1人の子どものなかで言語能力の各能力にばらつきがみられることがある[8]．

(1) 語彙の発達について

知的障害がない子どもでも，幼児期の言語発達が遅れることがみられる．運動障害による日常生活での経験不足や集団生活の幅の狭さから，語彙の獲得に遅れや偏りがみられ，特に動作語や形容詞，抽象語を学習するのに時間がかかることがある．また重複障害児では事物の名称，身体部位，上位概念などに関する語彙の獲得が困難なこともある．子どものつまずきの特性に合わせた指導内容を検討していく．

(2) 構文の発達について

単語や2～3語文で表現する時期が長く，また

助詞の使用の発達が遅れる場合がある．発語の不明瞭性や話す速度が遅いこと，発声の制限などが影響することもある．ことばが増える幼児期から小学低学年時期に，子どもの発語に時間がかかるため聞き手は発語を先取りしたり，最後まで聞き取らないことがある．また，発語が不明瞭であることや省略して話すことに養育者は慣れてしまう．この繰り返しは子どもの構文の発達を阻害する．子どもの発語の改善や，構文の学習へのアプローチとともに子どもを取り巻く周囲の人々の理解を高める．

(3) 音韻意識の発達について

音韻意識の発達の問題は発語や構音の獲得，発語の不明瞭性，また読み書きなどの学習困難の要因となることがある．脳性麻痺や重複障害の子どもでは発語の獲得や発語の不明瞭性の原因として知的発達や口腔機能障害が考えられることが多いが，時に音韻意識の発達が問題の一因となることもある．発語へのアプローチを行うときは音韻意識の発達にも留意する．

(4) 語用や談話の発達について

早産低体重出生でPVLによる脳性麻痺児のなかに，話しことばは獲得しているが，ことばの使い方に誤りや順序立てて話すことが苦手で，伝えたい内容がうまく表現できないことがある．また，話が一方的になったり，急に話題が変わるためスムーズな対話が成り立たないこともある．ことばの理解力を高め，文の構成力をつけながら実用的な応答関係を習得する指導を行う．また読み書きや読解，作文，数などの学習への支援が必要となることもある．

Ⓒ 発声発語へのアプローチ

発語はあるが構音障害や発話の速さやリズムの崩れ，流暢性の欠如，声の大きさや，声の質に問題があり発語が不明瞭で聞き取れなかったり，脳性麻痺特有の話し方になることがある．発語へのアプローチは独特な発語であっても，より聞き取りやすくなるよう**明瞭度を上げること**を優先させる．

(1) 呼吸・発声・発語へのアプローチ

特異的な身体の姿勢筋緊張や運動パターンは呼吸の調整に関連し，発声に必要な呼気に影響する．喉頭の周辺の筋緊張の調整のまずさは，起声困難や発声持続などの問題が生じる．

呼吸，発声，構音運動の各機能の改善を図り，発語に結びつける．

①呼吸

ゆったりとした深い呼吸が実現できる姿勢や場面を設定し，子どもにその感覚をフィードバックする．

口・鼻呼吸の分離を働きかけ，ため息のようなゆったりとした呼気を促しながらブローイングの練習をする．

②発声

発声については，頭部，体幹と腰部の位置関係を整えながら声を出しやすい姿勢緊張に変えていく．子どもがリラックスして発声・発語できる姿勢を工夫する．臥位，座位，立位など姿勢を違えて観察する．臥位では，背臥位，側臥位，腹臥位でも異なることがある．座位では，子どもに合った椅子や車いすや座位保持装置を使用することもある．体幹を後方に傾けるか，垂直にするか，前方に傾けるか，また，その角度はどの程度が良いかなどを検討する．

例えば，立位保持装置やプローンボードなどを使用して立位で呼吸状態を調整しながら発声・発語をする機会を作る方法もある．呼びかけのやり取りなどで母音の発声を持続させたり，声だし遊びや，歌を歌ったりしながら発声を促進する．無理に大きな声をださせたり，持続を強いることで身体の筋緊張や異常な姿勢パターンを高めないよう留意する[10]．

③**構音**

子どもによって誤まる構音が異なることや誤まりやすい音や誤まり方に違いがある．アテトーゼタイプの子どもでは，単音節，単語，文章で誤りが浮動的になることがある．単音節では構音可能でも単語や文になるとうまくいえないことがある

ので，発語レベルにあった練習が必要となる．中には定型的な構音の獲得過程に沿わないこともある．発語に関する問題を整理し，発語時の身体の状態との関係性を分析しながらアプローチ方法を検討する．留意する点は，正確な構音にこだわりすぎないことである．発語が少しでも明瞭になるために必要な要素を改善していく．一方話す経験を重ねることにより明瞭度が上がる場合もある．不明瞭な発語を聞き取るようにし，子どもの興味を引き出して発語でのコミュニケーションを楽しむ工夫をすることも大切である．子どもは聞き取ってくれる人にはよく話しをしてくれる．

(2) プレスピーチアプローチ[11]

発語や明瞭な構音を獲得するには，言語理解力の発達，聴覚認知の発達や音韻発達などの能力を必要とするが，口腔器官の運動能力は不可欠である（図4-42）．口腔器官へのアプローチ方法の1つに，神経発達学的な考え方に基づくプレスピーチアプローチがある．摂食嚥下機能は呼吸や発声，構音器官の運動機能と関連があることから，食物を使って呼吸のコントロールや喉頭周辺の筋緊張の調整，下顎や口唇，舌の動きを促進する方法である．食物を取り込んだり，咬みとったり，砕いたり，すりつぶしたり，舌を使って食物を移動することで，口腔器官の動きを引き出す．口唇や舌，下顎の運動の速さや力を増しながら，これらの器官の微細な協調・分離運動を高めて発語を改善する．食物の使用に工夫が必要である．例えば口唇の閉じを促進するためには，口唇を使ったスプーンからの取り込みから，ヨーグルトなど抵抗の大きい食物をストローで吸い上げるなど課題の難易度が異なる方法が考えられる．固形の食物を誤って喉に詰めないようガーゼで包み，咀嚼を促したり，ガーゼに包んだ飴玉などをしゃぶることにより下顎や舌，口唇の動きを引き出すことができる．どのような食物をどのように使用するかを工夫する．

これらのアプローチでは身体の支持面を安定させ，体幹，頸部，頭部の位置関係を整えながら

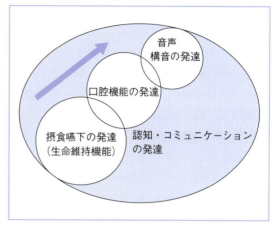

図4-42 食物摂取機能からの発展：生命維持から話しことばへ

オーラルコントロール（→ Note 41）で下顎の安定性を保持して，下顎，舌，口唇の協調・分離運動を高めていく．

d 拡大（補助）・代替コミュニケーション（AAC）のアプローチ

知的能力障害に比べて運動機能障害が重度で話しことばの獲得が困難な場合や発話が不明瞭でコミュニケーションが十分成立しない場合に，発語や書字の代替として AAC を手段として用いる．

> **Note 41．オーラルコントロール**
>
> 口腔器官や口腔周辺の感覚運動機能を促進するための方法としてオーラルコントロールがある．摂食嚥下時，発声・発語時，また遊びのときなどにアプローチして，下顎や舌，口唇，頬などの望ましい位置関係や筋緊張を保ちながら，安定した状態を保ったり，分離協調運動を促通する．側方からのコントロールでは，言語聴覚士が子どもの側方に位置し，子ども側の言語聴覚士の腕を子どもの後頭部にまわし，親指を子どもの顎の側方に触れ，人さし指を下唇の下の顎にあて，中指を顎の後ろから舌根のあたりにあてて，一定の圧を加える．前方からのオーラルコントロールでは，言語聴覚士は子どもの正面に位置し，親指を下唇のしたの顎にあて，人さし指を顎の側方に触れ，中指を顎の後ろから舌根のあたりにあてて，一定の圧を加える．子どもの状態によっては，これらの方法にさらにバリエーションを加えることもある．

また，言語・コミュニケーション発達を促進するためにも用いることができる．

AACで用いる**記号**(発声，身振り，実物，絵，写真，シンボル，文字単語，文字)，**デバイス**(ローテクノロジー，ハイテクノロジー)，**入力方法**(指/手/肘/視線などによるポインティング，指/手/肘/足部/表情筋などによるスイッチ操作，視線入力，手のひら書きなど)[12]は，子どものコミュニケーション発達レベルや運動機能，学習効率を考慮しながら選択していく．

脳性麻痺児のAACの導入は子どもの興味や関心，好きな対象を知ることから始める．子どもと大人は好きな遊びや活動を通して「嬉しい」「楽しい」といった気持ちを共有する．さらに遊びを繰り返す中で「もっとやりたい」「今度はAではなく，Bをやってみたい」といった要求が表情，声や身体の動きに現れ，それを大人が感じ取る．このような情動的なやりとりが出発点となって，種々の記号を用いた伝え合いに発展する．

ことばの理解が進むと，他者の話しかけにYes/Noで応答することで自分の要求を伝えることや情報を共有することを促す．子どもの随意的な発声や身体運動(身体部位の動き/表情/口形/視線/うなずき/首振り/まばたきなど)に応答し，定型的なYes/Noのサインの表出に発展させる．一方で記号を用いて自発的に表出する場面を設ける．例えば，車いすのテーブルに貼ってあるシンボルをポインティングして玩具を要求する．並べた写真カードを自発的にポインティングしてやり取りを楽しむことから始め，やがてことばに対応して一度だけポインティングすることを目指す．

コミュニケーションボードやコミュニケーションブック，文字盤などのローテクノロジーのデバイスは，子どもの視知覚認知や上肢の機能に応じてフレキシブルに作ったり使うことができる．絵や写真，シンボル，文字を配置する際は，記号のサイズや数，範囲を調整する．またデバイスは斜面台に置く，あるいは介助者が手に持ち子どもからの距離や角度を調整し，見やすくポインティングのしやすい位置に提示する．使用を重ねながら子どもが伝えたい内容に合わせて語彙を追加するなど，随時作り替える．

運動機能が重度の場合はポインティングが不確実であるため，直接子どもの手に触れて動きを追従しながら指し示す絵や文字を特定する．確信がもてない場合にはYes/Noの身振りで確認をとる．表出を読み取るには時間を要する．

ハイテクノロジーデバイスの**VOCA(voice output communication aids)**や意思伝達装置の音声出力機能は，表出時に周囲の注目を得やすいといったメリットがある．文字と音の対応を学びながら文字言語学習を進めることもできる．パソコンやタブレット類は記号の配置や提示方法に制限がある．上肢や視覚機能によっては入力やスイッチ操作，オートスキャニングのタイミングに合わせることなどが困難であり，入力の練習に多大な時間を要するため，導入を断念することもある．理学療法士や作業療法士の協力を得ながら，どのような姿勢でどの身体部位を用いて，どのような機器や補助具を導入するか，時間をかけて検討する．

言語聴覚士の役割は機能面の介助や機器の選定だけではなく，子どもから話を引き出すことが重要である．話しことばをもたない子どもが自分のことばで語った内容を子どもの意図に沿って理解し，自己意識を高め，社会性の発達を促したい[13]．

指導場面でAACの使用が定着した後は，養育者や子どもに関わる人と調整しながら家庭や学校など生活場面での使用に向けた支援を行う．

e 重度重複障害児への支援

重度重複障害児のコミュニケーション能力は評価が難しい．子どもの発声や表情の変化が少なく，反応を見出したり判断するためには，言語聴覚士の経験や臨床時間を要する．子どもによっては，全身の伸展パターンで反応したり，頭部や指先，舌などのある**身体部位のわずかな動き**で表現

することもある．まずは，かかわる中で子どもをよく観察し，自身の動きや働きかけが周囲の人や物に変化をもたらすことに気づけるとよい．また場面や人によって反応が変わることがあるので，日常的によくかかわっている人々から情報を得る．全般に重度重複児は発達上の変化は緩慢で時間を要する．また早い時期に機能低下をきたすことも少なくない．環境調整とともに長期にわたる継続的な支援を行い，子どもの反応様式や発達的変化を養育者と共有する[14]．

f 環境調整について

母子相互作用，育児場面，発声・発語，AACの使用においてコミュニケーション意欲を育むことができるような周囲のかかわり方が必要である．子どもが自分の気持ちや伝えたい内容を表出しようとする環境をつくること，そしてその表出を周囲の人々が受け止め，理解するよう調整したり，その土壌をつくることなど言語聴覚士は環境のマネジメントを行っていく．

E 課題と展望

現在の医療では神経病理学的に完治することのない脳性麻痺や脳性麻痺を主症状とした重複障害の子どもたちは，それぞれの個性をもって発達し人生を歩んでいく．それぞれに個性のある言語能力やコミュニケーションの発達にいかに**科学的な根拠**に基づいて，心をこめて柔軟に支援していけるか，言語聴覚士にとっての大きな課題である．言語聴覚士は**視野を広め**，各アプローチの技能を高めていかなければならない．そして子どもたちのもつ能力が日常の生活に活かされ少しでも自己実現ができ，家族とともに豊かな生活につながることをめざして支援していくことが大切である．言語聴覚士が子どもたちに継続的にかかわることは，言語聴覚士としての成長の源となるであろう．子どもと家族の成長に伴走しながら，ともに成長するよう臨床を楽しんで積み重ねていきたいものである．

F 事例紹介

1 事例1

a 対象児

【事例】男児，初診時6歳7か月～現在指導継続中，15歳．
【主訴】ことばが不明瞭．
【診断名】脳性麻痺(痙直型両麻痺)，知的能力障害．
【生育歴】在胎25週，双胎第1子で出生．出生時体重686g．PVLの疑いがあった．未熟児網膜症を治療後，矯正視力は右眼0.2，左眼0.08である．運動発達は定頸7か月，座位1歳半，歩行は短下肢装具を装着して6歳頃に可．言語発達は3歳後半に始語，文発話がみられた．
【家族歴】父，母，双胎弟(自閉症スペクトラム障害，知的能力障害)．
【環境】幼児期は地域の福祉型児童発達支援センターに通園し，言語聴覚療法を実施していた．同時期にA医療センター外来で理学療法，作業療法を実施していた．小学3年まで支援学級に在籍，小学4年時に特別支援学校に転校し，現在高等部1年生．就学後は言語聴覚療法と理学療法をA医療センターで継続(現在経過観察中)．

b 評価

初診時，言語・コミュニケーション発達スケール(以下，LCスケール)では理解面2歳台後半，表出面3歳台後半レベルであり，表出レベルに比べ理解レベルが低下していた．形容詞や量概念の理解はみられなかった．検査場面で絵を選択する際に細部への注目が難しかった．対人的には親和

的であるが落ち着きがなく，一方的にしゃべっていた．日常よく耳にするが経験を伴っていないことばをそのまま表出することが多くみられた．

7歳時のKABC-Ⅱでは同時処理尺度項目のすべてに応答できず，継次処理尺度項目の「数唱」「語の配列」「ことばの読み」は5～6歳レベルに対して「なぞなぞ」「算数」は3歳台レベルで下位項目間のばらつきが大きかった．視知覚認知能力は低下しているが，聴覚的な短期記憶やかな文字の読みは比較的良好であった．学校や家庭での学習を通して個々のかな文字を読むようになった．自発的な書字は困難であるが五十音表の文字配列を記憶し，携帯用会話補助装置に単語を入力することに意欲をもって取り組んだ．11歳時のLCスケールでの言語発達レベルは理解面4歳台前半，表出面5歳台であった．

c 指導目標と指導内容

- 指導目標：①形容詞や量概念など抽象的な意味理解を促す(指導初期のみ)，②話すことを通して語彙を増やし，文による表現力を高める，③読み書きの力を高める(小学校高学年以降)．
- 指導内容：①(1)視覚的な注意や空間の知覚認知力を高めるため，型はめや棒差しなどを用いた色，形，大きさの弁別，また紙面に貼った複数のシールから好きなキャラクターだけを探す課題．(2)事物の操作を通して概念を学習しことばと結びつける．例えば2枚の皿の一方に多く他方に少なく配分する課題で「多い」と「少ない」，机上にアクリル板をかざし上と下の空間を示し，2種のボール配分する課題で「上」と「下」など．②写真で共有しながら自身の日常の体験を話す．言語聴覚士は児のことばの再生や拡張模倣をし，質問によってさらに発話を誘発する．言語聴覚士が発話を書き取って文にしたものを音読して聞かせ，児に再度話してもらう．③(1)文字単語と絵のマッチング，(2)絵本の中の文や，本児の発話をもとに言語聴覚士が文に整え書いたものを音読してもらってから携帯用会話補助装置を用いて書き写す．

d 指導結果

①具体物の操作を通して量・位置・重さなど抽象的なことばの理解が進んだ．
②当初は名詞一語の表出が多かったが，言語聴覚士がことばを書き取っている間に動詞を続けたり，印象に残った事柄を追加して話したりするようになった．さらに助詞や助動詞を用いて出来事を順序立てて話し，自身の願望や心情も述べるようになった．
③携帯用会話補助装置の音声出力機能によって，ことばの誤用や誤字脱字に気づくことができる．現在は放課後等デイサービスで文書作成ソフトウェアを使ったローマ字入力に意欲的に取り組んでいる．

e まとめ

早産低出生体重児の痙直型両麻痺児は運動機能や知的能力の障害に加えて，視知覚認知障害や行動の偏りがみられることが多い．コミュニケーションに偏りが生じ，ことばの学習に困難をきたす．本事例のように視覚による情報収集が苦手で，聴覚情報を頼りに限られた経験の中でことばを学習していると考えられる場合は，視覚以外の感覚に注目したい．抽象的なことばの理解には，位置や量のイメージをもてるよう事物に触れて操作することが有効であった．また写真による自身の体験の共有は，対象のイメージをもちながら話すことを助けた．視知覚認知障害により，文字の認識はあっても自発的な書字が困難な場合にはAACを用いて表記し，書字言語の学習を進めることができる．

2 事例2

a 対象児

【事例】男児．初診1歳10か月～3歳半までは食

事指導，3歳半からは言語指導を行い，現在9歳で継続中．

【主訴】発話を家族以外の人に聞き取ってほしい．

【診断名】脳性麻痺（アテトーゼ型）．

【生育歴】在胎36週，出生時体重2,612g．遷延性黄疸が認められた．4歳過ぎに特異なパターンで歩行するようになった．1歳頃には生活で用いることばを理解し，情動的な表出や身振りがみられ，3歳頃には不明瞭な発話がみられた．4歳後半頃から文字に興味をもち，音声付き文字盤の玩具で文字の読みを習得した．特別支援学校の個別指導では携帯用会話補助装置を用いている．

【家族歴】父，母，兄（高校生），姉（中学生）．

【環境】乳児期はA医療センター外来で言語聴覚士が食事指導，地域の福祉型児童発達支援センターで理学療法を行った．幼児期からはA医療センターの食事指導を終了し，言語聴覚療法に移行．地域のセンターでは集団療育にも参加し，幼稚園と併用した．就学後はA医療センターで言語聴覚療法，理学療法，作業療法を行っている．

b 評価

言語指導初診時の3歳6か月時の言語理解は，遊びの様子や養育者からの情報から2歳台と推測された．表出は指差しやジェスチャーが主で，発声頻度は少なく単語が数語みられる程度であった．

就学後は言語理解力と表出の能力差が著明になり，発話内容が伝わらず焦れることが増えた．小学1年時の言語聴覚士とのやりとりでは，文字盤を用いて清音，特殊音節をほぼ正しく表記し，助詞を使用した文表現ができた．発話時は肩や頸部周辺の緊張を高めて身体が非対称となり，表情をゆがめ，絞り出すように声を出した．発声持続が短く1語文発話が主で，2語文がたまにみられた．摂食嚥下機能の観察では食物を取り込むときに下顎が開きすぎ，口唇の閉じが弱かった．舌は不随意運動がみられ，食物を左右に動かして食物を粉砕できるが，運動は緩慢でパワーに欠けた．水分摂取時にはコップやストローを咬んでいた．

以上のことから顔面口腔領域も身体と同様に低緊張で，口腔運動機能は下顎の不安定な運動が著明で，舌や口唇との協調的な運動を妨げていた．普段は流涎がみられた．

表4-45の小児の発話特徴抽出評価では，声質は努力性と気息性が目立った．声はやや高めで，音量は全体的に小さい．起声時は有声音であっても直後に無声音となり，語尾は聞き取れなかった．話す速度の変動や音節の持続時間の崩れ，抑揚のない話し方が特徴的であった．新版構音検査では単語の構音は全体的に歪んでおり，子音の誤りは /s/ → /t, ʨ/，/ts/ → /ʨ/，/ʨ/ → /t/，/dz/ → /d/ の置換と省略であった．全体的な発話の明瞭度は「不明瞭」であった．9歳6か月時にLCスケールを文字盤の応答によって実施したところ言語発達レベルはおおむね6歳（対象年齢外のため参考値）で，受動態や助詞・助動詞の統語面の理解が遅れ，ことばで説明することが難しかった．

c 指導目標と指導内容

- 指導目標：①コミュニケーションに文字盤を使用する．②相手が聞き取れる語を増やす．
- 指導内容：①言語聴覚士とのコミュニケーションにおいて発話が聞き取れないときには文字盤を適切に用いることを促す．②(1)プレスピーチアプローチ（→217頁）によって構音に必要な下顎と舌の協調運動や口唇閉鎖する運動を促す．ガーゼに包んだグミキャンディを咀嚼する，棒つきキャンディを左右の頬に寄せる，口唇をすぼめて吸うことを行った．(2)話しづらさを自覚するようになった7歳頃からは，(1)に加え呼吸・発声へのアプローチを行った．口・鼻呼吸の分離を確認し，ため息をつくように呼気を出す．ハードブローイングで長く呼気を保つ．さらに問いかけや呼名に穏やかな声をイメージして［ハーイ］と応答する．全身がリラックスするよう両膝を立てた背臥位の姿勢で行ってから座位姿勢に移行した．

d 指導結果

プレスピーチアプローチでは，食材を噛んだり吸ったりしながら力まないで口唇をすぼめることや舌を口腔内で動かすことを意識するようになった．息を吐くことを意識すると緊張が高まってしまったが，ハードブローイングでは無意識に呼気持続ができ，呼気のコントロールを覚えるきっかけとなった．呼吸・発声へのアプローチ前に比べて，声質の努力性，気息性は低下，声の高さは安定し，有声音が増え，声量が大きくなった．構音の誤り方に変化はなかった．1語文発話時の明瞭度は「少々不明瞭」に改善されたが，文発話では依然として緊張が高まり努力性の声質が著明であった．

e まとめ

本事例のように言語理解に比べ表出能力の低下が著明な場合は，聞き取りにくい発話を根気強く聞いて意図を理解することと並行して幼児期から能力に応じたAACを導入し，コミュニケーション面の環境を整えることが重要である．本児の発話の明瞭性には，構音より呼吸・発声の要因が強く関与していた．発話の困難性を認識し改善を望むようになった時期を見定めて，呼吸・発声へのアプローチを行う．今後は引き続き呼吸・発声にアプローチし文発話の明瞭性を改善することを目指したい．一方，AACを用いた書字言語学習を進める．

引用文献

1）近藤和泉：脳性麻痺の定義．日本リハビリテーション医学会（監）：脳性麻痺リハビリテーションガイドライン．第2版，pp14-18，金原出版，2014
2）和田勇治：ハイリスク児に対する評価．周産期の各リスクファクターは脳性麻痺の発生，タイプ，機能予後にどのような影響を及ぼすか？．日本リハビリテーション医学会（監）：脳性麻痺リハビリテーションガイドライン．第2版，pp21-22，金原出版，2014
3）大島良一：重症心身障害の基本問題．公衆衛生 35：648-655，1971
4）鈴木康之：超重症児(者)，準超重症児(者)，いわゆる動く重症心身障害児(者)．岡田喜篤（監）：新版 重症心身障害療育マニュアル，pp15-19．医歯薬出版，2015
5）横地健治：大島分類・横地分類．岡田喜篤（監）：新版 重症心身障害療育マニュアル，pp13-15．医歯薬出版，2015
6）高見葉津：重症心身障害児のコミュニケーション評価の方法とその意味を考える．小児リハビリテーション 5：85-94，2019
7）高見葉津：乳児期の脳性麻痺児とその家族への支援．コミュニケーション障害学 26：56-62，2009
8）高見葉津：重度脳性麻痺児の音声言語と文字言語の発達について．音声言語医 43：200-206，2002
9）高見葉津：コミュニケーションの発達援助．日本聴能言語士協会講習会実行委員会（編）：アドバンスシリーズ／コミュニケーション障害の臨床 第3巻 脳性麻痺．pp73-108，協同医書出版社，2002
10）山川真千子：ボバース概念治療（神経発達学的アプローチ）．日本聴能言語士協会講習会実行委員会（編）：アドバンスシリーズ／コミュニケーション障害の臨床 第3巻 脳性麻痺．pp109-114，協同医書出版社，2002
11）高見葉津：特別支援教育における構音障害のある子どもの理解と支援．加藤正子，他（編）．運動障害を伴う構音障害児の評価と指導，pp175-203，学苑社，2012
12）知念洋美：総論 AACの5W1H．知念洋美（編著）言語聴覚士のためのAAC入門，pp2-17，協同医書出版社，2018
13）虫明千恵子：重い障害をもつ子どもの食べることを通した人との関わりを考える．コミュニケーション障害学 36：61-65，2019
14）山川眞千子：言語聴覚士の実践―発達促進と生活支援―．小児リハビリテーション 6：45-59，2020

9 小児失語症と後天性高次脳機能障害

学修の到達目標
- 小児失語症の定義を説明できる.
- 小児失語症の症状を説明できる.
- 小児失語症の指導について述べることができる.

A 小児失語症と後天性高次脳機能障害とは

1 小児失語症

a 定義

小児失語症(acquired childhood aphasia)とは小児の後天性の失語症のことであり，言語発達期に受けた大脳の損傷の結果として生じる．かつては先天性の言語発達障害も「発達性失語症」などの名称で小児失語症のカテゴリーに含まれていたが，現在は先天性の発達障害によるものは小児失語症には分類されず，特異的言語発達障害(specific language impairment)などの名称で失語症とは区別される．

言語発達期をいつ頃とするかについてはさまざまな見方があるが，これまでに小児失語症例として報告されているものは幼児期(2歳頃～)から学齢期(～15歳頃)までのケースが多い．周産期から15歳までに発症したものを小児失語症とする定義が便宜的に使用されている[1]．

b 原因と発生のメカニズム

福迫[1]によると，小児失語症の原因疾患としては**頭部外傷**によるものが最も多く全体の35％余りを占め，**脳血管障害**は15％余りに過ぎない．脳血管障害の原因疾患は動静脈奇形やウィリス動脈輪閉塞症(もやもや病)などである．脳血管障害に次いで多いのは痙攣発作(21％)であり，その他は脳膿瘍，脳炎，脳腫瘍などで，成人の場合とは原因疾患の構成比率は大きく異なっている．

損傷部位に関しては，Alajouanineら[2]の報告では全例が左大脳半球損傷であった．福迫[3]のまとめでは左大脳半球損傷が60％以上を占めており最も多く，両側大脳半球がおよそ25％，右大脳半球がおよそ12％であった．成人に比較すると両側大脳半球や右大脳半球損傷例の割合が多い傾向がみられる．

2 小児の後天性高次脳機能障害

a 定義

小児期に発症した高次脳機能障害には，失語，失認，失行，記憶障害，注意障害，実行機能(遂行機能)障害，半側空間無視などが含まれる．ここでは，言語に直接関連する失語症以外の障害を取り上げる．

b ランドー-クレフナー症候群(Landau-Kleffner syndrome)

ランドー-クレフナー症候群はてんかんを伴うことを特徴とし，言語理解と発話の両面に障害を生じる．てんかん・失語症症候群として失語症に分類されることもある．典型的には3～7歳までの間に発症する．数日から数週間の間に言語の喪失

が急激に起こり，言語理解力の低下が最初の徴候になることが多い．発症前後2年以内に一側または両側側頭部に突発性脳波異常がみられる．原因は明らかとなっていないが，炎症性脳疾患の可能性が示唆されている(Note 16 ➡ 48頁参照)．

進藤[4]によると，発症までの言語発達は正常であり，通常は聴覚的言語理解の障害で始まり，しだいに言語表出の障害が進行する．自発語はあっても音の置換や不適切な語の使用のため，明瞭度が低くなる．数年の経過で言語症状，聴覚理解は改善していく傾向がみられる．

C 後天性失読失書(acquired dyslexia/dysgraphia)

小児の後天性失読失書の報告例は多くはない．まず，Vargha-Khademら[5]の失語と失書を伴わない失読例がある．転移性松果体腫瘍が原因疾患で，健忘症と視覚失認を伴っていた．言語性IQは正常で，読みは14歳11か月のときに11歳8か月レベルであった．

また，2歳で両側後頭葉梗塞を発症し8年間フォローがなされたO'Haraら[6]の純粋失読の報告例がある．インフルエンザ感染症による髄膜炎で，知的な遅れはなく視覚認知障害があった．失書のない純粋失読で，遂字読みはできるが自分の名前も含めて，視覚語彙の発達はなかった．自分が書いた文字を読むこともできなかった．

日本では藤吉ら[7]が失語症を伴わない失読を報告している．1歳時にモヤモヤ病を発症し，右頭頂葉から側頭葉にかけて梗塞巣が認められた．7歳時にひらがなとカタカナの読み書き障害が認められた．失語症検査では文の復唱で有意な低下があった以外に低下は認められなかった．漢字の音読と書字には問題が認められなかったが，ひらがなとカタカナの音読や書字は障害されていた．視覚記憶障害と音韻認識障害も認められた．

B 言語・コミュニケーション障害の特徴

1 言語症状

小児失語症の症状は成人とは基本的に異なり，以下のような症状が共通する特徴であるとされてきた．まず典型的な症状として言語活動の低下があり，発話量の減少や緘黙状態などが生じる．発話は基本的に非流暢であり，**失文法**を示すこともある．**喚語困難**や構音障害もよくみられる．その一方，ジャーゴンは少なく語漏はほとんどみられない．また聴覚的言語理解力は比較的良好なことが多い．そして発話は非流暢であるが，成人の場合のような典型的なタイプに明確に分類することはできない．

しかし近年，小児失語症の症状に関し従来指摘されてきたそれらの特徴には必ずしも一致しない症例も多数報告されるようになった．ウェルニッケ Wernicke 失語，伝導失語，超皮質性感覚失語，健忘失語などの症例が1970年代後半から報告されており，小児失語症は非流暢な発話を示すものばかりでなく流暢型の例も少なくないことが知られるようになった．また聴覚的言語理解力の低下も軽度ばかりでなく中〜重度までさまざまであることが指摘されている．

このように，小児失語症でも成人の場合と同じような症状の多様性があることが今日の一般的な見解となった．そして，いかなる失語のタイプが生じるかは成人の場合と同様に病巣部位によると考えられている．宇野ら[8]は後部病変を有する流暢性失語の報告をし，成人の失語症の多くのタイプは小児でも報告されており，損傷部位と症状との対応関係は小児失語症においても成立しているようだと述べている．

2 経過と予後

a 予後

　小児失語症は成人に比べて改善が速く予後も良好であるとされてきた．日常生活でのコミュニケーションに支障がない程度に音声言語が回復することが多いことは確かであろう．成人の脳に比べ小児の脳は未完成な分だけ可塑性が高く大脳の機能局在も未分化であるため，損傷箇所以外の部分で代償できる可能性があることが改善の良さの理由と考えられている．左半球切除が行われた9歳の症例で，残存した右半球のみでも言語機能を獲得しうることが示されたケースもある．

　Alajouanineら[2]によると，左大脳半球損傷の小児失語症例のうち1年後に正常言語を獲得したケースは56％であった．福迫[3]によると44％が正常言語を獲得し，53％は改善したものの何らかの言語障害を残している．また宇野ら[8]は小児失語症例の改善到達度は高いが，15～27歳の発症例と比較すると差がなかったと報告している．

　予後については一般的に良好とされており，軽度にまで改善する傾向はあるものの，軽度になった小児失語症例においてもまだ言語障害が残存している場合が少なくない．就学後に読み書きや算数などの学習上の問題を呈することもよく指摘されている．低学年ではさほど問題は顕在化しない場合でも，学習内容が複雑になり高いレベルの文章理解力や表現力が求められるようになる小学3，4年生以降に問題が顕在化する．この点では学習障害児と共通する困難を抱えやすいといえ，学校での配慮や支援が求められるところである．

b 発症時年齢と予後

　小児失語症の改善の可能性と**発症時年齢**との関係についてLenneberg[9]は次のようにまとめている．

- 20か月まで：言語発達の開始が遅れることはあるが正常に発達する．
- 21～36か月：すべての言語機能が消失するが再習得される．
- 3～10歳：失語症が出現するが読み書きを除き回復し，言語障害は残らない傾向がある．
- 11～14歳：回復不能な失語症もみられる．
- 15歳以降：成人と同様になる．

　脳の可塑性を考えると発症時の年齢が低いほど改善がされやすく予後も良好だと考えられる．発症時年齢と予後との関係について，Alajouanineら[2]は10歳以前と以降で有意な差はなかったとしている．一方，福迫は10歳以前と以降で差がみられ，10歳を過ぎると予後不良例が多いと述べている．また，Martinsら[10]のように7歳前後に予後の良し悪しを分ける節目があるとする説もある．このように発症時年齢が予後にどの程度影響するかについての見解は必ずしも一致していない．また，若年であっても良好な改善が得られない場合もあり，発症時年齢のみから予後を推定することはできない．

c 原因疾患・損傷部位と予後

　原因疾患と予後の関係については，Van Dongenら[11]のように外傷を原因とする場合がその他の病因より予後が良いとする説と，Martinsら[10]のように脳血管障害のほうが予後は良いとする説があり，原因疾患と予後の関係についても見解は統一されていない．

　また損傷部位と予後との関係について，Martinsら[10]は中心溝より後方に損傷を受けたケースのほうが前方に損傷を受けたケースに比べて改善が悪かったと報告している．損傷部位と予後との関係については，ウェルニッケ野の損傷，両側性の損傷，損傷が重度の場合に予後が悪いという指摘もあるが，これらの要因がどの程度関与しているかについても十分な結論は出されていない．

3 非言語面の症状

知的機能については低下する場合が多いが非言語性の知能は保たれていることも低下することもあり，障害のされ方は一様ではない．非言語性課題では符号などに影響が出やすいという知見がある．数は少ないが，聴覚機能や視知覚機能に問題が生じたケースも報告されている．また，注意集中力や衝動抑制の障害などの行動面・適応面の問題も初期には多くの症例でみられるという．そのため，言語面のみならず知能，認知，知覚，行動，適応などさまざまな側面からの総合的な評価が求められる．

C 評価

小児の失語が成人の失語と根本的に異なる点は，発達期に生じる障害であることである．完成された音声言語システムの機能障害でなく，システムが生成される途上の機能の獲得過程において問題が生じる．そのため，評価や訓練においても発達的な視点や教育的な視点が不可欠である．

1 検査

ほかの小児の言語障害と同様に現病歴，生育歴，既往歴などの情報収集を行うとともに，言語機能やその他の機能を評価するための検査を実施する．小児の評価に使用できる検査について以下に解説する．

a 失語症検査

標準失語症検査(standard language test of aphasia：**SLTA**)などの失語症検査は成人を対象として作成されているため，就学前の幼児には実施が難しいが，小学生なら可能な項目も多い．荏原ら[12]は6〜18歳の健常児にSLTAを実施して各項目の年齢別正答率を調べ，結果を次のように分類している．

(1) 6〜7歳で90〜100%の正答率を示す項目

1「単語の理解」，2「短文の理解」，4「仮名の理解」，6「単語の復唱」，7「動作説明」，8「まんがの説明」，10「語の列挙」，12「仮名一文字の音読」，13「仮名一単語の音読」，14「短文の音読」，16「仮名一単語の理解」，17「短文の理解」，20「仮名・単語の書字」，22「仮名一文字の書取」，24「仮名・単語の書取」

(2) 6歳では正答率が60〜70%であるが，8〜12歳までに90〜100%に達する項目

3「口頭命令に従う」，9「文の復唱」，18「書字命令に従う」，21「まんがの説明」，25「短文の書取」

(3) 6歳での正答率は20%未満であるが，10歳までに急上昇する項目

11「漢字・単語の音読」，15「漢字・単語の理解」，19「漢字・単語の書字」，23「漢字・単語の書取」，26「計算」

宇野[13]は，SLTAは項目を考慮すれば小学生には使うことができると述べている．例えば「口頭命令に従う」と「書字命令に従う」の項目では「万年筆」という単語を小学生は知らないことが多いので，あらかじめ物品と名称の対応関係を教示してから始めるとよいという．また同項目で「手前」という語の意味を小学生は知らない場合があり，呼称では「鳥居，ふすま，門松」などの語を知らないことがあるため，成績の解釈にあたってはそれらの点に注意が必要としている．

学齢期，特に小学校中学年以降の子どもの場合には以上の点を考慮すればSLTAを使用することができるだろう．

b 言語発達テスト

就学前から小学校中学年頃までの幼児・児童でSLTAによっては言語機能の評価が困難な場合には目的に応じ各種の言語発達テストを利用する．

(1) PVT-R 絵画語い発達検査

理解語彙力について評価できるテストである．3歳0か月～10歳11か月の子どもに適用でき，語彙年齢(VA)を算出できる．

(2) 標準抽象語理解力検査(SCTAW)

抽象的な語の理解力を測定するテストである．小学2年生から成人まで適用できる．軽度の言語理解障害を鋭敏に検出できる．

(3) STC 新版 構文検査 －小児版－

幼児(3歳)から小学校低学年(7歳)までの文の理解と産生のレベルをアセスメントできる．理解においては意味，語順，助詞などの**構文理解**のストラテジーを，産生においては表出できる**統語構造**の種類を評価することができる．

(4) J.COSS 日本語理解テスト

文の理解力について評価するテストである．口頭で提示された文に相当する絵を4つの選択肢から選ぶ．適用年齢は3歳から成人までである．統語理解の発達レベルを相当する学年という指標で知ることができる．

(5) LCスケール

総合的な言語発達検査法として「LCスケール 増補版 言語・コミュニケーション発達スケール」がある．0歳～6歳11か月の子どもに適用できる．LCスケールでは言語表出，言語理解，コミュニケーションの発達年齢(LC年齢)と発達指数(LC指数)が評価される．

(6) LCSA

LCスケールの学童版である「LCSA 学齢版 言語・コミュニケーション発達スケール」が6歳0か月～10歳11か月の子どもに使用できる．LCSAでは言語・コミュニケーションの発達指数(LCSA指数)およびリテラシー指数と，10の下位検査項目(口頭指示の理解，聞き取りによる文脈の理解，音読，文章の読解，語彙知識，慣用句・心的語彙，文表現，対人文脈，柔軟性，音韻意識)の評価点が算出できる．

c 発達検査

小児の言語評価においては，音声言語機能だけでなく全般的な発達の状態を把握しながらアプローチしていく必要がある．以下にわが国でよく使われている発達検査をいくつか紹介する．

(1) 遠城寺式 乳幼児分析的発達検査法

運動(移動運動，手の運動)，社会性(基本的習慣，対人関係)，言語(発語，言語理解)の発達を評価することができる．短時間で簡易に大まかな発達プロフィールを把握でき，発達年齢(DA)を求めることができることが利点である．適用年齢は0歳～4歳7か月である．

(2) 新版K式発達検査2020

姿勢・運動，認知・適応，言語・社会の3領域の発達について評価し，各領域の発達年齢を算出できる．検査項目数が多く手続きもやや複雑であるため実施と解釈に習熟を要するが，精度が高く精密な評価ができる．就学前の幼児や障害が重いケースで特に有効である．適用年齢が0歳～成人で，長期的なフォローができることも利点である．

(3) S-M 社会生活能力検査 第3版

対人コミュニケーションやその他の社会的な適応能力に関する総合的な評価ができる．身辺自立，移動，作業，コミュニケーション，集団参加，自己統制の6領域の発達を評価する．社会生活年齢(SA)と社会生活指数(SQ)が算出できる．社会的な参加の実態や困難について把握するために有効である．適用年齢は乳幼児から中学生までである．

d 知能／認知機能検査

(1) WPPSI-Ⅲ知能検査

2歳6か月～7歳3か月の幼児に適用される．2歳6か月～3歳11か月では「全検査IQ(FSIQ)」「言語理解指標(VCI)」「知覚推理指標(PRI)」を，さらに5検査の実施で「語い総合得点(GLC)」を算出することができる．4歳0か月～7歳3か月で

は，7つの基本検査の実施からFSIQ，VCI，PRI，PSIを，10検査の実施でさらにGLCを算出することができる．

(2) WISC-Ⅳ知能検査

5歳0月～16歳11か月の児童に適用される．全体的な認知能力を表す全検査IQ(FSIQ)と，「言語理解」「知覚推理」「ワーキングメモリ」「処理速度」の4つの指標得点が算出される．WPPSI，WISCなどの**ウェクスラー知能検査**は臨床場面で最もよく使用されている．

(3) 日本版KABC-Ⅱ

2歳6か月～18歳11か月に適用される．**ルリアの神経心理学理論**およびキャッテル-ホーン-キャロル(CHC)理論という2つの理論基盤に基づいている．継次尺度，同時尺度，学習尺度，計画尺度からなる認知尺度と，語彙尺度，読み尺度，書き尺度，算数尺度からなる習得尺度から構成されている．認知能力とことばや読み書きなどの学習状況との関係を分析できる．WPPSI-ⅢやWISC-Ⅳと組み合わせることで訓練や教育の計画を立てる際に有用な情報が得られる．

(4) レーヴン色彩マトリックス検査

非言語的な視覚的推理力を評価することができる．成人用だが，宇野ら[14]の基準を用いることで小児にも適用できる．

e 感覚／知覚・運動機能検査

(1) 聴覚機能検査

環境音や語音の聞こえの状態を評価することは小児の言語障害の評価において重要である．純音聴力検査や語音聴力検査を実施するが，幼児の場合には年齢や指示理解力などに応じ遊戯聴力検査やCOR，BOAなどを行う．

(2) 視知覚機能検査

視知覚機能を評価する検査として**DTVPフロスティッグ視知覚発達検査**がある．この検査は，視覚と運動の協応，図形と素地，形の恒常性，空間における位置，空間関係など読み書きの基礎になる視知覚能力を評価する．適用年齢は4歳0か月～7歳11か月である．

また，**Rey-Osterrieth複雑図形テスト(ROCFT)**は，複雑な図形の模写，直後再生，遅延再生を調べることにより視空間能力，視覚構成力，視覚記憶力を評価することができる．

f 読み書き能力の検査

小児失語症の学校での大きな問題として読み書きの障害がある．そのため読み書き能力の評価はたいへん重要である．

改訂版 標準 読み書きスクリーニング検査(STRAW-R)は，小学1年生から高校3年生までの音読の流暢性(速読)，音読と書取(聴写)，および自動化能力を測定するRAN(rapid automatized naming)課題からなる．ひらがな，カタカナ，漢字の3種類の表記について比較できる．

また，読書の力を総合的に評価できる検査として，**全国標準Reading-Test読書力診断検査**がある．小学生から中学生までに適用できる．読字力，語彙力，文法力，読解力の下位項目からなる．

2 鑑別診断

医学的診断と言語病理学的評価の結果，脳損傷によってそれまで正常であった音声言語機能の障害が生じたことが確認されれば小児失語症である可能性が高い．その際，聴覚障害，知的機能の全般的な低下，構音障害などと鑑別をする必要がある．

D 支援

国際生活機能分類(International Classification of Functioning, Disability and Health：**ICF**)が示しているように，近年，障害は個人の能力だけでなく個体と環境との相互作用という視点から捉えられるようになった．この考え方によると，音声

言語機能を改善させるために行われる言語訓練のような治療的なアプローチとともに，言語機能の障害のために制限されている社会的な活動への参加をサポートするための補償的アプローチが重要となる．

機能障害の改善の可能性が高い小児失語症に治療的なアプローチが大切なことはいうまでもないが，さまざまな日常活動の場面で情報の取得や仲間関係などの社会的な参加を助けるためのコミュニケーションのサポートも同時に行われる必要がある．

1 言語訓練

小児失語症に対する**言語訓練**は成人の失語症のように系統的な方法が確立されているわけではない．小学校高学年以上では基本的に成人の訓練に準じる場合が多く，年少児では言語発達障害児に対する指導・支援の方法に準じて課題の設定や教材の選択がなされることが多い．

指導の内容は評価の結果に基づき個々のケースの抱える問題や発達段階に応じ，語や文の理解力と表出力の改善のため語彙獲得指導や構文指導が行われる．会話や談話の力の向上なども目標とする．また音声言語面とともに読み書きやその前提となる音韻意識を高めるため，きめ細かい文字言語指導を行う．数の操作や計算なども指導する．また，聴覚失認がある場合は視覚を介した学習が有効である．

2 コミュニケーションの補助・代替

音声言語のみでのコミュニケーションが困難な場合には**拡大（補助）・代替コミュニケーション**（augmentative and alternative communication：**AAC**）を導入する．AAC 手段には，身振り，絵・写真・シンボル，コミュニケーション支援機器などがある．基本的に音声言語でのコミュニケーションがある程度可能なケースであっても，家庭，保育所・幼稚園，学校などでコミュニケーションを補助するために AAC の使用が役立つ．

伝えたいメッセージを表した絵や写真を指さす方法は簡単で導入しやすい．1 つのボード上に伝達する必要のある絵や写真を配置したコミュニケーション・ボードやそれらを数枚のページに綴じたコミュニケーション・ブック（図 4-33 ➡ 184 頁参照）などが使われる．必要な絵は使用する子どもの必要性や状況によって異なるため，ボードやブックに設定する絵はそれらを考慮して選ぶ．

また，コミュニケーションを補助するさまざまな電子機器が市販されている．このようなツールは **VOCA**（voice output communication aids：音声出力コミュニケーション補助装置）と呼ばれる．絵や写真を配置したスイッチ部を押すと録音された音声メッセージが出力される仕組みになっている．最近ではタブレット端末でも使えるものもある．音が出ることによって相手の注意を引くことができ，伝えたいことを気づかせやすいという利点がある．また，表出される音声は受け手に対してのメッセージ機能をもつだけでなく，送り手自身に対してはことばの見本にもなり，音声言語獲得の促進につながることもある．

3 特別支援教育

小児失語症の児童生徒は通常の学級での特別支援教育の対象となる．また**ことばの教室**などと呼ばれる言語障害児のための通級指導教室で週 1～2 回程度の言語指導を受けることもできる．知的障害が伴う場合には障害の重さや内容に応じて特別支援学校や特別支援学級が適切な教育の場になる．

小児失語症の子どもたちは退院後も病院で医療的なケアを受けながら外来で言語訓練を受ける場合が多い．言語聴覚士は言語やコミュニケーションの専門家として，特別支援教育を推進するために必要な情報や助言を学校に提供することが望まれる．医療と学校との連携は特別支援教育におい

てはとても重要で，子どもが大半の時間を過ごす学校の中でのコミュニケーションや学習のサポートに言語聴覚士は役割を果たすことができる（➡Note 42）．

E 事例紹介

1 カタカナのみに読み書き障害を呈した後天性脳損傷小児例

【事例】初診時 7 歳 10 か月右利き男児．
【主訴】読み書きが苦手．
【医学的診断名】モヤモヤ病
【神経心理学障害名】後天性失読失書
【生育歴および既往歴】1 歳までの発達に遅れはみられなかった．1 歳 0 か月時にけいれん発作が頻発し，X 病院受診．頭頂葉から側頭葉にかけて脳梗塞を指摘され，モヤモヤ病と診断を受ける．1 歳 2 か月時に右内頸動脈狭窄に対して間欠的血行再建術を受け，入院中に理学療法士による左上肢機能評価と ROM 訓練を受けた．その後日常生活には問題がないという評価となり理学療法は終了した．2 歳 6 か月時には下肢麻痺，上肢強直が出現し，左中大脳動脈起始部，前大脳動脈起始部狭窄の進行を指摘され，2 歳 8 か月時に左内頸動脈の観血的血行再建術を受けた．3 歳 2 か月時に実施した再検査では術後の血管新生が不良であり，また啼泣時下肢脱力が継続したため前大脳動脈領域に Burr hole 手術を受けた．さらに 4 歳 8

> **Note 42. 自立活動**
> 　個々の生徒が自立を目指し，障害に基づく種々の困難を主体的に改善・克服するために必要な知識や技能などを獲得することを目的とした特別支援学校の教育課程．ことばの教室で行われる通級による言語指導も教育課程のうえでは自立活動に位置づけられる．「自立活動教諭（言語障害）」の教員免許状は認定試験によって言語聴覚士も取得できる．

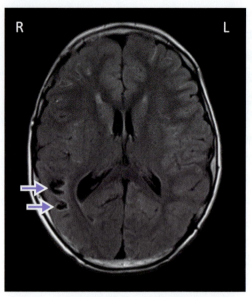

図 4-43　小児失読失書例の頭部 MRI（T2 Flair）

か月時には左後頭葉血流低下，脳萎縮を認め，左後頭葉観血的の血行再建術を受けた．その後下肢麻痺は改善し，麻痺，協調運動障害や失行も認められなかった．また，その後の経過の中でも言語発達の遅れや発達の遅れは特に指摘されることなく，療育は受けていなかった．
【家族歴】特記事項はなかった．
【環境】地域小学校の特別支援学級 2 年生として在籍していた．

2 評価（アセスメント）

a 画像診断

　8 歳 0 か月時の頭部 MRI 所見を図に示す（図 4-43）．右下頭頂葉と外側上頭頂葉および上側頭回から角回にかけての病変を認めた．別のスライスでは，左第 2 第 3 側頭回，左後頭葉に病変を認めた．

2）認知・言語検査

　結果のまとめを表に示す（表 4-48）．

表 4-48 認知・言語検査結果（指導前）

検査名	成績	評価
WISC-Ⅳ知能検査	FSIQ 80, VCI 84, PRI 89, WMI 73, PSI 81	
PVT-R 絵画語い発達検査	生活年齢 7 歳 10 か月，語い年齢 8 歳 7 か月，評価点 12	
STC 新版 構文検査－小児版－	聴覚的理解レベルⅡ（逆語順文，受身文理解あり）	
標準抽象語理解力検査（SCTAW）（32 問）	正答数 16（16.3 ± 4.1）	
RAN（rapid automatized naming）交互課題	平均所要時間 12.0 秒	
音韻課題	非語の復唱　3/7 正答（5.4 ± 1.4） 単語の逆唱　0/5　正答なし（3.5 ± 1.2）	< -1.5 SD < -2 SD
3 図形	模写　　12.8（13.8 ± 0.8） 即時再生　9.4（12.7 ± 1.7） 遅延再生　7.5（12.5 ± 1.8）	< -1.5 SD < -2 SD
視覚線画同定課題（MMFT）	正答数 3 語頭数 20 平均初発反応時間 11.4 秒	
標準読み書きスクリーニング検査（20 問）（STRAW-R）	音読　一文字　ひらがな　20/20（19.8 ± 0.4） 　　　　　　　カタカナ　18/20（19.5 ± 0.8） 　　　単語　　ひらがな　20/20（20.0 ± 0.3） 　　　　　　　カタカナ　19/20（19.8 ± 0.5） 　　　　　　　漢字　　　16/20（17.5 ± 3.0） 書取　一文字　ひらがな　20/20（19.0 ± 1.4） 　　　　　　　カタカナ　10/20（17.8 ± 3.0） 　　　単語　　ひらがな　20/20（19.3 ± 1.5） 　　　　　　　カタカナ　 7/20（15.6 ± 6.0） 　　　　　　　漢字　　　16/20（16.6 ± 3.5）	< -1.5 SD < -2 SD < -1.5 SD
ひらがな，カタカナ 1 モーラ表記文字の音読・書取	音読　ひらがな　102/102 　　　カタカナ　 90/102 書取　ひらがな　101/102 　　　カタカナ　 80/102	
速読検査	ひらがな　単語　　31 秒（23.17 ± 8.5）　　誤反応 1 カタカナ　単語　　42 秒（23.17 ± 9.23）　誤反応なし ひらがな　非語　　36 秒（31.14 ± 8.29）　誤反応 5 カタカナ　非語　　36 秒（32.06 ± 9.88）　誤反応 5 文章　　　　　　 114 秒（84.82 ± 30.6）　誤反応 8	≧ 2 SD

(1) WISC-Ⅳ

FSIQ が平均の下限となったが，VCI，PRI は 80 を超えており，正常範囲内であった．ワーキングメモリは低かったが，音韻認識障害のため特に語音整列で得点が低かったと考えた．

(2) 音韻課題

非語の復唱で－1.5 SD 未満の成績であった．単語の逆唱では正答がなく，3 モーラ単語から不可であることから音韻意識の障害があると考えられた．音声言語の長期記憶を調べる Rey's auditory verbal learning test（AVLT）の結果は良好であると考えた．

(3) 3 図形の得点

LD/Dyslexia センターで用いられている 3 つの図形を，模写，即時再生，遅延再生する課題．－1 SD 未満，即時再生は－1.5 SD 未満，遅延再

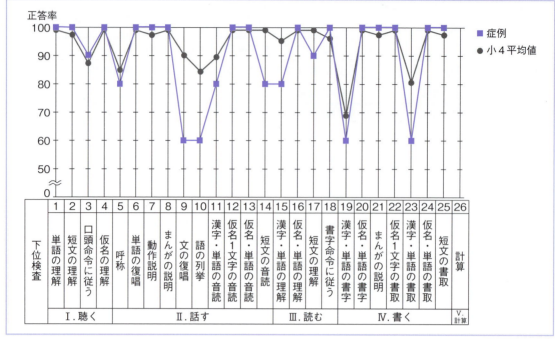

図4-44 小児失読失書例のSLTAプロフィール

生は-2SD未満の結果となっており，また MMFTでもすべて-1.5SD未満であり，視覚認知障害があると考えられた．

3）言語検査

①本症例は小学2年生ではあるが，SLTAでは小学4年生24名のデータとの比較を行った（図4-44）．変形t検定では，文の復唱で有意な得点低下（$t = -2.43$，$p < 0.05$）がみられたが，その他の項目では小学校4年生データと比較して有意低値を示す項目は認められず，失語症はないと判断した．また，語いおよび構文の検査でも遅れはみられなかった．

②STRAW-Rの，カタカナ1文字音読では平均正答数の-1.5SD未満，カタカナ1文字の書取では-2SD未満の成績を示していた．46文字のカタカナ清音書取を行うと，正しく書けた文字は32文字で，1モーラ表記文字全体としては102文字中80文字が書けていた．特殊音節の誤りは，濁音3文字，半濁音1文字，拗音10文字であっ

た．速読検査では，カタカナ単語で2SD以上の時間がかかっていた．

3 指導の概要

【指導目標】
カタカナ清音の書字が可能になる．

【指導内容】
本児は小学校2年生になっても家庭学習や学校で，繰り返しカタカナ書字を練習してきたが，カタカナ書字に顕著な苦手さが残っていた．音声言語の長期記憶が良好であり，全般的知能が正常で，かつ本人が新しい練習を行うことに意欲を示したので，良好な音声言語の長期記憶を活用して文字の学習を進めるバイパス法[15]を適用した．具体的には，まず①50音表の音系列の記憶と再生を行い，次に②50音表の書字指導を行い，特に書字できない文字は書き方を想起しやすいよう，③文字の構成要素を分解して音声言語で唱えながら覚えることを行った．50音表全て正しく書け

るようになったら、④書字の自動化（automatization）を図るという手順で行った．はじめに実施した50音表の音系列記憶再生は1日の練習で可能になった．次に50音表の書字指導を行い、文字の構成要素は、例えば「シ」の形を覚えるために「シは下から書く」などのように、文字の構成要素を音声言語で表現し、これを単語カードに記入し、家庭で1日10分程度繰り返すように指導した．

4 指導結果

46文字中32文字しか書けなかった文字が、2週間で46文字すべての書字が可能となったが、2分以上の時間がかかっていた．その後さらにもう1週間指導した結果、3日間連続して2分以内に46文字すべてが書字できるようになった．ランダム提示した1モーラ表記文字（102文字）の書取では、指導前80文字、指導後102文字書字が可能であった．拗音に関する練習は行わなかったが、書字可能になった．8か月後、習得した文字の維持率を確認したところ46音すべて2分以内で書字可能であり、ランダム提示した1モーラ表記文字（102文字）書取もすべて可能であった．また、練習を行っていない音読についても、1モーラ表記文字（102文字）ですべて音読ができるようになり、速読検査でも読みの速度が平均の約1SD程度と速くなっていた．

5 まとめ

本症例は、失語症の合併がないモヤモヤ病によるカタカナのみに読み書き障害を呈する後天性失読失書であると考えられた．既報告の小児の失読失書例とは失語症が合併していない点、視覚認知障害が存在する点が異なる症例であった．また、本症例は音韻認識障害、視覚認知障害が存在する点で、発達性読み書き障害と障害機序が類似する症例であった．成人の失読失書例や発達性読み書き障害例では、バイパス法は一般的なアプローチではあるが、本症例のように小児の後天性失読失書の場合にも、同様の指導法でカタカナ書字を3週間で改善することができた．こうした指導による効果を実感できることは成功体験につながり、自己効力感を高めることにもつながるため、その意義は単にカタカナ書字を改善する事のみに留まらないと考える．

引用文献

1) 福迫陽子：小児の失語症．澤島政行（編）：臨床耳鼻咽喉科・頭頸部外科全書9A 音声・言語[1]．pp189-204、金原出版、1991
2) Alajouanine TH, et al：Acquired aphasia in children. Brain 88：653-662, 1965
3) 福迫陽子：後天性小児失語について．音声言語医 22：172-184, 1981
4) 進藤美津子：小児の後天性高次脳機能障害．失語症研究 22：114-121, 2002
5) Vargha-Khadem F, et al：Agnosia, alexia and a remarkable form of amnesia in an adolescent boy. Brain 117：683-703, 1994
6) O'Hara AE, et al：Evolution of a form of pure alexia without agraphia in a child sustaining occipital lobe infarction at 2 1/2 years. Developmental Medicine & Child Neurology 40：417-420, 1998
7) 藤吉昭江、他：仮名のみに読み書き障害を呈した後天性脳損傷小児例．音声言語医 58：22-28, 2017
8) 宇野彰、他：大脳可塑性と側性化の時期―小児失語症からの検討―．音声言語医 43：207-212, 2002
9) EHレネバーグ（著）、佐藤方哉、神尾昭雄（訳）：言語の生物学的基礎．大修館書店、1974
10) Martins IP, et al：Recovery of acquired aphasia in children. Aphasiology 6：431-438, 1992
11) Van Dongen HR, et al：Factors related to prognosis of acquired aphasia in children. Cortex 13：131-136, 1977
12) 荏原実千代、他：小児認知機能の発達的変化－小児における高次脳機能評価法の予備的検討．リハビリテーション医学 43：249-258, 2006
13) 宇野彰：他（編）よくわかる失語症と高次脳機能障害．pp14-120、永井書店、2003
14) 宇野彰、他：健常児におけるレーヴン色彩マトリックス検査―学習障害児や小児失語症児のスクリーニングのために―．音声言語医 46：185-189, 2005
15) 宇野彰、他：発達性読み書き障害児を対象としたバイパス法を用いた仮名訓練―障害構造に即した指導方法と効果および適応に関する症例シリーズ研究―．音声言語医 56：171-179, 2015

第 5 章

保健，福祉，教育との連携

学修の到達目標
- 学校教育における言語発達障害児の支援を説明できる．
- 保健，医療，教育との連携について述べることができる．
- 高等教育と就労支援について述べることができる．

特別支援教育における言語発達障害児の支援

A 特別支援教育の歴史

特殊教育から特別支援教育へ

　言語発達障害のある子どもの教育を考える前に，ここでは，広く，近年の日本における障害のある子どもの教育の制度の変化について述べる．

　かつて，日本の障害のある子ども教育は**特殊教育**と呼ばれていた．視覚障害，聴覚障害，知的障害，肢体不自由，病弱（身体虚弱を含む）の 5 つの障害については，障害ごとに盲学校，聾学校，知的障害養護学校，肢体不自由養護学校，病弱養護学校が設置されて，それぞれの障害のある子どもの教育がなされていた．また，小・中学校においては，言語障害のほか，弱視，難聴，知的障害，肢体不自由，情緒障害等の特殊学級が設置されていた．さらに，通常の学級に在籍している児童や生徒に一部特別の指導を行う場として，言語障害，情緒障害，弱視，難聴などの通級指導教室が設置されていた．このように，障害の種類やその程度に応じた「特別の指導」を「特別の場」で行うことが特殊教育の基本であった．

　2007 年に学校教育法が一部改正され，特殊教育から**特別支援教育**への転換が行われた．従来の盲学校，聾学校，養護学校は，特別支援学校に名称が変更となった．同時に，特別支援学校は障害の枠を越えて，複数の障害に対応した教育を行うことができるようになった．また，特別支援学校の目的について，従来は「その欠陥を補うために，必要な知識技能を授けること」としていたものから「障害による学習上又は生活上の困難を克服し自立を図るために必要な知識技能を授けること」に変更された．これは，障害に関する考え方が，

表 5-1　特別支援教育の理念

　特別支援教育は，障害のある幼児児童生徒の自立や社会参加に向けた主体的な取組を支援するという視点に立ち，幼児児童生徒一人一人の教育的ニーズを把握し，その持てる力を高め，生活や学習上の困難を改善又は克服するため，適切な指導及び必要な支援を行うものである．
　また，特別支援教育は，これまでの特殊教育の対象の障害だけでなく，知的な遅れのない**発達障害**も含めて，**特別な支援を必要とする幼児児童生徒が在籍する全ての学校において実施される**ものである．
　さらに，特別支援教育は，障害のある幼児児童生徒への教育にとどまらず，障害の有無やその他の個々の違いを認識しつつ様々な人々が生き生きと活躍できる**共生社会の形成の基礎**となるものであり，我が国の現在及び将来の社会にとって重要な意味を持っている．

〔文部科学省，2007 より（強調文字は筆者）〕

医学モデルから**社会モデル**に変化（WHO による ICIDH から ICF への変更も含め）したことを反映したものと考えられる．

　学校教育法の一部変更と同時に，「特別支援教育の推進について（通知）」が文部科学省初等中等教育局長から通知された．これは，日本の特別支援教育の理念や実施のための具体的な取り組みを示しており，現在に至るまで特別支援教育の基本となるものである．

　この通知では，特別支援教育の理念として表 5-1 のように述べている．特に重要なのは，通常の学級にも特別な支援が必要な子どもが在籍しており，すべての学校において，子どもたちの実態把握と支援を適切に行うこと必要であることを示したことである．

　また，この理念を具体化するため各学校（幼稚園，小・中高等学校，特別支援学校など）の取り組みとして表 5-2 の 6 点を示している．

表 5-2 特別支援教育を行うための体制の整備および必要な取り組み

①特別支援教育に関する校内委員会
②幼児児童生徒の実態把握
③特別支援教育コーディネーターの指名
④関係機関との連携を図った「個別の教育支援計画」の策定と活用
⑤「個別の指導計画」の作成
⑥教員の専門性の向上

③特別支援教育コーディネーターは各学校の教諭から「指名」されるものであり、学級担任や通級指導教室の担当を持ちながらコーディネーターの仕事を行っている者が多い。
④「個別の教育支援計画」と⑤「個別の指導計画」は2007年の時点では特別支援学校のみ作成が義務づけられていたが、2017年の学習指導要領の改訂により、小・中学校においても、特別支援学級や通級指導教室で指導を受ける児童生徒については作成し活用することとなった。また、通常の学級に在籍する特別な支援が必要な児童生徒についても作成し活用することに努めることとなった。
〔文部科学省、2007より〕

2 共生社会の形成に向けたインクルーシブ教育システムの構築

特殊教育から特別支援教育への転換を経て、理念的にも体制的にも特別支援教育の充実が続けられてきた。この背景には、国連の「障害者の権利に関する条約」が2006年に採択され、日本が2007年に署名、2011年には障害者基本法が改正されるなど、障害のある人に関する教育や福祉等についての関心の高まりがあった。

さらに、2012年には、「共生社会の形成に向けたインクルーシブ教育システム構築のための特別支援教育の推進（報告）」が中央教育審議会初等中等教育分科会から報告された。この中で、「共生社会の形成に向けて、障害の権利に関する条約に基づくインクルーシブ教育システムの理念が重要であり、その構築のため、特別支援教育を着実に進めていく必要がある」と述べ、インクルーシブ教育システムの構築をめざすために特別支援教育を一層充実させることを提言している。

インクルーシブ教育システム（inclusive education system）とは、国連の「障害者の権利に関する条約」第24条に示されたものである。それによれば、「インクルーシブ教育システムとは、人間の多様性の尊重等の強化、障害者が精神的及び身体的な能力等を可能な最大限度まで発達させ、自由な社会に効果的に参加することを可能とするとの目的の下、障害のある者と障害のない者が共に学ぶ仕組み」であるとし、『障害のある者が「general education system」（教育制度一般＝署名時の仮訳）から排除されないこと、自己の生活する地域において初等中等教育の機会が与えられること、個人に必要な「合理的配慮」が提供される等が必要』とされている。

2013年には、障害のある児童生徒の就学先決定の仕組みに関する学校教育法施行令の改正が行われた（図5-1）。それまでは、一定の基準に該当する障害のある児童生徒等は原則特別支援学校に就学するとしていたものを改めて、障害の状態等を踏まえた「総合的な観点」から就学先を決定する仕組みとした。また、一度就学先が決定すると、同じ学びの場に在籍し続けるのではなく、障害の状態等の変化を踏まえて転学できるように規定を整備した。さらに、就学先決定において、本人・保護者の意見を最大限尊重し、教育的ニーズと必要な支援について合意形成を行うことを原則とすることなど、インクルーシブ教育システムの理念が盛り込まれた内容となっている。

3 学習指導要領等における特別な支援が必要な子どもへの支援

2014年に、日本は「**障害者の権利に関する条約**」を批准した。その後に改訂された幼稚園教育要領や小・中・高等学校、特別支援学校の学級指導要領には、**共生社会**の形成や「障害者の権利に関する条約」の理念が盛り込まれている。例えば、小学校学習指導要領の前文には「一人一人の児童が、自分のよさや可能性を認識するとともに、あらゆる他者を価値のある存在として尊重し、多様な人々と協働しながら様々な社会的変化を乗り越え、豊かな人生を切り拓き、持続可能な社会の創

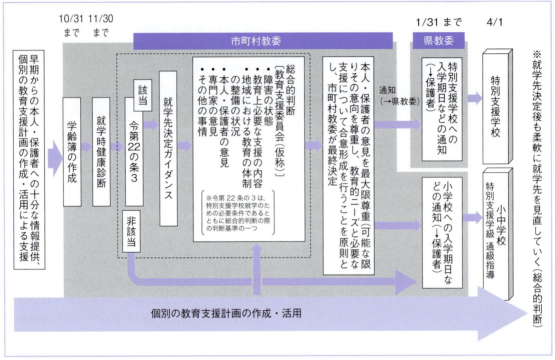

図 5-1　就学先決定の仕組み（学校教育法施行令改正後）
〔文部科学省，2013 より〕

り手となることができるようにすることが求められる」とあり，多様性の理解と尊重という共生社会の基本理念が持ち込まれている（幼稚園，中学校，高等学校，特別支援学校の前文にも同様の記述がある）．

　また，幼稚園教育要領解説や学習指導要領解説には，各園や学校における個に応じた指導内容や方法の例示が掲載されている．例えば，小学校学習指導要領解説（国語編）には，表 5-3 に示すような記述がある．これは，本書で扱う「言語発達障害」のある子どもたちの活用が可能な内容である．

　こうした例示が，小・中・高等学校学習指導要領解説のすべての教科・領域に掲載されている（幼稚園は「総説」の中に掲載されている）．これは，通常の学級の教科指導における個に応じた指導であり，特別な場で行われるものではない．こうした例示が通常の学級向けになされたということ

表 5-3　個に応じた指導内容や方法の例（小学校国語）

- 文章を目で追いながら音読することが困難な場合には，自分がどこを読むのかが分かるように教科書の文を指等で押さえながら読むよう促すこと，行間を空けるために拡大コピーをしたものを用意すること，語のまとまりや区切りが分かるように分かち書きされたものを用意すること，読む部分だけが見える自助具（スリット等）を活用することなどの配慮をする．
- 自分の立場以外の視点で考えたり他者の感情を理解したりするのが困難な場合には，児童の日常的な生活経験に関する例文を示し，行動や会話文に気持ちが込められていることに気付かせたり，気持ちの移り変わりが分かる文章の中のキーワードを示したり，気持ちの変化を図や矢印などで視覚的に分かるように示してから言葉で表現させたりするなどの配慮をする．
- 声を出して発表することに困難がある場合や，人前で話すことへの不安を抱いている場合には，紙やホワイトボードに書いたものを提示したり，ICT機器を活用して発表したりするなど，多様な表現方法が選択できるように工夫し，自分の考えを表すことに対する自信がもてるような配慮をする．

〔文部科学省，2017 より〕

は，これらが，通常の学級で行われることが当たり前のレベルであることを示していると考えられる．これは，まさに「障害者の権利に関する条約」におけるインクルーシブ教育システムの理念の反映であるといえるだろう．

学習指導要領における「言語発達障害」に関連すると考えられる記述には，以下のようなものがある．

「難聴や言語障害の児童についての国語科における音読の指導や音楽科における歌唱の指導(中略)など，児童の障害の状態や特性及び心身の発達の段階等(以下，「障害の状態等」という)に応じて個別的に特別な配慮が必要である．また，読み書きや計算などに困難があるLD(学習障害)の児童についての国語科における書き取りや，算数科における筆算や暗算の指導などの際に，活動の手順を示したシートを手元に配付するなどの配慮により対応することが必要である．さらに，ADHD(注意欠如・多動性障害)や自閉症の児童に対して，話して伝えるだけでなく，メモや絵などを付加する指導などの配慮も必要である」

このように障害の種類や程度を十分に理解して指導方法の工夫を行うことが大切である．

一方，障害の種類や程度によって一律に指導内容や指導方法が決まるわけではない．特別支援教育において大切な視点は，児童1人ひとりの障害の状態などにより，学習上または生活上の困難が異なることに十分留意し，個々の児童の障害の状態などに応じた指導内容や指導方法の工夫を検討し，適切な指導を行うことであるといえる．

B 教育における言語障害

1 教育における言語障害の定義

教育において「言語発達障害」という用語は存在しない．教育の領域において，文部科学省[1]は言語障害について以下のように定義している．

「言語障害とは，発音が不明瞭であったり，話し言葉のリズムがスムーズでなかったりするため，話し言葉によるコミュニケーションが円滑に進まない状況であること，また，そのため本人が引け目を感じるなど社会生活上不都合な状態であることをいう」

このことをより具体的に示したのが，25文科第756号初等中等教育通知(2013)であり，通級指導教室(言語障害)の対象となる子どもについて，以下のように示している．

「口蓋裂，構音器官のまひ等器質的又は機能的な構音障害のある者，吃音等話し言葉におけるリズムの障害のある者，話す，聞く等言語機能の基礎的事項に発達の遅れがある者，その他これに準じる者(これらの障害が主として他の障害に起因するものでない者に限る．)で，通常の学級での学習におおむね参加でき，一部特別な指導を必要とする程度のもの」

これをみると，本書における「言語発達障害」に近いものとして「話す，聞く等言語機能の基礎的事項に発達の遅れがある」という状態が考えられる．このような状態について，言語障害教育の現場では「ことばの遅れ」とか「言語発達遅滞」などの用語を使用している．

また，学習障害については，通級指導教室(学習障害)の対象となっており，その定義は以下のようになされている．

「全般的な知的発達に遅れはないが，聞く，話す，読む，書く，計算する又は推論する能力のうち特定のものの習得と使用に著しい困難を示すもので，一部特別な指導を必要とする程度のもの」

これをみると，本書における「言語発達障害」に

近い状態として「聞く，話す，読む，書く」能力の困難さが該当すると考えられる．このように「言語発達障害」という用語は教育の領域では使われてこず，理解されにくい可能性がある．教育以外の領域で臨床や研究を行っている方は，このことに留意することが望まれる．

2 言語発達障害のある子どもの教育の場

前述のように，言語発達障害のある子どもの教育の場は，言語障害に関する教育の場と学習障害に関する教育の場の大きく2つに分かれている．言語障害に関する教育の場としては，**言語障害特別支援学級**と**通級指導教室(言語障害)**とがある．このうち，言語障害特別支援学級についてみると，2018年に指導を受けた小学生は1,621人，中学生は184人であった(文部科学省，2020)．一方，通級指導教室(言語障害)では，2018年に指導を受けた小学生は38,275人，中学生は477人であった．全体で4万人強の児童生徒が指導を受けていたことになる．また，学習障害に関する教育の場としては**通級指導教室(学習障害)**があり，2018年に指導を受けた小学生は16,142人，中学生は4,069人であった．全体として2万人強の児童生徒が指導を受けていた．

文部科学省の統計によれば，言語障害や学習障害を含め，通級指導教室で指導を受ける児童生徒数は年々増加傾向にある(図5-2)．

C 言語障害教育の歴史

戦前における教育では，大正時代に，旧東京市の八名川尋常小学校に「吃音教室」が開設されたとの記録があり，同時期の東京市の2つの小学校にも吃音学級が開設されたとの記録がある．しかし，これらは戦後の学校制度の変更とととともに失われている．

その後，東北地方では，仙台市立通町小学校において濱崎健治が，ローマ字を用いて東北地方のなまり音の指導方法を研究し，個人差に応じた指導の研究を契機に言語障害教育への実践に取り組み，1953年には校内の言語障害のある児童のための「ことばの教室」を開設した．「ことばの教室」での指導は，主として放課後などの課外指導として行われていた．

同時期に関東では，千葉県の市川市立真間小学校において大熊喜代松が，通常の学級でもない，特殊学級でもない，週に何回かの指導で効果が期待できる子どものための学級である「国語科治療教室」を開設し，その担当として指導を開始していた．

その後，1958年に仙台市立通町小学校に，1959年に千葉市立院内小学校に，言語障害特殊学級が設置された．これは，濱崎や大熊の先駆的な指導形態を行政が追認した形である．このことを契機にして，言語障害特殊学級が言語障害教育の場として発展してきた．1962年の文部省初等中等教育局長通達(第380号)「学校教育法及び同法施行令の一部改正に伴う教育上特別な取扱を要する児童生徒の教育措置について」に「言語障害者は，その障害の性質及び程度に応じてその者のための特殊学級を設けて教育するか又は普通学級において留意して指導すること」と記述され，初めて言語障害のある児童生徒のための教育の在り方が明示された．

制度的に新しい言語障害学級が全国に設置されるには，保護者から行政への陳情が必要であった．陳情に当たり大きな役割を果たしたのが保護者による「言語障害児を持つ親の会」の存在である．

特殊学級とはいえ，言語障害特殊学級での指導は，教科などの指導は通常の学級で受け，障害の改善にかかわる指導を言語障害特殊学級で行うことが一般的であって，当時から「通級方式」「通級制」などと呼称されていた．この指導形態での実践は，1993年に「通級による指導」の制度として

図 5-2 通級指導教室で指導を受ける児童生徒数の変化
※各年度5月1日現在.
※「注意欠如・多動性障害」及び「学習障害」は，2006年度から通級による指導の対象として学校教育法施行規則に規定し，併せて「自閉症スペクトラム障害」も2006年度から対象として明示（2005年度以前は主に「情緒障害」の通級による指導の対象として対応）．
※ 2018年度から，国立・私立学校を含めて調査．
※高等学校における通級による指導は2018年度開始であることから，高等学校については2018年度から計上．
※小学校には義務教育学校前期課程，中学校には義務教育学校後期課程及び中等教育学校前期課程，高等学校には中等教育学校後期課程を含める．
〔文部科学省：令和元年度 特別支援教育に関する調査，2020 より改変〕

位置づけられたが，これも教育現場での先駆的な実践が定着し，それを行政が追認して制度化したものと言える．この制度化の実現においても親の会が果たす役割は大きかった．

1978年には，特殊教育に関する研究調査会から「軽度心身障害児に対する学校教育の在り方」が報告され，「言語障害児の指導について，その性質や程度に応じて，言語障害特殊学級での指導と通級又は専門教員の巡回による指導，通常の学級において留意して指導を行うこと」と提言されるが，この時は制度化には至らなかった．

1987年には臨時教育審議会から「教育改革に関する第三次答申」が発表され，その中で「小・中学校の特殊学級について，障害の実情を考慮し，いわゆる通常学級における指導体制の充実を含め，その一層の整備充実に努める」と提言された．また，1988年の教育課程審議会の答申においても「通級指導」の充実が述べられている．

こうした経緯を経て，1992年には「通級学級に関する調査研究協力者会議」の審議のまとめ「通級による指導に関する充実方策について」が発表され，1993年に学校教育法施行規則の一部改正によって，「通級による指導」が制度的にも確立することとなった．通級による指導の教育形態は言語障害の特性に応じた教育を進めるうえで特に適していることから，1993年以降，多くの言語障害

特殊学級は，通級指導教室（通級による指導）へと移行してきた．

しかし，言語障害のある子どもの中には言語機能の基礎的事項に発達の遅れがあり，多くの時間，特別な指導を必要とする者がいたり，言語障害の状態の改善・克服を図るため心理的な安定を図る指導を継続的に行う必要性のある者がいたりしたため，これらの子どもに対しては，言語障害特別支援学級を設置してそれぞれの実態に即した教育が行われている．このように，現在，言語障害のある子どもの教育は，対象となる子どもの障害の状態に応じて，言語障害特別支援学級または通級指導教室（言語障害）において行われている．

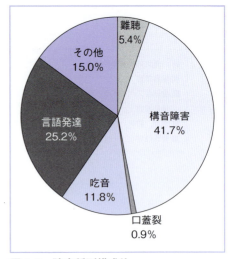

図 5-3　障害種別構成比
〔国立特別支援教育総合研究所：平成 28 年度全国難聴・言語障害学級及び通級指導教室実態調査，2017 より〕

D 言語障害教育の現状と課題

ここでは，言語障害特別支援学級と通級指導教室（言語障害）の現状と課題について述べる．国立特別支援教育総合研究所は，1973 年以来，概ね 5 年ごとに全国の実態調査を実施して言語障害教育の経年変化やその時点でのトピック的な情報収集を実施してきた．直近の調査は 2016 年であり，その結果は 2017 年に公表されている．なお，この調査は歴史的な経緯から，難聴学級および通級指導教室（難聴）と一体的に実施されている．調査名は「平成 28 年度全国難聴言語障害学級及び通級指導教室実態調査」であった[2]．

全国公立学校難聴・言語障害教育研究協議会の協力により，全国の難聴および言語障害の特別支援学級と通級指導教室を設置する 2,587 校に質問紙を発送し，1,468 校から回答があった．回収率は 56.7％であった．各学校には 2016 年 9 月 1 日時点の回答をするよう求めた．

1 指導対象児の実態

指導対象としている幼児児童生徒は，36,055 人であり，内訳は，幼児が 5,225 人，小学生が 30,042 人，中学生が 767 人，高校生以上は 21 人であった．障害種別をみると図 5-3 に示したように，構音障害が 15,039 人（42％）で最も多く，次いで，言語発達の遅れ 9,079 人（25％），その他 5,392 人（15％）であった．

また，学習障害，注意欠如・多動性障害，自閉症スペクトラム障害の「診断や判定のある子ども」や「担当者の判断としてそれらにあてはまる子ども」について人数を求めたが，診断や判定がある小学生・中学生は 3,769 人であり，小学生・中学生全体の 12.2％であった．担当者が判断している小学生・中学生は 5,129 人であり，両者を合わせると 8,898 人であり，小学生・中学生全体の 28.9％であった（幼児については確定診断が困難な場合があるので除外した）．

次に年代ごとの障害種別をみると，最も多かったのは，幼児と小学校低学年では構音障害，小学校高学年では言語発達の遅れ，中学生以上では難聴であった（中学生，高校生と高校生以上は合算して「中学生以上」とした）．それぞれの年代について障害ごとの人数を図 5-4 に示した．小学校低学年に在籍している子どもの人数が最も多く，

1 特別支援教育における言語発達障害児の支援

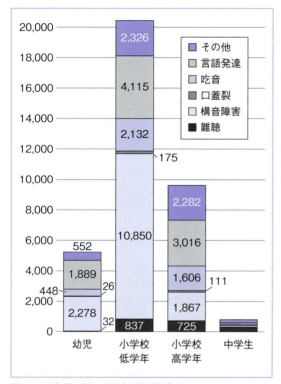

図 5-4　年代ごとの障害種別構成比
〔国立特別支援教育総合研究所：平成 28 年度全国難聴・言語障害学級及び通級指導教室実態調査，2017 より〕

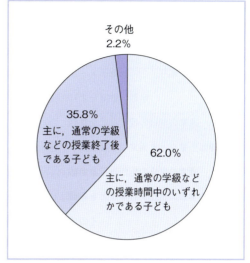

図 5-5　指導時間
〔国立特別支援教育総合研究所：平成 28 年度全国難聴・言語障害学級及び通級指導教室実態調査，2017 より〕

次いで小学校高学年であった．小学校低学年と高学年の構成人数を比較すると，構音障害の人数が高学年において約 1/5 に減少している．これは，小学校低学年における構音指導により，高学年では指導を受ける必要がなくなったことが反映された結果と考えられる．吃音，言語発達の遅れ，その他は高学年になっても人数に大きな変化はみられない．これらの障害種については，指導が長期間にわたっていると考えられる．

指導しているすべての子どもの指導時間について，図 5-5 に示す条件にあてはまる指導対象児の人数の記入を求めた．この設問で記入された対象児は 30,639 人であった．図 5-5 に示すように，62.0％ の子どもが授業時間中に指導を受けており，35.8％ の子どもが授業終了後に指導を受けていた．

2　言語障害教育における連携

言語障害特別支援学級や通級指導教室（言語障害）で行う指導に関して，児童生徒が在籍する通常の学級とどのように連携しているかについて，選択肢から回答を求めた結果を図 5-6 に示した（複数回答可）．「通常の学級の授業や行事等を参観する」が最も多く，次いで「電話」「連絡帳」による情報交換であった．

児童生徒が在籍する学級における学習や生活に関して行う通常の学級との連携について，選択肢から複数回答可で回答を求めた結果を図 5-7 に示した（複数回答可）．「通常の学級の担任から，指導対象児について相談を受ける」が最も多く，次いで「通常の学級の担任から，指導対象児以外の児童・生徒について相談を受ける」「通常の学級で指導対象児を支援する」であった．

言語障害特別支援学級や通級指導教室（言語障害）の担当者が，設置校内や地域の特別支援教育体制で果たしている役割について，選択肢から複数回答可として回答を求めた．回答が多かった順に「校内委員会等の委員」63.8％，「校内の特別支援教育コーディネーター」49.5％，「地域の教育支

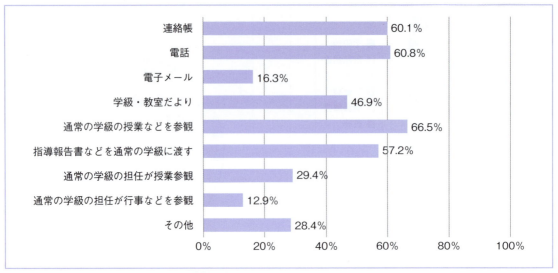

図 5-6 言語障害特別支援学級や通級指導教室（言語障害）における指導に関する連携
〔国立特別支援教育総合研究所：平成 28 年度全国難聴・言語障害学級及び通級指導教室実態調査，2017 より〕

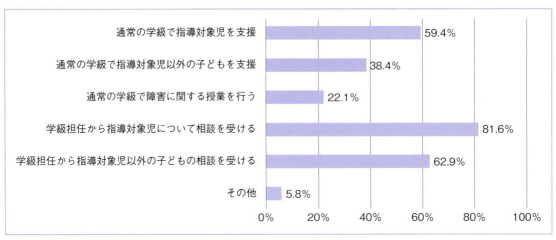

図 5-7 通常の学級における学習や生活に関する連携
〔国立特別支援教育総合研究所：平成 28 年度全国難聴・言語障害学級及び通級指導教室実態調査，2017 より〕

援委員会の委員」26.6％，「就学時健診における言語スクリーニング」25.5％，「地域の専門家（巡回相談）チームの委員」11.1％であった．

指導対象児の個別の指導計画の作成について，選択肢から回答を求めた結果を図5-8に示した．「難言教育担当者が作成し通常の学級の担任に渡す」と「難言教育担当者が作成し通常の学級の担任と協議して共有している」がほぼ同数であった．「難言教育担当者が作成し，通常の学級の担任と協議・共有する」と「難言教育担当者と通常の学級

の担任が協議して作成する」を合わせると47.9％であり，通常の学級の担任が作成に関与しているのは半数弱であった．

3 言語障害教育の課題

言語障害特別支援学級や通級指導教室（言語障害）の運営上課題になっていることがらのうち，主なものを3点まで記入することを求めた．回答は1,088件あり，図5-9に示すように整理でき

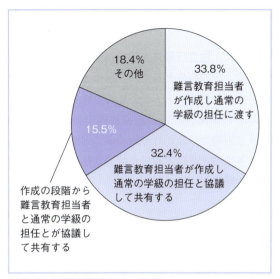

図 5-8 個別の指導計画の作成
〔国立特別支援教育総合研究所：平成28年度全国難聴・言語障害学級及び通級指導教室実態調査，2017より〕

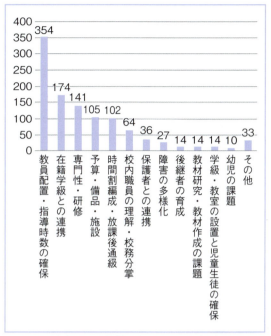

図 5-9 言語障害特別支援学級や通級指導教室（言語障害）の運営上課題
〔国立特別支援教育総合研究所：平成28年度全国難聴・言語障害学級及び通級指導教室実態調査，2017より〕

た．「教員配置・指導時数の確保」が最も多く，これは前回や前々回と同様であった．次いで「在籍学級との連携」，「専門性・研修」，「予算・備品・施設」，「時間割編成・放課後通級」の順であった．

E 言語障害教育における専門性の向上

言語障害教育の必要性や重要性を強く意識し研修を続けたり，言語聴覚士の資格を取ったりするなどして，長くこの教育に携わる教員が存在する．しかし，特別支援学校とは異なり，言語障害教育については，その専門性を担保する教員免許状などの資格が存在しない．小・中学校内の校内人事で全く経験のない教員が言語障害教育を担当することもある．また，校内で担当者が1名のみであることも多く，通級による指導という独特な指導形態などにとまどう教員も多い．言語障害における専門性の向上は大きな課題である（➡ Note 43）．

専門性の向上については，言語障害教育を担当する教員や設置校管理職の全国組織である**全国公立学校難聴・言語障害教育研究協議会**（略称：全難言協）が，年1回の全国大会や主に初任者向けの

> **Note 43. 教員資格認定試験による特別支援学校自立活動教諭免許状の取得**
>
> 教員資格認定試験は，広く一般社会に人材を求め，教員の確保を図るため，大学等における通常の教員養成のコースを歩んできたか否かを問わず，教員として必要な資質，能力を有すると認められた者に教員への道を開くために文部科学省が開催している試験である．このうち，特別支援学校教員資格認定試験は，特別支援学校の自立活動に関して障害種別に実施されており，「自立活動（言語障害教育）」も含まれる．この認定試験に合格した者は，都道府県教育委員会に申請すると，合格した種目に応じて特別支援学校自立活動教諭の一種免許状が授与される．この免許状を有する者は，特別支援学校および特別支援学級において，自立活動のみを担当することができる．2018年度から試験実施事務を独立行政法人教職員支援機構が行っている．

研修会である「全国研修会はじめのいっぽ」を開催したり機関誌を発行するなど，大きな役割を果たしている．また，都道府県や指定都市レベルでの研究協議会があり，それぞれに研究会を実施したり，ブロックごとの研究大会を実施している．その中に，北海道言語障害児教育研究協議会のように，教育関係者のみならず，保健，福祉，医療関係者や研究者も一緒になって事例研究を行っている研究協議会もある．

また先述のように，言語障害教育は親の会とともに発展してきた．現在の全国組織である **NPO法人全国ことばを育む会**は，2年に1度の全国大会の実施や機関誌などの発行を通じて，保護者のみならず担当教員の専門性向上に大きく寄与している．

さらに，**独立行政法人国立特別支援教育総合研究所**は，専門研修として，全国の言語障害教育を担当する教員に対し，2か月間の研修を実施している．言語障害教育の知識技能の習得のみならず，全国的なつながりをつくることができ，修了者は各地の言語障害教育や特別支援教育の中核として活躍している．

引用文献

1）文部科学省初等中等教育局特別支援教育課：教育支援資料，2013
2）国立特別支援教育総合研究所：平成28年度全国難聴・言語障害学級及び通級指導教室実態調査，2017

2 地域支援における連携

A 乳幼児期における言語聴覚士

乳幼児期の子どもたちに関わる言語聴覚士は，言語発達障害やその他の障害リスクのある子どもについて，**乳幼児健康診査**（乳幼児健診，以下健診）後のフォローアップや療育機関などでの支援にかかわる．子どもの成長に沿い，必要な支援が受けられるよう，医療，福祉，教育機関にかかわるさまざまな職種との連携が求められる．

 健診システムについて

健診は，母子保健法では1歳6か月健診と3歳児健診の実施が定められ，市町村の保健センターなどで実施される．疾病や障害の疑いのあるものの検出と適切な療育を行うことが目的とされる．

発育・発達については，**1歳6か月健診**においては，独歩，単語表出などの言語面の発達，栄養面や清潔管理等についての問診やいくつかの発達検査項目が実施される．**3歳児健診**では，自分の名前が言えるかなどの言語発達やごっこ遊びができるかなどの対人的かかわりについての項目がある．また，母が子育てについて相談できる相手がいるかどうかなど，子育て支援についての聞き取りも実施される．

3歳時以降になると，保育所や幼稚園における集団生活を経験する時期になり，「集団に参加ができない」「ほかの幼児とのトラブルが多い」など，自閉症スペクトラム障害や注意欠如・多動性障害などの発達障害様の臨床的特徴が顕在化してくる．自治体によっては，発達障害などの発見を目的として5歳児健診を実施しているところもある．その内容や実施方法について統一されてはいないが，保育所などに医師，保健師，心理士などが訪問し，対象児の観察を行うという方法などで実施されている．

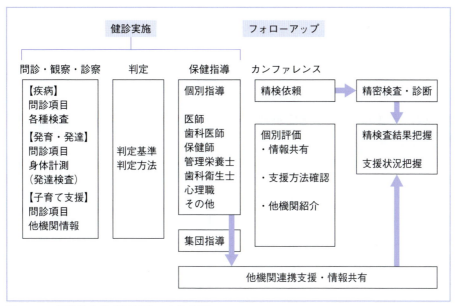

図 5-10 標準的な乳幼児健診の実施体制
〔厚生労働省：乳幼児健康診査に係る発達障害のスクリーニングと早期支援に関する研究成果，2009 より改変〕

2 健診の内容

標準的な乳幼児健診では，疾病，発育・発達，子育てに関する問診と観察が行われる．判定を経て，保健指導の対象となる母子について決定される（図 5-10）[1]．決定には問題の有無だけではなく，その後のフォローアップをどのように行うのかについて検討し，「要観察」，他機関でのより詳しい検査や通所施設の紹介などを要する「要精検」，より積極的に支援的介入が必要な「要訓練」であるのかを決める．

健診に言語聴覚士が入ることは多くはないが，言葉やコミュニケーションに関するフォローの必要な親子について，その後の支援方法を保健師らと検討に加わることがある．またフォローアップでは，個別相談や集団指導を行う．子どもの状態について，検査や診断目的での受診を促したり，療育を目的に通園施設を紹介したりする．

3 言語聴覚士に求められること

健診によって，早期から療育や支援につなげられるようになった成果のある一方で，早期発見が進むことで，わが子の障害について，親になって間もない段階から心理的な動揺を経験するようになった．この時期にかかわる言語聴覚士には，そのような保護者の気持ちの動揺を受け止め，障害受容過程における母親や家族へのカウンセリング的な視点をもつことも必要となる．また必要な支援が受けられるよう，次の支援につなげるための橋渡しとしての役割も担う．さらに虐待を防止する観点から，保護者が養育に対して肯定的に受け止められるよう，心理士や社会福祉士などのほかの職種と情報共有をして，相談を進めていく．

子どもに関する相談の多くは，言葉の遅れに関するものであるが，この時期の子どもは，言葉によるコミュニケーションがうまくとれないなど，言葉やコミュニケーションの問題から派生して，別の行動上の問題が生じていたり，身辺自立の獲得や発達過程でみられる習癖的行動などへの対応

についての相談なども寄せられることもあり，求められる支援の内容は，言葉に関する支援だけにとどまらない．

B 保育所などとの連携・支援における言語聴覚士の役割

多くの子どもは保育所や幼稚園に入園し，就学までの間を過ごすことになる．集団への参加を通して，発達初期には顕著にみられなかった行動やコミュニケーション上の課題が見られるようになることがある．この項では，保育所などとの連携や言語聴覚士の果たす役割を学ぶ．

1 保育所・幼稚園における状況

a 保育所・幼稚園における気になる子の存在

気になる子とは，発達障害児を含めた保育所などの保育の場で保育者（保育士や幼稚園教諭など，幼児の担任をする立場）が気がかりな子，配慮を要する子のことをさす．保育所などでは，気になる子どもたちの集団場面での様子として，「指示に従わない」「集団行動ができない」「人とかかわることが苦手」「動きが多く落ち着かない」といった行動やコミュニケーション上の課題がみられると報告されている．これらの幼児は，2歳児ごろから増え始め，3～4歳児にかけて多くみられるようになり，集団保育場面では特に個別の対応が必要となる．

b 気になる子への対応

気になる子の行動について，担当保育者が，発達障害などの障害に起因して生じているものなのかどうかを見極めることは困難であることも多い．また，診断や評価を目的として病院への受診を保護者にすすめるべきかどうかも迷うところでもある．そして児への対応について，本当にこれでよいのかどうかと対応に自信がもてず苦慮する保育者もいる．

2 訪問支援

a 保育所等訪問支援・巡回相談

保育所等訪問支援や巡回相談では，言語聴覚士が保育所などに訪問し，保育者から挙げられる配慮の必要な児についての対応や支援方法について観察・助言を行う．園内の先生へのコンサルテーションとともに，必要に応じて対象児の保護者に対して状況を説明したり，専門機関の紹介についても検討することがある．

b 施設支援一般指導事業

施設支援一般指導事業では，障害児通園事業及び障害児保育を行う保育所などの職員に対し，療育に関する技術の指導を行う．すでに療育機関などに通っている子どもが，保育所などに就園することもある．その場合には，制度を利用し，療育機関の専門家とのカンファレンスを実施する機会をもつことも可能である．

c 支援の方法と流れ

1）訪問支援の方法や内容

巡回相談や支援事業などの訪問支援では，園に訪問し，対象児について活動場面の行動観察後に担当者，主任，園長などとのカンファレンスが行われる．

行動観察の前に，質問や相談事項，子どもの現状について確認し，行動観察では，登園時の様子やあそび，活動への参加状況などを行う．カンファレンスでは，行動観察でみられた子どもの様子についての報告と質問や相談事項への助言，保護者支援やほかの機関との連携についての確認などを行う．

2) 集団の観察のポイント

訪問支援における観察では，在籍児のいるクラスの人数，担任数を把握する．活動時では，登園時の様子，集団参加の様子，自由遊びの様子，友人関係，給食や排せつなどの基本的生活習慣について，対象児の様子を観察する（表5-4）[2]．集団参加の難しい児や集団のペースに遅れがちな児の場合には，どういった働きかけや支援があると児の活動意欲を高めることにつながるのか，状況理解の手立てとなるのかなど，周囲のかかわり方や環境整備についても把握する．

その他，活動場面におけるクラス運営，障害に関する担任の知識や支援方法，障害児の受け入れ状況や加配の有無についてなど，クラスや園の全体の様子や状況を把握することもポイントとなる．

3) カンファレンスにおける留意事項

カンファレンスでは，現状の把握とともに，保育の実践に活かせるものについてアドバイスへの期待が高い．そのため配慮を要する園児への対応について，具体的にどのようなことをすればよいのかを説明することは必須となる．あわせて専門的な視点から，なぜそうした支援が必要なのかを説明することで，子どもの行動の背景について理解が得られやすい．保育所などの支援では，障害のある子どもへの支援方法に確証の得られないことで不安に思う担当者にも配慮し，支援方法や見通しについて共有することで，安心して保育実践が行えるよう後方支援を行う姿勢が求められる．

3 障害児通所支援

a 障害児施設・事業の一元化

2012年には児童福祉法が改正され，障害児施設や事業の一元化がなされた．それまでの障害種別ごとにあった通園施設や入所施設が一元化さ

表 5-4 集団保育場面における評価観察のポイント例

場面	評価のポイント
登園時	母子分離の様子，身支度の自立，園の活動への慣れやすさ
活動への参加	集団への参加，注意の集中・持続・着席などの社会的行動 指示の受信姿勢，言語理解 受け入れやすい指示，構造化の有効性
自由遊び	遊びの興味関心の対象 コミュニケーション言語・非言語 他児との関わり・やりとりなど対人的関心 終了場面の様子・場面の切り替えへの反応，終了の理解
排泄，給食など	排泄：自立，声かけでトイレにいくかなど 給食：自食，食べ方，偏食，食器具など

〔三隅輝見子：発達障害児に対するアセスメントの実際．尾崎康子，他（編）：乳幼児期における発達障害の理解と支援① 知っておきたい 発達障害のアセスメント．pp262-271，ミネルヴァ書房，2016より改変〕

れ，**障害児通所支援**，**障害児入所支援**というサービスの利用形態に再編成された（図5-11）[3]．

通所支援では，児童発達支援，医療型児童発達支援，放課後等デイサービスがある．重度の障害などがあり，外出が困難な障害のある場合には，居宅訪問により発達支援を受けられるサービスも新たに設けられた．入所支援として，福祉型障害児入所施設と，医療の必要な場合には，医療型障害児入所施設が設置されている．

b 児童発達支援

児童発達支援センターは，障害のある子どもと家族への支援を担う地域の中核的施設であり，児童発達支援や保育所等訪問支援などを行う．児童発達支援は，主に就学前の障害のある子どもを対象として，日常生活における基本動作の指導，独立自活に必要な知識技能の習得または集団生活への適応のための訓練を提供している．利用開始時には家族への聞き取りや標準化されたツールなどを活用して，本人の発達状況や家族の意向を適切かつ総合的にアセスメントし，**児童発達支援計画**

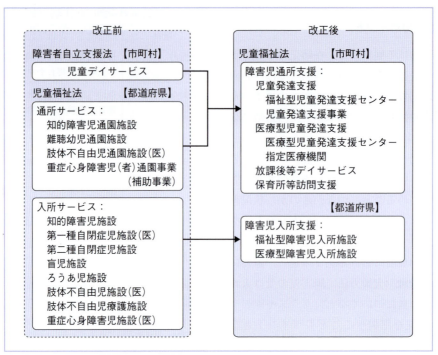

図 5-11 障害児支援の体系　障害児施設・事業の一元化
〔厚生労働省：障害児支援施策の概要，2012 より〕

を作成する．このアセスメントを踏まえ，子ども本人のニーズに応じた支援目標を設定し支援を行う．また児童発達支援を利用する子どもたちが保育所などに移る際には，保育所などとの連携をはかり，移行支援を行う．

4 就学移行支援

支援の必要な子どもたちが就学する際に，就学先について，市町村で行われる就学相談を経て，総合的な判断のもとに通常の学級，あるいは特別支援学級・特別支援学校を選択することになる[4]（第5章図5-1 ➡ 238頁参照）．療育機関などの言語聴覚士は，就学相談のための資料として，現在の発達検査の結果やこれまでの発達と支援経過について教育委員会への報告を行うことがある．また保護者から就学に関する相談を受けることもある．就学先の選択は家族にとって大きな決断となることがあるため，保護者の考えを十分にくみ取り，納得して選択できるよう，また子どもの成長にとってよい選択ができるように助言を行う．

C 学童期の支援における言語聴覚士の役割

1 学校における状況

文部科学省の調査では，通常学級の中に特別の教育的支援を必要としている児童生徒は 6.5% 在籍しており，行動面，学習面のどちらかに課題をもっている．また障害や環境など，さまざまな背景をもつ児童生徒の様相は多様化しており，個に応じた支援が求められている．2008年度から「PT，OT，ST等の外部専門家を活用した指導方法等の改善に関する実践研究事業」が施行され，

外部専門家として言語聴覚士が教育に参画する機会が増えてきた．2012年度には「共生社会の形成に向けたインクルーシブ教育システム構築のための特別支援教育の推進（報告）」により，障害のある子と障害のない子が可能な限りともに学ぶしくみを作るために必要な教育環境の整備が進められてきた．言語聴覚士は，支援の必要な児童生徒に対して，コミュニケーション，対人関係，摂食嚥下，聴覚などの領域について，自立活動の授業や通級による指導，教育相談において，児童生徒への直接的な指導とともに，教員へのコンサルテーションを行う．

2　学童期における支援

a　通常学校における状況

前述の通り，1クラスに数人は学習に困難が生じている児童がいることになる．担任教員は，その児童がどのような過程でつまずいているのかを個々に把握するのは，困難なことも多い．指示された内容の通りに実行ができないなどの行動問題や，授業についていけないなどの学習習得が明らかな場合には，問題が表面化しやすい．

一方，問題が表面に明らかになることが少ない児童生徒も一定数いる．授業を妨げるほどの問題行動がない場合や，学習が困難であっても，コミュニケーション上の問題がない場合には問題が見過ごされやすい．これらの問題の背景に，指示理解が難しいというような言語発達の遅れの疑い，読み書き障害の疑いの場合がある．また友達とのやりとりでは，対人的コミュニケーションの問題をもつ可能性もある．

b　通常学校における支援

通常学級に在籍する児童生徒について相談があげられた場合には，学習の習得状況や読み書きに関する習熟度について把握し，支援についての手立てについての助言などが求められる．すでにWISC-ⅣやKABC-Ⅱなどの検査を実施している場合には，発達の水準や発達的特性に関する把握とともに，校内で問題行動となることがらの背景について，個々にあった目標や支援方法を立てたり，今後想定される困難場面に対する対応について助言を行ったりする．これらは，担任教諭や支援にかかわるほかの職種と情報共有し，本人にかかわる校内の教員などにも理解を得ることが必要である．

すでに支援の対象となっている障害のある児童生徒については，**個別の指導計画**の立案にあたり，専門家としての立場から助言をすることになる．**個別の教育支援計画**の立案にあたっては，学校，保護者，関係専門機関との連携から，子どもにとってよりよい計画と実行を目指す．

c　特別支援教室・聞こえとことばの教室における支援

特別支援教室，通級指導教室では，通常の学級に在籍している子どものうち，障害の特性に応じた支援が必要な子どもについて，大部分の授業を在籍している通常の学級で受けながら，特別の教育課程としてのその授業に加えたり，一部の授業に替える形で，障害による学習面や生活面の困難を克服するための指導（**通級による指導**）を受けたりすることができる．2018年度からは，高校においても通級指導が実施制度化された．**特別支援教室**においては，学習やコミュニケーションに課題のある児を対象に少人数での指導が行われる．**ことばの教室**については，言語障害のある児童生徒に指導が行われる．言語聴覚士は，ことばの教室への巡回相談などで，言語障害のある児童生徒への直接指導，通級担当教員へのコンサルテーションや研修会などを行う．

d　特別支援学校における支援

障害のある児童・生徒が増加し，多様な状況にある子どもたちに対応するため，肢体不自由や知的障害特別支援学校に**外部専門家**として教育に参

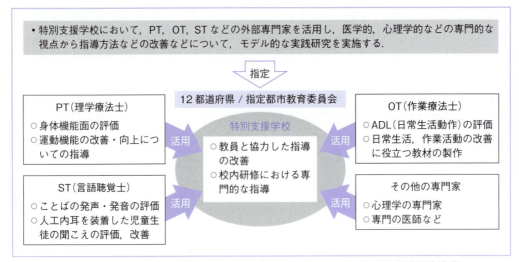

図5-12　PT, OT, ST等の外部専門家を活用した指導方法等の改善に関する実践研究事業
〔文部科学省：PT, OT, ST等の外部専門家を活用した指導方法等の改善に関する実践研究事業, 2008より〕

画する言語聴覚士は少しずつ増えている（図5-12）[5]．

個別の言語訓練や支援を行う場合とは異なり，教員へのコンサルテーションが主となる．そのため，学校における支援では，児童生徒同士のかかわりによる集団の機能を大切にする視点をもつことが必要である．学校は，子どもたちの日常の生活の場であることを意識し，普段からかかわっている教員とともに実際的な支援方法を模索する．

介入する際には，日課や教室環境，クラスの人数など構成メンバーの把握に加え，建物や移動についての経路など物理的環境についても把握する．また学校内の委員会組織なども把握し，担任教員やそのほかの教員とも連携するよう意識する．

e 学校との連携

教育に参画する言語聴覚士は少しずつ増えてきているものの，認知度はまだ高くはない．また職務内容についての認識も学校によって異なる現状もある．外部専門家などの立場で学校に訪問する際には，学校における言語聴覚士の役割や職務内容について教員に説明するなど，校内での活用を普及させていくよう心掛けることも大切である．

教育現場の実情として，教員の忙しさにより，連携が必要だと思っていても，時間的制約などから連携しようとするという行動自体が生じにくい状況がある．支援について相談したいときに相談できるような体制作りや，すぐに問題解決に至らなくとも相談して良かったと思ってもらえるよう，相談に応じる際の誠実な対応は必須である．また，学校内に限らずほかの機関へと紹介が必要となる場合もあるので，地域の中での職種間のネットワークを整えることも必要であろう．

引用文献

1) 厚生労働省：乳幼児健康診査に係る発達障害のスクリーニングと早期支援に関する研究成果, 2009
2) 三隅輝見子：発達障害児に対するアセスメントの実際. 尾崎康子, 他（編）：乳幼児期における発達障害の理解と支援① 知っておきたい 発達障害のアセスメント. pp262-271, ミネルヴァ書房, 2016
3) 厚生労働省：障害児支援施策の概要, 2012
4) 文部科学省：就学相談・就学先決定の在り方について, 2012
5) 文部科学省：PT, OT, ST等の外部専門家を活用した指導方法等の改善に関する実践研究事業, 2008

3 高等教育における支援（就労支援を含む）

A 言語発達障害のある大学生の実態

1 障害のある大学生の状況

わが国の高等教育機関（大学・短期大学および高等専門学校）に在籍する障害のある学生の数や，修学や生活上の支援状況が毎年把握されている．独立行政法人日本学生支援機構（JASSO）が行うこの悉皆調査では，全国の高等教育機関が参加する．最新の調査[1]では，障害のある学生数は37,647人（全学生数の1.17%），障害のある学生が在籍する校数は937校（全1,174校の79.8%）と報告され，2006年の調査開始時の4,937人と比較すると，この11年で約7.6倍増加したことになる（図5-13）．ただし，障害のある学生の在籍比率だけでいうと，アメリカでは学部生19.4%，大学院生11.9%[2]，ドイツ19.0%，イギリス5～6%，フランス2.2%[3]と報告されており，日本の比率は圧倒的に低いことがわかる．調査方法の違いもあるが，国際動向も踏まえておきたい．

この調査では「障害及び社会的障壁に依り継続的に日常生活又は社会生活に相当な制限を受ける状態にある学生」を対象としており，**身体障害者手帳，精神障害者保健福祉手帳**（→ Note 44）ないし**療育手帳**（→ Note 45）を有しているか，医師による診断や意見書などの根拠資料を提出する学生をいう．障害種別として①視覚障害（盲・弱視），②聴覚・言語障害（聾・難聴・言語障害），③肢体不自由（上肢・下肢機能障害など），④病弱・虚弱（内部障害など），⑤1～4の重複障害，⑥発達障害（限局性学習障害：SLD，注意欠如・多動性障害：ADHD，自閉症スペクトラム障害：ASD），⑦精神障害，⑧その他の障害，以上8つに分けてカウントされる（図5-14）．近年では，発達障害，精神障害，病弱虚弱の割合の増加が傾向として認められること，また，正確な診断はないが修学や生活を著しく困難にする発達や精神的な特徴を認める学生が一定数いることも注目されており，実態把握が進められている．なお，これらのうち言語発達障害が該当するのは，聴覚・言語障害カテゴリーだけに限らず，肢体不自由，発達障害，そのほかに後天性の機能障害（高次脳機能障害など）や精神的理由に依ると推測される場合は「その他の障害」のカテゴリーの中に含まれると考えてよい．

2 言語発達に障害のある学生の困難さ

大学などでは，入試に始まり，入学後の正課／課外活動，そして卒業・修了を出口とする一貫した教育と学生生活が展開されるが，こういった教育カリキュラムや生活スタイルは大多数の一般学生向けに構成されているものであり，障害のある学生にとっては，参加や活動すること自体に制限・制約がかかるシーンは少なくない．例えば，聴覚障害や肢体不自由を背景とする障害のある学生の場合，主に大学などでの講義や研究上の議論

Note 44. 精神障害者保健福祉手帳
何らかの精神疾患などにより長期にわたり日常生活または社会生活への制約がある人を認定し，自立と社会参加のための医療・生活・経済的な支援サービスが利用できるようになっている．対象には発達障害，てんかんも含まれる．

Note 45. 療育手帳
主に知的障害のある人が取得できる障害者手帳．療育手帳制度は法律では定められておらず，都道府県・政令指定都市がそれぞれ要綱などを制定して発行するため，手帳の名称や取得基準，対応する支援内容が異なる．

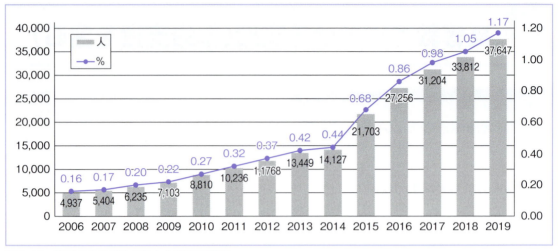

図5-13　障害のある学生の数と在籍率の推移

一部，障害カテゴリーの変更により学生数カウントが変更している．
〔独立行政法人日本学生支援機構（JASSO）：令和元年度（2019年度）大学，短期大学及び高等専門学校における障害のある学生の修学支援に関する実態調査結果報告書，2020より〕

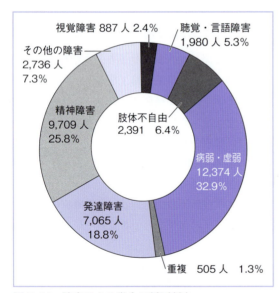

図5-14　障害のある学生の種別割合

〔独立行政法人日本学生支援機構（JASSO）：令和元年度（2019年度）大学，短期大学及び高等専門学校における障害のある学生の修学支援に関する実態調査結果報告書，2020より〕

> **Note 46. アクセシビリティ**
> アクセスしやすさ，利用しやすさのこと．身体能力・国籍・言語・年齢などに左右されず，だれもが自由に情報の発信やアクセスができるような状態にすることを指す．例えば，施設や交通の利便性や，ウェブサイトなどの読みやすさに対して使われる．

を含む他者とのやり取りの多くが音声言語を中心に展開されるため，参加できないこと（機会損失）や，ほかの学生が必然と入手できる情報がない状態（**情報アクセシビリティ**（→ Note 46）の問題，コミュニケーションの問題）などが起こることもある．試験やレポートなどが課されれば，筆記困難，あるいは文字での表現が困難な学生であれば，力を発揮できないばかりか，公正に評価もされないことがある（成績評価への影響）．また，自閉症スペクトラム障害や注意欠如・多動性障害のある学生では，「感情・状況理解不足」「不注意」「睡眠リズム障害傾向」「整理整頓能力不足」「交友関係構築能力不足」「不器用」「集中持続困難・衝動性」などが大学生活での困り事の上位項目に挙げられている[4]．学修面以外に生活面や対人面でも顕在化する困り事は，学生本人にとっても認識しにくく，周囲からの誤解を受けることもある．他者と比較する中で自己イメージを育てる青年期にあっては「大学生にもなって…」と当惑したり，「これで社会人になれるのか…」と失望したり，中高生までには経験したことのないような恥ずかしさや不安を感じながら日常生活を続けることに強いストレスがかかることもある．障害のある学生

にとってメンタルヘルスの課題も常に隣り合わせであると考えるべきである．

こういった学生の困難さが表れる場面は，障害の種類や程度だけに関係するわけではなく，本人と本人が置かれている環境や状況（例えば大学などにおいては，授業や試験方法の制限，独自の慣習・文化，偏見など）との間で起こるものであり，これを**社会的障壁**（→ Note 47）という．

B 大学等高等教育機関における障害のある学生への支援

1 障害のある学生への支援の推進

高等教育機関に進学する障害のある学生の増加の背景には，法制度の改革が大きく影響している．特に，2016年4月の**障害者差別解消法**（→ Note 48）の施行により，大学などを含むすべての事業者において障害を理由とした『不当な差別的取扱いの禁止』が義務化された．つまり，障害を理由として入学や授業への参加を拒否・制限・条件付けすることや，合理的配慮を提供しないということは差別の取扱いに当たると規定した．この「**合理的配慮**(reasonable accommodation)」とは，障害者の日常生活と社会生活の支障となっている社会的障壁を除去するための措置のことで，個人のニーズを満たすために提供されなければならないものとして，国立・公立・私立といった設置者の区別なくすべての大学で法的義務とされる（改正障害者差別解消法，2021）．この法施行を受けて，各大学などでは指針を立てて，障害のある学生の『教育を受ける権利』を保障する学修環境と支援体制の整備が推進されている[5]．

2 学修上の合理的配慮

2019年度に大学などで行われた配慮・支援の内容を（図5-15）に示す（主に言語発達障害が該当する聴覚・言語障害，肢体不自由，発達障害のカテゴリーを比較する）．いずれの障害種別でも「配慮依頼文書の配布」や「教室内座席配慮」が上位である．聴覚・言語障害，肢体不自由では，情報保障のための機器利用や人的配置，あるいは教室や学修の環境といった，いわゆるハード面の変更・調整の項目が多い．つまり，身体の機能障害に対する補助・代替的な方略によって一般の学生と同じように参加・活動できることを保障するという配慮である．

一方，発達障害では「講義に関する配慮（講義内容の録音，板書の撮影等を許可する）」や，「出席に関する配慮（体調不良などへの対応）」，「学習指導」「履修支援（履修登録時の相談や助言）」などの実施率が高く，学修の方略に関する変更・調整だけでなく，学修を開始し継続するための細部にわたるソフト面での配慮が行われていることがわかる．また「時間延長・別室受験」「（課題などの）代替・期限延長」などの試験と評価にかかわる内容での配慮が多くなっている．

> **Note 47. 社会的障壁**
> 障害のある方にとって，日常生活や社会生活を送るうえで障壁となるような，社会における事物（通行，利用しにくい施設，設備など），制度（利用しにくい制度など），慣行（障害のある方の存在を意識していない慣習，文化など），観念（障害のある方への偏見など）そのほか一切のものをさす．

> **Note 48. 障害者差別解消法**
> 「障害を理由とする差別の解消の推進に関する法律」．2013年6月制定，2018年4月施行．障害者基本法第4条の「差別の禁止の規定を具体化するものとして位置づけられる．施行から3年の間に本法の見直しが行われ，合理的配慮の義務化や支援措置の強化・拡大を定めた改正法が2021年5月に成立した．

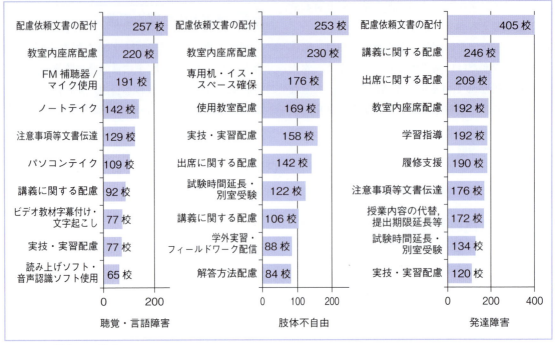

図 5-15　学修上の配慮
複数回答あり
〔独立行政法人日本学生支援機構（JASSO）：令和元年度（2019年度）大学，短期大学及び高等専門学校における障害のある学生の修学支援に関する実態調査結果報告書，2020 より〕

3　学生生活上の合理的配慮

　学生生活面でも合理的配慮はさまざま行われている[1]．図 5-16 を見ると，障害種別によって必要な配慮・支援の優先度は多少異なっているようであるが，中でも共通して実施されているのは，「専門家によるカウンセリング」と，「キャリア支援・就職活動の関連支援」である．障害のある学生と日常的に面談を行うことは多いが，配慮内容の状況確認や調整といった実用的な相談だけではなく，メンタルヘルスのためのカウンセリングも必要不可欠である．また，個別の相談機会だけではなく，居場所作り，休憩場所の確保などがピア・サポートやメンタルケアとしての機能ももつ．
　キャリア支援・就職活動の関連支援では，求人情報の提供，就職支援機関の情報提供，障害のある学生を受け入れている就職先やインターンシップ先の開拓や支援などが行われているが，次項で述べる障害者雇用の拡充に伴って，高等教育機関での出口支援にかける比重が年々大きくなりつつある．さらに発達障害においては，在学中の学修・研究活動だけでなく就職後にも必要となる自己管理指導，例えばスケジュール管理，課題管理，ツール利用のための支援や対人関係の支援のニーズがあることが特徴的である．

4　高等教育機関の入口・出口の支援

　まず，高等教育機関の入口である入学試験に関する合理的配慮は，法整備以前から先駆けて取り組みがなされてきた．中でも大学入試センター試験はその前身である共通一次試験の時代（1979〜1989年）から，障害種別や程度にかかわらず学生本人からの事前申請と，審査のうえで受験上の合理的配慮を許可する方式をとっている．例えば，リスニング試験の免除（聴覚障害），別室受験，試

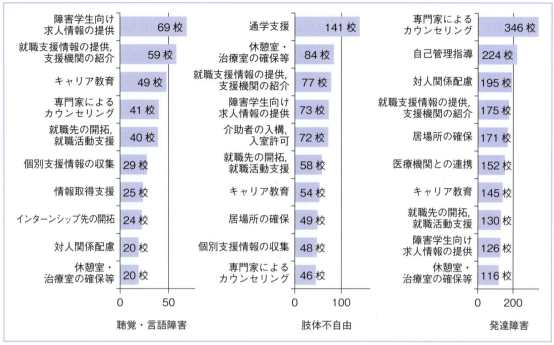

図 5-16 学生生活上の配慮
複数回答あり
〔独立行政法人日本学生支援機構(JASSO):令和元年度(2019年度)大学,短期大学及び高等専門学校における障害のある学生の修学支援に関する実態調査結果報告書,2020 より〕

験時間延長,座席指定,学習器具の持参などの配慮が多く行われる.そのほかに,チェック解答(マークシートを塗りつぶさずに✓による回答を認める)や拡大文字問題冊子の使用といった配慮事項は,発達障害のある学生の増加に伴って増加している.さらに特筆すべきは 2018 年から可能な配慮内容に「パソコン利用」が含まれたことであるが,現状では入力と代筆時に音声出力をすることのみの使用が認められているに留まっている.2020 年度からは大学入学共通テストとなり,思考力・判断力の重視により,グラフ・図表の多用や読み取る資料の分量が増加した.問題文拡大や読み上げ,作図作画などにパソコンやタブレットなどが利用できるようになれば,例えば発達性ディスレクシア(読字障害)やディスグラフィア(書字障害)のある学生が力を発揮できるようになるだろうと思われるが,これらの配慮はこれまでに認められた実績がほとんどない.また,障害のある学生に対する情報提供の不足や,申請・相談にかかる時間的・労力的負担などが高等教育機関の入口におけるバリアになる可能性もある.

次に,出口支援,つまり社会へ出るためのキャリアや就職支援であるが,大学などがここに力を入れる背景には,障害のある学生の卒業率・就職率の低さが関係している.JASSO 実態調査[1]によれば,障害のある学生の卒業率は 72.9%(一般学生で約 9 割),そのうち就職者は 42.1%(一般学生で約 8 割)であった.障害のある学生では卒業・修了が難しい,あるいは卒業・修了ができても就職が難しいケースが多々あることが伺える.障害種別にみると,身体障害の学生の就職率が 5 割前後にあるのに比べて,発達障害では 3 割に満たない.これは高等教育における出口の支援だけの問題ではなく,障害のある人全体の社会参加や自立の支援という点からも課題が浮き彫りになっている.

とはいえ，具体的に障害のある学生にとって有効な支援方略やプログラムが確立されているわけではない．各大学による草分け的な取り組みとして，職業準備性を高める支援(明星大学など)，学内外でのインターンシップやジョブマッチングの支援(九州大学，京都大学など)，障害のある学生が主体的に企業開拓や自己アピールできる機会を提供する取り組み(筑波大学など)，卒業後の就職定着のためのアフターフォロー(富山大学など)がある．各大学では大学内の既存のキャリア支援体制と連動しながら，障害のある学生に合わせた課題解決のためのプログラムを開発したり，企業や地域の就労支援機関と連携しながら社会移行のための支援を展開している．

5 学内の支援体制整備

ここ数年間で，大学などでの障害学生支援体制整備は大きく変化している．2019年現在，全国の約95.9%の大学などが障害学生支援の担当部署を設置するが，そのうち独立した部署・専任者を置いているのは2割に満たない．そのほかは他部署教職員の兼任か，地域団体に外部委託している．恒常的な支援体制の維持に予算と人材の確保が大きな課題となっている．

しかし，大学などにはそもそも学生を支援するサービスが多岐に備わる．最近ではアカデミック・スキル向上のためのラーニングサポート・サービスを展開する大学が増えているが，いわゆる論文執筆の相談だけでなく，学び方を学ぶためのサポート(ノートの取り方，ツールの使い方)や，リフレッシュやストレスマネジメントなど自分に合った学び方を考える機会の提供，ニーズがある学生とリソースをもつ学生をマッチングさせるチュータリング制度も導入されている．これらは，例えば読み書き困難な学生にAT(➡ Note 49)を紹介したり，注意障害のある学生に集中しやすい学習環境を提供したり，コミュニケーションに不安のある学生がグループワークの練習をし

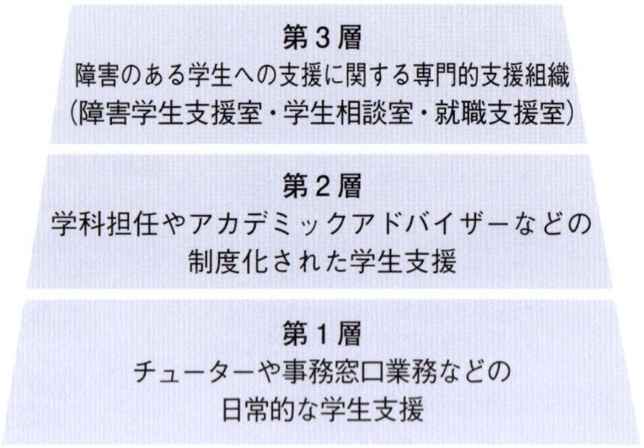

図5-17 大学などにおける学生支援サービスの階層

第3層　障害のある学生への支援に関する専門的支援組織（障害学生支援室・学生相談室・就職支援室）

第2層　学科担任やアカデミックアドバイザーなどの制度化された学生支援

第1層　チューターや事務窓口業務などの日常的な学生支援

たりと，多様な学び方を保障し，困難さや苦手さを凌駕する個々の特性に合う学び方へと発展させる可能性がある．障害の有無にかかわらず全学生が利用できるサービスは図5-17のように階層的であり，下層の拡充が多くの学生の学びやすさや生活しやすさにつながる．そしてバリアフリーやUDL(➡ Note 50)という概念もまた「**事前的改善措置(➡ Note 51)（環境の整備）**」として，これからの大学などが目指す姿でもある．

高等教育機関における障害のある学生への支援体制整備は，単に部署や担当者を据えることだけではない．すべての学生に質の高い教育が提供さ

Note 49. AT(assistive technology)
主に障害のある人向けに開発・提供される支援技術や端末と，その利用のためのサービス全般を指す．

Note 50. 学びのユニバーサルデザイン(universal design for learning：UDL)
障害の有無にかかわらず，すべての学習者の学びの伸びを助け，学習者が自分で選択し学びに向かえるようになることを支援するための概念．

Note 51. 事前的改善措置
不特定多数の障害者に対する社会的障壁の除去，差別解消のための「環境の整備」として位置づけられる．バリアフリーやUDとも類似する考え方．例えばレストランが，来店する障害者一般のために入り口付近の段差をあらかじめなくしておくのは合理的配慮ではなく，事前的改善措置である．

れ，多様な学び方やあり方が大切にされるよう，全体的な学生支援のキャパシティ向上の中に位置づくものである．

6 障害のある学生への支援の課題

高等教育機関に進学する障害のある学生の増加と支援体制整備が進む一方で，支援上，課題となる場合がいくつかある．

① 合理的配慮の提供が大学などにとって「過重な負担」となる場合：高額な福祉機器の準備，支援スタッフの人件費といった負担が，配慮提供を阻害する要因になりやすい(本来は過重にならない範囲の別の方法を検討しなくてはならない)．

② リソースに限界がある場合：例えば手話による情報保障を希望する学生がいても，学術用語に対応できる通訳者が少ないことや，手話単語そのものがないといったことである．

③ 支援の行き届かない障害や特性のある学生の存在：障害を表明せず，支援の申し出をしていない学生(潜在的な障害のある学生)が一定数いる．障害のある本人からの意思表明と，障害者手帳や診断書などの証明書類が合理的配慮提供の根拠とされるが，未診断であったり，本人が意思表明できないために適切な支援につながらないケースがあることも考慮する必要がある．

④ 元来の授業やカリキュラムが障害のある学生を"暗に"排除する内容である場合：アカデミックポリシーなどに障害を理由とする欠格条項が示されたり，たとえ明記されていなくとも暗に特定の属性や特性をもつ学生が不利益を受ける基準や要件が付されていることがある．これは差別に値するため早急に改善が必要である．

これらの課題は一部署や一担当者だけで問題解決は図れない．大学全体，社会全体での議論や大幅な修正・変更が必要になることもある．ただ，障害の有無にかかわらず，学びたい学生がここにいる，という状況をどのように捉え，教育機会の平等性をどう考えるかということに尽きる．なお，障害のある学生への支援に関する取り組みや合理的配慮事例は，下記のいくつかの機関における情報プラットフォーム（Platform；情報が集まる場であり，提供者と利用者を結びつける土台）にて提供されているので参照されたい．

- 独立行政法人 日本学生支援機構；JASSO
- 一般社団法人 全国高等教育障害学生支援協議会；AHEAD JAPAN
- 東京大学 障害と高等教育に関するプラットフォーム形成事業；PHED
- 京都大学 高等教育アクセシビリティプラットフォーム；HEAP
- 日本聴覚障害学生高等教育支援ネットワーク；PEPNet-Japan
- 筑波大学 教育関係共同利用拠点事業 発達障害学生支援プロジェクト；RADD

C 職場での支援状況

1 障害者雇用と職場での支援

障害者全般の雇用・就業・経済的自立は，わが国の障害者施策の中でも中心的な目標のひとつとされている．職場での障害を理由とする差別禁止と合理的配慮の提供義務は高等教育機関と同様であるが，事業者の規模や業務内容，業務形態，職場環境，求められる能力はさまざまであることから，一律の配慮指針やモデルが少ないということが障害者雇用の大きなハードルとなってきた．また，雇用されたとしても職場の雇用経験の不足や，特性や配慮方法についての知識不足などで，障害者の離職率が非常に高いことも長く懸念されている．

「障害者雇用促進法」の改正(2018年)により，法定雇用率制度(➡ Note 52)と障害者雇用納付金制度(➡ Note 53)が見直された2018年度には，障害者雇用数は約56万6千人，実雇用率は2.11%

に上昇し，過去最高となった[6]．しかし，法定雇用率達成企業等は約半数程度であり，安定的であるとは言い難い状況であることに変わりない．さらに2018年当初に国・地方公共団体における障害者雇用水増し問題が発覚し，障害者雇用制度そのものの在り方も問われている．

その反面で，近年の労働力不足を解消するための「働き方改革」によって多くの人々の雇用が見直されてきたように，業務内容の豊富さや，働き方の柔軟性，能力に応じた評価の仕組みなど，企業だからこそできる障害者雇用の在り方が実現できる可能性もあるといえよう．実際に，インクルージョン（inclusion：包括）やダイバーシティ（diversity：多様性）に積極的な企業では障害のある人も強い能力を活かせるように環境を整え，適切な合理的配慮が行われている．例えば，限局性学習障害のある者へは読みあげソフトの利用，資料の電子データ共有，計算のオートメーション化などのICTを活用することで読む・書く・聞くなどの負荷軽減に努めたり，自閉症スペクトラム障害のある者へは障害特性によるディスコミュニケーションを減らすために曖昧なルールやマナーを明示化したり，具体的な作業指示を行うこと，感覚過敏の対応としてパーテーション・イヤホン・サングラスなどの特定の刺激を軽減する環境調整やアイテムの使用許可などの配慮がよく行われる．

高齢・障害・求職者雇用支援機構の『障害者雇用事例リファレンスサービス』[7]では，データベース化されている雇用と配慮の事例が閲覧できる．企業名も原則公開されており，雇用ノウハウに関する情報共有のフィールドとなっている．障害者が働きやすい職場はそのほかの多くの人にとっても働きやすく，成果を挙げられる職場であることは間違いない．

2 就労移行支援・就労定着支援

就労移行支援とは，大学などではキャリア・就職支援をいうことが多いが，一般には**障害者総合支援法**（→ Note 54）に定められた障害福祉サービスのひとつを指す．後者は，一般企業などに就職・再就職を目指す障害者に対し，就労に必要な知識・技術の習得と向上を目的とした準備や訓練，就職活動支援，および就職後の職場定着支援を行うものである．就労を希望する18～65歳未満の障害者が，利用期間の制限はあるが無償～世帯所得に応じた少額の自己負担金で支援を受けることができる事業で，約3万人が利用している．利用者の増加に伴い，支援事業所の数も3,000か所を超えている．また，一般に比べて企業への就職後の定着率が非常に低い現状がある[8]ことを踏まえて，2018年以降からは，雇用された障害者の就労継続を図るための**就労定着支援**が事業化されている．そのほか，地域では実にさまざまな支援機関が連携して包括的な取り組みを行っている．例えば，ハローワーク（公共職業安定所），地域障害者職業センター，障害者就労・生活支援センター，職業能力開発校などがあり，各々，得意とする

Note 52. 法定雇用率制度

すべての事業主に障害者の雇用率達成を義務付ける制度．段階的に引き上げられ，2020年4月現在，民間企業では2.2%，国・地方公共団体・独立行政法人2.5%・教育委員会2.4%と定められる．同法は概ね5年ごとに見直される．法定雇用率を下回った場合には，納付金の支払い義務が生じる．

Note 53. 障害者雇用納付金制度

障害者の雇用に伴う事業主の経済的負担を調整するとともに，社会全体とて障害者の雇用水準を引き上げることを目的とした制度．法定雇用率未達成の民間企業から納付金を徴収し，一定水準を超えて障害者を雇用する企業には調整金や報奨金を支給する．施設・設備改修や在宅就業のための助成もある．

Note 54. 障害者総合支援法

2018年4月改正（以前の名称は障害者自立支援法）．障害児者がその人らしく地域で生活できることを支援するために，ニーズに応じた福祉サービスを利用するときに係る費用の給付，サービス利用のための相談，各地域の実情に応じた生活支援事業などを，より総合的に行えるように整備することなどが定められている．

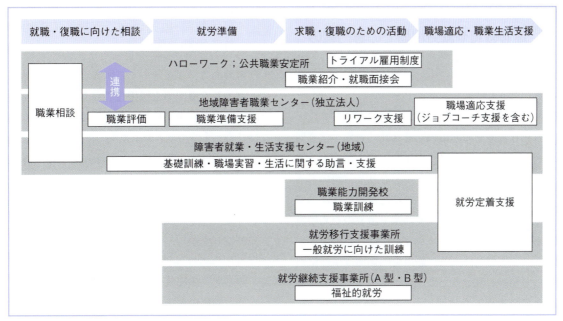

図 5-18　就労支援サービスの機関と主な機能
上記の機関のほか，大学生などでは地域若者サポートステーション，若者自立支援センター，ジョブカフェなども利用できる．
〔国立障害者リハビリテーションセンター：就労支援について知りたい．国立障害者リハビリテーションセンター Web サイト (http://www.rehab.go.jp/brain_fukyu/how06/)より〕

サービスも異なっている(図 5-18)[9]．各機関の設置者(国・地方自治体・独立法人・企業・団体など)の違いを越えて，障害のある人が適切な支援機関やサービスにつながることが自立への鍵となる．

3 障害者就労の課題と展望

　法制度の改革とともに障害者の就労の場や働き方の選択肢も増えてきてはいるが，まだまだ社会全体で取り組むべき大きな課題はある．例えば，障害者枠での雇用の場合，与えられる業務が能力を生かせないような限られた内容しかない，給与が一般雇用よりも低い，職場での偏見や過剰な対応に苦慮することがある，障害とその治療に関する非常にプライベートな事柄を詳細まで開示するよう求められる，といったことがある．また，日本の多くの企業が重視するコミュニケーションスキル，臨機応変な対応，働く土台となる体力の維持や日常生活行動が苦手なタイプの人では，業務の本質以外での負荷がとてつもなく大きくなる．さらに，企業などが求める働き方に沿わない人(法定雇用率の算定に必要な時間数に満たない場合など)は能力があったとしても雇用されないばかりか，採用相談やインターンシップの機会も与えられないことがある．

　こういった課題解決のために，障害者本人，高等教育機関，企業，地域も一丸となって声をあげ始めている．企業アクセシビリティ・コンソーシアム ACE(https://www.j-ace.net/) などの会社や業種の枠を越えた団体や，各自治体での包括的な連携事業にも今後注目したい．「働き方改革」の一端にダイバーシティの考え方が広がりつつあるように，働く場所・時間・形態・手段などの柔軟な調整や，個々のニーズに合わせた合理的配慮が適切に行われることによって，障害のある人もほかの人と同じように，能力を発揮して企業や社会へ貢献し，自己実現や自立の可能性を大きく広げるだろう．

D 高等教育や就労場面での専門職の役割と連携

1 青年期・成人期の目標と支援のあり方

　言語獲得やその使用の発達は乳幼児期・学童期を通じて急速に進むが，青年期・成人期に至るとそのスピードは徐々に緩やかとなり，言語の形式的側面（音韻・形態・統語）の新たな獲得は次第に困難となる．同時に，機能訓練や治療のための療育あるいはリハビリテーションには一定の限界がある．一方で意味論的・語用論的側面は生涯にわたって発達し続けるため，青年期・成人期ではそれまでに獲得した言語スキルの総体を駆使して，日常生活・仕事・コミュニケーションの場面で生かし，活動や参加を達成して社会適応することが目標となる．

　多くの言語聴覚士は，主に医学的知見に基づく学習・臨床を経て，専門性を獲得するだろう．これは機能発達や克服を目指す個別の療育や支援が有効とされる障害の「医学モデル」を基盤とする．しかし，青年期・成人期以降では，障害は個人と社会の間に生じる障壁と考える「社会モデル」として捉える意義がより大きくなる．障壁を取り除くための合理的配慮の提供，環境調整を行い，建設的対話と合意形成による問題解決を支えていくように，支援のあり方も転換することを理解しておいてほしい．

　なお，どの障害モデルであっても，支援の前提には，障害のある当事者自身の「どうありたいか」「どうなりたいか」「どの支援を望むか」という意思は尊重されなければならない．それはたとえ障害のある子どもや高齢者であっても変わらない．専門家は，適切な情報提供とともに，障害のある当事者の自己選択・自己決定と意思表明に向けてエンパワメントすることにも重要な役割がある．

2 高等教育・就労場面で支援者に求められる役割と専門性

　障害のある学生と就労する障害者の増加に伴って，高等教育機関の支援担当者，あるいは企業などでの障害者就労支援担当者として，言語聴覚士をはじめとするパラメディカルの専門職（公認心理師，社会福祉士，看護師，保健師など）が多く採用されている．これらの支援担当者は**コーディネーター**と呼ばれることが多いように，障害のある当事者を取り巻く環境を整え，コンフリクトをなるべく軽減しながら，適切な配慮・支援をスムーズに届けるための"調整役"としての機能が求められる．そして，実際に現場ではこの調整機能の中心となり，障害のある学生や障害者の「教育機会・就労機会の平等を確保する」という理念が叶う組織や社会全体の支援システムの創造にもコミットすることになる．そのため，コーディネーターとなるには，障害についての理解，根拠となる医学的診断やアセスメントの実施と解釈，倫理的判断といった専門性は必須である．それに加えて，大学や企業における既存のサービス，時には地域の医療・福祉などのサービスへと接続・連携できるソーシャルワークの力，サポーターやボランティア養成と組織化のための教育と管理力，法的・制度的な理解，支援技術の活用，キャリアマネジメントの力，または問題解決のための対話の促進者としての力など，多岐にわたる高度な知識・スキル・態度を持ち合わせていることが望まれる．

引用文献

1) 独立行政法人日本学生支援機構（JASSO）：令和元年度（2019年度）大学，短期大学及び高等専門学校における障害のある学生の修学支援に関する実態調査結果報告書，2020　https://www.jasso.go.jp/gakusei/tokubetsu_shien/chosa_kenkyu/chosa__icsFiles/afieldfile/2020/04/02/report2019_0401.pdf（アクセス：2020/5/1）

2) National Center for Education Statistics（2019）：Digest of Education Statistics, 2017　https://nces.ed.gov/fastfacts/display.asp?id=60（アクセス：2020/5/1）

3) 独立行政法人日本学生支援機構（JASSO）：諸外国の高

等教育機関における障害のある学生に対する修学支援状況調査・情報収集事業報告書，2008 https://www.dinf.ne.jp/doc/japanese/resource/jiritsu-report-DB/db/19/102/report.pdf（アクセス：2020/5/1）
4) 高橋知音，他：発達障害関連困り感質問紙 実施マニュアル 第2版．三恵社，2012
5) 文部科学省：障害のある学生の修学支援に関する検討会報告（第二次まとめ），2017
https://www.mext.go.jp/component/b_menu/shingi/toushin/__icsFiles/afieldfile/2017/04/26/1384405_02.pdf（アクセス：2020/5/1）
6) 厚生労働省：令和元年 障害者雇用状況の集計結果，2019
https://www.mhlw.go.jp/content/11704000/000580481.pdf（アクセス：2020/5/1）
7) 独立行政法人高齢・障害・求職者雇用支援機構：障害者雇用事例リファレンスサービス
https://www.ref.jeed.or.jp/（アクセス：2020/5/1）
8) 独立行政法人高齢・障害・求職者雇用支援機構：障害者の就業状況等に関する調査研究．調査研究報告書 No.137，2017
https://www.nivr.jeed.or.jp/research/report/houkoku/houkoku137.html（アクセス：2020/5/1）
9) 国立障害者リハビリテーションセンター：就労支援について知りたい．国立障害者リハビリテーションセンター Web サイト
http://www.rehab.go.jp/brain_fukyu/how06/（アクセス：2020/5/1）

第 6 章

言語発達障害支援の最前線

学修の到達目標
- 言語発達障害の支援に関係する近年の動向について知識を得る．

言語聴覚士のかかわりと位置づけ

　時代の流れとともに言語聴覚士が知っておかなければならない知識は変化し拡大していく．技術の発展，社会情勢の変化，医療の高度化などの今日の状況をふまえ，本書では新たに「言語発達障害支援の最前線」と題する章を設けた．本章は「ICT支援」（➡次頁），「多言語児童生徒の学習支援」（➡273頁），「低出生体重児における言語発達の問題」（➡282頁）の3つの節からなる．各節に入る前に，それぞれ言語聴覚士の業務にどう関係するのかについて概略を示す．

A ICT支援

　情報通信技術（information and communication technology：ICT）は近年，発展のさなかにあり，私たちの生活に不可欠なものになった．本書でたびたび言及されている「拡大（補助）・代替コミュニケーション（AAC）」は，ICTの進歩によってその可能性をさらに拡張させている．コンピュータやタブレット端末で利用できるツールには，一般的な用途での使用だけでなく障害のある人の生活にも役立つものも少なくない．また，障害者権利条約や障害者差別解消法では，平等な参加が理念とされ，障害のある人たちとかかわる者に合理的配慮を求めるが，そのための有効な手立てとしてICTの活用が注目されている．その根底には障害を個人と環境の相互作用として考えるICFの理念がある．第2節では，言語聴覚士など障害のある子どもたちのコミュニケーションや学習を支援する専門家にとって有益で活用しやすい支援のためのICTツールに関する最新情報が紹介されており，その動向を支える障害者支援に関する今日の社会状況や制度についても説明されている．

B 多言語児童生徒の学習支援

　国際的なグローバル化の進行のなかで，日本においても外国人家庭が増えている現状がある．それとともに，多文化多言語環境で育つ子どもたちの問題がクローズアップされるようになった．例えば，特別支援学校や特別支援学級に在籍する外国籍の児童生徒が増加していることなどが報告されている．就学の判定は知能検査や発達検査の結果などに基づいてなされるが，本当に知的障害や発達障害などの障害によるのか，言語習得環境の要因による日本語力の問題なのかの判断は難しいことが多い．言語発達障害なのか日本語未習得の問題なのかの見極めのためのアセスメントが言語聴覚士に求められる機会は，これから増えていくのではないだろうか．そのような状況をふまえ，第3節では，外国人を中心とする多言語児童生徒の実態と学校での支援の現状，先進的に取り組んでいる自治体の例などを紹介している．言語聴覚士と家庭・学校との連携・情報共有が重要となる領域である．

C 低出生体重児における言語発達の問題

　新生児医療の進歩によって低出生体重児の救命率が上昇している．それは他方で，発達上のリスクや障害にもつながる．低出生体重児の長期的なフォローアップ調査は，言語発達だけでなく行動面や社会性の発達などさまざまな側面に影響があることを報告している．低出生体重児の医学的な問題，言語やそのほかの領域における発達上の問

題は，現在進行形で研究が蓄積されつつあるテーマである．第4節では，低出生体重児の言語発達の様相，高次脳機能の特徴，学習上の問題，ケアの方法などに関する最新の知見が紹介されている．長期的な発達の見通しと効果的な支援に関する情報は保護者が最も知りたいものであろう．医療の現場で早期から子どもにかかわることの多い言語聴覚士は，専門職としてそのようなニーズに応えるべく不断に知識をアップデートしていくことが求められる．

2 ICT支援

A 障害のある人の生活・学習を助ける支援技術

　障害のある人の生活・学習を助けるテクノロジーは支援技術（assistive technology）と呼ばれる．視覚障害の人がコンピュータを使う際に画面上の情報を音声で読み上げる技術（音声読み上げ：TTS, text to speech）を搭載したソフトウェア（スクリーンリーダー：screen reader）など，障害領域を補うための技術が開発されてきた．言語発達障害の領域では，音声言語を補うAAC手段として**音声補助装置**（voice output communication aids：**VOCA**）の活用が行われてきた．また，聴覚障害の領域では補聴器や集音器などが使われている．発話と運動の両方が阻害されている場合には，パソコンに外部スイッチを設置し，わずかにでも動く部分を活用してスイッチを操作し（例えば，筋ジストロフィーの人が指先の動きでスイッチを押したり，呼気でスイッチを押すなど），意思伝達をはかるための装置も活用されている．

　このような障害に特化した支援機器の情報を得るためには，支援機器のデータベース（例：AT2ED[1]）が活用できる．また，障害者へのIT支援を行う団体（例：東京都障害者IT地域支援センター）が支援機器の常設展示を行っている．また，障害のある人のための福祉用具・支援技術にかかわる用具給付制度として，**補装具制度**と**日常生活用具制度**があり，障害種別や等級に応じて国からの給付が行われる．

　一方，スマートフォン（スマホ）・タブレットなどのICT機器が普及し，支援技術として活用できる技術が私たちの身近にあるものの中に備わるようになった．身近にあるテクノロジーは略して「あるテク」と呼ばれる[2]．例えば，スマートフォンの画面上の文字情報はすべて音声で読み上げることができるため，近年，視覚障害者へのスマートフォンの普及率が高まっている[3]．

　さらに，スマートフォンにはそれに向かって話すとその音声情報を文字情報に変換してくれる音声認識技術が標準で搭載されている．これによって手書きが難しい人が音声で文字を入力するのに使ったり，イベントや講義などで講演者の講演内容を聴覚障害のある人に文字で共有するのに使われている．

　このような「あるテク」が普及してくると支援技術は障害ごとに整理するよりも機能ごとに整理すると有用である（表6-1）．例えば，2020年現在iPhone/iPadといったiOS*において，音声読み上げ機能として以下の3つが活用できる．

　A：画面上の情報をすべて読み上げる設定

---

* 「iPhone」「iPad」は，Apple incの登録商標です．「iPhone」商標は，アイホン株式会社のライセンスに基づき使用されています．「iOS」商標は，米国Ciscoのライセンスに基づき使用されています．

表6-1　生活や学習上の困難を補うICT

情報の入力	
視覚 　見る 　読む	音声読み上げ，拡大，白黒反転，辞書，電子書籍，文字認識（OCR）
聴覚 　聞く	FM補聴器，集音器，音声認識
注意・感覚過敏	ハイライト，カラーシート，サングラス，耳栓，ノイズキャンセリングヘッドフォン
情報の処理	
計算	電卓
思考	アイディアマッピング
見通し	スケジューラ，リマインダ，タイマー
ナビゲーション	マップ，GPS
情報の出力	
書く・記録する	ワープロ，音声入力，写真，録音，動画
コミュニケーション	電子メール，チャット，写真，録音，音声読み上げ，スタンプ，テレビ電話

B：画面にある文字情報を読み上げる設定
C：選択した文字を読み上げる設定

　視覚障害のある人にはAが，弱視や読み書き障害・日本語が母国語でない人にとってはBやCが有用である．さらに，特定の困難がなくても車の運転をしながら本を読みたい時にはBの機能で電子書籍を読み上げることができるし，自分がワープロで作成した文書に誤りがないかを確認する校正作業を行う時にはCの機能が有用である．このように，障害のある人への機能を発端として開発された技術は，状況に応じて多くの人が便利に活用できる．
　一方，障害のある人や子ども・高齢者はタブレットの画面が見にくかったり，タブレットのボタンが押しにくかったりするなど，ICT機器を使ううえでさまざまなニーズをもつ．このようなニーズに対応し，ICT機器を使いやすいものにするための機能は**アクセシビリティ機能**と呼ばれる．

　身近なICT機器の中にアクセシビリティ機能が組み込まれているのは技術革新の影響だけではなく，米国での法整備が影響している．米国では1986年にリハビリテーション法508条が制定され，連邦政府による電子・情報技術に関する障害者への差別禁止が規定された．1988年の改正では電子・情報技術について遵守すべき内容がアクセシビリティ・スタンダードとして定められた．これによって，スタンダードに準拠した製品でなければ，メーカーは連邦政府に対して販売ができない．そのため，米国で開発されるICT機器にはアクセシビリティ機能が組み込まれている[4]．そして，その機能は日々見直され，障害のある人へのアクセス保障が更新されている．

B 障害者の権利としての合理的配慮とICT機器

　2007年，日本は国連の障害者の権利に関する条約（**障害者権利条約**）に署名し（➡ Note 55），2014年1月に同条約を批准した．障害者権利条約は，障害者への差別禁止や障害者の尊厳と権利を保障することを義務づけた国際人権法に基づく人権条約であり，障害者の権利を実現するために国がすべきことを定めている[5]．
　障害者権利条約は障害者に「合理的配慮」をしないことは差別であると定めている．**合理的配慮**（reasonable accommodation）とは，「障害者が他の者との平等を基礎として全ての人権及び基本的自由を享有し，又は行使することを確保するための必要かつ適当な変更及び調整であって，特定の

> **Note 55. 条約への署名**
> 　署名とは，条約の内容に賛成し，批准に向けて進んでいくことを表す．
> 　条約とは，国際的な約束のことであり，その拘束力は憲法＞条約＞国内法の順に強い．そのため，条約を締結するためにはそれに向けた国内法の整備が必要となる．

場合において必要とされるものであり,かつ,均衡を失した又は過度の負担を課さないものをいう」と定義される[6]．

日本は障害者権利条約の批准に向け,国内の障害者制度の改革を以下のように行った．

2011 年　障害者基本法の改正
2012 年　障害者総合支援法の制定
2013 年　障害者差別解消法の制定
2013 年　障害者雇用促進法の改正

中でも**障害を理由とする差別の解消の推進に関する法律(通称,障害者差別解消法)**(2016 年 4 月施行)は行政機関(公立学校を含む)に合理的配慮の提供義務を課しており,その適用対象には「発達障害を含む」と明記されている[7]．

合理的配慮は障害カテゴリによってあらかじめその配慮の内容が決まっているわけではなく,個別の要請から話し合いを経て合意を作っていく．言語発達障害分野における合理的配慮の具体例を挙げるとすれば,例えば音声でのやりとりよりも文字でのやりとりのほうが負荷が少ないという自閉症スペクトラム障害の人が,職場でのやりとりを音声からメールに変更したいと要請し職場で話し合うことなどがある．

C 障害の個人モデルから社会モデルへの移行

言語発達障害にかかわる言語聴覚士は医療系専門職である．そのため,何らかの困難を抱えた個人を対象としてその特性を評価したり,指導したりしてその困難を軽減するという医学的枠組みの中で働くことが多い．そのため障害を個人の中にあるものと捉えがちである．このような障害の捉え方は障害学の分野で「障害の個人モデル(または医学モデル)」と呼ばれる．これに対して国連の障害者権利条約に取り入れられている障害の新しい捉え方に「障害の社会モデル」がある．障害の社会モデルでは,障害は社会の制度やルールの設定の

図 6-1　ペンでタッチすると読み上げる音声付き教科書

仕方によって生じると考える．障害を社会モデルで捉えた用語に「**印刷物障害**(print disability)」がある．印刷物障害とは情報が紙媒体で流通することによって生じる障害であり,紙の印刷物に書かれた文字が見えない視覚障害,文字を認識して意味が読み取れない読み書き障害,本のページをめくったり持ち歩いたりするのが難しい肢体不自由など,これまで別々のものとして捉えられてきた障害を包含する概念である[8]．「〇〇さんは**目が見えないために**職場で会議資料の内容がわからない」と捉えるのが障害の個人モデルであるのに対し,障害の社会モデルでは「〇〇さんの勤める会社では**会議資料が紙で配布されるため**,会議資料の内容がわからない」と捉え直すことができる．

印刷物障害に対しては紙媒体以外の方法(電子媒体)で情報が提供されることでこの障害は軽減される．学齢期では学校の仕組みが学習に参加するうえでの障害を生み出してしまうため,それを考慮した教育制度の設計が必要である．例えば,文部科学省は紙の教科書を読むことが難しい子どもに対して音声教材という名称で文字の大きさを変更したり,音声で読み上げたりと個人の読みやすさに対応可能な教科書を申請制で提供する仕組みを設けている[9]．図 6-1 は音声教材の 1 つである「ペンでタッチすると読み上げる音声付き教科書(茨城大学)」である．

2020年には新型コロナウイルスの感染拡大によって全国で学校が休校になった．プリントが配られた学校もあれば，オンラインで課題が出された学校もある．紙のプリントで大量の課題が出されることは印刷物障害のある子どもに大きな学習上の制限となる．プリントに書かれている難しい漢字が読めない，文字がたくさんあるとどこから読んでいいのかわからない，内容がわかって答えを書こうと思っても，手書きだとうまく書けない，疲れるといった状態になる．

休校前から学校からの許可を得てタブレットを使い，タブレットを紙と鉛筆の代わりにして学んでいる子どもは，スキャナアプリでプリントの写真を撮影し(Office Lensというアプリは，プリントの四隅を自動的に認識してプリントを切り出すことができる)，写真の上から文字を打ち込んだり，画面いっぱいに枠を拡大してペンで答えを書き込んで，出来上がったプリントをプリンタで印刷して提出する(図6-2)．読み書きが苦手であってもICT機器を使うことで学ぶことができる．しかし，紙の印刷物を子どもが自分で電子化することは容易ではない．

オンラインで課題が出されればタブレットでプリントを開き，答えを打ち込み，保存すれば課題が出来上がる．タブレット上では文字の大きさが小さくて見にくければ画面を拡大し，読み方がわからない漢字があればそれを音声で読み上げられる．学校では宿題として配られるプリントを紛失してしまうためにいつも宿題がだせない子どもが，オンラインになって宿題をだせるようになった事例がある．

学校という場では，多くの場合学び方が1つに限定されている．学び方を1つに限定してしまうことで，それが合わない子どもを生み出してしまうことを心にとめておかねばならない．

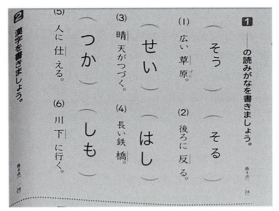

図6-2　漢字のプリントにワープロで答えを書き込んでいる様子

D ICT利用が発達にもたらす影響

読み書きが苦手な子どもが筆記用具としてICT機器を活用するプロセスは言語発達障害支援に重要な示唆がある．書くことに困難のある子どもは特に作文において，「何を書いたら良いのかわからない」「手書きは疲れる」「間違えると消して書き直すのが大変」という状況に陥る．このような子どもが50音キーボードや音声入力を使い始めると，手書きに使っていた力を文作りに割けるため作文に取り組める．作った文は順番を変えたり，表現を少し工夫したりできる．これによって自分にも作文が書けたと自信がつく．

つまり手書きの代わりにキーボードを使って文字を打つことによって作文を書くプロセス全体を経験できる．これにより作文を書く際に下書きはキーボードで書いて手書きで清書をするという選択肢や，短い文章は手書きで書いて長い文章はワープロで打つという選択肢が生まれる．

作文やノートテイクでキーボードを使うという選択をしたとしても手書きをする機会がなくなるわけではない．封筒に宛名を書くときには手書きが便利であるし，ホテルのチェックインで住所を書くときには手書きが必要である．国語で記述問

題を解くにはキーボードがよいけれど，数学で答えを数字で書くのなら手書きがよい．さまざまな場面に応じて便利な手段は異なるため，個人の特性や状況に応じて手段を選択できる環境が必要である．

E 身近なICT機器・あるテクが言語発達障害支援を変える

　生活の中にICT機器が浸透することは言語発達障害支援の枠組みを大きく変える．例えば，読み書きに困難のある子どもに対して読み書きを習得するための指導をすることは，読み書きが就学後の学習手段の核となり，学ぶ・働くうえで重要なスキルになるため重視されてきた．しかし，近年ではICT機器を使って学ぶ・働く割合が増えたことにより，読み書きは情報を得ること・情報を記録すること・情報を表すこととしてその意味が拡張される．情報を得るには，文字を目で見て読むだけでなく音声化した文字情報を耳で聞くことができる．また，文字を書くだけでなくワープロで文字を入力したり，口頭で話されたものを録音して再生させることで，同様の内容を他者と共有できる．さらに，写真・動画といった視覚情報を共有することが容易になったことで，言語中心の情報収集から非言語を取り入れた情報収集へと情報のあり方自体が変化している．

　ICT機器によって読み書き障害のある人の生活にどのような影響があったのか，以下に神山[10]を引用する．「私は，文字を音読したり，文字から情報を得たりすることが苦手な52歳です．しかし，ものづくりが得意です．私は40年前から高額なポケコンやパソコンを手に入れ触っていました．読みに対する補助具というよりも，ものづくりのためのツールとして使っていました．30年ほど前になると，自分の特性に合った『文字の大きさ』『行間・字間』の調整ツールとして使い方が変化していきました．20年ほど前になると，静止画や動画を編集することが多くなるとともにWebにアクセスすることも増えてきました．私はそれが得意だったので，周囲からは一目置かれる存在でした．10年ほど前になると，誰でも動画や音楽の編集が手軽にでき，機器も手頃な価格になりました．文字の読み上げ機能は格段に良くなり，日常生活では困らないレベルにまで使いこなしやっていけるようになり，現在は，文字の処理に困ることはほぼありません．『あの人は，事務処理的なことは苦手だけれど，ものづくりに長けている人だ』と言われることもなくなっていきました．多少の寂しさはありますが，今は，デジタルに頼らないものづくりや料理などが楽しくてたまりません．現在，Web検索すると『ウェブ』『画像』『動画』『地図』『ニュース』などのカテゴリーが出されます．私は『画像』『動画』を見て知りたい情報を得ます．『ウェブ』は読み上げ機能で知ることはできますが，それは私の第一言語ではないのです．それよりも視覚的に理解できる『画像』『動画』から情報を得たいのです」

　神山[10]には読み書き困難への発達支援に重要な2つの指摘がある．まず第1はICT機器によって文字処理に困ることがなくなったということ，そして第2にICT機器によって文字情報を音声で読み上げできるようになったものの，それは彼の第一言語ではないということ，である．

　読み書き障害のあるの人の中には建築家や映像作家として働く人もいる．読み書き障害のある人の得意なことや才能を取り上げて，その障害カテゴリとその人の能力を結びつけることには注意が必要である．しかし，神山[10]が指摘するのは，その人の得意なことを職業と結びつけ「強みを伸ばす」ということではなく，その人の第一言語で学ぶ・働くことを尊重することの重要性である．学ぶための第一言語には音声言語・文字言語といったいわゆる言語情報だけではなく，画像・動画といった視覚情報という選択肢がある．それが画像・動画といったメディアが普及したことによって明らかになってきている．

読み書きが苦手な人が，文字を音声読み上げで音声化することによってその情報にアクセスできる幅が広がる．しかしこれは，その人の苦手な部分を技術で補うことにとどまる．その人の学びの第一手段が文字情報なのか，それとも視覚情報なのか，これからの発達支援には学び方の多様性に関する視点が必要になる．

F 心理検査を用いた情報共有による権利擁護

ICT 機器を活用した発達支援は，さまざまな困難のある個人に必要な機能を見立て，機器の活用方法を提供することにとどまらない．その人の学ぶ・働く権利を守るための活動も発達支援に含まれる．読み書きの代替手段としてICT 活用が進む中，高校入試や大学入試においてもICT 機器を活用する例が増えている．文部科学省によれば，公立高校入学者選抜において障害のある生徒に対して配慮を行った高校は2020校でありこれは全体の59％(2018年度)である[11]．その中でICT 支援機器の活用は6件報告されている．

東京大学先端科学技術研究センターは2007年より障害のある学生の進学と就労への移行支援を通じたリーダー養成プロジェクトDO-IT Japanを行っている[12]．DO-ITでは参加者(スカラーと呼ばれる)に対するICT 機器の活用サポートだけでなく，入試での合理的配慮を入試実施機関に求める．スカラーをサポートし，これまで70名を超える障害のある高校生スカラーが大学に進学している．読み書き障害のあるスカラーは，小学校・中学校段階から，通常の学級において授業中のワープロ・カメラ機能を使ったノートテイク，電子教科書の閲覧，電子辞書の活用が認められ，学習している．さらに，中学校の定期テストにおいても，問題文の音声読み上げ，ワープロ解答が認められる事例が増えている[13]．

入試における合理的配慮の提供の課題としては，①提供の必要性の判断が困難，②判断材料(必要書類など)にかかるルール作りが困難，③提供すべき合理的配慮の内容の判断が困難，などがあげられている[11]．

何らかの困難を抱えた個人と学校・職場が合理的配慮の交渉をする場において，その困難が読み書きの困難さなど目に見えないものである場合には，それを相手にわかるように説明する必要性が生じる．読む・書く・聞く・話す・計算するといった学ぶ・働くために必要な能力の一部は，心理検査によって定量化することで，その困難さが相手と共有できる．法律上，合理的配慮は障害のある人の権利であり，本人からの申し出があれば，その人に障害があるかという医学的診断は必須ではない．しかし，発達障害などその困難さが一般的に共有されていない障害の場合には，共通の課題で標準化された心理検査は相手と対話するための材料になる．逆に，交渉相手が合理的配慮の裏付けとして医学的診断や評価を一方的に求めてくる場合には，言語発達障害支援の専門家は心理検査の意味と法律上の規定を説明することでその人の権利を擁護をする必要がある．

引用文献

1) AT2ED (https://at2ed.jp)
2) 中邑賢龍，他(編著)：タブレットPC・スマホ時代の子どもの教育：学習につまずきのある子どもたちの可能性を引き出し，未来の子どもを育てる．明治図書出版，2013
3) 渡辺哲也，他：視覚障害者の携帯電話利用状況調査．電気通信普及財団研究調査報告書 No.29, 2014
4) 加美山慎一：米国リハビリテーション法508条—内容と影響—．ノーマライゼーション 障害者の福祉 22, 2002
5) 外務省：障害者の権利に関する条約(略称：障害者権利条約)(https://www.mofa.go.jp/mofaj/gaiko/jinken/index_shogaisha.html)
6) 川島聡，他：合理的配慮—対話を開く，対話が拓く．有斐閣，2016
7) 橋本創一：教育心理学に基づく特別支援教育の研究動向2015—実践と研究におけるエフォートとアジェンダ—．教育心理学年報 55：116-132, 2016
8) 一般社団法人日本LD学会(編)：LD・ADHD等関連用語集，第4版．日本文化科学社，2017
9) 文部科学省：音声教材(https://www.mext.go.jp/a_menu/shotou/kyoukasho/1374019.htm)

10) 神山忠：ディスレクシア（識字障害）当事者の声．ノーマライゼーション 障害者の福祉 38, 2018
11) 文部科学省：日本の特別支援教育の状況について．新しい時代の特別支援教育の在り方に関する有識者会議資料 3-1, 2019（https://www.mext.go.jp/content/20200109-mxt_tokubetu01-00069_3_2.pdf）
12) DO-IT Japan：https://doit-japan.org/
13) 近藤武夫（編著）：学校での ICT 利用による読み書き支援―合理的配慮のための具体的な実践．金子書房, 2016

3 多言語児童生徒の学習支援

A 多言語環境で育つ子どもたち

グローバル化により人の国際的な移動が活発化し，乳幼児期から多言語環境で育つ子どもが世界的に増加している．これらの子どもたちの多くは就学後，乳幼児期に家庭で習得した言語（第一言語）とは異なる言語（第二言語）で教育を受けることになる．

日本でも，国内で生まれる定住外国人家庭や国際結婚家庭の子どもたち，海外長期滞在からの帰国する子どもたちが増えている．この傾向は日本を含めたグローバル社会の特徴である．しかし現在の教育現場では「会話はできても学習言語が育たない」，母語喪失と現地語獲得の困難から「家庭でも学校でもコミュニケーションが難しい」といった多言語児童生徒の問題が深刻化している．

本項では，現在国内で就学する定住外国人児童，特に日本語指導が必要な児童が外国籍，日本国籍ともにどのくらいいるのか，そして学校教育においてどのようなサポートを受けているのかについて概観する．次に，現在の学校でのサポートシステムがうまく機能せず，必要な支援が受けられない児童生徒がいる実情について検討する．不就学者，就学不明の問題や，進学が困難な児童生徒の現状にも触れる．最後に，これまでに成功している自治体などの対策を紹介しながら，これからの多言語児童生徒の学習支援の在り方について検討する．

1 国内の多言語児童生徒の就学とサポート体制

a 外国人児童生徒の就学状況

2019 年 4 月に出入国管理及び難民認定法及び法務省設置法の一部を改正する法律（「改正入管法」）が施行され，さらに 6 月には，「日本語教育推進法」が可決された．「日本語教育推進法」により，海外から労働を目的として日本にやってきた外国人の家族に対して，日本語を学ぶ機会を保障する法的な基盤がつくられたことになる．

しかし国内にいる海外にルーツをもつ多言語児童生徒の日本語習得のための支援の実態は，「日本語教育推進法」が掲げる学ぶ機会の保障とは大きくかけ離れていることがわかっている．例えば日本の公立学校（小中高と特別支援学校）に通っており，学校から「日本語教育が必要」と判断された外国籍の児童のうち，1 万人ほどが日本語の指導を受けられていないと報告されている（2019 年 5 月毎日新聞）．加配教員の数が足りないなどの理由で日本語の指導を受けられず，授業の内容が理解できない児童生徒の問題は全国に広がっているようだ．

文部科学省は 2019 年度に，全国 1,741 の市町村教育委員会を対象にして外国人の就学状況などについて調査をし，報告を開示している．まずそれをもとに，国内の多言語児童の就学状況を確認しておきたい．表 6-2 は，小中学校に就学する年齢の外国人児童の就学状況を人数とパーセン

表 6-2　学齢相当の外国人の子供の就学状況の把握状況

区分	就学者数		不就学	出国・転居（予定含む）	就学状況確認できず	計（人）
	義務教育諸学校	外国人学校など				
小学生相当 計	68,237	3,374	399	2,204	5,892	80,106
（構成比）	(85.0%)	(4.2%)	(0.5%)	(2.8%)	(7.4%)	(100.0%)
中学生相当 計	28,133	1,649	231	813	2,766	33,592
（構成比）	(83.7%)	(4.9%)	(0.7%)	(2.4%)	(8.2%)	(100.0%)
合計	96,370	5,023	630	3,017	8,658	113,698
（構成比）	(84.8%)	(4.4%)	(0.6%)	(2.7%)	(7.6%)	(100.0%)

〔文部科学省総合教育政策局，2020年3月より〕

図 6-3　公立学校における日本語指導が必要な児童生徒数（外国籍・日本国籍）の推移

〔文部科学省総合教育政策局，2019年9月より〕

テージで記したものある．大部分が義務教育の学校に通っている一方で，不就学，あるいは就学状況が確認できない子どももいることがわかる．

b 日本語指導が必要な児童生徒

次に，文部科学省が2年に一度行っている「日本語指導が必要な児童生徒の受入状況等に関する調査」の最新版である2018年度調査の結果から，日本語指導が必要な多言語児童の状況を概観したい．外国人児童生徒のうち，日本に保護者の世代から長期にわたって在住している場合，日本語や学校文化への配慮や指導が必要と判断されない場合もある．また日本語指導が必要な児童生徒は，外国籍者だけでなく，日本国籍者や国際結婚家庭の子ども，海外に長期間在住して帰国した子どもも含まれる．

日本語指導が必要な児童生徒数は，外国籍，日本国籍を合わせると図6-3のように全体として増加していることがわかる．2018年度に日本語指導が必要な児童生徒数は，前回調査時より15.5%増えている．そのうち外国籍の児童生徒数は40,485人で，前回調査時よりも17.9%増加している．一方日本国籍の児童生徒数は10,274人で前回調査時より6.9%増となっている．割合としては外国籍児童生徒が大部分であることはこれまでと変わらないが，日本国籍をもちながら，日

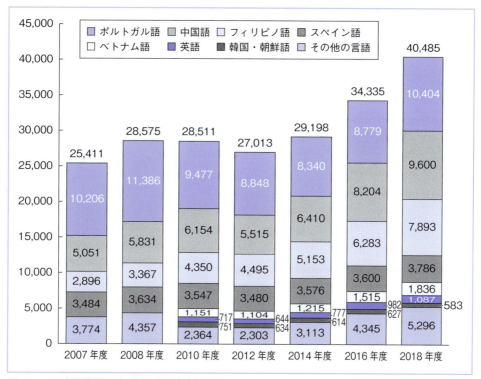

図 6-4　日本語指導が必要な外国籍の児童生徒の母語別在籍状況
〔文部科学省総合教育政策局，2019 年 9 月より〕

本語指導が必要と判断される児童生徒数は 2008 年度に比べて約 2 倍となっていることは注目すべきである．

なお，近年日本語指導が必要な外国籍の児童生徒の母語（第一言語）はより多岐にわたっている．ポルトガル語を母語とするブラジル人，中国人，フィリピン人，スペイン語を母語とするペルー人は 2007 年度から継続して人数が多いが，ベトナム人や韓国人，英語を母語とする児童生徒がそれに加わるようになり，その他に区分されているそれ以外の言語を母語とする児童生徒も増えている（図 6-4）．

文部科学省の調査（2016 年度）によると，外国籍の児童生徒の在籍全校種計 7,020 校中，「5 人未満」の在籍校が全体の 75.4% を占めている．また日本国籍の児童生徒の在籍全校種計 3,611 校中，「5 人未満」の在籍校が全体の 86.2% を占めていることがわかっている．このことについては後ほどまた触れることにする．

C 日本語指導を中心とした多言語児童生徒のサポート体制

日本語指導が必要と判断された多言語児童生徒が学校と地域社会でどのようなサポートを受けることができるかを概観する（図 6-5）．

学校では，多言語児童生徒の生活面の適応，日本語学習，教科学習などの指導や支援を実施する．各児童生徒に応じた指導計画を作成し，実施していく必要がある．主な指導の形態は在籍学級以外の教室（国際教室，日本語教室）で指導を行う**取り出し指導**と，在籍学級での授業中に日本語指導担当教員や支援者などが入って，対象の児童生徒を支援する**入り込み指導**の 2 種類となる．学級担任との連携をとり，児童生徒の生活面，学力面の一貫した教育的サポートを行うことが必須となる．その一方で，日本の学校文化について保護者

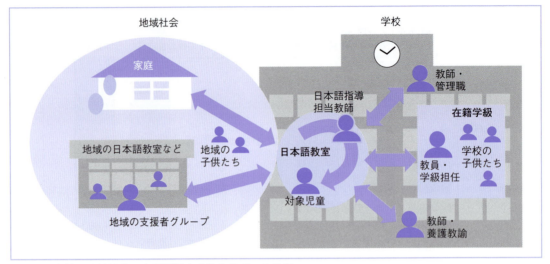

図 6-5　学校と地域社会の多言語児童生徒のサポート体制
〔文部科学省総合教育政策局：外国人児童受け入れの手引き改訂版, 2019 年より〕

に理解してもらえるように，保護者との関係づくりも重要である．また，地域社会と連携して多言語児童生徒のサポートができるようなシステムづくりが求められる．ボランティアの日本語教室や学習支援教室が開かれている地域では，日本語指導や学習の進め方について連携をとることで，児童生徒にとって教育的に一貫性のある支援が可能になる．

d 日本語指導プログラム

学校での日本語指導プログラムは，多言語児童生徒の日本語力や発達段階に応じて，大きく以下の5種類に分けられている．

1)「サバイバル日本語」プログラム

主に来日して間もない多言語児童生徒向けのプログラムで，日本語のみならず，文化や習慣の違いを含めて生活のあらゆる場面で直面する困難に対応できるように，必要な知識を身につけることを目的としている．挨拶の言葉や具体的な場面で使う日本語表現を学習することが主な活動となる（図 6-6）．

図 6-6　日本語指導プログラムの例
〔東京都教育委員会：日本語指導ハンドブックその1（初級者対象），2011 より〕

2)「日本語基礎」プログラム

文字や文法を含め，日本語の基礎的な知識や技能を学ぶためのプログラムである．日本語の獲得を通して，学校により適応し，教科学習に参加するための基礎的な力をつけることを目的とする．発音の指導，文字・表記の指導，語彙の指導，文型の指導が含まれる．

3)「技能別日本語」プログラム

「聞く」「話す」「読む」「書く」の言葉の4つの技能のうち，どれか1つに焦点を絞った学習をする．小学校高学年以上，特に中学生には有効なプログラムと考えられる．読解・作文の学習を通して読み書きの力を高めることは，教科学習にも有効である．

4)「日本語と教科の統合学習」プログラム

多言語児童生徒は，日本語の学習とは別に，在籍学級において教科の授業を受けることになる．児童生徒にとって必要な教科などの内容と，日本語の学習で学ぶ表現が重なるように授業を組み立てるプログラムである．文部科学省はそのためのカリキュラムとして，「JSLカリキュラム」を開発している．

5)「教科の補習」プログラム

児童生徒が在籍学級で学習している教科内容を，取り出し指導でも取り上げたり，入り込み指導で担当教師や日本語指導の支援者が補助をしたりして学習に結び付けるプログラムである．児童生徒の母語がしっかりしていて，支援者や教師が児童生徒の母語ができる場合は，母語で補助しながら進めることも有効である．

さらに，児童生徒の認知能力の発達段階により，表6-3のように言語習得の特徴や適した指導法が異なるため，日本語指導の際には，発達段階に合った方法を選択することが必要となる．

日本語指導の教材やそのほかの情報は，文部科学省や各自治体のホームページからダウンロードすることができ，国内の日本語指導の教員や支援員に利用されている．

表6-3 多言語児童生徒の発達段階と言語習得の特徴

発達の段階	〈言語習得の特徴〉と〈適した指導方法〉
小学生・前半 （1〜3年生程度）	〈特徴〉 日常生活の日本語使用場面でシャワーのように自然な日本語を浴び，その表現を場面との関係で丸ごと覚える． 〈指導方法〉 文法説明はあまり有効ではない．児童の生活に関連のある具体的な場面とともに日本語を聞き，その表現を繰り返し使って活動する経験を通して習得する．
小学生・前半 （4〜6年生程度）	〈特徴〉 言語を分析する力が一定程度発達しており，具体的な場面での日本語使用例を聞いたり補助的な説明を受けたりして規則を理解することができる． 〈指導方法〉 理解した日本語を実際的な場面や興味のある内容に関連付けて使う経験を通して習得させる．
中学生	〈特徴〉 言語を分析する力や文法規則を応用して使用する力も発達しつつあり，用例と説明を受けて意味や規則を理解することができる． 〈指導方法〉 理解した日本語を状況に合わせて使用する練習を通して運用力を高める．

〔文部科学省総合教育政策局：外国人児童受け入れの手引き．改訂版，2019より〕

B 多言語児童生徒の学習支援の実情と課題

1 日本語指導に関する実情と課題

日本語指導が必要と判断される多言語児童生徒が国内で増加していることは先にみた通りであ

る．ただし，実際に日本語指導を受けることができている児童生徒は全員ではないというのが現状である．図6-7は，実際に日本語指導を受けている児童生徒の割合を示すグラフである．外国籍の児童生徒の約20％と日本国籍の児童生徒の約25％は日本語指導を受けられていないことになる．

さらに日本語の指導を受けられていない児童生徒は，愛知県1,343人，東京都1,129人，神奈川県1,039人などと，外国籍児らが多く暮らす自治体(集住地域)に多くいることがわかっている(図6-8)．しかし，支援を受けられない児童生徒は，図6-8に示すように全国に散らばっている．この問題の背景として，日本語指導のための加配教員の不足がある．文部科学省が毎日新聞に開示した資料によると，加配教員は全国に2,224人しかおらず，日本語指導が必要な児童生徒が在籍する8,396校のうち，30％に当たる2,491校は指導者がいなかった．先に触れたように，外国籍児らの在籍数が5人未満である学校が7割以上あるにもかかわらず，文部科学省は日本語指導が必要な児童生徒18人当たり担当教員1人を増員するとしており，この問題の解決はまだ遠いというのが現状である．

日本語の指導を受けられていない児童生徒の比率が高いのは，指導が必要な児童生徒が少人数ずつ分散して居住して地域(散在地域)である．例えば離島の多い長崎県では，支援が必要な児童生徒49人のうち30人が指導を受けることができていない．岩手県では46人中18人が指導を受けておらず，その理由として県土が広く，対象の児童生徒が各地に散らばっていることがあげられている．

予算の面から支援期間を区切っている自治体もあり，それらの自治体では，時間が足りないために児童生徒の日本語習得が難しいという問題が出ている．その結果，日常会話はできるようになったが，学習上の日本語の理解が不十分で，授業についていけない児童生徒が少なくないというのが

図6-7 日本語指導が必要な児童生徒のうち日本語指導等特別な指導を受けている者の割合
〔文部科学省総合教育政策局，2019年9月より〕

日本語教育が必要な児童・生徒への指導状況	日本語教育が必要な児童生徒がいる学校	日本語教育のために配置された教員	日本語教育が必要な児童生徒	無支援状態の児童生徒	無支援状態の比率
北海道	92	8	176	36	20.5%
青森県	28	1	47	16	34.0%
岩手県	20	8	46	18	39.1%
宮城県	94	43	164	54	32.9%
秋田県	27	1	49	7	14.3%
山形県	44	3	66	5	7.6%
福島県	53	11	102	31	30.4%
茨城県	226	77	1147	239	20.8%
栃木県	154	55	801	153	19.1%
群馬県	175	68	1190	200	16.8%
埼玉県	577	80	2297	698	30.4%
千葉県	556	54	1979	486	24.6%
東京都	1049	138	4017	1129	28.1%
神奈川県	746	304	5149	1039	20.2%
新潟県	101	13	229	73	31.9%
富山県	95	13	352	48	13.6%
石川県	43	11	134	33	24.6%
福井県	46	10	144	52	36.1%
山梨県	102	18	341	6	1.8%
長野県	171	49	636	180	28.3%
岐阜県	218	70	1448	506	34.9%
静岡県	399	77	3010	755	25.1%
愛知県	850	514	9275	1343	14.5%
三重県	253	104	2357	930	39.5%
滋賀県	162	46	1177	252	21.4%
京都府	142	31	442	113	25.6%
大阪府	567	121	3030	769	25.4%
兵庫県	313	52	1214	325	26.8%
奈良県	76	34	259	55	21.2%
和歌山県	33	5	54	18	33.3%
鳥取県	28	1	43	16	37.2%
島根県	40	22	152	19	12.5%
岡山県	73	14	157	61	38.9%
広島県	170	24	605	110	18.2%
山口県	36	10	106	27	25.5%
徳島県	42	6	78	8	10.3%
香川県	47	6	149	26	17.4%
愛媛県	32	3	59	6	10.2%
高知県	14	7	20	6	30.0%
福岡県	192	55	561	125	22.3%
佐賀県	21	2	37	6	16.2%
長崎県	31	3	49	30	61.2%
熊本県	74	8	144	47	32.6%
大分県	33	2	53	17	32.1%
宮崎県	24	4	44	8	18.2%
鹿児島県	35	3	53	23	43.4%
沖縄県	92	18	293	77	26.3%
全国	8396	2224	43935	10181	23.2%

図6-8 日本語教育が必要な児童生徒への指導状況
〔毎日新聞，2019年5月4日より〕

現状である.

2 特別支援学級に在籍する児童生徒の問題

文部科学省は,外国人が多く居住する25市町の自治体で構成される「外国人集住都市会議」を対象に調査を行い,公立小中学校に通う外国籍の子どものうち,特別支援学級に在籍する人数を把握している(2017年2月).この調査の実施や結果については公表されていなかったが,情報公開請求などで判明した結果を毎日新聞が報じている.それによると,25市町の全児童生徒のうち,特別支援学級に在籍しているのは2.54%であるのに対して,外国籍の子どもの在籍率は5.37%と2倍を超えていることがわかった.さらに25市町のすべてで,外国籍の子どもの在籍率が全児童生徒の在籍率を上回っていた.そのなかには,外国人児童生徒の2割近くが特別支援学級に在籍している自治体もあった(総社市19.35%, 伊賀市18.31%, 新城市17.78%).

外国人児童生徒の特別支援学級の在籍率が高い第一の理由として,日本語が十分に習得できず,通常の学級での授業についていけない児童生徒が多くいるということがあげられる.学習すべき内容がわからず,授業中に立ち歩いたりしてしまうということも少なくないようだ.日本語の知能検査の結果,知能指数が低く出ても,必ずしも知的障害があるとは限らない.そのため,特別支援学級に在籍する外国人児童生徒の中には,知的障害のない者も少なからずいる可能性がある.

ブラジルで臨床心理士として活動する中川郷子は年に1〜2度来日し,日本在住の日系ブラジル人の相談にのっている.中川は特別支援学級に日系ブラジル人の子どもが不自然に多くいることが気になり,日本語とポルトガル語の知能検査などを実施して実態を調べたところ,発達障害の疑いがない子どもが半数ほどいたという(朝日新聞2020年6月9日).学校はもちろんのこと,国内

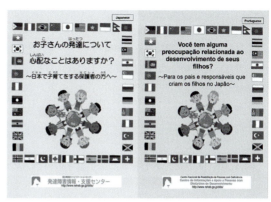

図6-9 外国人保護者向けパンフレット
〔国立障害者リハビリテーションセンターWebサイト(http://www.rehab.go.jp/ddis/ 日本の取り組み・世界の動き/)より〕

のクリニックでも,児童生徒の母語で知能検査を実施できるところはほとんどない現状では,外国人児童生徒の知能指数が実際よりも低く出ることは避けられないだろう.

特別支援学級に入ったものの,必要な日本語指導を受けられない場合もあり,通常学級に在籍する児童生徒との学力のギャップがますます広がることも少なくない.さらに,いったん特別支援学級に入ると,通常の学級に戻ることが難しくなる.外国籍だけでなく,日本国籍の児童生徒も,同様の困難を抱える場合がある.日本語指導が必要な児童生徒が,それぞれの認知能力を伸ばすことができるように教育の機会を保障することが,教育現場の喫緊の課題である.

保護者に特別支援学級のことを理解してもらうことも必要であるが,日本語や日本の学校文化がよくわからない保護者には,特別支援学級で子どもがどのような指導を受け,何を学習するのかということを理解するのは難しいという問題もある.自治体などで子どもの発達の問題について,保護者の母語で説明するリーフレットなどを用意しているところもあるので,そのようなものを利用しつつ,できるだけ保護者に理解を求める工夫が必要であろう(図6-9).

図 6-10　就学状況が不明または不就学の外国人の子どもに対する自治体の取組
〔文部科学省総合教育政策局，2020 年 3 月より〕

3　不就学の問題

日本では，日本国籍をもつ保護者は憲法で定められた「子どもに教育を受けさせる『就学義務』」を負っている．子どもが長期欠席をすると不登校として認識され，安否確認ができないと「居所不明児」と認識され，どちらも教育委員会の調査対象となる．対照的に，外国籍の保護者は就学義務が課されない．そのため不登校などへの対応は自治体に委ねられる．長期欠席が続くと除籍される場合や，安否確認もされないケースもあるという．

表 6-2 に示されているとおり，2020 年 3 月の時点で，小中学校の就学年齢にあたる外国籍の子どもの中には，学校に通っているかどうかわからない状態にある子どもが少なからずいる．不就学であることが確認できた子どもも 630 人に上る．特に大都市で学校に通っているかどうかわからない子どもの数が多く，東京都の 8,291 人を筆頭に，神奈川県では 2,399 人，愛知県では 1,965 人，千葉県 1,666 人，埼玉県 1,545 人，大阪府 1,530 人と続く．

不就学や就学不明の外国人の子どもに対して，どのような対策をとるかはすべて自治体の判断となる．しかし図 6-10 に示す通り，特に何も取り組みを実施していない自治体が全体の 65% にのぼることがわかっている．

自治体にとって就学状況の把握が難しい理由として，例えば次のような課題があげられている．

①人材不足
- 限られた人員で事務を行っている中，就学義務のある者の対応に忙殺され，全件の就学状況の把握には至っていない．
- 通訳ができる人材の確保が困難であり，積極的な就学案内ができない．

②言語・文化のうえでのコミュニケーション困難
- 国籍・言語・文化などが多種多様で対応方法も難しい．
- 文化の違いも含めて，多様化する転入者に説明できる人材がいない．

③保護者から理解を得ることの困難
- 子どもの教育についてあまり理解を得られない保護者がいる．
- 保護者から「日本の学校に通わせるつもりはない」と申し出があった場合は，就学させていない．

④法的根拠の不在
- 外国人に就学義務がないことから，各家庭に踏み込んでの確認は難しい．
- 就学義務などの規定がなく，就学状況の把握について根拠となるものがないため，保護者に説明するのが難しい．

⑤保護者との接触困難
- さまざまな時間帯で住民登録地への訪問を行っても，不在であることが多く，実態把握が困難．
- 不就学の児童に対して再三入学の意向について

通知を郵送しているが返答がなく，状況を確認できない．
- 住民票を残したまま帰国することも多く，実態の把握が困難であることが多い．

あとで紹介するように，主に外国人の集住地区において，自治体の対策がうまく機能して，就学状況が改善しているところもある．それらを参考にして，今後より多くの自治体がそれぞれの地域でできる対応を考案，実施するとともに，国として外国籍の児童生徒の就学を促進する対策を打ち出すことが望まれる．

支援の方法―岐阜県可児市の例

ここでは諸々の問題を抱えながらも，学校と自治体，NPO法人などとの連携で多言語児童生徒の支援がうまくいっている事例として，岐阜県可児市の例を紹介する．地域と連携した多言語児童生徒の学習支援と不就学，就学不明者を出さないための取り組みである．

岐阜県可児市は1990年代から日系ブラジル人を中心とした就労目的の外国籍市民が急増し，2000年代には就労を目的とした東南アジア出身の日系外国籍市民が増加した．2008年の経済危機以降，雇用情勢の悪化により日系ブラジル人は減少したが，2010年から日系フィリピン人の増加が始まり，2015年度には外国籍市民の総数が再び増加に転じている．2019年には7,773人（総人口の7.6％）が外国人で，フィリピン人，ブラジル人，ベトナム人が上位となっている．

このような中，可児市は，「ばら教室KANI」という初期適応指導教室を2005年に開設している．ここでは日本の学校への適応指導や，初期段階の日本語指導および学習指導（主に算数・数学）を3か月程度実施する．初期適応指導教室を修了すると，市の公立小中学校への移行がスムーズにできるようになる．

さらに2000年に発足した可児市国際交流協会が2008年にNPO法人となり，可児市の多文化共生センター「フレビア」の指定管理者として運営管理をしている．フレビアでは，目的が異なる複数の日本語教室の開催とともに，多言語者への相談窓口や交流の場を提供している．さらに母語を生かし，自身の学習者としての経験を生かした日本語支援者の養成を目指し，日系人のための日本語支援者養成講座も開いている．

多言語未就学児や児童生徒などの支援教室として，公立学校に通う外国人児童生徒を対象にして補習を行う「きぼう教室」，中学修了者や15歳以上の高校進学を希望する子どもを支援する「さつき教室」，未就学児を対象にして日本語を教える「おひさま教室」，小学校入学を控えた子供を対象とした就学支援を行う「ひよこ教室」，不就学，不登校，自宅待機の義務教育年齢の子どもを対象として教科学習やガイダンスを行う「ゆめ教室」などがある．

ばら教室KANIの定員が35名と定められており，定員オーバーとなったときには，空きが出るまでフレビアで日本語教育を実施することもできる．これらの長年の取り組みが功を奏し，多言語児童生徒の日本語の定着，学力の向上につながった．また中途退学などの問題も少なくなり，進学率も上がっている．

不就学に対する対策としては，2005年度より「不就学ゼロ」を目指した取り組みを始め，以下のような外国人児童・生徒学習保障事業を開始している．

①住民課・多文化共生担当課との連携
②多文化共生担当課に配置している通訳が手続きのサポートを行い，公立小中学校への就学手続きについても説明する（多くの場合，通訳が住民課から教育委員会窓口に引率する）．
③母国からの編入，ほかの市町村からの転入の外国籍児童生徒は，必ず就学願の手続きをし，教育委員会および外国籍児童生徒コーディネー

ター(ばら教室 KANI に配置)が，ばら教室 KANI への通室の必要があるか否かの判断をする(入国及び転居をきっかけとする不就学の未然防止).

④就学の意思確認ができない家庭には，繰り返し家庭訪問を行う(ばら教室 KANI に配置している外国籍児童生徒コーディネーターが担当する).

場合によっては，通訳も同行して家庭訪問を行い，就学に向けて丁寧な説明を行う.

これらの取り組みにより，就学もれを防ぐとともに，多言語児童生徒の居場所を保障し，学校からのドロップアウトを防ぐことにもつながっている.

D 今後の展望と課題

これまで多言語児童生徒の学習支援は，外国人の集住地域を中心に進められてきた．岐阜県可児市，愛知県西尾市，静岡県浜松市のように，集住地域の中には，学校と自治体や NPO などが連携して，きめ細かい日本語指導，学習支援を行うと

ともに，不就学をなくす対策をとっている地域がある．一方で，外国人が散在する地域では，学校でも自治体でも対応が遅れ，不就学や就学不明の数も多くなっている．外国人児童生徒などが若干名在籍する学校が点在する地域では，それぞれの地域で工夫をし，教師や支援員を配置するといった体制構築を検討する必要があるだろう．ICT の活用なども有効な手立てになり得るのではないだろうか．

本項では触れることができなかったが，外国人児童生徒の母語や母文化の習得の支援も重要である．母語や母文化の習得は，アイデンティティの確立に不可欠であるだけでなく，日本語の習得を促進する．近年日本で生まれる外国人児童が増えているが，日本で生まれたからといって日本語の習得が容易になるというわけでなく，むしろ，日本語も母語も習得が遅れる場合が少なくない．母語習得支援は国内では希少であるが，例えば静岡県浜松市では，NPO 法人によるポルトガル語，スペイン語，ベトナム語の教室が外国人の子供たちを対象に実施されている．今後このような取り組みが広がることを期待したい．

4 低出生体重児における言語発達の問題

A 低出生体重児とは

わが国では少子化が進んでいるが，その一方で出生体重が低く早期に生まれる子どもたちが増えている．周産期や新生児期における医療の発達とともに低出生体重児の生存率は飛躍的に上昇した．しかし，低出生体重児の長期的な予後には多様な障害のリスクがあり，言語発達をはじめとする後障害の状態について関心がもたれている．

1 定義

WHO の国際疾病分類第 10 版(ICD-10)にある「周産期に発生した病態」の中の「妊娠期間の短さや低出生体重に関連する障害」に基づき，わが国では出生体重が 2,500 g 未満の児を**低出生体重**(low birth weight：LBW)児という．特に，出生体重が 1,500 g 未満の児を**極低出生体重**(very low birth weight：VLBW)児，1,000 g 未満の児を**超低出生体重**(extremely low birth weight：ELBW)児という．また，在胎 37 週未満で生まれた児を**早**

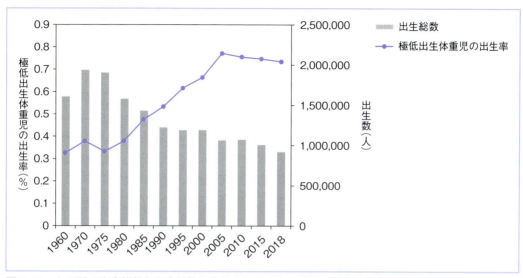

図6-11　わが国の出生総数と出生総数に占める極低出生体重児の割合の変化
〔厚生労働省：平成30年度人口動態統計より〕

産(preterm：PT)児というが，28週未満で生まれた児のことを**超早産**(extremely preterm：EP)児という．ELBW児やEP児は，言語をはじめとする神経発達の過程が独特で，長期的なフォローを必要とするケースが多い．

わが国の新生児の出生時体重は第2次世界大戦後から1975年にかけて上昇し続けてきたが，約3,200gをピークに一転して年々減少し，2005年以降約3,000gで推移している[1]．低出生体重での出生は1975年には5.1％だったが，2005年以降は10％近い新生児が低出生体重で出生している．さらに，極低出生体重での出生についても1975年は0.3％であったが，2018年には0.7％となり，より低い体重で生まれる子どもの割合が増えている(図6-11)[1]．低出生体重で生まれる原因としては，より短い妊娠期間で出生する早産，妊娠期間は一般的であるが胎児の発育に問題のある子宮内胎児発育遅延，この両方の合併とされる．先進国では，周産期医療の高度化により救える命が増えたことがLBW児の増加に貢献しているが，母体の貧困や高齢化，ストレスも要因とされている．さらに，わが国に特徴的な要因として，女性のやせ傾向や妊娠中の栄養不良が挙げられており，LBW児の増加は社会全体が関心をもつべき問題である．

2　発達予後

低出生体重は，脳性麻痺や知的能力障害を発症する原因の1つである．また，注意欠如・多動性障害(ADHD)や限局性学習障害(LD)，自閉症スペクトラム障害(ASD)といった発達障害を発症するリスクのひとつと考えられている(➡ Note 56)．表6-4は出生年別にみたELBW児の障害発生率であるが，1990年に出生したELBW児よりも2000年に出生した児のほうが知的能力障害や脳性麻痺の

> **Note 56. 早産児行動表現型**
> 早産児やLBW児は言語発達や不注意，社会性の困難さに関係する行動特性を幅広く認め，従来の発達障害の概念では説明できない早産児行動表現型(preterm behavioral phenotype)として注目されている．例えば，ADHDと診断されるLBW児は多動や衝動性のような行動特性はあまり観察されず，反応速度が遅いことやワーキングメモリの問題が顕著だった．ASDと診断されるLBW児は，想像力の障害に比べてコミュニケーションや社会性の障害のほうが深刻であった．

表 6-4 出生年別の 3 歳の ELBW 児における障害の発生率（%）

出生年	1990 年	1995 年	2000 年
知的能力障害	14.1	14.9	19.6
境界知能	10.9	14.9	18.2
脳性麻痺	12.0	14.3	16.3
視覚障害	8.3	6.9	9.0
聴覚障害	2.2	2.1	2.4

〔上谷良行：全国調査から見た極低出生体重児の予後．日本周産期・新生児医学会雑誌 41：758-760, 2005 より〕

発症率が増加している．これは，より低体重で生まれる児が増えたことが影響していると考えられている[2]．また，より低体重で生まれる児のほうが障害の程度が重くなる傾向や障害が併存する傾向にある．

3 知的能力障害

多くの LBW 児の知能指数は平均から境界域であるものの，知的能力障害の発症率は標準出生体重児におけるそれと比べると高い．知的レベルだけでなく，日常生活での適応（基本的生活習慣やコミュニケーション，遊び，対人技能など）についても問題を示しやすい．さらに，知能指数の低い LBW 児ほど言語発達，対人コミュニケーション，注意などの問題が顕著になる．学齢期になると学習上の問題を呈することも多い．

近年，LBW 児における知的能力や認知の特性が明らかになりつつあり，特に LBW 児の視覚認知について関心が寄せられている．視覚認知は，物の形に関係する腹側経路と物の位置や動きに関係する背側経路に大別されるが，LBW 児は背側経路が障害されやすい[3]．ただし，LBW 児の視覚認知には未熟児網膜症の既往歴や腹側経路による補償などが複雑に交絡している．

4 中枢神経系の障害

LBW 児や早産児では**頭蓋内出血**や**脳室周囲白質軟化症**を認めることがある．頭蓋内出血の程度が重症であるほどその後の神経発達障害の発症率が高くなる．わが国の VLBW 児の報告では，知的能力障害の発症率は頭蓋内出血なし群で 15.5% であったことに比べて，重度の頭蓋内出血群では 41.2% であった[4]．

在胎 33 週未満の早産児を対象にした調査では，脳室周囲白質軟化症の発症率は頭部 MRI 検査を用いた診断で 6.2〜10.7% だった．脳室周囲白質軟化症の病変部位が広範囲であるほど痙性麻痺の程度は重度となる．病変が視放線に達すれば視力障害を生じることになる．

5 成人病胎児期発症起源説

成人期になってからの特定の成人病（生活習慣病）へのかかりやすさは，胎児期や誕生直後の環境の影響を受けているという考え方を成人病胎児期発症起源説（Developmental Origins of Health and Disease：DOHaD 説）という．

近年の遺伝子研究は，低栄養環境やストレス，環境ホルモンといった環境要因により遺伝子の**エピジェネティクス異常**が起こることを明らかにした．LBW 児は母胎の低栄養のため胎児も低栄養となり，胎生期にエピジェネティックな調節が正しくなされず発達障害を発症する可能性が指摘されている[5]．

B 言語発達の特徴

LBW 児は言語発達障害があるのか．数十年にわたりこの問題について議論されており，近年いくつかのことがわかってきた．LBW 児における言語発達の問題は，言語のみが限定的に障害され

る特異的言語発達障害というよりは，全般的な知的能力の問題と連関して起こると考えられる．さらに，LBW児の言語発達と出生時の体重や在胎期間に相関が認められた[6]．つまり，知的な能力が高く出生時の体重が重いほど言語発達へのダメージは小さいといえる．しかし，LBW児の言語発達には個人差が大きいこともわかっており，言語発達の予後に影響を与えるほかの因子を特定することが今後の課題である．

1 発達段階における言語の特徴

a 前言語期

前言語期とは有意味語を発するようになるまでの時期のことで，一般的には生後約1年の乳児期にあたる．この時期の音声知覚や発声行動，**コミュニケーション行動**の発達は，その後の言語発達に非常に重要な意味があると考えられている．

低出生体重の乳児のコミュニケーション行動の特徴として，相手との同調行動が起こりにくい，共同注意が成立しにくい，視線をそらしやすい，母親が主導権をもったコミュニケーションになりやすい，などがあげられる．そして，これらの行動が目立つ低出生体重乳児は後の言語発達に問題を生じるとされている．

b 幼児期

LBW児は幼児期の言語獲得に問題があることを多くの研究が報告している．あるLBW児の縦断研究によると，修正12か月齢でLBW児は標準出生体重児よりも理解語彙が少なく，18か月齢になると語彙数の差は拡大した[7]．

言語発達の困難は理解言語に限らず，表出言語にも認められる．ただし，LBW児の言語獲得は標準出生体重児より遅れるものの，獲得の仕方は異ならないと考えられている．

c 学齢期

小学校低学年のVLBW児やELBW児を対象とした研究では，彼らの理解，表出，音韻意識，文法の成績は標準出生体重児のそれらの成績よりも低かった．ただし，LBW児の語用能力に関してはほとんど研究されていないので，LBW児に**語用障害**があるのかはよくわかっていない．さらに，学齢期以降の言語能力は**メタ言語**とも関連するので，学習や自己制御の能力に影響を与える．

また，NICUへの長期入院のあるELBW児では，出生から長期間複数回にわたって挿管治療を必要とすることがある．挿管による声帯粘膜への損傷や声帯粘膜の発育不全のため，嗄声を生じることがある．乳幼児期に嗄声を認めるケースでは学齢期にも継続することが多い．

2 学習言語の特徴

LBW児は学業成績での問題を示しやすいことがわかっている．いくつかの欧米でのELBW児を対象とした研究を比較したところ，いずれの研究でも多くのELBW児が学習の基礎である読字・書字・算数いずれも十分に習得できていないことを示している[8]．

a 読字

ELBW児の読字の成績はディスレクシアと診断を受けるほどの深刻さではないものの，標準的な学習には到達できていない児が多い[5]．LBW児の読字の特徴として，非語読みの困難，ゆっくりとした読み速度，不規則でまれな読み方（例：yacht）の単語が読めないことなどがあげられている．また，単語の読みに比べると読解はさらに苦手である．ただし，mildly LBW（出生体重が2,500 g未満，1,500 g以上）児に限定すると，読字障害のリスクは少ない．

b 書字

LBW児は，読字に比べると書字の成績のほうが低い．そして，書字の困難さは小学1年生時点から認められ，思春期まで継続することが多い．ただし，LBW児における書字の困難さの原因はよくわかっていない．LBW児の書字の困難さは**発達性読み書き障害**による場合もあれば，**発達性協調運動障害**による書字形態の拙劣さの結果である場合もある．

c 算数

LBW児は読み書きに比べると算数はさらに深刻な問題を抱えることが多い．LBW児は思春期に至るまで計算や数学的推論に困難を示しやすい．これは，幼少期からの基本的な数を数えるという能力の困難さに起因すると考えられる．

3 高次脳機能の特徴

LBW児は注意や実行機能といった高次脳機能に問題をもつことが多い．このことが，LBW児のADHD発症率の高さと関連しているのかもしれない．

a 注意機能

LBW児は注意機能の問題を呈しやすいといわれている．出生時体重が小さく，在胎期間が短いほど注意の問題はより深刻になると考えられている．また，周産期の脳損傷や脳損傷をきたすと考えられる疾患の既往歴があると注意の問題を引き起こしやすい．

b 実行機能（遂行機能）

実行機能（遂行機能）は，プランニングや問題解決といった複雑な実行技能を遂行するための基礎となっている能力のことである．実行機能は注意機能同様に，出生時体重が小さく，在胎期間が短いほど問題が深刻になる．LBW児における注意

図6-12 早産児における学業成績のカスケードモデル
〔Rose SA, et al：Modeling a cascade of effects：the role of speed and executive functioning in preterm/full-term differences in academic achievement. Developmental Sciences 14, 1161-1175, 2011 より〕

や実行機能の弱さは知的能力の低下とは独立しているとされる[9]．

c 学業成績と高次脳機能の関係

LBW児は高次脳機能が障害されることによって，読み書きや算数の学業不振が生じるのではないかと考えられている．LBW児の学業不振に影響を与える因子としては，全般的な知能，注意機能，実行機能，視空間認知などが候補とされている．例えば，Roseら[10]は図6-12のように「早産での誕生→処理速度が遅い→実行機能が弱い→学業成績が低い」というカスケードモデルを提案した．

4 能力のキャッチアップ現象

LBW児はある年齢になると，標準出生体重児の能力に**キャッチアップ**する（追いつく）のだろうか．ELBW児やEP児であっても，年齢とともに知的な能力や言語能力が向上することや，思春期になると語彙や読字，実行機能などの検査結果が定型発達児の成績と有意な差がなくなることを明らかにした研究がある（図6-13は，言語能力がキャッチアップすることを示した研究の例である[11]）．ただし，能力のキャッチアップを認めなかった研究もあることから，キャッチアップする条件があるのかもしれない．LBW児の能力のキャッチアップの条件として，①出生時の体重が

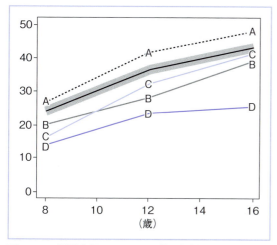

図6-13 極早産児のWISC-Ⅲ「語彙」粗点の8歳から16歳にかけての継時的変化

実線は正期産児の得点で，網掛け部分は信頼区間である．極早産児は4つのタイプがあり，年齢を通してA群は正期産児より高得点，B群は若干低得点，D群はかなり低得点のまま推移している．C群は8歳では正期産児よりもかなり低得点だが，16歳時点では正期産児にキャッチアップした．
〔Luu TM, et al：Evidence for catch-up in cognition and receptive vocabulary among adolescents born very preterm. Pediatr 128：313-322, 2011 より〕

図6-14 カンガルーケアによる乳児のポジション

母と乳児の裸の胸と胸をくっつけて，母の乳房の間に乳児を置く．乳児の顔を少し上げ，呼吸とアイコンタクトをとれるようにする．
〔World Health Organization, Dept of reproductive health and research：Kangaroo mother care；a practical guide, 2003 より改変〕

より重く，在胎期間がより長いこと，②新生児期に頭蓋内出血や脳室周囲白質軟化症のような深刻な合併症がないこと，③養育者の社会経済的環境が良いこと，があげられている．そのほか，新生児期の治療の種類や未熟児網膜症の既往歴や性差（男児に比べて女児のほうがキャッチアップしやすい）などがキャッチアップに関係しているのか議論が続いている．

C ディベロップメンタルケア

LBW児は誕生すると，**新生児集中治療室**（neonatal intensive care unit：NICU）に入院し，治療を行う．生まれたばかりの赤ちゃんにとって母親と離れて過ごすことが大きなストレスになることは想像に難くない．それだけでなく，NICUへの入院は母親をはじめとする家族にとっても心身ともに負担がある．また，NICUでの日常は，保育器の中での生活，治療による痛み，機器のアラーム音をはじめとする騒音，昼夜を問わずついている照明器具の光刺激など家庭とは異なる刺激にさらされることになる．このような特殊な環境がストレスとなり脳の発達（特に，高次脳機能や社会的行動の発達）に影響を与えるといわれている．そこで新生児にとってストレスが少なく心身の健やかな発達を促すディベロップメンタルケア（developmental care）が導入されるようになった．

1 カンガルーケア

NICUにおいて母親が児にかかわるときは，保育器の窓から手を入れて児に触れるということしかできず，一般的な子育てにおいて母子が経験する抱っこやスキンシップのような身体接触の経験をもちにくい．カンガルーケアとは，**図6-14**のように赤ちゃんを母親の胸の上に抱いて，裸の皮膚と皮膚を接触させる育児のことである[12]．集中

治療下でなくとも乳児は容体が急変することもあるので，児の状態によっては危険なこともある．そこで，体温管理をはじめとした安全対策を万全に整えることが何よりも大切である．

カンガルーケアは母子ともに効果があることがわかっている．赤ちゃんはカンガルーケアによって良質の睡眠がとれるようになり，母親への愛着形成を促すことができる．母親にとっては，ネガティブな感情（LBW 児を生んでしまったという罪悪感など）を軽減し，母親としての自信回復に役立つことがわかっている．また，父親を対象としたパパカンガルーケアも行われている．さらに，カンガルーケアは長期的な認知発達にも影響を与えることがわかっており，カンガルーケアを行った LBW 児は行わなかった児に比べて 10 歳の時点での実行機能の成績が高いことが報告されている[13]．

2 環境整備

NICU の環境整備はディベロップメンタルケアにとって大変重要である．医療者は，新生児にとって発達を阻害する不快なものでない環境と発達を促進する快適な環境を心がける必要がある．LBW 児は早産で生まれることが多く，つまり正期産で生まれる児よりも感覚器官が未熟な状態で出生する．通常より未熟な状態で生まれてきた児にとって，特に音環境（聴覚刺激）と光環境（視覚刺激）の刺激は強すぎ，ストレスの原因となる．

例えば，米国の小児科学会では NICU 環境では 45 dB 以上の騒音を避けるよう勧告している．というのも，人間の聴覚システムは在胎 30 週を超えるころに音韻の弁別が可能になるので，それ以前の胎児はまだ聴覚刺激をうまく処理できないからである．NICU での騒音とは，機器類の音（ベッドサイドのアラーム音）とスタッフの行動（保育器を閉める音など）といわれる．アラーム音ではなく警告をスタッフの携帯に送信しバイブレーションで伝える方法に変更することやスタッ

表 6-5　NICU での哺乳支援のポイント

1	赤ちゃんのストレスを減らす
2	赤ちゃんとの関係を最大限良くする
3	母乳育児を支援する
4	赤ちゃんの出すサインを尊重する
5	哺乳瓶を使うなら，流量の少ない乳首で始める
6	両親が NICU での一番の介助者となる
4	発達支援のスタッフを利用する

〔Willett S：Developmental care in the nursery. In Needleman et al：Follow-up for NICU graduates, pp15-58, Springer, Switzerland, 2018 より〕

フが静穏を気遣うことで，乳児の発達に良い影響を与えることがわかっている．

3 リハビリテーション

NICU では，理学療法士や作業療法士によるリハビリテーションが行われている．ポジショニングにより安静保持や屈筋緊張を高め，多くの感覚運動の経験を通してボディイメージの形成を促す．また，呼吸理学療法を行うことで喉頭軟化症や舌根沈下のある児の気道確保を促す．

言語聴覚士は，哺乳・離乳とコミュニケーションの支援を行う．原始反射や嚥下反射の有無，嚥下と呼吸の協調を観察し，安全で快適に哺乳できる姿勢や哺乳瓶の乳首の種類を提案し，少しずつ哺乳の経験を積めるよう支援する（表 6-5 は NICU での哺乳の基準を示したものである）[14]．離乳の開始時期については，体重で 5 kg や修正月齢で 4 か月を基準としているが，あくまでも目安であり個人差がある．口唇や顎，舌など口腔の動きを観察しながら，児が離乳のどの段階にあるのか（初期，中期，後期など）や食事形態を見極める．また，哺乳や離乳食介助を通して，親子が楽しくコミュニケーションしながら食事できるよう支援することも大切である．食事時に児が出しているサインを母親と言語聴覚士がともに見つけ，**コミュニケーションの基礎**をつくる．

また，LBW 児は口唇裂や口蓋裂を合併することがある．この場合の哺乳や離乳の指導は特別な

ものとなる．唇裂のために口唇で乳首をとらえることが困難となり，口蓋裂により口腔内圧を陰圧に保てず吸啜運動が困難となる．口蓋裂のある場合は，口蓋裂児用の哺乳瓶の乳首を利用し，Hotz床を装着して哺乳するなどの工夫が必要である．

4 家族支援

わが子がNICUに入院することになった母親の想いに向き合うことは非常に重要なことである．LBW児を産んだ母親は子どもに対する申し訳なさを感じていることもあるし，予想外の破水など出産にかかわるトラウマを抱えていることもある．さらに，母子分離によって児のことを自分の子どものように感じることができない無力感に苛まれることもある．医療者は母親のこのような想いを受け止め，健全な親子関係を構築できるよう支えることが大切である．また，母親だけでなく父親やきょうだい児の思いに寄り添う姿勢も大切である．

5 退院後フォローアップ

退院後は外来でフォローアップを行う．発達に問題が認められる場合は，地域の療育施設や親子教室などを紹介する．また，LBW児を育てる母親は，子育てに不安や悩みを抱えていることが多いが，周囲にLBW児を育てている母親がいないこともあり孤立することがある．行政によるLBW児親子支援事業や保護者の運営する**親の会**などがあり，地域で生活するLBW児とその家族を支えている．

引用文献

1) 厚生労働省平成30年度人口動態統計 https://www.mhlw.go.jp/toukei/saikin/hw/jinkou/kakutei18/index.html（2020年4月29日アクセス）
2) 上谷良行：全国調査から見た極低出生体重児の予後．日本周産期・新生児医学会雑誌 41：758-760, 2005
3) Atkinson J, Braddick O：Visual and visuocognitive development in children born very prematurely. Prog Brain Res 164：123-149, 2007
4) 早川昌弘：中枢神経系の基礎と臨床．仁志田博司（編）：新生児学入門第5版．pp350-371, 医学書院, 2018
5) 久保田健夫，他：エピジェネティクスとDOHaD．板橋家頭夫，松田義雄（編）：DOHaD その基礎と臨床．pp83-89, 金原出版, 2008
6) Foster-Cohen S, et al：Early delayed language in very preterm infants. J Child Lang 34：655-675, 2007
7) Sansavini A, et al：Longitudinal trajectories of gestural and linguistic abilities in very preterm infants in the second year of life. Neuropsychologia 49：3677-3688, 2011
8) Saigal S, et al：School-age outcomes in children who were extremely low birth weight from four international population-based cohorts. Pediatr 112：943-950, 2003
9) Mulder H, et al：Development of executive function and attention in preterm children：A systematic review. Dev Neuropsychol 34：393-421, 2009
10) Rose SA, et al：Modeling a cascade of effects：the role of speed and executive functioning in preterm/full-term differences in academic achievement. Developmental Sciences 14：1161-1175, 2011
11) Luu TM, et al：Evidence for catch-up in cognition and receptive vocabulary among adolescents born very preterm. Pediatr 128：313-322, 2011
12) World Health Organization：Dept of reproductive health and research. Kangaroo mother care：a practical guide. 2003 https://www.who.int/maternal_child_adolescent/documents/9241590351/en/（2020年4月29日アクセス）
13) Feldman R, et al：Maternal-preterm skin-to-skin contact enhances child physiologica organization and cognitive control across the first 10 years of life. Biol Psychiat 75：56-64, 2014
14) Willett S：Developmental care in the nursery. In Needleman, et al：Follow-up for NICU graduates. pp15-58, Springer, Switzerland, 2018

参考図書

第 1 章　言語とコミュニケーションの発達

- 岩立志津夫, 他(編)：よくわかる言語発達. 改訂新版, ミネルヴァ書房, 2017
- 小林春美, 他(編)：新・子どもたちの言語獲得. 大修館書店, 2008

第 2 章　言語発達障害とは

- 今井むつみ：ことばの発達の謎を解く(ちくまプリマー新書191). 筑摩書房, 2013
- 中川信子：発達障害とことばの相談―子どもの育ちを支える言語聴覚士のアプローチ(小学館101新書). 小学館, 2009

第 4 章　指導と支援

- Rhea Paul, et al：Language Disorders from Infancy through Adolescence；Listening, Speaking, Reading, Writing, and Communicating. 5th ed, Mosby, 2017
- 池添素, 他(編)：発達保障のための相談活動. 全国障害者問題研究会出版部, 2014
- 石田宏代, 他(編著)：言語聴覚士のための言語発達障害学. 第 2 版, 医歯薬出版, 2016
- 市川奈緒子, 他(編著)：発達が気になる子どもの療育・発達支援入門―目の前の子どもから学べる専門家を目指して. 金子書房, 2018
- 今川忠男：発達障害児の新しい療育―こどもと家族とその未来のために. 三輪書店, 2000
- 大熊輝雄(原著)：現代臨床精神医学. 第12版, 金原出版, 2013
- 大伴潔, 他：LC スケール 増補版 言語・コミュニケーション発達スケール. 学苑社, 2013
- 大伴潔, 他(編著)：アセスメントにもとづく学齢期の言語発達支援―LCSA を活用した指導の展開. 学苑社, 2018
- 大伴潔, 他(編著)：言語・コミュニケーション発達の理解と支援―LC スケールを活用したアプローチ. 学苑社, 2019
- 岡本夏木：子どもとことば. 岩波書店, 1982
- 尾崎康子, 他(編著)：乳幼児期における発達障害の理解と支援② 知っておきたい発達障害の療育. ミネルヴァ書房, 2016
- 鯨岡峻：関係の中で人は生きる. ミネルヴァ書房, 2016
- 久保山茂樹(編著)：特別支援教育 ONE テーマブック④ 子どものありのままの姿を保護者とどうわかりあうか. 学事出版, 2014
- 黒田美保(編)：これからの発達障害のアセスメント―支援の一歩となるために. 金子書房, 2015
- 小寺富子, 他(編著)：国リハ式<S-S>法 言語発達遅滞検査マニュアル. 改訂第 4 版, エスコアール, 1998
- 齊藤万比古(編)：注意欠如・多動症―ADHD―の診断・治療ガイドライン. 第 4 版, じほう, 2016
- 榊原洋一：最新図解 ADHD の子どもたちをサポートする本. ナツメ社, 2019
- 佐々木正美：自閉症児のための TEACCH ハンドブック 改訂新版 自閉症療育ハンドブック. 学研, 2008
- 白鳥めぐみ, 他：きょうだい―障害のある家族との道のり. 中央法規出版, 2010
- スティーブン E ガットステイン(著), 杉山登志郎, 他(監修)：自閉症／アスペルガー症候群 RDI「対人関係発達指導法」―対人関係のパズルを解く発達支援プログラム. クリエイツかもがわ, 2006
- 竹田契一, 他(編著)：インリアル・アプローチ―子どもとの豊かなコミュニケーションを

築く．日本文化科学社，1994
- 田中康雄：支援から共生への道—発達障害の臨床から日常の連携へ．慶応義塾大学出版会，2009
- 種村純(編)：やさしい高次脳機能障害用語事典．ぱーそん書房，2019
- 柘植雅義(監修)，中川信子(編著)：ハンディシリーズ 発達障害支援・特別支援教育ナビ 発達障害の子を育てる親の気持ちと向き合う．金子書房，2017
- 中川信子：Q&Aで考える保護者支援—発達障害の子どもの育ちを応援したいすべての人に．学苑社，2018
- 中川信子：健診とことばの相談—1歳6か月児健診と3歳児健診を中心に．ぶどう社，1998
- 西村ユミ：語りかける身体—看護ケアの現象学(講談社学術文庫)．講談社，2018
- 日本言語障害児教育研究会(編著)：基礎からわかる言語障害児教育．学苑社，2017
- 日本聴能言語士協会講習会実行委員会(編)：アドバンスシリーズ コミュニケーション障害の臨床 第3巻 脳性麻痺．協同医書出版，2002
- 日本発達心理学会(編)：発達科学ハンドブック10 自閉スペクトラムの発達科学．新曜社，2018
- ハリー M プリザント，他(著)，長崎勤，他(訳)：SCERTSモデル：自閉症スペクトラム障害の子どもたちのための包括的教育アプローチ1巻．日本文化科学社，2010
- 藤田郁代(監修)：標準言語聴覚障害学 聴覚障害学．第3版．医学書院，2021
- 松田祥子(監修)：マカトン法への招待．日本マカトン協会，2008
- リンダ・レアル(著)，三田地真実(監訳)：ファミリー中心アプローチの原則とその実際．学苑社，2005
- 渡辺久子：新訂増補 母子臨床と世代間伝達．金剛出版，2016

第5章 保健，福祉，教育との連携

- 石田宏代：特別支援教育における言語聴覚士の役割．言語聴覚研究 4(1)：31-36，2007
- 一般社団法人言語聴覚士協会学校教育部：特別支援教育を理解し対応するために，2018
  https://www.japanslht.or.jp/article/article_787.html(2020年12月24日アクセス)
- 内山千鶴子：幼稚園・保育園への支援における言語聴覚士の役割．言語聴覚研究 4(1)：24-30，2007
- 霜田浩信，他：外部専門家による特別支援学校との連携の効果．文教大学教育学部紀要 42：103-113，2008
- 鈴木三樹子，他：乳幼児健康診査後の要経過観察児の実態：保健センター等の言語聴覚士に対する調査から．言語聴覚研究 18(2)：96-100，2001
- 独立行政法人国立特別支援教育総合研究所：特別支援教育の基礎・基本2020．ジアース教育新社，2020
- 独立行政法人国立特別支援教育総合研究所：平成24年度～25年度専門研究 研究成果報告書「ことばの遅れを主訴とする子どもに対する早期からの指導の充実に関する研究—子どもの実態の整理と指導の効果の検討」，2014
  http://www.nise.go.jp/cms/7,9722,32,142.html(2020年12月24日アクセス)
- 中村達也，他：特別支援教育における小学校教員と言語聴覚士の連携に関する調査．言語聴覚研究 11(3)：166-174，2014
- 日高希美，他：保育所・幼稚園の巡回相談における「気になる子どものチェックリスト」の開発と適用．東京学芸大学紀要 59：503-512，2008
- 藤野博：軽度発達障害児へのコミュニケーション支援—特別支援教育における言語聴覚士の役割．言語聴覚研究 3(3)：127-134，2006
- 文部科学省：初めて通級による指導を担当する教員のためのガイド
  https://www.mext.go.jp/a_menu/shotou/tokubetu/material/1414027.htm(2020年12月24日アクセス)

第6章 言語発達障害支援の最前線

- 庵功雄：やさしい日本語—多文化共生社会へ(岩波新書)．岩波書店，2016
- 金澤忠博：超低出生体重児の行動発達．南徹弘(編)：朝倉心理学講座3 発達心理学．pp128-143，朝倉書店，2007
- 木原秀樹：赤ちゃんにやさしい発達ケア—ディベロップメンタルケアとリハビリテーションがいちからわかる本．メディカ出版，2015

- 金春喜：「発達障害」とされる外国人の子どもたち―フィリピンから来日したきょうだいをめぐる，10人の大人たちの語り．明石書店，2020
- 齋藤ひろみ(編著)：外国人児童生徒のための支援ガイドブック―子どもたちのライフコースによりそって．凡人社，2011
- 佐久間孝正：外国人の子どもの不就学―異文化に開かれた教育とは．勁草書房，2006
- 田中薫(監修)：学習力を育てる日本語 教案集―外国人児童・生徒に学び方が伝わる授業実践．くろしお出版，2019
- 日本ディベロップメンタルケア(DC)研究会(編)：オールカラー改訂2版 標準ディベロップメンタルケア．メディカ出版，2018
- 宮島喬：外国人の子どもの教育―就学の現状と教育を受ける権利．東京大学出版会，2014
- 文部科学省総合教育政策局男女共同参画共生社会学習・安全課：外国人児童生徒受入れの手引．改訂版，文部科学省，2019

索 引

欧文

数字
1歳6か月児健康診査　96, 246
3歳児健康診査　60, 96, 246
5p 欠失症候群　46

A
a family centered approach　156
AAC（augmentative and alternative communication）
　　78, 182, 208, 212, 217, 229
ABA（applied behavior analysis）
　　77, 189
ABR　41
acquired childhood aphasia　223
acquired dyslexia/dysgraphia　224
adaptive behavior　143
ADHD（attention deficit/hyperactivity disorder）　194
ADHD-RS-Ⅳ　198
　――日本語版　68
ADI-R　176
ADOS-2　176
ASD（autism spectrum disorder）
　　171
AT（assistive technology）　258, 267

B
baby talk　10
BGT　68
BMD　44
BOA（behavioral observation audiometry）　152

C
CARS2 日本語版　67, 176
CAT　198
CBCL（Child Behavior Check List）
　　198

CCC-2 子どものコミュニケーション・チェックリスト　177
CDS（child directed speech）　10
central coherence　175
CHC（Cattell-Horn-Carroll）理論
　　64, 143
Childhood-Onset Fluency Disorder
　　35
client-centered therapy　98
cooing　7
COR（conditioned orientation response audiometry）　152
COVID-19　47
CPT（Continuous Performance Test）
　　198

D
DAM　64
Das-Naglieri Cognitive Assessment System　63
decoding　27, 126
decontextualization　14
developmental care　287
discourse　3, 19
discrete trial training　189
DLA（dialogic language assessment for Japanese as a second language）
　　31
DMD　44
DMN（default mode network）　197
DN-CAS 認知評価システム　63, 198
DNA　42
DOHaD 説（Developmental Origins of Health and Disease）　284
Draw a Man test　64
DSM-5（Diagnostic and Statistical Manual of Mental Disorders）　34
DTT（discrete trial training）　77
DTVP フロスティッグ視知覚発達検査　68, 228
dyslexia　124

E
ELBW（extremely low birth weight）児
　　282
emergent literacy　16
empathy　98
encoding　27, 127
EP（extremely preterm）児　283
EP 法　110
ESDM（early start Denver model）
　　77
executive function　87, 175
expansion　83
expressive language disorder　34

F
FCMD　44
FOSCOM（format of observation for social communication）　154

G
general education system　237
GM1 ガングリオシドーシス病　43
GM2 ガングリオシドーシス病　43

H
HIE（hypoxic ischemic encephalopathy）　204
Hotz 床　289

I
ICD-10（International Classification of Diseases）　34
ICF（International Classification of Functioning, Disability and Health）
　　34, 71, 228
ICF-CY（International Classification of Functioning, Disability and Health for Children and Youth）
　　50

ICT(information and communication technology) 266
　――の活用，発達性読み書き障害 138
IM 法 110
inclusive education system 237
INREAL アプローチ 77, 159, 181
intellectual disabilities 144
IQ(Intelligent Quotient) 143
IVH(intraventricular hemorrhage) 204

J

J.COSS 日本語理解テスト 227
JASPER 181
joint attention 80, 174
joint engagement 80

K

KABC-Ⅱ(Kaufman Assessment Battery for Children) 63, 228
KIDS 乳幼児発達スケール(KINDER INFANT DEVELOPMENT SCALE) 61, 152
Kyoto Scale of Psychological Development 62

L

Landau-Kleffner 症候群 48, 223
Language Communication Developmental Scale 64
Language Disorder 35
LARC(legitimate. alternative reading of component)エラー 126
LBW(low birth weight)児 282
LCSA 65, 227
LC スケール 64, 153, 227
LD(learning disabilities/disorders) 118
LDT(language decoding test) 178
LKS 48
LLD(language-based learning disabilities) 105
LSA(language sample analysis) 107
LT(late talker) 101, 102

M

M-CHAT(Modified Checklist for Autism in Toddlers) 67, 177
Makaton 182
MELAS 43
MLU(mean length of utterance) 15

motherese 10
MyD 44

N・O

narrative 20, 24, 86, 88, 109, 112, 174, 182
neurodevelopmental disorders 119
neurodiversity 172
NICU(neonatal intensive care unit) 287
NT(neurotypical) 172
over-extension 11

P

PARS-TR(Parent-interview ASD Rating Scale-Text Revision) 67, 177
PASS 理論 63, 143
PDCA サイクル 70
PECS(the Picture Exchange Communication System) 183
PEP-Ⅲ自閉症・発達障害児 教育診断検査 176
phonological awareness 130, 163
Picture Vocabulary Test-Revised 64
PKU 43
positive behavioral support 190
pragmatic language impairment 173
preterm behavioral phenotype 283
print disability 269
protowords 10
PT(preterm)児 283
PVL(periventricular leukomalacia) 204
PVT-R 絵画語い発達検査 64, 153, 227

R

RAN(rapid automatized naming) 132
RDI(Relationship Development Intervention) 160
reasonable accommodation 122, 255, 268
recast 83
receptive language disorder 34
response to intervention/instruction 134
ROCFT(Rey-Osterrieth complex figure test) 68, 132, 228
routine 13
RTI モデル 134

S

〈S-S 法〉 65, 77, 153, 162
scaffolding 73, 80
SCERTS モデル 77, 182
SCQ(Social Communication Questionnaire) 177
SCTAW 227
segmentation 7
sentence diversity 107
SKILL(supporting knowledge in language and literacy) 112
SLI(specific language impairment) 101
SLTA(standard language test of aphasia) 226
SMA 遺伝子 45
social functioning ability 144
social-communication, emotional regulation, and transactional support 182
Social(Pragmatic)Communication Disorder 35, 173
SOUL 159
specific developmental disorders of speech and language 34
specific learning disorder 118
Speech Sound Disorder 35
SRS-2 177
SST(social skills training) 185
STC(Syntactic Processing Test for Children-Revised) 67
　――新版 構文検査 227
STRAW-R 67, 228
Stuttering 35

T

TD(typical development) 172
TEACCH(treatment and education of autistic and related communication-handicapped children) 77, 179
theory of mind 174
toy talk 110
TRF(Teacher's Report Form) 198
TRPG 188
turn-taking 2

U

UDL(universal design for learning) 258
under-extension 11

Unspecified Communication Disorder　35
usage-based model　10

V

Vineland-Ⅱ適応行動尺度　178
VLBW（very low birth weight）児　282

VOCA（voice output communication aids）　183, 218, **229**, 267

W

WCST（Wisconsin Card Soring Test）　198
WISC-Ⅳ知能検査（Wechsler Intelligence Scale for Children）　63, 198, 228

WPPSI-Ⅲ知能検査（Wechsler Preschool and Primary Scale of Intelligence）　62, 227

Y・Z

YSR（Youth Self-Report）　198
ZPD（zone of proximal development）　73

和文

あ

愛着　5, 37
アカデミックスキル　190
アクセシビリティ　254, 268
ア系指示詞　12
足場かけ　73, 80
アテトーゼ型　46, 204
アポトーシス　39
アミノ酸代謝異常症　43
あるテク　267

い

イオンチャネル　48
医学モデル　262, 269
育児語　10
意識障害　47
異染性白質ジストロフィー　43
一般知能 g　143
遺伝子病　42
意図的伝達段階　6
意味の過小範囲　11
意味の過大範囲　11
意味論　12
医療型児童発達支援　249
医療的ケア児　94
インクルーシブ教育　122, 237
印刷物障害　269
インテークシート　58
インフォームドコンセント　50
インフルエンザ関連脳症　47
インリアルアプローチ　77, 159, 181
韻律的特徴　7

う

ウィリアムズ症候群　46
ウィリス動脈輪閉塞症　223
ウェクスラー知能検査　62, 63, 228

ウェルドニッヒ・ホフマン病　45

え

絵カード交換式コミュニケーションシステム　183
エコラリア　172
エピジェネティクス異常　284
エビデンス　50
遠城寺式 乳幼児分析的発達検査法　62, 227

お

応答性　84
応答の指さし　11, 14
応用行動分析　51, 77, 188
大島分類　205
太田ステージ評価　178
オープン・クエスチョン　191
オーラルコントロール　217
オノマトペ　9, 11
親の会　94, 240, 246, 289
親面接式自閉スペクトラム症評定尺度　67, 177
オリゴデンドログリア　38
音韻意識　16, **26**, 85, 130, 163, 216
音韻操作　130
音韻知覚の再構成化　6
音韻表象　130
音韻論　12
音声補助装置　267
音読　87

か

下位概念　16
絵画語い発達検査　64, 153, 227
外国人児童生徒のためのJSL対話型アセスメント　31
改訂大島分類　205
改訂版 標準 読み書きスクリーニング検査　67, 228

介入に対する反応モデル　134
外胚葉　38
灰白質　38
外部専門家　251
会話スキル　186
カウンセリングマインド　51, 97
科学的根拠　50
係助詞　14, 18
核黄疸　47
学習障害　118
──，教育における　239
学習認知の検査　63
格助詞　14, 18
拡大（補助）・代替コミュニケーション　78, **182**, 208, 217, 229
拡張模倣　83, 180
学童期　4, 21
──における指導　86
学齢期
──，低出生体重児の　285
学齢版 言語・コミュニケーション発達スケール　65, 227
数概念　16
ガスリー試験　43
家族関係図　73
家族支援　90, 159, 200
課題設定型　77
過大汎用　11
語り　20, 24
滑脳症　44
過渡的喃語　8
仮名文字　16
カンガルーケア　287
環境調整　**89**, 159, 212, 219
──，注意欠如・多動性障害　199
関係諸機関との連携　89, 94
喚語困難　224
間主観的コミュニケーション　155
間接的支援　89

き

機会利用型指導　77, 190
聞き手効果段階　6
記号　4
規準喃語　8
吃音　35
機能語　16
機能的アセスメント　190
疑問詞　13, 17
キャッチアップ　286
キャッテル-ホーン-キャロル理論　64
急性脳症　47
教員資格認定試験　245
強化　77, 81, 189
共感　98
共感的態度　99
共生社会　237
きょうだい支援　90, 94, 158
協同遊び　15
共同行為　13, 80
共同注意　2, 5, 37, 80, 174
共同注視　41
共鳴的模倣　160
筋強直性ジストロフィー　44
筋ジストロフィー　44
筋線維タイプ不均等症　44

く

クーイング　7
グッドイナフ人物画知能検査　64
クライエント中心療法　98
クラインフェルター症候群　46
クラッベ病　43
グリア細胞　38
クレーン　174
クレチン病　46
グローバル化　273

け

敬語　24
計算算数障害　120
痙性麻痺　46
形態素　12
形態論　12
痙直型　204
軽度・中等度難聴　41
形容詞　12, 17
けいれん　47
痙攣重積型二相性急性脳症　48
痙攣発作　223
血清タンパク　42

結束性　20
ゲノム　42
限局性学習障害　118
原言語　10
言語・コミュニケーション発達スケール　64, 153, 227
言語外的要因　36
言語解読能力テスト　178
言語学習障害　105
言語課題設定型アプローチ　50
言語検査　64
言語サンプル分析法　107
言語障害　35
――, 教育における　239
言語障害教育　242
―― における連携　243
―― の歴史　240
言語障害特別支援学級　240
言語的プロンプト　84, 85
言語的マッピング　80, 83
言語発達障害　34
言語発達遅滞
――, 教育における　239
言語病理学的診断　49
言語マッピング　180
現症　55
謙譲語　24
健診　246

こ

語彙　30
―― の加速度的増加　11
語意拡張　11
語意縮小　11
語彙知識　88
語い年齢　64
語彙爆発　11
口蓋裂　288
好子　189
口唇裂　288
構成遊び　15
構造タンパク　42
酵素タンパク質　42
後天性高次脳機能障害　223
後天性失読失書　224
後天の神経障害　47
行動観察　56
高等教育における支援　253
行動分析　189
行動療法　200
行動論的アプローチ　50, 77
高度難聴　41
厚脳回　44

構文　215
構文理解　227
合理的配慮　73, 123, 237, 255, 268
――, 発達性読み書き障害　138
ゴーシェ病　43
コーディネーター　95, 262
語音障害　35
語音認知　6
語音弁別　6
語義埋め込み型指導　85
国際疾病分類　34
国際生活機能分類　34, 71, 228
極低出生体重児　204, 282
国リハ式〈S-S法〉言語発達遅滞検査　65, 77, 153, 162
コ系指示詞　12
心の読み取り指導プログラム　188
心の理論　16, 174
固視　40
個人情報保護法　54
誤信念課題　174
語性錯読　126
語想起　20, 88
子育て支援センター　97
ごっこ遊び　9, 15
古典型滑脳症　44
ことばの遅れ，教育における　239
ことばの教室　229, 251
子どもへの支援　89
個別の教育支援計画　251
個別の指導計画　251
コミック会話　187
語用　216
語用性言語障害　173
語用能力　24
語用論　12, 173
語用論的必要性　18
語連鎖　13
混合型　204

さ

細胞移動　38
作業記憶　19
作業療法士　96
作文　31, 87
嗄声　285
三項関係　5
算数障害　120

し

ジェノグラム　73
支援　50
支援技術　267

索引　299

視覚支援　179
視覚的記号　151
視覚的支援　81, 84
視覚的なフィードバック　88
視覚的認知　131
視覚的プロンプト　81
視覚路　40
時間遅延法　81
自己実現　49
自己制御　197
自己中心性　25
指示詞　12
四肢麻痺　204
姿勢緊張　204
施設支援一般指導事業　248
事前的改善措置　258
自尊感情　49
実行機能　87, 175, 197
　——，低出生体重児の　286
実質語　16
失調型　204
失文法　224
質問-応答関係検査　66
質問紙　17, 56
指導　50
児童発達支援計画　249
児童発達支援センター　97, 249
シナプス　39
自閉症診断観察検査　176
自閉症診断面接　176
自閉症スペクトラム障害　171
始歩　8
ジャーゴン　8
社会性　2
社会生活能力　144
社会的(語用論的)コミュニケーション
　障害　35, 173
社会的語彙　11
社会的参照　5
社会的障壁　255
社会的微笑　2
社会モデル　262
ジャスパー　181
就学移行支援　250
周産期障害　42
重症心身障害　205
終助詞　14
周生期障害　46
自由場面型　77
就労支援　253, 260
主訴　54
出生後障害　47
受動態　18

受容性言語障害　34
巡回相談　248
純粋失読　124
準超重症児　205
上位概念　16
障害児通所支援　249
障害児入所支援　249
障害者権利条約　268
障害者雇用　259
障害者雇用納付金制度　259, 260
障害者差別解消法　255, 269
障害者総合支援法　260
障害者手帳　158
障害者の権利に関する条約　237
紹介状　58
障害の個人モデル　269
障害の社会モデル　269
消去　81
状況モデル　30
条件詮索反応聴力検査　152
象徴遊び　2, 8, 181
象徴機能　2, 9, 36
情動　2
小頭症　40, 44
衝動性　194
小児期発症流暢障害　35
小児失語症　223
小児自閉症評定尺度　176
情報アクセシビリティ　254
情報収集　49, 54
情報通信技術　266
情報提供　93
所記　4
書記言語　87
食事指導　212
助言　90
助詞　14
自立活動　230
自立語　13
自立語付属語 MLU　14, 148
視力　40
新型コロナウイルス感染症　47
神経管　38
神経細胞　38
神経線維腫症 I 型　45
神経多様性　172
神経伝達物質　39
神経発達症　45, 119
神経板　38
神経皮膚症候群　45
新生児集中治療室　287
新生児マススクリーニング　43
新生児模倣　9

身体障害者手帳　253
身体的プロンプト　81
人的環境　72
新版 構文検査　67
新版 K 式発達検査　62, 227
身辺自立　2
診療報酬　60

す

遂行機能　87, 175, 197
　——，低出生体重児の　286
髄鞘　38, 39
水頭症　47
髄膜炎　47
推論　30
スクリプト　181
ストループテスト　198

せ

生育歴　54
正確性　29
精神障害者保健福祉手帳　253
成人病胎児期発症起源説　284
脊髄性筋萎縮症　45
接続詞　19
接続助詞　19
説明　92
接面　149, 155
前言語期　2, 4
　——，低出生体重児の　285
　——における指導　78
全国ことばを育む会　246
全国標準 Reading-Test 読書力診断検
　査　121, 228
染色体異常症　45
全人的アプローチ　49
先天性代謝異常症　43
先天性風疹症候群　46
先天性ミオパチー　44

そ

早期療育　211
早産児　282
早産児行動表現型　283
ソーシャル・ストーリー　187
ソーシャルスキル・トレーニング
　　　　　　　　　　　185, 200
即時エコラリア　172
ソ系指示詞　12
粗大運動　2
ソトス症候群　40
尊敬語　24

た

ターナー症候群　46
ターンテイキング　2, 13, 19, 82
第一次反抗期　9
胎芽期　38
体験談　20
胎児アルコール症候群　46
胎児期　38
胎児病　46
対象の永続性　9
対人応答性尺度　177
対人関係発達指導法　160
対人コミュニケーション行動観察フォーマット　154
対人コミュニケーション質問紙　177
大頭症　40
ダイナミックアセスメント　108
大脳白質　38
代弁　180
対幼児発話　10
多因子遺伝　195
ダウン症候群　46, 146
多言語環境　31, 273
他職種連携　49, 113, 210
脱中心化　25
脱文脈化　14, 25, 31
多動性　194
田中ビネー知能検査V　22, 62, 154
多様的喃語　8
段階説　93
短期記憶　19
短期目標　73, 76
タンデム・マス試験　43
単独絵視標　41
タンパク　42
談話　3, 15, 19, 31, 216
談話構造　20

ち

地域包括　95
地域リハビリテーション　51
チームアプローチ　49
遅延エコラリア　172
知的能力　142, 215
知的能力障害　141, 144
　── , 低出生体重児の　284
　── に伴う言語発達障害　150
知的能力発達　152
知能因子理論　143
注意機能，低出生体重児の　286
注意欠如・多動性障害　194
中心化　25

中心核病　44
中枢性統合　175
聴覚障害児　8
聴覚的プロンプト　84
聴覚的ワーキングメモリ　19
聴覚路　41
長期記憶　19
長期目標　73, 76
超重症児　205
聴性行動反応聴力検査　152
聴性脳幹反応　41
超早産児　283
超低出生体重児　204, 282
重複障害　203
超分節的特徴　7
直接的支援　89

つ

追視　40
通級指導教室　240
通級による指導　251
ツェルベーガー症候群　44

て

定型発達　172
テイサックス病　43
低酸素性虚血性脳症　204
低酸素性脳症　47
提示（showing）　5
低出生体重児　204, 282
ディスクリート・トライアル・トレーニング　189
ディスコース　3, 15, 19
ディスレクシアタイプ　105
ディベロップメンタルケア　287
テーブルトーク・ロールプレイングゲーム　188
デオキシリボ核酸　42
適応行動　143
手先の巧緻性　15
デフォルトモードネットワーク　197
デュシェンヌ型筋ジストロフィー　44
手渡し（giving）　5
てんかん　47, 48
てんかん・失語症候群　223
伝達機能　6
伝達手段　6
デンバーモデル　77

と

トイトーク　110
頭蓋内圧亢進　47
頭蓋内出血　284

統語構造　227
統語論　12
動詞　12
糖質代謝異常症　43
同情的態度　99
動静脈奇形　223
頭部外傷　223
特異的言語発達障害　101
特殊教育　236
特定（掘り下げ）検査　60
特定不能のコミュニケーション障害　35
特別支援学級，外国籍の子ども　279
特別支援学校自立活動教諭　245
特別支援教育　229, 236
　── コーディネーター　97
特別支援教室　251
読解　29, 87
読解困難タイプ　105
トリソミー　45
取り出し指導　275

な

内分泌異常症　43
内容語　16
ナラティブ（語り）　20, 24, 86, 88, 109, 112, 174, 182
　── 再生法　109
ナラティブ指導法 SKILL　112
喃語　8
難聴　41

に

ニーマン・ピック病　43
二重皮質　44
日常生活用具制度　267
日本語指導プログラム　276
日本語マッカーサー乳幼児言語発達質問紙　67
日本版 KABC-Ⅱ　63, 228
日本版デンバー式発達スクリーニング検査　62
入学試験　256
乳幼児期自閉症チェックリスト修正版　67
乳幼児健康診査　96, 246
乳幼児精神発達質問紙　152
乳幼児精神発達診断法　61
入力頻度　17
ニューロン　38
認知　2
認知・言語促進 NC プログラム　162
認知的基盤　18

認知発達治療法　188

ね

猫鳴き症候群　46
ネマリンミオパチー　44

の

脳炎　47
能記　4
脳血管障害　223
脳室周囲白質軟化症　204, 284
脳室内出血　204
脳腫瘍　47
脳性麻痺　46, 203
能動態　18
能動的な活動　88
脳の可塑性　225
ノンバーバルコミュニケーション　2

は

パーソナルナラティブ　20
バイパス方法　135
入り込み指導　275
拍　16
白質　38
発生異常　42
発達検査　61
発達支援　89
発達性協調運動障害　286
発達性読み書き障害（発達性ディスレクシア）　32, 120, **123**, 198, 286
発達の最近接領域　73, 76, 80
発達論的アプローチ　50, 77
母親語　10
般化　81
反響言語　172
半構造化面接法　143
反復喃語　8

ひ

ピアサポート　93
ピアジェの発達理論　178
非言語　36
非言語的コミュニケーション　2, 5
微細運動　2
皮質形成異常　44
人見知り　5
評価点　64
表出課題　17
表出語彙　7
表出性言語障害　34
標準失語症検査　226
標準注意力検査　198

標準抽象語理解力検査　227
ピルビン酸代謝異常症　43

ふ

ファミリー中心アプローチ　156
フィクショナルナラティブ　20
フェニルケトン尿症　43
フォニックス　137
副腎白質ジストロフィー　44
福山型先天性筋ジストロフィー　44
不就学　280
付属語　14
不注意　194
物的環境　72
プラダー・ウィリー症候群　46
ふり遊び　8
プレスピーチアプローチ　212, 217
不連続試行訓練　77
フロスティッグ視知覚発達検査　68, 228
プロソディ　36
プロトワード　10
プロンプト依存　184
分節化　7
文の多様性　107
文法性　20

へ

ペアレントトレーニング　200
ペアレントメンター　94
平均発話長　15
平行遊び　9, 15, 82
ベッカー型筋ジストロフィー　44
ベビートーク　10
ペプチド　42
ペルオキシゾーム病　43
ベンダー・ゲシュタルト・テスト　68

ほ

保育士　97
保育所等訪問支援　97, 248
放課後等デイサービス　95, 158, 249
包括的アプローチ　77
萌芽的リテラシー　16
法定雇用率制度　260
ボーカルプレイ　8
保健師　96
保護者支援　89, 90, 97
母子健康手帳　56
ポジティブ行動支援　190
母子保健法　96
母子臨床　157
補装具制度　267

保存性の習得　25
補聴器　41

ま

マカトン　154, 182
マザリーズ　10
学びのユニバーサルデザイン　258
慢性的悲哀　93

み

ミエリン　38
見立て遊び　8
ミトコンドリア病　43
身振り　9

む・め

無脳回　44
名詞　16
命題伝達段階　6
メタ言語　4, 18, 36
メタ言語的活動　85, 86, 87
面接　56

も

モーラ　16
モデリング　81
モノソミー　45
物の永続性　9
もやもや病　223

や・ゆ

薬物療法，注意欠如・多動性障害　201
遊走　38

よ

幼児期，低出生体重児の　285
幼児後期　3, 15
　——における指導　84
幼児前期　2, 8
　——における指導　81
用法基盤モデル　10
横地分類　205
読み書きの発達　26

ら

ラポート形成　148
ランドー−クレフナー症候群　48, 223
ランドルト環　40

り

リー脳症　43
理解課題　17

理解語彙　7
理学療法士　96
リキャスト　83, 86, 180
リソゾーム病　43
粒性と透明性の理論　124
流暢性　29
療育　89
療育手帳　158, 253
両麻痺　204

る

ルーティン　13, 80, 83
ルリア理論　64

れ

レイ・オステリート複雑図形テスト　68, 132, 228
レイトトーカー　101, 102

レーヴン色彩マトリックス検査　228
レスパイト支援　95
連携　95
連合遊び　15

わ

ワーキングメモリ　19, 25